Selfies

Af Jussi Adler-Olsen:

Internationale thrillere:

Alfabethuset
Og hun takkede guderne (Firmaknuseren)
Washington Dekretet

Krimithrillere:

Afdeling Q:

1: Kvinden i buret
2: Fasandræberne
3: Flaskepost fra P
4: Journal 64
5: Marco Effekten
6: Den grænseløse
7: Selfies

Følg Jussi Adler-Olsen på:
https://www.facebook.com/Jussi.AdlerOlsen

JUSSI ADLER-OLSEN

SELFIES

KRIMITHRILLER

POLITIKENS FORLAG

Tak til min hustru og soulmate Hanne for fantastisk og kærlig opbakning og ikke mindst for helt suveræne kommentarer.

Tak til Linda Lykke Lundgaard for faglig indsigt og inspiration til romanens temavalg.

Tak til Henning Kure for et dygtigt overblik og en lynhurtig forredaktion.

Tak til Elisabeth Ahlefeldt-Laurvig for research, blækspruttearme og snarrådighed.

Også tak til Elsebeth Wæhrens, Eddie Kiran, Hanne Petersen, Micha Schmalstieg og Karlo Andersen for intelligente forkorrekturer.

En særlig tak til min uundværlige og fantastiske makker og ildsjæl på Politikens Forlag, redaktør Anne C. Andersen, for loyalitet, vågne øjne og total kompromisløshed.

Tak til Lene Juul og Charlotte Weiss på Politikens Forlag for evig tro, håb og tålmodighed. Tak til Helle Wacher for pr-arbejdet omkring romanen.

Tak for husly under skriveprocessen til Gitte og Peter Q. Rannes og Det Danske Forfatter- og Oversættercenter Hald.

Tak til politikommissær Leif Christensen for politimæssige korrektioner.

Tak til Kjeld S. Skjærbæk for at lette vores hverdag og gøre den smukkere.

Tak til Nya Guldberg for vort mangeårige samarbejde, og tak til Rudi Rasmussen for at adoptere mig og tage over.

5

Tak til Laura Russo og hendes fantastiske kolleger i Bilbao, Madrid og Barcelona for hjælp under problematiske forhold.

Tak til Johan Daniel 'Dan' Schmidt og Daniel Struer for it-arbejde.

Tak til Benny Thøgersen og Lina Pillora for nye skriveomgivelser i Rørvig.

Tak til Ole Andersen, Abelone Lind Andersen og Pelle Dresler for en fantastisk rundvisning og indføring i Stålvalseværkets arbejdsgange og opgaver. Tak til Tina Wright, Zainap Holm og Erik Pedersen for udbyggende detaljer.

Tak til Eva Marcussen for rundvisning i lejlighed i Sandalsparken.

Tak til Malene Thorup og Cecilie Petersen fra Udlændingestyrelsen.

Dedikeret til vores dejlige 'familie' i Barcelona
Olaf Slott-Petersen, Annette Merrild, Arne Merrild Bertelsen
og Michael Kirkegaard.

PROLOG

Lørdag den 18. november 1995

I HVOR LANG tid hun havde sparket til de klæbrige, visne blade, vidste hun ikke, kun at hendes bare arme var blevet kolde, og at råbene oppe fra huset var blevet skingre og nu lød så hårde og vrede, at hun fik helt ondt i brystet. Lige før var hun ved at tude, men det ville hun bare ikke.

'Du får furer i kinderne, og det er grimt, Dorrit,' ville hendes mor bare sige. Sådan noget var hun god til at huske hende på.

Dorrit kiggede på de brede, mørke spor, hun havde skrabet i løvet på græsplænen, og talte endnu en gang vinduer og døre oppe i huset. Hun vidste godt, hvor mange der var, det var bare for at få tiden til at gå. To fløjdøre, fjorten store vinduer og fire aflange i kælderen, og talte hun hver enkelt rude, så var der et hundrede og toogfyrre.

'Jeg kan tælle rigtig langt,' tænkte hun stolt. Det var hun den eneste i klassen, der kunne.

Så hørte hun hængslerne på kælderdøren i sidefløjen pibe, det var sjældent et godt tegn.

"Jeg går ikke med ind," hviskede hun for sig selv, da hun så husets stuepige komme op af kælderhalsen og styre direkte mod hende.

Bagest i haven var der buske og mørkt, og der plejede hun at krybe i skjul og sidde for sig selv, somme tider endda i timevis, hvis det var nødvendigt, men denne gang var stuepigen for hurtig, og grebet om hendes håndled blev stramt og hårdt.

"Du er ikke rigtig klog at trisse rundt herude med de fine sko på, Dorrit. Fru Kirschmeyer bliver rasende, når hun ser, hvor snavsede de er blevet. Det ved du da."

HUN STILLEDE SIG foran sofaerne på strømpefødder og følte sig mærkeligt til mode, fordi de to kvinder bare stirrede på hende, som om de ikke anede, hvad hun lavede i dagligstuen.

Hendes mormors ansigt var hårdt og varslede vredesudbrud, og hendes mors var forgrædt og grimt. Nøjagtig lige så furet, som hun havde sagt, at Dorrits ville blive.

"Ikke nu, søde Dorrit, vi snakker," sagde hendes mor.

Hun så sig om. "Hvor er far?" spurgte hun.

De to kvinder så på hinanden. I et glimt lignede hendes mor et skræmt, lille dyr, der pressede sig ind i en krog, og det var ikke første gang.

"Stik ind i spisestuen, Dorrit. Der ligger nogle Familie Journalen, du kan bladre i," dikterede hendes mormor.

"Hvor er far?" spurgte hun igen.

"Det snakker vi om senere. Han er gået," svarede mormoren.

Dorrit tog et forsigtigt skridt baglæns og fulgte med øjnene de håndbevægelser, hendes mormor kastede mod hende. 'GÅ SÅ!' sagde de.

Hun kunne lige så godt være blevet ude i haven.

Inde i spisestuen stod tallerkenerne stadig på det massive spisebord med størknet blomkålsstuvning og halve krebinetter på. Gaflerne og knivene lå på dugen, som var skjoldet af vin fra to væltede krystalglas. Det var slet ikke, som det plejede, og i hvert fald heller ikke et sted, Dorrit havde lyst til at være.

Hun vendte sig om mod entreen og dens mange dystre og høje døre med slidte håndtag. Det store hus var opdelt i flere afdelinger, og Dorrit mente at kende alle krogene. Oppe på førstesalen lugtede der så stærkt af hendes mormors pudder og parfumer, at det stadig hang i tøjet, når man kom hjem. Deroppe i det bølgende lys fra vinduerne var der ingenting, Dorrit kunne tage sig til.

Til gengæld følte hun sig rigtig godt tilpas i stueetagens bageste fløj. Der lugtede på en gang både surt og sødt af tobak fra de tiltrukne gardiner og tunge møbler af den slags, man ikke kunne se andre steder i Dorrits verden. Store, vamsede lænestole, man kunne putte sig i med fødderne trukket op under sig, og sofaer med dekoreret brunt fløjl og udskårne, sorte gavle. Dette domæne i huset var hendes morfars.

For en time siden, og det var før hendes far var begyndt at diskutere med hendes mormor, havde de alle fem siddet hyggeligt omkring spisebordet, og Dorrit havde tænkt, at denne dag ville komme til at pakke sig blødt om hende som en dyne.

Og så fik hendes far sagt et eller andet helt forkert, der fik hendes mormor til lynhurtigt at løfte øjenbrynene og hendes morfar til at rejse sig fra bordet.

"Det må I selv klare," havde han sagt, mens han trak op i terylenebukserne og listede af. Det var der, de sendte hende ud i haven.

Dorrit skubbede forsigtigt døren til hans arbejdsværelse op. Langs den ene væg stod et par brune kommoder med vareprøver i åbnede skotøjsæsker, og ved den modsatte var morfarens udskårne skrivebord fuldstændig dynget til med papirer med masser af blå og røde streger på.

Her lugtede der ekstra stærkt af tobak, selv om hendes morfar ikke befandt sig i det dunkle rum. Det virkede nærmest, som om tobaksrøgen kom ovre fra hjørnet, hvorfra en smal lysstribe gled ud mellem et par bogreoler og lagde sig på tværs hen over skrivebordsstolen.

Dorrit trådte frem for at se, hvor lyset kom fra. Det var spændende, for den smalle sprække mellem bogreolerne afslørede ukendt land.

"Nå, *er* de så gået?" hørte hun sin morfar grynte et sted bag reolerne.

Dorrit skubbede sig gennem sprækken og ind i et værelse, hun aldrig før havde set, og dér, på en gammel læderstol med armlæn ved et langt bord, sad hendes morfar opmærksomt bøjet over noget, hun ikke kunne se.

"Er det dig, Rigmor?" lød hans særegne stemme. Det var hans tysk, der ikke ville forsvinde, sagde hendes mor ofte lidt irriteret, men Dorrit kunne godt lide det.

Rummets indretning var meget anderledes end husets øvrige. Herinde var væggene ikke nøgne, men plastret til med store og små fotografier, og så man efter, forestillede de alle den samme mand i uniform og i forskellige situationer.

På trods af den tykke tobakståge virkede rummet lysere end arbejdsværelset. Der sad hendes morfar og hyggede sig med opsmøgede ærmer, og hun bemærkede de lange, tykke blodårer, som snoede sig op ad de nøgne underarme. Hans bevægelser var rolige og afslappede. Forsigtige hænder, der vendte fotografier, hele tiden med et granskende blik stift rettet mod dem. Det så faktisk rigtig rart ud, som han sad der, så Dorrit smilede. Men da han sekundet efter i et ryk drejede kontorstolen mod hende, opdagede hun, at det sædvanligvis så venlige smil var forvrænget og fastfrosset, som havde han tygget på noget bittert.

"Dorrit?!" sagde han og rejste sig halvt med armene bredt ud, næsten som om han ville dække for det, han sad med.

"Undskyld, Opa. Men jeg vidste ikke, hvor jeg skulle være." Så drejede hun sig mod fotografierne på væggen. "Jeg synes, at manden på de fotos ligner dig."

Han så længe på hende, som om han overvejede, hvad han skulle sige, men tog så pludselig hendes hånd og halede hende over til stolen og op på skødet.

"Faktisk må du ikke være herinde, for det er Opas hemmelige rum. Men nu du er her, så må det vel være sådan." Han nikkede mod væggen. "Och ja, Dorrit, du har ret. Det er ganske rigtigt mig på fotografierne. Fra dengang jeg var ung og soldat for Tyskland under krigen."

Dorrit nikkede. Han så flot ud i uniform. Sort kasket, sort jakke og sorte ridebukser. Alt var sort. Bæltet, støvlerne, hylsteret i bæltet, handskerne. Kun dødningehovedet og smilet med de kridhvide tænder lyste op i alt det sorte.

"Så var du soldat, Opa?"

"Jawohl. Du kan selv se min pistol deroppe på hylden. Parabellum 08, også kaldet Luger. Min bedste ven i mange år."

Dorrit så op på hylden med store øjne. Pistolen var gråsort, og hylsteret ved siden af den var brunt. Der var også en smal kniv i en skede ved siden af noget, hun ikke vidste, hvad var, men det lignede et bat som dem til rundbold, bare med en sort dåse oppe i den ene ende.

"Kan pistolen rigtigt skyde?" spurgte hun.

"Jah, det har den gjort mange gange, Dorrit."

"Du var altså en virkelig soldat, Opa?"

Han smilede. "Jah, din Opa var en meget modig og dygtig soldat, der gjorde mange ting i den Anden Verdenskrig, så ham kan du godt være stolt af."

"Verdenskrig?"

Han nikkede. Så vidt Dorrit vidste, kunne krig aldrig være noget godt. Ikke noget, der fik en til at trække på smilebåndet.

Hun løftede sig en anelse og så ind over sin morfars skulder, så hun kunne se, hvad han sad med.

"Nein, de billeder skal du nok ikke se på, Dorritchen," sagde han og lagde en hånd på hendes nakke og trak hende tilbage. "Måske en anden gang, når du er voksen, men for børn er de billeder ikke noget at se på."

Hun nikkede, men strakte sig dog alligevel yderligere et par centimeter og blev denne gang ikke forhindret.

Da hendes øjne faldt på en stribe store sort-hvide fotos, hvor en mand med hængende skuldre på det første billede blev trukket over mod hendes morfar, som på de næste hævede pistolen og derefter skød manden i nakken, spurgte hun lige så forsigtigt: "Det var bare noget, I legede, ikke, Opa?"

Han drejede hendes ansigt blidt mod sit, så de så hinanden ind i øjnene.

"Krig er ikke leg, Dorrit. Man slår sine fjender ihjel, for ellers bliver man selv slået ihjel, det forstår du vel, ikke? Havde din Opa ikke dengang forsvaret sig, alt hvad han kunne, så havde du og jeg ikke siddet her i dag, vel?"

Hun rystede langsomt på hovedet og trak sig så tættere på bordpladen.

"Og alle de mennesker, var det nogen, der ville slå dig ihjel?"

Hendes blik gled hen over fotos i alle størrelser, fotografier hun ikke anede, hvad skulle forestille. Det var uhyggelige billeder. Der var mennesker, som faldt om. Der var mænd og kvinder, som hang i snore. Der var en mand, som blev knaldet i nakken med en kølle. Og på alle billederne stod hendes morfar lige ved siden af.

"Ja, det var de, de var onde og modbydelige. Men det er slet ikke noget, du skal bekymre dig om, Schatz. Krigen er helt slut, og der kommer ikke nogen krig igen, det lover Opa dig. Det sluttede alt sammen dengang. Alles ist vorbei." Han vendte sig mod fotografierne på bordet og smilede let, som om han var glad for at se på dem. Det var nok, fordi han så ikke længere behøvede at være bange og forsvare sig mod sine fjender, tænkte hun.

"Det er godt, Opa," svarede hun.

De hørte skridtene fra rummet ved siden af nogenlunde samtidig og nåede at skubbe sig op af stolen, før Dorrits mormor stod i åbningen mellem reolerne og stirrede på dem.

"Hvad foregår der her?" sagde hun hårdt og greb ud efter Dorrit, mens hun skændte løs på dem begge. "Dorrit har bestemt ikke noget at gøre herinde, Fritzl, var vi ikke enige om det?"

"Alles in Ordnung, Liebling. Dorrit er lige kommet herind og var på vej ud igen. Er det ikke rigtigt, lille Dorrit?" sagde han med mild stemme, men hans øjne var anderledes kolde. 'Du tier stille, hvis du ikke vil have ballade,' forstod hun, så hun nikkede og fulgte lydigt med, da hendes mormor trak hende mod arbejdsværelset. I det øjeblik, de forlod lokalet, så hun kort på væggen omkring døråbningen. Også den var dekoreret. På den ene side af døren hang et stort, rødt flag med en stor cirkelformet, hvid plet, hvori et sort, mærkeligt kors fyldte det meste, og

14

på den anden side af døren et farvefoto af hendes morfar, der med højt løftet hoved rejste sin højre arm skråt mod himlen.

'Det her glemmer jeg aldrig,' tænkte hun for første gang i sit liv.

"DU SKAL IKKE tage dig af, hvad mormor siger, og heller ikke, hvad du så inde hos morfar, Dorrit, vil du love mig det? Det er bare noget pjat, det hele."

Hendes mor skubbede Dorrits arme ind i frakkeærmerne og satte sig på hug foran hende.

"Nu tager vi hjem, og så glemmer vi det hele, ikke også, Nuserpige?"

"Jamen mor, hvorfor råbte I sådan inde i spisestuen? Var det derfor, far gik, og hvor er han nu? Er han derhjemme?"

Hun rystede på hovedet og så alvorlig ud. "Nej, far og jeg er ikke så glade for hinanden lige for tiden, så han er et andet sted."

"Hvornår kommer han så tilbage?"

"Det ved jeg ikke, om han gør, Dorrit. Men du skal ikke være ked af det. Vi behøver ikke far, for morfar og mormor tager sig af os, det ved du vel?" Hun smilede og tog hende blidt om kinderne. Hendes mund lugtede af noget stærkt. Ligesom den klare væske, hendes morfar somme tider skænkede op i små glas.

"Hør nu, Dorrit. Du er så smuk og dejlig. Meget finere og klogere og dygtigere end nogen anden lille pige i hele verden, så vi klarer os nok uden far, tror du ikke?"

Hun forsøgte at nikke, men hovedet sad ligesom fast.

"Nu synes jeg, vi skal skynde os hjem og tænde for fjernsynet, så vi kan se alle de smukke kjoler, som damerne har på til prinsens bryllup med den smukke kinesiske pige, ikke, Dorrit?"

"Så bliver hende Alexandra til en prinsesse, ikke også?"

"Jo, det bliver hun, lige så snart de er gift. Men indtil da er hun bare en helt almindelig pige, som får en ægte prins, og det kan du også få en dag, min skat. Når du bliver stor, så bliver du rig og berømt, for du er endnu finere og smukkere end Alexandra, og du kan få alt, hvad du vil, her i verden. Se bare dit lyse hår og dine smukke træk, har Alexandra måske noget som det?"

Dorrit smilede. "Og du vil være der altid, ikke, mor?" Hun elskede simpelthen, når hun kunne få sin mor til at se så rørt ud som nu.

"Åh jo, min egen. Og jeg vil gøre alt for dig."

1

Tirsdag den 26. april 2016

SOM ALTID BAR ansigtet spor efter den forgangne nat. Huden var tørret lidt ind, og de mørke kratere under øjnene så dybere ud, end de havde gjort, da hun gik i seng.

Denise vrængede ad sit spejlbillede. Nu havde hun brugt en time på at udbedre skaderne, og det blev aldrig godt nok.

"Du ligner, og du lugter som en luder," efterlignede hun sin mormors stemme og stregede endnu en gang øjnene op.

På klubværelserne omkring hende varslede støjen, at de øvrige lejere endelig var ved at vågne op til dåd, og at det snart var aften igen. Det var et velkendt kludetæppe af lyde: klirren fra flasker, banken på hinandens døre for at spække smøger, et evigt rend på etagens nedslidte toilet med brus, det som lejekontrakten kaldte eksklusivt.

Nu var underdanskerens minisamfund i en af de mørkere gader i Frederiksstaden endelig skudt i gang mod endnu en aften uden decideret formål.

Efter et øjebliks venden og drejen trådte hun frem mod spejlet og betragtede sit ansigt tættere på.

"Lille spejl på væggen der, hvem er smukkest af alle her?" lo hun med et overbærende smil og kærtegnede spejlbilledet med fingertipperne. Hun spidsede sine læber, lod fingrene glide langs hofteskålen op over brysterne, videre langs halsen og ind i håret. Så nippede hun nogle fnug af angorablusen, duppede lidt foundation på et par utilstrækkeligt dækkede pletter i ansigtet og trak sig ganske tilfreds tilbage. De plukkede

17

og opstregede øjenbryn havde sammen med de Neulash-forstærkede øjenvipper strammet godt op på det, hun kaldte 'appearance'. Det havde gjort blikket dybere og gløden i regnbuehinden mere intens og tilførte hende med små midler dette essentielle ekstra gran salt af utilnærmelighed.

Kort sagt var hun klar til at magnetisere verden.

"Jeg hedder Denise," øvede hun sig med spændte halsmuskler. Mørkere end det kunne stemmen ikke blive.

"Denise!" hviskede hun, idet hun langsomt skilte sine læber og lod hagen falde mod brystet. Virkningen var fabelagtig, når man indtog den attitude. Nogen kunne måske tolke udtrykket som underkastelse, men det var præcis det modsatte. Var det måske ikke netop i denne vinkel, at kvinders øjenvipper og pupillernes brændpunkter bedst holdt de omkringværendes sanser fast?

'Totalt styr på det,' nikkede hun, mens hun skruede ansigtscremernes låg på og skubbede arsenalet af kosmetik ind i spejlskabet.

Efter et øjebliks panorering i det diminutive rum konstaterede hun, at der lå flere timers grimt arbejde foran hende med at få det henslængte vasketøj, redningen af sengen, opvasken af alle glassene og udsmidningen af skrald og flasker bragt i orden.

'Fuck det,' tænkte hun og hev op i dynen, rystede den, bankede på hovedpuden og overbeviste sig selv om, at når en af hendes sugardaddies først var kommet så langt som dertil, så sked han nok på resten.

Derefter satte hun sig på sengekanten og foretog en hurtig undersøgelse af, om håndtasken nu også var forsynet med de nødvendige artikler og rekvisitter.

Hun nikkede tilfreds, hun var klar. Verden og dens lyster kunne bare komme an.

Så fik en uønsket lyd hende til at vende ansigtet mod døren. Klikke, klak, klikke, klak, lød det haltende og forhadt.

'Du kommer alt for tidligt, mor,' tænkte hun, mens døren derude mellem trappeopgangen og korridoren blev skubbet op.

Klokken var snart otte, så hvorfor kom hun nu? Det var jo langt over hendes spisetid.

Hun talte sekunderne og skubbede sig irriteret op fra sengen, da det bankede på døren til kammeret.

"Skatter!" råbte hendes mor derude. "Lukker du ikke lige op?"

Denise trak vejret kontrolleret og lydløst. Hvis hun ikke svarede, så gik hun vel igen.

"Denise, jeg ved, du er derinde. Åbner du ikke lige, jeg skal sige dig noget vigtigt."

Denise lod skuldrene falde. "Og hvorfor det? Du har måske taget mad med op?" råbte hun.

"Ikke i dag, nej. Åh, gider du ikke nok komme med ned og spise, Denise? Bare lige i dag. Mormor er kommet!"

Denises blik søgte mod loftet. Så stod hendes mormor altså dernede, og mere skulle der ikke til, før armhulerne føltes klamme, og pulsen steg.

"Mormor kan rende mig. Jeg hader den kælling."

"Årh, Denise, du må ikke sige sådan noget. Vil du ikke nok lukke mig ind bare et lille øjeblik? Jeg er simpelthen nødt til lige at snakke med dig."

"Ikke nu. Du kan bare stille maden uden for døren, som du plejer."

Bortset fra manden med den blævrende hud, som boede et par værelser længere nede ad gangen og allerede havde konsumeret sin 'morgenbajer' og nu var begyndt at hulke i fortvivlelse over sit miserable liv, var der med ét blevet helt stille ude på gangen. Det skulle ikke undre hende, om alle nu stod og spidsede ører, men hvad ragede det hende? De kunne jo bare ignorere hendes mor, ligesom hun gjorde.

Denise filtrerede sin mors bønner ud af lydbilledet og koncentrerede sig i stedet om blegfisens klynken. Alle de fraskilte mænd som ham heroppe på klubværelserne var bare så sølle og latterlige. Hvordan kunne de tro på en lysere fremtid, sådan som de så ud? De stank jo af uvasket tøj og druknede sig hovedløst i sprut i deres patetiske ensomhed. Hvordan kunne de overhovedet leve med at blive så satans ynkelige, de klamme idioter?

Denise fnøs. Hvor mange gange havde de ikke stået foran hendes dør og prøvet at lokke hende med snak og billig vin fra Aldi, mens deres øjne udtrykte håb om noget andet og meget mere?

Som om hun nogensinde ville have noget at gøre med mænd, der boede på klubværelser.

"Hun har taget penge med til os, Denise," insisterede hendes mor derude.

Denne gang spidsede Denise ører.

"Du bliver simpelthen nødt til at komme med mig ned, for kommer du ikke, så giver hun os ikke noget til den her måned."

Der opstod en lille pause før hendes næste sætning.

"Og så *har* vi jo slet ikke nogen, vel, Denise?!" kom det heftigt.

"Kan du ikke råbe lidt højere, så de også kan høre det inde i ejendommen ved siden af?" stak hun tilbage.

"Denise!" dirrede morens stemme nu. "Jeg advarer dig. Hvis mormor ikke giver os de penge, så bliver du nødt til at gå på socialforvaltningen, for jeg har ikke betalt din husleje for denne måned. Men det troede du måske?"

Denise tog en dyb indånding, gik frem til spejlet og stregede læberne op en sidste gang. Ti minutter sammen med kvindemennesket, og så var hun skredet. Det var alligevel kun lutter lort og konfrontationer, hun havde i vente. Ikke et sekund ville mokken lade hende være i fred. Hun ville bare kræve og kræve, og hvis der var noget, Denise ikke orkede, så var det alle de krav, folk stillede til hende. Det sugede simpelthen al energi og kraft ud af hende.

Satte hende mat.

NEDE I STUEETAGEN i morens lejlighed stank der ikke uventet af forloren skildpadde på dåse. En sjælden gang kunne det være koteletter med let overskredet salgsdato eller risengrød i pølseformet plastikemballage, så der stod ikke ligefrem entrecote på menuen, når hendes mor lagde an til fest, hvilket de anløbne sølvpletlysestager med spruttende stearinlys til fulde understregede.

Her i denne flakkende similistemning sad gribben allerede midt for bordet med nedadvendte mundvige og lagde an til angreb. Denise blev nærmest slået bagover af dunsten fra hendes billige parfume og pudder, som ingen forretning med respekt for sig selv ville nedlade sig til at forhandle.

Nu skilte hendes mormor sine blakkede, sprukne, røde læber. Måske skulle grimassen gøre det ud for et smil, men Denise var ikke så let at narre. Hun prøvede at tælle til ti, men nåede denne gang kun til tre, før konens verbale overfald begyndte.

"Nå! Så kunne den lille prinsesse endelig tage sig sammen til at komme ned og hilse på."

Et mørkt og misbilligende udtryk satte sig i mormorens øjenkrog efter en hurtig besigtigelse af Denises halvblottede maveskind.

"Allerede godt med krigsmaling og det hele. Ingen skal overse dig, men det ville da også være en katastrofe, ikke, Dorrit?"

"Vil du godt lade være med at kalde mig det?! Det er snart ti år siden, jeg tog navneforandring."

"Siden du spørger så pænt, ja, for det er man jo ikke vant til. Men det navn synes du altså passer bedre til dig ... Denise?! Lidt mere fransk i det. Man kommer næsten til at tænke på de opslidede koner, der trækker på boulevarderne, så jo, det passer måske også bedre." Hun lod blikket glide op og ned ad hendes krop. "Men så til lykke med camouflageindsatsen, siger jeg. Nu har du gjort dig klar til at nedlægge nyt vildt, kan jeg tænke mig," kørte hun videre.

Denise registrerede, hvordan hendes mor forsøgte at dæmpe tonen med en forsigtig hånd på mormorens arm, som om *det* nogensinde havde virket. Også på den front havde hendes mor altid været svag.

"Og hvad har du så bedrevet siden sidst, om man må spørge?" fortsatte hendes mormor. "Der var noget med et nyt kursus, eller var det rent faktisk en læreplads?" Hun kneb øjnene i. "Var det et arbejde som negleartist, du ville prøve denne gang? Jeg kan snart ikke følge med i alt det spændende, du gør, så hjælp mig lige. Men hov, du laver måske slet ikke noget for tiden? Kan det tænkes?"

Denise svarede ikke. Prøvede bare at holde munden lukket.

Mormoren løftede øjenbrynene. "Åh ja, det der med arbejde er du vist blevet for fin til, er du ikke?"

Hvorfor spurgte hun overhovedet, når hun havde svar på alting, hvorfor sad hun dér og dækkede sig bag sit grove, grå hår i en maske af afsky? Man fik lyst til at spytte på hende. Hvad afholdt hende egentlig fra at gøre det?

"Denise har tænkt sig at melde sig til et kursus, så hun kan lære at coache," afbrød hendes mor modigt.

Metamorfosen var enorm. Hendes mormors mund stod på vid gab, næserynkerne glattedes ud, og efter et kort øjeblik sekunderedes forvandlingen af en latter, der kom så dybt nede fra hendes fordærvede indre, at Denises nakkehår rejste sig.

"Nåh, har hun *tænkt* sig det? Spændende at forestille sig Denise coache andre. Men i hvad mon, om jeg må spørge? Kan man overhovedet finde nogen her på denne forstyrrede klode, der kunne tænke sig at blive coachet af en, der aldeles ingenting kan ud over at pynte sig? I så tilfælde står verden da helt stille."

"Mor ..." forsøgte Denises mor sig.

"Ti nu stille, Birgit, lad mig tale ud." Hun vendte sig mod Denise. "Jeg siger det ligeud. Jeg kender ingen, der er så doven, talentløs og uden realitetssans som dig, Denise. Du kan jo ingenting, skal vi ikke bare konstatere det? Måske var det på tide, at du prøvede at finde et job, der matchede dine beskedne færdigheder?" Hun ventede svar, men fik intet. Hun rystede på hovedet, og Denise vidste, hvad der kom.

"Jeg har sagt det før, og jeg har advaret dig, Denise. Du tror måske, at det er i orden bare at nøjes med at lægge sig på ryggen? Det er simpelthen rystende. Men så smuk er du ikke, min søde ven, og slet ikke om fem år, er jeg bange for."

Denise trak vejret gennem næsen. To minutter endnu, så var hun skredet.

Nu vendte hendes mormor sig mod hendes mor med samme kolde, hånlige udtryk. "Og du var ligesådan, Birgit. Tænkte kun på dig selv og gjorde aldrig det mindste for at komme videre. Hvad ville du have gjort uden din far og mig? Uden at vi betalte alting for dig, mens du sløsede tiden væk i dit selvoptagne storhedsvanvid?"

"Jeg *har* da arbejdet, mor." Tonefaldet var jammerligt. Det var år siden, at hendes ammunition af protester ikke bare fes ud i ingenting.

Mormoren vendte sig hovedrystende tilbage mod Denise.

"Og du! Du kunne ikke engang få et job, hvor du bare skulle folde tøj, hvis det er det, du tror."

Denise drejede rundt og forsvandt ud i køkkenet med giften fra mormoren sivende ud bag sig.

Kunne nogen kortlægge hendes indre, så ville ingredienserne kunne stykkes op i lige dele indædt had, hævnfølelse og ukontrollerede billeder af, hvor anderledes mormoren syntes, alting engang havde været. For Denise havde hørt det samme forlorne lort igen og igen, og det gjorde irriterende nok ondt hver gang. Om hvor god en familie hun og hendes mor kom fra. Om de gyldne år, hvor hendes morfar havde haft sin skotøjsforretning ude i Rødovre og tjente rigtig gode penge.

Pis, det hele! Havde kvinderne i den familie måske ikke altid bare gået derhjemme og passet deres eget? Havde de måske ikke levet alene i kraft af deres mænd og været pertentlige med sig selv og ordnet huset og sådan noget?

Gu så!

"Mor!" lød det derindefra. "Du må ikke være for hård ved hende, hun ..."

"Denise er syvogtyve og kan ingenting, Birgit. INGENTING!" skreg

23

heksen. "Hvordan har I to tænkt jer at klare jer, når jeg ikke er her mere, kan du sige mig det? Ja, for I skal ikke på nogen måde regne med nogen arv af betydning fra mig. Jeg har såmænd mine egne behov."

Også det havde de hørt hundrede gange før. Om lidt ville hun igen angribe Denises mor. Hun ville kalde hende fattigfin og mislykket og anklage hende for at have givet alle sine dårlige sider videre til hendes barnebarn.

Denises væmmelse og had satte sig fysisk i hendes mellemgulv. Hun hadede den skingre stemme, angrebene og kravene. Hadede sin mor for hendes svaghed, og for at hun ikke havde kunnet holde på en mand, der kunne forsørge dem alle sammen. Hadede sin mormor, fordi hun netop havde kunnet det.

Ville hun dog ikke bare lægge sig til at dø?

"Jeg skrider nu," sagde Denise koldt, da hun igen stod i spisestuen.

"Nå, gør du det? Men så får I ikke dem her." Hendes mormor trak et lille bundt sedler op af tasken og holdt dem op foran dem. Tusindkronesedler.

"Kom nu og sæt dig, Denise," appellerede hendes mor.

"Ja, kom og sæt dig et øjeblik, inden du skal ud og byde dig til fals," kom det næste af mormorens udfald. "Spis din mors elendige traktement, før du går ud og får mænd til at hælde sprut i dig. Men pas på dig selv, Denise, for sådan som du er, får du aldrig nogensinde en ordentlig mand til at hoppe på dig! En billig pige med falsk hår og hårfarve, falske bryster, falske smykker og falsk hudfarve. Tror du ikke, du bliver gennemskuet på mindre end et sekund, min egen? Du tror måske, at en ordentlig mand ikke kan se forskel på elegance og din billige fremtoning? Tror du måske ikke, at han, lige så snart du åbner din postkasserøde mund, omgående finder ud af, at du absolut ingenting ved og ingenting har at sige? At du bare er et nul?"

"Du ved ikke en skid," snerrede Denise. Hvorfor stoppede hun ikke?

"Aha! Men fortæl mig så lige, hvad du vil gøre ved *det*, før du skrider, som du så nydeligt formulerer det? Fortæl mig det, så jeg ved det, for det vil jeg virkelig gerne. Hvad er din plan egentlig? Du har måske tænkt dig at blive en stor filmstjerne, sådan som du gik og fablede om, da du var lille og betydeligt sødere end nu? Eller skal du hellere være kunstmaler og verdensberømt, måske? Sig mig lige engang, bare for nysgerrighedens skyld, hvad er din næste dille? Hvad har du bildt din sagsbehandler ind den her gang? Har du måske ..."

"HOLD SÅ KÆFT," råbte Denise, mens hun lænede sig ind over bordet. "Hold kæft, din lede kælling. Du er ikke en skid bedre selv. Hvad fanden kan du andet end at slippe gift ud?"

Havde det så bare virket. Havde hendes mormor så bare trukket sig baglæns i tavshed, så havde Denise måske for en gangs skyld kunnet sætte sig i fred og ro og spise det afskyelige brune stads, men sådan fungerede det ikke.

Hendes mor var rystet, sad og gravede neglene ned i stolesædet, men det var hendes mormor langtfra.

"Hold kæft, siger du!? Er det alt, hvad din hjerne kan diske op med? Du tror måske, at dine løgne og beskidte ord kan ryste mig? Men ved du hvad, lige nu synes jeg, at I må vente med at modtage min understøttelse, til du kommer ud til mig og giver mig en udtrykkelig og uforbeholden undskyldning."

Denise skubbede sig så hårdt væk fra bordet, at servicet klirrede. Skulle hun give sin mormor den trumf på hånden at lade dem stå tilbage med skammen og kassen tom?

"Giv min mor pengene, eller jeg tager dem fra dig, mormor," hvæsede hun. "Ryst op med dem, eller du skal komme til at fortryde det."

"Skal du true mig? Er det nu tonen?" hvæsede mormoren, mens hun rejste sig.

"Vil I ikke godt holde op, I to? Sæt jer nu ned," tryglede hendes mor. Men ingen satte sig.

Denise så kun alt for tydeligt perspektivet. Aldrig nogensinde ville hendes mormor give hende fred. Sidste sommer var hun blevet syvogtres, og hun kunne blive mindst halvfems, sådan som hun var skruet sammen. En fremtid med endeløse bebrejdelser og skænderier åbenbarede sig.

Denise klemte øjnene i. "Hør så godt efter, mormor. Jeg ser ikke den store forskel på dig og os. Du giftede dig med en tredive år ældre rynket og modbydelig nazist og lod dig forsørge af ham, er det måske bedre?"

Det gav et ryk i hendes mormor. Hun trak sig baglæns, som om hun var blevet overhældt med noget ætsende.

"Er det måske ikke rigtigt?" skreg Denise, mens hendes mor jamrede, og mormoren trådte over mod sit overtøj. "Hvad er det så, vi egentlig skal leve op til, hvad? Dig!? Giv os så de penge, for helvede!"

Hun greb ud efter sedlerne, men mormoren trak dem ind under sin armhule.

Så drejede Denise om på hælen. Hun hørte godt optrinnet bag sig, da hun smækkede døren.

Et øjeblik stod hun med ryggen mod væggen ude i opgangen og hev efter vejret, mens hendes mor derinde græd og udspyede bønner. Men det ville ikke nytte en skid, det vidste hun af erfaring. Først den dag, hvor Denise stod derude i den dødssyge forstad med tryglende øjne og hatten i hånden, ville der komme penge på bordet, og så længe gad hun ikke vente.

Ikke mere.

DER LÅ EN flaske rød Lambrusco i fryseren i hendes minikøleskab, det vidste hun. På sådan et klubværelse var der normalt ikke faciliteter ud over håndvasken, spejlet, sengen og et klædeskab af lamineret spånplade, men køleskabet ville hun altså ikke undvære. Var det måske ikke efter sådan et par afkølede glas vin, at hendes sugardaddies blev mest gavmilde?

Hun trak flasken ud af fryseren og mærkede sig dødvægten. Som forventet var Lambruscoen fuldstændig bundfrossen, men proppen holdt, som den skulle, og så gemte sådan en smuk flaske på mange spændende muligheder.

2

Fredag den 13. maj 2016

ROSE BREMSEDE SCOOTEREN to hundrede meter inden det røde lys.

Pludselig kunne hun ikke huske vejen. Trods så mange år på samme rute så lignede den overhovedet ikke sig selv i dag.

Hun så sig omkring. For bare ti minutter siden ude i Ballerup havde det været det samme, og nu skete det igen. Koordinationen mellem sanser og hjerne satte momentvis ud. Hukommelsen spillede dumme puds. Selvfølgelig vidste hun, at hun ikke kunne køre gennem viadukten og op på Bispeengbuen på en scooter, som kun måtte køre tredive kilometer i timen; men hvor var det så lige, hun skulle dreje? Var der en vej ned til Borups Allé lidt længere fremme? Måske til højre?

I afmagt satte hun tåspidsen på asfalten og pressede læberne sammen. "Hvad sker der med dig, Rose?" sagde hun højt, hvilket fik en forbipasserende fodgænger til at ryste på hovedet og trække hurtigt væk.

Hun hostede et par gange i frustration og var lige ved at kaste op. Stirrede med undren på trafikken, der mindede om et uendeligt kaos af brikker, som var gået i krig med hinanden. Den dybe brummen fra snesevis af motorer, ja, bare farvevirvaret fra alle køretøjerne gav hende koldsved.

Hun lukkede øjnene og prøvede at huske, hvad rygmarven ikke kunne hjælpe hende med. Et øjeblik overvejede hun at vende om og køre hjem, men så skulle hun jo krydse vejbanen, og hvordan skulle det gå til? Når det kom til stykket, kunne hun så i det hele taget huske vejen hjem? Hun rystede på hovedet. Hvorfor i alverden skulle hun vende om, når hun var nærmere Politigården end hjemmet lige nu? Det gav jo ingen mening.

I den tågetilstand havde Rose efterhånden befundet sig i flere dage, og lige nu føltes det, som om hendes krop var blevet for lille til alt det, den indeholdt. Som om alle de myldrende tanker, hun alligevel ikke havde hold på, ikke engang ville kunne rummes i flere hjerner. Hvis hun ikke kortsluttede, når hun havde det sådan, og fandt på alle mulige besynderlige ting for at undgå det, så brændte hun vel lige så stille sammen.

Rose bed sig i kinden, til det blødte. Måske havde afdelingen ude i Glostrup alligevel udskrevet hende for tidligt sidste gang? En af hendes søstre havde i hvert fald antydet det, og Assads bekymrede miner tog man heller ikke fejl af. Så kunne man egentlig afvise, at søsteren rent faktisk havde haft ret? Det *var* måske slet ikke et uhyggeligt mix af depression og personlighedsforvirring, der var årsagen til hendes sammenbrud? Var hun i virkeligheden slet og ret bare sinds...

"STOP så de tanker, Rose!" råbte hun højt, og igen var der en fodgænger, som vendte sig om og stirrede på hende.

Hun så undskyldende på ham. Ganske vist havde hun fået indskærpet, at hun bare skulle ringe til psykiateren, hvis der var noget, der tydede på tilbagefald. Men var det nu det, der skete? Var hun ikke bare sindssygt overbebyrdet med arbejde, og sov hun ikke bare alt for lidt? Var det ikke bare stress?

Rose rettede blikket fremad og genkendte så med ét Bellahøjbadets brede trappe og de høje huse i baggrunden. En mild lettelse over ikke fuldstændig at have tabt kontrollen fik hende til at sukke og sætte scooteren i gang.

Det hele syntes dermed at være faldet på plads, men efter bare et par minutter blev hun overhalet af en cykel i lavt gear.

Rose så ned på speedometeret, hastigheden var bare nitten kilometer i timen, så hun havde ikke engang haft åndsnærværelse nok til at holde gashåndtaget i bund.

Mere kontrolleret var hun altså ikke.

'Jeg må virkelig passe på i dag,' tænkte hun. 'Holde mig for mig selv og prøve at få nerverne til at falde til ro.'

Hun tørrede sin pande med sitrende hænder og så sig opmærksomt omkring. Først og fremmest handlede det om ikke at besvime midt i det hele og blive mast til plukfisk af en svingende lastbil, det kunne hun da for helvede vel nok magte.

PÅ GODE DAGE så Politigården umådelig tillokkende ud, med sine lyse facader og imposante arkitektur, men lige præcis i dag var det hvide og uskyldsrene indtryk tonet i gråt, og søjlebuernes gab mere sorte og skræmmende end normalt, næsten som om de kunne opsluge hende og fjerne hende fra verdens overflade.

Hun fik ikke hilst på vagten, som hun plejede, og hun fik kun halvt noteret sig det sødmefyldte blik, som sekretæren Lis sendte hende i trappeopgangen. Sådan en dag var det.

Nede i kælderen hos Afdeling Q var der stille. Ingen hørm fra Assads myntete, ingen plapren fra TV2 News på Carls pralende fladskærm, ingen Gordon i vildrede.

'Gud ske lov er de ikke dukket op endnu,' tænkte hun og vaklede ind på sit kontor.

Hun satte sig tungt foran skrivebordet og trykkede mellemgulvet hårdt mod bordkanten. Når hendes tilstand var sådan, kunne det godt hjælpe. Så blev følelsen af ikke at have styr på sig selv dæmpet af ubehaget, og somme tider kunne det også have en gunstig virkning, hvis hun trykkede en knytnæve direkte ind i solar plexus.

Lige nu fungerede det bare ikke. Fredag den 13., hvad andet kunne man forvente?

Rose rejste sig og trak døren mod gangen til. Hvis den var lukket, troede de andre sikkert, at hun ikke var kommet.

Så fik hun da fred.

Lidt endnu.

3

Mandag den 2. maj 2016

FRA DET ØJEBLIK hun trådte ind på socialkontoret, sprang Michelles puls femten slag opad. Bare betegnelsen 'socialkontor' havde den virkning, og det var endda temmelig neutralt. Efter hendes mening ville navne som Pinekontoret, Tiggerinstitutionen eller Ydmygelsescentret være langt mere betegnende, men hvem i det offentlige kaldte måske nogensinde tingene ved deres rette navn?

Igennem mange år havde Michelle moset rundt i dette fornedrende system. Først i Matthæusgade, så langt pokker i vold ude på Gammel Køge Landevej, og nu var hun tilbage på Vesterbro. Alle steder blev hun mødt med de samme krav og af den samme elendige atmosfære, og intet kunne glatte de indtryk ud. Så kunne de for hendes skyld lave nok så mange nye, polerede skranker med store tal på og sætte nok så mange computere op, som man selv skulle sidde ved og gøre arbejdet for de ansatte, hvis man da ellers kunne finde ud af det.

Her på centret kom der stort set kun folk, hun ikke brød sig om. Mennesker, der gloede på hende, som om hun var en af dem. Som om hun ville have noget som helst at gøre med dem i deres lurvede, grimme tøj. De kunne jo ikke engang finde ud af at sætte det ordentligt sammen. Havde hun måske nogensinde bevæget sig uden for en dør uden at gøre sig pænt i stand? Uden at vaske sit hår eller tænke på, hvilke smykker der stod bedst til hinanden? Nej, det havde hun ikke, og uanset hvad der skete, så kunne hun heller ikke finde på det.

Hvis hun ikke havde haft Patrick med sig i dag, så var hun bare drejet om foran indgangspartiet, selv om hun udmærket var klar over, at hun *måtte* ind, blandt andet fordi hun skulle bede om lov til at holde ferie. Også det havde Patrick husket hende på.

Patrick var elektrikersvend og Michelles bedste trofæ. Var der nogen, der tvivlede på, hvad hun var for en, så kunne de jo bare se på ham, for det gav hende ligesom en vis status. Ikke mange var højere, bredere, mere muskuløse og smukkere tatoveret end Patrick. Ikke nogen, hun kendte, havde mørkere og mere glinsende hår. Og så klædte det ham at gå i slimfit-skjorter. Det fremhævede virkelig, hvor tilfreds han var med sin krop, og hvor meget han havde grund til at være det.

Nu sad hun ved siden af ham over for den tåbelige sagsbehandler, der som et spøgelse var flyttet med, uanset på hvilken adresse Michelles socialkontorer var havnet. Nogen i venteværelset havde engang sagt om hende, at hun havde vundet en stor sum penge. Men hvis det virkelig var tilfældet, hvorfor pokker forsvandt hun så ikke bare ud af Michelles liv?

Anne-Line, hed hun. Et åndssvagt navn, som ingen andre end sådan nogle som hende havde, og derfor stod der Anne-Line Svendsen på et af de sædvanlige metallignende skilte på bordkanten, og det havde Michelle siddet og stirret på de sidste tyve minutter. Ja, de sidste fem havde hun overhovedet ikke hørt efter, hvad de snakkede om.

"Er du enig i, hvad Patrick lige har sagt, Michelle?" spurgte Anne-Line Svendsen hende en gang imellem.

Så nikkede Michelle mekanisk. Ville der måske være grund til andet? Hun og Patrick var jo enige om næsten alting.

"Det er godt, Michelle. Så du siger altså ja til at få anvist et arbejde på Berendsen?"

Michelle rynkede panden. Det var jo ikke derfor, de var kommet. De var kommet for at få kvindemennesket til at forstå, at hun bare ikke kunne klare det pres, der lå ude på arbejdsmarkedet, og så for at få lov til at holde ferie i fjorten dage. Hvor mange gange før havde hun og Patrick ikke forklaret hende det med arbejdspresset? Forstod hun da ikke, hvad de sagde? Ikke alle havde jo haft det samme held som den åndssvage sagsbehandler. Hvis det var hende selv, der havde vundet i lotto, eller hvad det nu var, ville hun så sidde her? Nej, vel?

"Berendsen? Øh, nej, det tror jeg ikke," svarede hun derfor.

Michelle så bedende på Patrick, men han sad bare og sendte hende stikkende øjne.

"Hvad er Berendsen egentlig?" spurgte hun så. "Er det en tøjforretning?"

Anne-Line smilede, og det så ikke godt ud med de rødvinsfarvede tænder. Havde hun mon aldrig hørt om tandblegning?

"Tjah, joh. På sin vis er det jo tøj, de håndterer," svarede hun.

Var hendes smil overbærende?

"Berendsen er et velrenommeret firma, der først og fremmest vasker linned for store institutioner og offentlige virksomheder."

Michelle rystede på hovedet. Sådan noget havde hun og Patrick ikke aftalt noget om, det vidste han da så godt som nogen.

Anne-Line Svendsen rynkede sine uplejede øjenbryn. "Du forstår vist ikke sagens alvor, gør du, Michelle?"

Kvinden rettede blikket mod Patrick. "I to bor jo sammen, så jeg går ud fra, Patrick, at du er opmærksom på, at Michelle uretmæssigt har fået kontanthjælp i snart et halvt år. Det er, hvad vi kalder socialt bedrageri, og det er en alvorlig ting. Har I tænkt over det?"

Patrick trak op i skjorteærmerne. Hævelserne fra de nye tatoveringer var stadig ikke faldet, så det var nok derfor, han virkede så irriteret.

"Det må være en misforståelse, for vi bor ikke sammen. Ikke sådan rigtigt. Michelle har et værelse ude i Vanløse."

Den oplysning hæmmede bestemt ikke sagsbehandleren. "Her til formiddag har jeg talt med familien ude på Holmestien, der har lejet deres værelse ud til Michelle. De fortæller mig, at Michelle ikke har betalt de sidste fem måneder, så hun bor altså hos dig, skal vi ikke være fuldstændig enige om det? Vi kommer derfor til at trække for hele perioden i din løn, det må du være klar over, Patrick, og der kommer givetvis også et efterspil. Men du kender formentlig de nye regler."

Patrick drejede ganske langsomt et mørkt ansigt mod Michelle. Der lå lyn bag hans øjne, tanker hun ikke ville vide noget om.

"Men altså ..." Michelle kom til at rynke panden, selv om det ikke så pænt ud. "Vi kom jo bare i dag for at få lov til at rejse lidt på ferie. Vi har set på en sygt billig afbudsrejse om fjorten dage, hvor Patrick kan tage fri, så ..." Michelle holdt inde og bed sig i læben.

Det var en fejl, at hun havde sagt værelset op. Eller i hvert fald en fejl, at hun ikke havde fortalt Patrick om det, og det skulle hun nok komme til at høre for, ingen tvivl om det. Indtil nu havde Patrick aldrig nogensinde lagt hånd på hende, det var blandt andet derfor, hun holdt sig til ham, men lige nu virkede det, som om den situation godt kunne ændre sig.

"Jaså, men det tror jeg ikke lige bliver aktuelt, Michelle. Jeg kan se på Patrick, at det her med værelset er noget, du måske har glemt at fortælle ham. Er det ikke rigtigt?" borede heksen.

Michelle nikkede næsten umærkeligt. Med et sæt rejste Patrick sig op foran vinduespartiet, så lyset nærmest blev suget ud af rummet. "Det må være en fejl," appellerede han med rynkede bryn. "Jeg kører ud til familien og finder ud af, hvorfor de siger sådan."

Han vendte sig mod Michelle. Hvad han nu sagde til hende, skulle ikke opfattes som et ønske, men som en ordre, det var helt tydeligt.

"Du bliver her, Michelle. Din sagsbehandler har tilbudt dig et job, så det tror jeg faktisk, du lige skal tage dig en snak med hende om, okay?"

Hun pressede læberne sammen, mens han surt smækkede døren efter sig. Tarveligt af ham at efterlade hende her i den situation. Hvis hun havde anet det mindste om, at konen ville tjekke hendes boligforhold på den måde, så havde hun jo bare beholdt det værelse. Så hvad pokker skulle hun *nu* gøre? De havde jo ikke råd til at undvære pengene, og *slet* ikke hvis der kom en bøde oveni.

Bare Patrick kunne tale godt for familien derude, så kunne hun måske leje værelset igen, det ville de nok ikke have noget imod. Så længe lejen bare var mindre end kontanthjælpen, så gav det jo alligevel en slags overskud, selv om atten hundrede kroner for husly jo også var en slags penge. Dem havde hun faktisk syntes, hun godt kunne bruge på sig selv, og det var derfor, hun havde gjort det. Var Patrick måske ikke glad for at se på hende, når hun havde været til frisøren og fået ordnet sit hår? Klagede han måske, når hun havde noget nyt og lækkert undertøj på?

TI MINUTTER EFTER satte Michelle sig ud i venteværelset for lige at trække vejret og overveje det hele. Der ville helt sikkert blive forsket i det med det sociale bedrageri, det havde konen derinde på kontoret i hvert fald ikke lagt skjul på, og så skulle de betale en masse penge tilbage. Hun havde simpelthen ikke orket at høre efter, hvor mange det var. Det gjorde hende bare helt dårlig. Men hvorfor skulle hende Anne-Line også være sådan? Var det, fordi hun ikke ville tage det job på det der vaskeri?

Men nej! Michelle rystede på hovedet, det var så nederen. Hun skulle i hvert fald ikke stå op klokken fire om morgenen og køre med S-tog hele vejen op til Helsingør for at rode rundt med andre menneskers lortebefængte lagener. En masse af det kom jo direkte fra hospitalerne, og det var syge mennesker, der havde ligget i sengetøjet. Hvem vidste måske, hvad de havde fejlet? Det kunne være smitsomt, måske endda dødeligt. Leverbetændelse og ebola og sådan noget. Bare tanken gav hende kvalme.

Nej, det kunne de ikke kræve af hende. Ikke sådan noget.

'Hvad forestiller du dig så, Michelle?' havde konen spurgt noget så syrligt. 'Du har jo ikke kunnet klare et eneste af de jobs, vi har tilbudt dig. Du har heller ikke gennemført nogen af de kurser, vi har sendt dig på. Er du egentlig klar over, hvad en pige som dig, der ikke bidrager med noget som helst, koster vores samfund? Og nu vil du ovenikøbet på ferie for penge, du uretmæssigt er kommet til, er det ikke sådan? Det kan jo ikke bare blive ved og ved, kan det vel, Michelle?'

Men hvorfor var hun sådan, hvad havde hun gjort hende? Forstod hun da ikke, hvordan mennesker som Michelle var skruet sammen? Hun var rigtig god til at passe sin og Patricks lejlighed, så den altid var ren og pæn. Hun vaskede både sit og Patricks tøj og kunne endda lave lidt mad, ligesom hun også var den, der købte ind. Var *det* måske ikke noget værd?

'Sådan noget gider det offentlige ikke betale dig for, Michelle,' havde Patrick sagt, som om hun ikke havde fattet det. Men når hendes mor og moster altid havde gået hjemme og gjort det godt for deres mænd, hvorfor så ikke hende?

Hun så ned på de flotte ruskindsstøvler, som hun havde købt for at se pæn ud til den her lejlighed, og hvad havde det nyttet? Michelle trak vejret dybt. Alt det her var ligesom for meget på en gang.

Hun kradsede en lille plet på bukserne væk med de velpolerede negle og glattede bluseærmerne. Sådan gjorde hun altid, når hovedet ikke rigtig kunne følge med begivenhederne.

Helvedes også med det snotkranie til Anne-Line Svendsen. Bare heksen dog ville vade ud foran en bil og dø.

Michelle så sig om med nedadvendte mundvige. Forbandet være alle dem, der nu fyldte det meste af stolerækkerne omkring hende og bare sad og hang der med udtrådte sko og hætter trukket ned om ørerne og lignede lort. Det var deres skyld, at der ikke var råd til at have sådan nogle som Michelle på offentlig forsørgelse. Sådan nogle okay mennesker som hende selv, der ikke gjorde skade på nogen og hverken drak eller blev fede og skulle på hospitalet og heller ikke stak kanyler i sig selv eller gik rundt hos andre folk og stjal fra dem. Hvem af dem, der sad her, kunne sige det om sig selv? Hun smilede ved tanken, så latterlig var den. Hvem af dem passede måske bare deres eget og var ordentlige mennesker? Ikke ret mange, i hvert fald.

Hun så over mod et par unge kvinder i nummerkøen, der så ud til at være jævnaldrende med hende selv, og konstaterede, at de i modsætning til alle andre kunne være gode nok. I hvert fald nogle, man langt bedre kunne identificere sig med, for de var supernice i tøjet og havde lækker makeup.

Da de to piger havde fået deres numre, så de sig omkring og styrede derpå over mod de tomme pladser i hjørnet ved siden af Michelle og satte sig.

De udvekslede et par respektfulde og anerkendende blikke.

"Du venter måske også?" spurgte den ene af dem, og fem minutter efter snakkede de alle tre sammen, som om de havde kendt hinanden længe.

Det var bare grineren, så meget til fælles de havde, så hjørnet i modtagelsen, hvor de sad, blev pludselig centrum for god smag. Stramme, lyse jeans og toppe fra Føtex eller H&M, øreringe, halskæder, ringe og armbånd fra Tiger eller de små, listige butikker ude i sidegaderne. De havde alle tre omhyggeligt påsatte hårextensions og støvletter med høje hæle, men som den ene af dem sagde, så *kunne* hun også en gang imellem gå med moonboots med lidt similipels. Jo, det var lige til at grine over, så ens de var.

Derudover havde de endnu en ting til fælles, som faktisk kom bag på Michelle: De var alle tre lige trætte af hele tiden at blive hundset rundt med af systemet og blive mødt med alle mulige krav om dit og dat. Og for at det ikke skulle være løgn, så havde de gud hjælpe mig også alle sammen Anne-Line Svendsen som sagsbehandler.

Michelle lo og rettede blikket opad. Lige skråt over for dem satte en pige sig. Hun havde markerede linjer i ansigtet, punkerhår og alt for sorte streger rundt om øjnene, helt igennem grim. På en eller anden ubehageligt anspændt måde stirrede hun på dem, nærmest som om hun var misundelig. Michelle smilede indvendigt, for det havde tøsen sandelig også grund til, med den dårlige stil og de mærkelige manerer. Benene gik på hende, som om hun trampede på en stortrommepedal, og det virkede nærmest, som om hun var på speed eller sådan noget, og langsomt blev hendes blik hårdere og hårdere. Måske trængte hun bare til en smøg, det kendte Michelle i hvert fald godt fra sig selv.

"Pissemærkeligt, at nogen her vil have noget at gøre med sådan nogle klamme kludetæpper som jer," væltede det pludselig ud af punkeren med tydelig adresse til Michelle og de to andre. "Lort er guld i forhold til sådan nogle som jer."

Det gav et sæt i pigen ved siden af Michelle, da hun drejede hovedet mod punkeren. Det var hende, der havde sagt, at hun hed Jazmine, og hun var ellers cool nok, bare ikke lige dér. Men den anden af pigerne, hende der hed Denise, reagerede iskoldt og stak fuckfingeren frem mod punkerhåret, selv om Jazmine prøvede at stoppe hende.

"Der hvor du kommer fra, har man nok ikke lært at kende forskel!" hvæsede Denise. "Men lort er også lort nærmest, siger man, og det første land, nazisterne invaderede, var deres eget, vidste du det, punkeridiot?"

Michelle rystede på hovedet. Det var godt nok mærkeligt sagt.

I et blitzsekund blev luften imellem dem og skoddet over for dem elektrisk og kold som is. Punkertøsen knyttede hænderne. Lige nu så hun ud til at kunne finde på hvad som helst. Michelle kunne slet ikke lide det.

Så blev der annonceret et nummer, og Jazmine-pigen åndede lettet op, da punkeren opgav sit modtræk og rejste sig. Men blikket, hun sendte dem på vej over mod sagsbehandlerens kontor, varslede ikke godt.

"Hvem hylen var det? Du så ud til at kende hende," spurgte Denise Jazmine.

"Ikke en, man skal give fuckfingeren, kan jeg fortælle dig. Hun bor et par gader fra mig og kommer fra Island. Hun hedder Birna og er totalt syg i hovedet. Virkelig meget syg, endda."

4

Fredag den 13. maj 2016

"JA, DET VAR mig, der gjorde det. Jeg knaldede hende i hovedet med en jernstang, og hun hylede godt nok op, men jeg var ligeglad, jeg slog bare videre."

Carl duppede cigaretten på håndryggen og førte den et par gange til læberne, før han igen lagde den fra sig.

Med sammenknebne øjne så han på den legitimation, manden over for ham uden opfordring havde rakt ham. Toogfyrre år gammel, men han så mindst femten år ældre ud.

"Du slog hende, og hun skreg, siger du. Men hvor hårdt slog du hende så, Mogens, kan du vise mig det? Rejs dig lige, og vis mig hvordan."

Den spinkle mand rettede sig. "Du mener, jeg skal slå i luften og lade, som om jeg har jernstangen i hånden?"

Carl nikkede og undertrykte en gaben, mens fyren rejste sig.

"Slå så, Mogens, ligesom du gjorde dengang."

Manden åbnede munden og kneb ansigtet sammen i koncentration, et temmelig trist syn. Gusten hud, skjorten knappet skævt, og bukserne hang på hofterne, da han tog godt fat om sit imaginære våben og løftede armene til slag.

Da energiudladningen og slaget endelig kom, spilede han øjnene op på vid gab, som om han så den faldende krop for sig med sygelig fryd. Et øjeblik sitrede han, som om den lige var gået i bukserne på ham.

"Sådan gik det til," sagde han med et lettelsens smil.

"Tak, Mogens," sagde Carl. "Det var altså præcis sådan, du slog den unge lærervikar på Bolmans Friskole ihjel i Østre Anlæg, kan jeg forstå? Og så faldt hun forover og med ansigtet nedad?"

Han nikkede og så angerfuldt på ham som et uartigt barn.

"Assad, gider du lige komme herind?" råbte Carl mod kældergangen. Der lød en markant pusten og stønnen derudefra.

"Og tag din mexicanske kaffe med, Assad," råbte Carl. "Jeg tror, Mogens Iversen her er blevet lidt tørstig." Han så på manden, hvis ansigtsudtryk helt mekanisk vekslede mellem det kammeratlige og en vis afdæmpet taknemmelighed.

"Men tjek lige først, hvad vi har af oplysninger vedrørende drabet på en Stephanie Gundersen i 2004," råbte han videre.

Han nikkede til manden, der smilede og kneb øjnene fortroligt i. I det øjeblik var de to sådan set nærmest en slags kolleger, udstrålede mandens øjne. To sjæle i et frugtbart samarbejde om at opklare en gammel mordgåde. Intet mindre.

"Og så slog du hende igen, mens hun lå på græsset, var det sådan, Mogens?"

"Ja. Hun skreg, men jeg slog tre eller fire gange mere, og så holdt hun vist op. Jeg husker det ikke så præcist, det er jo alligevel tolv år siden."

"Fortæl mig lige, Mogens, hvorfor tilstår du egentlig det her? Og hvorfor først nu?"

Hans blik veg. Underlæben hang og dirrede og afslørede et sæt gyselige tænder i undermunden, som irriterende nok mindede Carl om, at hans egen tandlæge nu hele tre gange forgæves havde indkaldt til hans årlige tjek.

Det var åbenlyst, at fyren kæmpede bravt med sig selv, sådan som hans mellemgulv vibrerede. Det skulle slet ikke undre Carl, hvis han lige pludselig begyndte at tude.

"Jeg kunne simpelthen ikke længere holde ud at gå rundt med det i hovedet," sagde han med skælvende underansigt.

Carl nikkede, mens han tastede mandens cpr-nummer i deres register. "Det forstår jeg, Mogens. Sådan et mord er da også en modbydelig viden at være ene om, ikke?"

Han nikkede taknemmeligt.

"Her kan jeg se, at du bor i Næstved. Det er da godt nok langt væk fra København – og fra gerningsstedet i Østre Anlæg, skulle jeg måske tilføje."

"Jeg har ikke altid boet i Næstved," forsvarede han sig nærmest. "Tidligere boede jeg i København."

"Men hvorfor er du taget helt herind? Du kunne jo lige så godt have meldt dit grimme overfald til jeres lokale politi."

"Fordi det er jer med de gamle sager. Selv om det er længe siden, jeg har læst om jer i aviserne, så er det vel stadig jer, er det ikke?"

Carl rynkede brynene. "Du læser måske mange aviser, Mogens?"

Han prøvede at se mere seriøs ud, end han var. "Er det måske ikke en samfundspligt at holde sig orienteret og værne om vores pressefrihed?" spurgte han.

"Kvinden, du slog ihjel ... hvorfor gjorde du det? Kendte du hende? Du har vel næppe haft noget med Bolmans Friskole at gøre, kan jeg tænke mig."

Han tørrede sine øjne. "Hun kom bare forbi, da det kom over mig."

"Kom over dig? Gør det da det tit, Mogens? For hvis du har slået andre ihjel, så er det da vist nu, du skal lette dit hjerte."

Han rystede på hovedet uden i øvrigt at fortrække en mine.

Carl så ned over siden på skærmen. De havde en del sigende oplysninger på manden, så der var næppe tvivl om, hvad man kunne regne med, at han efterfølgende ville diske op med.

Assad kom ind og lagde en tynd sagsmappe foran ham. Han så ikke glad ud.

"Nu er der fire hylder mere, der er braset sammen ude i gangen, Carl. Vi må se at få noget mere reolplads, det bliver for tungt ellers."

Carl nikkede. Papir mig her og papir mig der. For hans skyld kunne de godt køre det meste på forbrændingen.

Han åbnede sagsmappen. Det var ikke meget, de havde fået herned i kælderen vedrørende sagen om Stephanie Gundersen. Så var den formentlig stadig i drabsafdelingens søgelys.

Han slog op på den bageste side, læste de nederste linjer og nikkede så for sig selv.

"Du glemte kaffen, Assad," sagde han med blikket på journalarket.

Assad nikkede. "Til ham her?"

Carl blinkede. "Så lav den ekstra, ekstra god, det trænger han vist til."

Han vendte sig mod manden, mens Assad forsvandt ud i gangen.

"Jeg kan se, du har været herinde på Gården og aflægge tilståelse i andre sager, Mogens."

Han nikkede brødebetynget.

"Og hver gang har du haft så utilstrækkelig viden om forbrydelsernes art og karakter, at man har sendt dig hjem og samtidig bedt dig om at opsøge en psykolog og aldrig komme igen."

"Jo, det er rigtigt nok. Men denne gang er det altså mig, der har gjort det, det kan du godt stole på."

"Og du kunne ikke bare gå op i drabsafdelingen og fortælle det, for så ville de sende dig hjem igen med samme besked som tidligere, er det sådan?"

Han virkede begejstret for forståelsen. "Ja, det ville de nemlig."

"Har du så i mellemtiden fået sørget for at gå til psykolog, Mogens?"

"Ja, mange gange. Og jeg har været indlagt på Dronninglund og det hele."

"Det hele?"

"Ja, nervemedicin og sådan." Han så nærmest stolt ud.

"Nå. Men jeg kan så fortælle dig, at du får det samme svar af mig, som du har fået oppe i drabsafdelingen. Du er en syg mand, Mogens, og hvis du kommer med flere af den slags falske tilståelser, så er vi nødt til at tilbageholde dig. Jeg er sikker på, at endnu en indlæggelse vil kunne hjælpe dig, men det er naturligvis op til dig selv."

Han rynkede brynene. Vilde tanker fløj igennem ham, det var sikkert.

Løgnehistorier krydret med oprigtig anger og tilsat en knivspids af de fakta, som han kunne have tusket sig til, blev nu blandet med desperation. Men hvorfor? Carl havde aldrig forstået folk som Mogens.

"Du skal ikke sige mere, Mogens. Måske troede du ikke, at vi ville vide sådan noget hernede i kælderen, men så tog du fejl. Og jeg ved endda, at alt, hvad du har beskrevet om overfaldet på den stakkels kvinde, er lodret forkert. Retningen af slaget mod hovedet, fra hvilken side slaget kom, hvordan hun lå efter overfaldet, hvor mange slag hun blev tildelt. Du har intet haft med det drab at gøre, og nu skal du hjem til Næstved igen, okay!"

"Halløj, her kommer der så lidt mexicansk kaffe i en fin kop a la Señor Assad," trallede krøltoppen, da han stillede den foran manden. "Sukker?" spurgte han.

Mogens nikkede stille og lignede en mand, der var blevet frataget sin udløsning, netop som orgasmen var ved at indfinde sig.

"Den er rigtig god som bund for rejsen, men du skal tage den i én slurk," sagde Assad smilende. "Det vil være *så* godt for dig."

Et strejf af mistænksomhed gled over mandens ansigt.

"Hvis du ikke gør det, så anholder jeg dig for falsk forklaring, Mogens, så drik," kom det hårdere fra Carl.

De lænede sig begge mod ham og fulgte hans tøvende greb om koppen og dens gang op mod munden.

"I én slurk!" truede Assad nu.

Adamsæblet sprang op og ned et par gange, mens kaffen forsvandt.

Så var det bare om at vente. Stakkels mand.

"HVOR MEGET CHILI kom du egentlig i den kop, Assad?" spurgte Carl, da de havde fået vasket det sidste opkast af bordet.

Han trak på skuldrene. "Ikke så meget, men det var en helt frisk Carolina Reaper."

"Og den er stærk?"

"Ja, Carl. Det så du jo."

"Kan han dø af det?"

"Næppe."

Carl smilede. Mogens Iversen ville afgjort ikke belemre Afdeling Q med den slags en anden gang.

"Skal jeg så skrive mandens 'tilståelse' ind i rapporten, Carl?"

Han rystede på hovedet, mens han bladrede i papirerne. "Jeg kan se, det var en af Marcus Jacobsens sager. Det var synd for ham, at han aldrig fik den opklaret."

Assad nikkede. "Fandt de så overhovedet ud af, hvilket våben kvinden blev myrdet med?"

"Ikke så vidt jeg kan se. Med en eller anden stump ting, står der. Det har man jo ligesom hørt før."

Carl klappede sagsmappen i. Når tiden var moden til, at drabsafdelingen skubbede sagen over i et hjørne, så blev det nok deres opgave at finde ud af det hele.

Den tid, den sorg.

5

Mandag den 2. maj 2016

ANNE-LINE SVENDSEN tilhørte ikke ligefrem Guds gladeste børn, og det var der adskillige grunde til. Fra naturens hånd var hun ellers blevet udstyret med lidt af hvert af det, der så at sige skulle til. Et godt hoved, nogenlunde smukke træk og en krop, der gennem svundne tider havde fået mange mænd til at strække halsen af led. Men disse fortrin havde hun aldrig lært at forvalte til eget bedste, og som tiden gik, var hun også begyndt at tvivle på nytten af dem.

Anne-Line, eller Anneli, som hun yndede at kalde sig selv, havde vel i bund og grund ikke rigtig kunnet læse livets kompas, som hendes far plejede at kalde det. Når mændene kom, så hun måske til venstre, selv om de bedste stod til højre. Skulle hun købe tøj, lyttede hun altid til sin indre stemme i stedet for til spejlet. Da hun valgte studie, så hun mere på indtjeningen på den korte bane end på den lange. Og med tiden var hun havnet i en situation, hun bestemt ikke havde kunnet forudse og bestemt heller ikke havde ønsket for sig selv.

Efter en lang stribe sørgelige forhold tilhørte hun nu de syvogtredive procent af voksne danskere, der levede et liv som single, og derfor havde hun gennem de senere år som hovedregel spist for meget og forkert og var nu havnet i en permanent tilstand af skuffelse over sin udflydende krop og en næsten ubærlig træthed. Men værst af alle disse livets miskalkulationer var dog det job, hun var havnet i. Som ung havde en vis form for idealisme overbevist hende om, at socialt arbejde både forekom nyttigt og ville give hende en stor personlig tilfredsstillelse. Hvordan skulle

44

hun dog på det tidspunkt have vidst, at der efter årtusindskiftet ville blive vedtaget en bølge af halsløse og uigennemtænkte politiske beslutninger, som nu betød, at hun sad fast i en skruestik i et såkaldt samarbejde mellem inkompetente mellemledere og lige så verdensfjerne og usolidariske politiske beslutningstagere? Igennem denne årrække havde hverken hun eller hendes kolleger haft den mindste chance for at holde trit med alle de cirkulærer og direktiver og analyseapparater, der var blevet presset ned over dem, og til sidst sad hun i et socialsystem, som virkede fuldstændig ureguleret, ofte forvaltet i strid med lovgivningen og med et apparat til fordeling af sociale ydelser, der bare aldrig nogensinde kunne komme til at fungere. Mange af hendes kolleger var gået ned med stress, og det var Anneli også. To måneder havde hun tilbragt derhjemme under dynen med mørke, depressive tanker og en total mangel på evne til at koncentrere sig om selv de enkleste gøremål. Da hun endelig kom tilbage på arbejde, var der næsten værre at være end før.

I dette morads af politisk vanrøgt var hun nu, ud over de almindeligt trængende klienter, mere eller mindre tilfældigt sat til at forvalte, hvad hun selv betegnede som en højt tikkende bombe under systemet, hvilket dækkede over en gruppe fortrinsvis unge kvinder, der aldrig nogensinde havde lært noget som helst, og som heller aldrig ville være i stand til det.

Når Anneli gik hjem fra arbejde, var hun sur og træt som døden. Ikke fordi hun havde udført nyttigt arbejde, men netop fordi hun ikke havde. Og denne dag havde absolut ikke været nogen undtagelse fra den regel, kort sagt endnu en møgdag.

Om lidt skulle hun til rutinemæssig mammografiscreening på Rigshospitalet, og derefter ville hun tage et par kager med hjem, svinge skankerne op på en skammel og trække hyggeplaiden godt om sig, før hun skulle møde pigerne fra socialforvaltningen på det ugentlige yogahold klokken otte.

Faktisk hadede Anneli legemlige udfoldelser og i særdeleshed yoga. Bagefter værkede hele kroppen, så hvorfor i alverden gjorde hun det? I bund og grund kunne hun jo heller ikke lide kollegerne og vidste, at det i allerhøjeste grad var gengældt. Den eneste grund til, at de ikke for alvor frøs hende ud, var, at hun i arbejdsmæssig forstand kunne svare på alting.

For sådan var Anneli også.

"SIG MIG, HAR du haft ubehag i området på det seneste, Anne-Line?" spurgte lægen, mens hun studerede røntgenbillederne.

Anneli prøvede at smile. I ti år havde hun deltaget i dette forsknings-projekt, og spørgsmålet havde ligesom svaret aldrig ændret sig.

"Kun når I maser brystet ud som en pandekage for at røntgenfotogra-fere det," svarede hun tørt.

Lægen vendte sig om. Det sædvanlige nøgne ansigt var nu indrammet af rynker, der helt uventet skød en modbydelig kulde gennem Annelis krop.

"Der er faktisk en knude i det højre bryst, Anne-Line."

Anneli holdt vejret. 'Dårlig joke,' tænkte hun et forvirret sekund.

Så vendte lægen sig igen mod skærmbilledet. "Se her." Hun ridsede en stor plet op med spidsen af sin blyant, tastede et øjeblik på compute-ren, og et nyt foto tonede frem.

"Den her scanning er fra sidste år, og da var der ingenting, Anne-Line. Jeg er bange for, at vi bliver nødt til at tage en hurtig behandling op til alvorlig overvejelse."

Hun forstod det ikke. Ordet kræft gled ligesom bare forbi. Sådan et modbydeligt lorteord.

"HVORFOR KOMMER DU først nu?"

De fire kvinder smilede lidt hånligt, men det var hun vant til.

"Nu har vi andre ligget og vredet kroppen totalt af led. Hvad pokker har du lavet imens?"

Hun satte sig ved caféens stambord og forsøgte at smile. "Jeg havde bare for travlt i dag, så jeg er helt færdig."

"Tag en kage, så kommer smilet tilbage," sagde Ruth. Det var hende,

46

der havde arbejdet i socialforvaltningen i toogtyve år, før hun endelig opgav ævred og nu havde været kontordame i et taxaselskab i seks måneder. På mange måder var hun spøjs, men bestemt mere kompetent end de fleste.

Et øjeblik vaklede Anneli. Skulle hun betro sig til disse i denne sammenhæng fuldstændig ligegyldige mennesker om, hvorfor hun ikke havde orket at strække sig mod solen og gøre sindet blankt til såkaldt verdensmusik? Hvis hun busede ud med det, kunne hun så kontrollere følelserne? Hun ville sandt for dyden ikke vræle, mens de andre så på det.

"Jøsses, du virker, som om du har det dårligt. Er der noget galt, Anne-Line?" spurgte Klara, den mest fremkommelige af dem.

Hun så rundt på sine kolleger, usminkede og med kagegaflerne i fuld aktivitet. Hvad pokker skulle det hjælpe hende, hvis hun bankede de barske realiteter ind i denne yndige harmoni? Hun vidste jo ikke engang, hvad den forbandede knude var for en.

"Det er bare de åndssvage piger," sagde hun så.

"Nå, dem igen!" nikkede en af dem træt. Som om Anneli ikke vidste, at det emne gad ingen bruge kræfter på, men hvad fanden skulle hun ellers snakke om? Hun havde jo ikke nogen mand derhjemme, hun kunne brokke sig over. Ingen børn, hun kunne prale af. Ingen ny karryfarvet, eksklusiv sofa, som hun kunne fremvise et foto af og fortælle hvor svinedyr havde været.

"Ja, jeg ved, at det er mit problem, men derfor kaster jeg alligevel op over det, okay? Der er mennesker, der trænger, og så er der de der tomme tønder, der sidder og giver den fuld gas med kniplinger, støvler, makeup og hårextensions. Der kan simpelthen ikke sættes en plet på de piger. Alt matcher, taske, sko, tøj – bling, bling, bling!"

Beskrivelsen fik den yngste af dem til at smile, men resten trak på skuldrene. De var sådan set også pigernes diametrale modsætninger, de grå offentligt ansatte, som, når der endelig skulle skejes ud, højst farvede håret med henna eller gik med sorte ankelstøvler med sirligt påsatte

47

nitter. Selvfølgelig var de ligeglade, hvad ellers? Alle var jo ligeglade i det her samfund og vendte det blinde øje til, når der skulle tages affære. Hvordan pokker kunne det hele ellers gå så galt?

"Lad være med at lade dig påvirke af dem, Anne-Line," sagde Ruth.

Ikke lade sig påvirke? Det kunne man jo sagtens sige, når man selv var sluppet ud af det lort.

Anneli trak langsomt hånden op mod brystet. Nu føltes det, som om knuden fyldte det hele. Hvorfor havde hun ikke mærket den før? Forhåbentlig var det bare eftervirkninger af undersøgelsen.

'Snak dog, sig et eller andet, der kan få dig på andre tanker,' tænkte hun, mens pulsen langsomt steg.

"Min brors datter Jeanette er sådan," reddede Klara hende. "Hvor tit har jeg ikke hørt min svigerinde og bror sige, hvor smuk og fantastisk hun var, og hvor mange talenter hun havde." Hun smilede skævt. "Hvilke talenter? Hvis hun havde nogen, så udviklede hun dem i hvert fald aldrig. De fejede foran hende i årevis, og nu er hun præcis som det, du beskriver, Anne-Line."

Nu lettede fornemmelsen i brystet en anelse og afløstes af en underlig varme, der fremkaldte vrede. Hvorfor kunne den sygdom ikke ramme en af de udulige møgtøser i stedet for hende?

"Så er Jeanette vel på overførselsindkomst og har modtaget en lang stribe af tilbud om job og lærepladser?" pressede Anneli sig til at spørge.

Klara nikkede. "Hun tryglede om elevplads hos en frisør i flere år, og da hun endelig fik den, så holdt hun kun en halv dag."

Et par af de andre løftede hovederne. Klara gad de åbenbart godt høre på.

"Jeanette blev sat til at rydde op i middagspausen, hvilket hun protesterede over og sagde var pissestrengt, men det var ikke den undskyldning, hun kom hjem med!"

"Hvad så?" spurgte en.

"Hun sagde, at hun blev *så* deprimeret over at høre på alle kundernes problemer. Det kunne hun bare ikke klare!"

Anneli så sig omkring. De sad med rynkede pander, men den her historie var Annelis hverdag. Hvor mange gange havde hun og Arbejdsformidlingen ikke knoklet for at finde elevpladser eller jobs, som piger som hende Jeanette alligevel ikke magtede?

Hvorfor havde hun ikke bare læst økonomi, som hendes far havde rådet hende til? Så kunne hun have siddet sammen med alle banditterne på Christiansborg og skovlet frynsegoder til sig i stedet for at blive belemret med den brokkasse af dysfunktionelle piger og kvinder. De var som snavset vand i et badekar, og Anneli havde bare lyst til at trække bundproppen op, hvis hun kunne.

Om formiddagen havde hun indkaldt fire ret så velkendte piger, der havde gået ledige i lang tid. Og i stedet for at være ydmyge og selv komme med primitive løsninger på, hvordan deres situation kunne forbedres, så havde hele bundtet efter tur skamløst stået med hånden fremme og sugerøret nede i socialkassen. Det var virkelig træls, men Anneli havde som altid prøvet at lirke skovlen ind under alle fire. Når de ikke *ville* lære noget og ikke kunne holde på en plads, så måtte de tage konsekvenserne. For så langt hjalp lovgivningen hende dog.

Annelis erfaring sagde hende imidlertid, at de fire mokker inden længe ville komme tilbage med sygemeldinger, som kundgjorde, at de ikke *kunne* arbejde, og årsagerne ville være mange, for lige dér kendte iderigdommen ingen grænser: sygelig nedtrykthed, dårlige knæ, brutale fald ind i radiatorer med observeret hjernerystelse til følge, nervøse tarme og en lang række lidelser, der hverken kunne måles eller vejes. Hun havde forsøgt at få sine overordnede til at tage fat på lægernes tumpede overdiagnosticeringer, men emnet var underligt nok for ømtåleligt, så lægerne skrev stadig udokumenterede sygemeldinger ud, som om de ikke havde lært andet.

I dag var en af pigerne troppet op uden at have forlænget sin sygemelding, fordi hun var kommet for sent til lægen. Og da Anneli spurgte hvorfor og betonede, hvor vigtigt det var at passe sine aftaler, så havde dullen svaret, at hun havde siddet på en café sammen med nogle veninder og ikke fået set på uret. Så socialt ubegavede og inkompetente var de, at de ikke engang vidste, hvornår de skulle lyve.

Anneli burde have været chokeret over svaret, men hun var garvet. Værst var det at tænke på, at det var sådanne piger som Amalie, Jazmine, og hvad de ellers hed, der i sidste ende skulle servicere sådan nogle som hende selv, når hun engang kom på plejehjem.

Gud fader bevares.

Anneli så tomt ud i luften.

'Når hun kom på plejehjem,' var ordene, men hvem sagde, at hun overhovedet ville leve så længe? Havde lægen måske ikke mere end antydet, at sådan en brystkræft skulle tages dybt alvorligt? At selv om konsekvensen blev, at man fjernede brystet, så kunne det allerede have bredt sig? At de ikke vidste det endnu?

"Hvorfor stopper du ikke bare som socialrådgiver?" rev Ruth hende ud af tankebanen. "Du har jo penge i baghånden."

Det var et virkelig grimt spørgsmål at skulle svare på. I snart ti år havde Annelis omgivelser levet på den vrangforestilling, at Anneli havde vundet en bunke penge på et skrabelod, og den havde hun intet gjort for at bremse. Med ét havde hun tiltusket sig en slags status, som hun umuligt kunne opnå på anden vis. Folk betragtede hende stadig som en lille, kedelig, sur og grå mus, det var virkeligheden. Men nu som en grå mus omgærdet af mystik.

Hvorfor brugte hun så ikke lidt af de mange penge på sig selv? spurgte de. Hvorfor gik hun stadig rundt i billigt kluns? Hvorfor ikke dyr parfume? Hvorfor ikke eksotiske rejser? Hvorfor, hvorfor, hvorfor?

Hun havde bare jublet fuldstændig spontant, da hun havde skrabet loddet midt i arbejdstiden, for fem hundrede kroner var hendes absolutte gevinstrekord. Hendes sejrshyl havde imidlertid fået Ruth til at komme stormende ud fra nabokontoret for at høre, hvad der var sket.

"Jeg har vundet fem hundrede, kan du begribe det? FEM hundrede!" havde Anneli jublet.

Ruth var blevet stum, måske var det første gang, hun havde set Anneli smile.

"Har I hørt det, Anne-Line har vundet FEM hundrede tusind!" havde konen pludselig skreget, og som en løbeild var nyheden strøget gennem hele forvaltningen. Bagefter havde Anneli givet kager og tænkt, at den vildfarelse havde hun ikke noget imod, at de levede lidt i. Det højnede ligesom hendes status, gjorde hende lidt mere synlig. At hun så ikke kunne omgøre løgnen, og at man senere drillede hende for hendes påholdenhed, var en anden sag. Anneli havde set vægtskålene balancere foran sig, og den skål med anseelse vejede mærkeligt nok en del tungere end den med påstået nærighed.

Og nu spurgte Ruth hende, hvorfor hun så ikke bare sagde sit job op. Hvad i alverden skulle hun svare på det? Måske var det i virkeligheden bare et spørgsmål om tid, før det spørgsmål besvarede sig selv. Før hun ikke længere befandt sig i de levendes rækker.

"Stoppe med at arbejde? Og hvem skulle så afløse mig?" svarede hun alvorligt. "En pige på Jeanettes alder? Det skulle da fedt hjælpe."

"Første generation, der er dårligere uddannet end deres forældre!" nikkede en af de andre, der endnu ikke havde opgivet troen på, at page-hår var in. "Og hvem vil ansætte nogen, der ingenting kan?"

"Paradise Hotel, Bikini Island, Big Brother og Robinson Ekspeditionen!" svarede en af de lattermilde.

Men morskaben var svær at få øje på.

ANNELIS INDTAG AF gin tonics og dårlige tanker blev gennem aftenen så udtalt, at hun hverken kunne sove eller det modsatte.

Skulle hun forlade denne verden, så ville hun sandt for dyden ikke være alene om det. Tanken om, at Michelle, Jazmine, Denise eller den voldelige punker Birna skulle gå grinende rundt, mens hun rådnede i sin grav, var simpelthen for deprimerende. Og det værste var, at mens hun forsøgte at hjælpe dem så godt, hun nu kunne, så vidste hun, hvordan de hånede hende bag hendes ryg. Så sent som i dag var hun gået ud for at hente en af sine favoritklienter, en ældre, dårligt gående mand, som havde været uarbejdsdygtig i snart seks måneder, og der sad de nok så nydeligt og bagtalte hende, mens de øvrige klienter grinede med. Kaldte hende for en sur røv og sagde, at det eneste, der kunne hjælpe en kælling som hende, var to glas sovepiller. De stoppede dog, da nogen advarede dem om, at hun var kommet ud i venteværelset, men de skæve smil fik de ikke tørret af. Det var lige, så hun rystede af raseri indeni.

"De forbandede nasserøve skal bare udryddes," snøvlede hun sløvt.

En dag ville hun gå ned i sidegaderne på Vesterbro og anskaffe sig en rigtig tung pistol. Og når dullerne som dem, hun havde haft inde i dag, så sad derude og ventede, så ville hun gå ud til dem og plaffe dem ned en efter en, lige midt i deres pudrede pandeskal.

Hun lo ved tanken og vaklede hen mod vitrineskabet og hev portvins-flasken frem. Og når så de første fire tøser lå og rallede i deres eget blod, så ville hun printe klientlisten ud og køre rundt og likvidere resten af bundtet, til der ikke var en eneste af den slags piger tilbage i byen.

Anneli smilede og tog en slurk mere. Det ville helt sikkert spare lille Danmark for flere penge, end det ville komme til at koste at have hende på vand og brød i resten af hendes liv. Navnlig hvis det blev så kort, som det lige nu så ud til.

Nu knækkede hun sammen af grin ved tanken. Hold op, hvor ville yoga-veninderne glo, når de læste om det i avisen.

Spørgsmålet var så, hvor mange af dem der mon ville komme og besøge hende i fængslet.

Næppe nogen.

Et øjeblik så hun den tomme stol i fængslets besøgslokale for sig. Faktisk ikke noget fristende scenarie. Måske var det alligevel bedre, om hun i stedet koncentrerede sig om at få tøserne udryddet på en lidt mere diskret måde end ved at plaffe dem ned.

Anneli bankede sofapuden på plads og lagde sig godt til rette med glasset hvilende på brystet.

6

Fredag den 13. maj 2016

"ROSE!" CARL VURDEREDE et øjeblik hendes slørede blik. Hun havde længe virket træt, men var det her træthed, eller var hun bare på tværs?

"Ja, du gider sikkert ikke at høre det her, men nu er tiden endegyldigt kommet, hvor jeg ikke længere pænt og ydmygt vil bede dig om at færdiggøre rapporten om Habersaat-sagen. Jeg har tigget om det mindst femogtyve gange, og nu gider jeg ikke at rykke for den længere, okay? I morgen er det præcis to år siden, der blev sat punktum for sagen med June Habersaats død. *To år*, Rose! Kom nu ind på banen!"

Hun trak ligegyldigt på skuldrene. Så var det atter en af de dage, hvor hun tullede rundt i sin egen verden og kun tog sig af egne gøremål.

"Hvis du synes, det haster så meget, så kunne du da bare skrive den selv, ikke, hr. Mørck?" sagde hun.

Carl lod hovedet falde. "Du ved udmærket, at den, der påbegynder en rapportering i Afdeling Q, også er den, der færdiggør den, hvor tit skal vi diskutere det? Du har alle notaterne derinde, så se nu bare at få det gjort, Rose."

"For ellers hvad, Carl? Så fyrer du mig måske?"

Deres blikke krydsedes. "Hør lige, unge dame! Rapporter som den retfærdiggør hele Afdeling Q's eksistens. Men du er måske ude på at nedlægge afdelingen, kunne jeg lige så åndssvagt spørge tilbage?"

Igen kom den provokerende skuldertrækning. "Hvad skal vi med den rapport, jeg forstår det ikke? Morderen tilstod, og morderen er stendød. Der er jo alligevel ikke en kæft, der læser de rapporter."

"Meget muligt, Rose, men de bliver registreret. Og desuden er det jo desværre sådan, at selv om June Habersaat fik tilstået drabet på Alberte over for Assad og undertegnede, lige før hun udåndede, så er det jo ikke ligefrem blevet dokumenteret, vel? Det blev hendes ord mod det umiskendelige faktum, at hun ikke fik sat sin tilståelse på papir. Selvfølgelig var hun morderen, men vi har jo ikke skudsikre beviser til at understøtte det, og så står sagen i princippet stadig åben. Sådan er systemet, hvor idiotisk det end kan lyde."

"Aha! Men så kan jeg måske bare rapportere, at vi ikke har fået afsluttet sagen."

"Årh, for helvede, Rose. Lav nu det lort, ellers bliver jeg fandeme gal på dig. Jeg gider ikke snakke mere om det. Nu færdiggør du rapporten, så det pynter på vores interne statistik. Det er det eneste, der mangler i den sag, nu hvor både situationsrummet, korridoren og arkivet er tømt for sagens akter. Og så kan vi lægge den bag os og i stedet for køre videre med nogle af de røvsyge sager, som vi har gået og kedet os med de sidste par uger."

"Lægge den bag os? Det kan *du* sige, men hvad med mig?"

"Stop, Rose! Rapporten skal ligge på mit bord i morgen tidlig, er det forstået?!" Han smækkede en flad hånd ned i bordet, så det gjorde nas. Lige det havde han måske ikke behøvet.

Hun stod et øjeblik med elektriciteten lysende ud af sig og piskede så ned mod sit kontor under højrøstede eder og forbandelser.

Forventeligt gik der højst tredive sekunder, før Assad stod foran ham med kuglerunde øjne og lignede et spørgsmålstegn.

"Jeg ved det, jeg ved det," sagde Carl træt. "Det er noget bøvl med Rose, men der ligger jo hele tiden nye sager, som venter på at blive løst og journalført. Det har hun evig og altid selv gået og tudet os ørerne fulde med. Så vi skal have styr på det og sørge for at være ajour med de gamle sager og opdaterede med de nye. Det er en vigtig del af arbejdet, så lad være med at se sådan på mig. Rose har bare at gøre, hvad der skal til."

"Nå! Men alligevel var det nok ikke helt så klogt, Carl. Jeg kan tydeligt fornærme det på hende."

Carl så desorienteret på ham. "Fornemme! Du mener fornemme, ikke Assad? Fornærme er noget andet."

"Ja ja, som du siger. Men husk nu, hvor hårdt Habersaat-sagen tog på hende. Det var så på grund af den, at hun brød sammen og lod sig indlægge på psykiatrisk og stadig går til kontrol. Hvorfor skulle det ellers tage hende så lang tid at få skrevet den rapport?"

Carl sukkede. "Som om jeg ikke ved det. Christian Habersaats store lighed med hendes far skubbede noget i gang i hende."

"Ja, og så hypnosen, Carl. Efter den huskede hun det med hendes far måske pludselig alt for godt. Han blev jo dræbt lige for øjnene af hende."

Carl nikkede. Den hypnose, de havde været igennem, havde ikke været god for nogen af dem. Erindringer om ting, man helst ville fortrænge, var blevet trukket op af dyndet. Carl selv havde sovet elendigt og haft uhyggelige drømme i lang tid derefter, og Assad kunne sige det samme. Derfor kunne man med al rimelighed også antage, at den modbydelige ulykke på Stålvalseværket, der kostede Roses far livet, var poppet op til overfladen under hypnosen og havde plaget hende lige siden, selv om hun aldrig ville indrømme det.

"Jeg tror, hun kommer til at dykke ned i mørket en gang til med den rapport, Carl. Synes du så måske, det er så klogt? Kan jeg ikke skrive den for hende?"

Carls øjenbryn hoppede. Han kunne lige se resultatet for sig. Ingen ud over Assad selv havde nogensinde anet, hvad hans rapporter gik ud på.

"Assad, det er pænt af dig, og selvfølgelig skal vi passe på Rose, men den opgave skal hun kunne klare. Jeg har desværre ikke mere tid til at diskutere det."

Han så på uret. Vidneforklaringen i Byretten var berammet til om tyve minutter, så han skulle se at komme af sted. Det var det sidste retsmøde inden domsafsigelsen i en af deres sager, og hvem skulle så monstro bagefter sidde og skrive den afsluttende rapport om den? Det skulle han, for hvem ellers? Han, som hadede enhver form for rutine, bortset fra cigaretrygning og en god lur med benene oppe på bordet.

Han nåede kun akkurat ud i gangen, da Rose, kridhvid i ansigtet, trådte ind foran ham og meddelte, at hvis han ville presse hende til at have noget med den rapport at gøre, så ville hun melde sig syg.

Måske fyrede han lige et par ord af, som var uovervejede, men afpresning skulle man i hvert fald ikke byde ham, og så gik han.

Det sidste, han hørte på vej op ad trappen, var Roses rystende stemme, der råbte, at så ville hun gøre, som han forlangte, men så måtte han den ondelyneme også leve med konsekvenserne.

7

Onsdag den 11. maj 2016

"HAR DU IKKE et eller andet i køleskabet, Denise?"

Han slangede sig på madrassen og dækkede absolut ingenting. Huden skinnede, øjnene var våde og glinsende, åndedrættet stadig i fulde omdrejninger. "Jeg er ved at omkomme af sult. Du tapper jo enhver saft og kraft af en, skat."

Denise trak kimonoen tæt om sig. Rolf var den af hendes sugardaddies, der kom tættest på at give hende følelsen af, hvad man kunne kalde intimitet. Normalt var mændene ude ad døren, næsten før de havde fået udløsning, men ham her havde ingen kone at komme hjem til og intet job, der krævede hans tilstedeværelse på noget bestemt tidspunkt. Hun havde mødt ham på en charterrejse til Alanya, og det blev så den billigste ferie, hun nogensinde havde været på.

"Altså, det ved du godt, jeg ikke har, Rolf. Du må tage krummerne i posen dér."

Hun pegede på den sammenkrøllede snackpose og gik over mod spejlet.

Havde hans tag om hendes hals mon sat mærker? Det ville hendes andre sugardaddies bestemt ikke bifalde.

"Kan du ikke gå ned til din mor og se, hvad hun har? Jeg skal nok betale godt for det, sugarbaby." Han lo. På den led var han faktisk okay.

Hun glattede huden under hagen. Der var en svag rødmen, ikke noget der ville vække opsigt.

"Okay så, men du skal ikke regne med roomservice en anden gang. Det er sgu ikke noget hotel, det her."

Han klappede dovent på lagenet og sendte hende et bydende blik. Lidt modstand ophidsede ham altid, men så blev taksten også derefter.

DER LUGTEDE SURT nede i lejligheden, og alle lamper stod tændt. Der var mørkt ude på gaden, men herinde var det som højlys dag, og siden hendes mormors død havde hendes mor haft det sådan. Hun var gået i baglås.

Denise bemærkede først armen, der lå henslængt ud over sofaens kant med en udbrændt cigaret i hånden og en pøl af aske på gulvtæppet, og derefter resten af hendes mors ynkelige forfald. Munden stod åben, furerne i ansigtet var utilkalkede, håret symbiotisk sammenfiltret med uldplaiden under hende. Hvad andet kunne man forvente ved et uanmeldt besøg?

I køkkenet var alt kaos. Ikke bare det sædvanlige, hvor opvask, spiritusflasker, emballage og spredte madrester vidnede om daglig sjusk og mangel på disciplin, men et fuldstændig surrealistisk inferno af farver, som gammel mad nu engang har, draperet ud over samtlige vægge og glatte flader. Hendes mor var antageligt gået amok midt i det hele, sådan var det, når hun havde drukket og sked på konsekvenserne. Men dem skulle hun jo nok komme til at tænke nærmere over, når alkoholen først var brændt ud af organismen.

Naturligvis var køleskabet så godt som tomt. Hvis Rolf skulle fodres af, blev det med sur yoghurt og æg fra gud ved hvornår. Ikke just det, han havde betalt for, men hvem kunne vide, hvad han ville, når han først vågnede op til dåd igen?

"Er det dig, Denise?" knirkede en rusten stemme inde fra stuen.

Hun rystede på hovedet. Fandeme, om hun ville spilde kræfter på at høre på sin mors fuldemandspladder på den her tid af natten.

"Kommer du ind til mig? Jeg *er* vågen."

Var det ikke lige det, hun frygtede?

De så et øjeblik på hinanden, ingen af dem med udpræget sympati.

"Hvor har du været de sidste dage?" spurgte hendes mor med indtørret spyt i mundvigene.

Denise så bort. "Bare omkring."

"Retsmedicinerne er færdige, så mormors lig bliver snart frigivet. Går du ikke med mig til bedemanden?"

Hun trak på skuldrene. Det måtte være svar nok for nu, hvis hun ville undgå diskussion. Hun havde trods alt en mand liggende i sengen oppe på øverste etage.

8

Torsdag den 12. maj 2016

DER LÅ EN krøllet avis på køkkenbordet og mindede ham om, hvad han havde mistet. På bare fire år var han gået fra at være en lykkeligt gift ægtemand med et job, der afkrævede både respekt og gav spændende udfordringer, og så til denne afgrund af ensomhed. På disse fire år var hans fald i status og selvforståelse blevet uforudsigeligt markant og dybt. Han havde gennemlevet et frygteligt sygdomsforløb sammen med det dyrebareste menneske, han havde kendt. Han havde set sin elskede hustru visne og krybe ind i sig selv, og han havde i måneder holdt hendes hånd, når hun græd og havde afsindige smerter, ligesom han havde holdt den, da jagene endelig en sidste gang slap taget i hende og lod hende i fred. Siden da havde han røget tres cigaretter om dagen og stort set ikke foretaget sig andet. Alt i lejligheden stank af dette misbrug, hans fingre lignede mumificeret læder, hans lunger peb, som om de var punkterede.

Fire gange havde hans store datter advaret ham om, at hvis han ikke stoppede med den elendige livsførelse, så ville han snart følge deres mor i graven, og det udsagn lå nu deroppe i cigarettågerne under loftet og ventede på, at han tog stilling til det. Måske var det rent faktisk det, han ville. Bare ryge sig ihjel og få fred i sin martrede sjæl. Æde, til han sprak, og lade stå til. For hvad ellers?

Men så var den avis dukket op af intetheden. Allerede forsiden havde slået ham ud af kurs. Årvågen og vækket havde han lagt sin smøg fra sig i askebægeret og taget avisen op fra bunken på gulvet under brevsprækken. Trods det umulige i forehavendet havde han holdt den en halv meter foran sig og læst nyheden uden læsebriller.

Marcus Jacobsen åndede tungt under læsningen. Pludselig blev tiden, før alt det frygtelige i hans liv skete, enormt nærværende. Uforvarende skød der impulser igennem hjernesynapser, der ikke havde været i brug i årevis. Fortrængte abstraktioner blev vævet ind i hinanden og dannede nye muligheder og billeder, som han ikke kunne stoppe.

Marcus fik hovedpine af alle de tanker, og hvad skulle han overhovedet med dem? Engang, før han gik på pension, havde han haft magt til at forfølge sine indfald, nu vidste han ikke engang, om der var nogen, der gad lytte til ham. Alligevel var der et eller andet sted i denne tomgangstilværelse stadig en del af ham, der tænkte og arbejdede som kriminalefterforsker. Flere årtier i politiet havde givet ham mange sejre, og som drabschef Marcus Jacobsen i den hedengangne Afdeling A havde han en opklaringsprocent, som ingen af hans forgængere havde kunnet matche, så han havde meget at se tilbage på med stolthed. Men som enhver politimand, der engang har haft med drabssager at gøre, ved, så er det ikke de sager, der blev løst, man tænker på i de stille, mørke timer, men derimod dem, der ikke blev det. Det var sådanne sager, der til stadighed vækkede en om natten, dem, der fik en til at se gerningsmænd alle vegne. Og sorte tanker om alle disse uskyldige ofre, hvis drabsmænd gik ustraffede omkring blandt almindelige mennesker, gav Marcus daglige kuldegysninger. Følelserne for de pårørende, der aldrig kunne slippe for deres uvished, udmøntede sig i en irrationel form for skam ved at have svigtet dem, og lige nøjagtig det pinte ham virkelig. Pinte ham med alle indicierne, der ikke kunne efterprøves, ligesom de spor, der ikke var blevet set. Men hvad fanden kunne han bruge det til?

Og så var han i bogstaveligste forstand faldet over denne forsidehistorie i bunken af ulæste aviser, der lå og fløde på gulvet i korridoren, og mindede ham om, at tiden aldrig ville få lov at stå stille, så længe mennesket og dets ondskab fik frit spil.

Nu skøjtede han endnu en gang gennem reportagen. I ti dage havde han ikke vidst, hvad han skulle stille op med den, men et eller andet måtte der jo ske. Selvfølgelig vidste han, at Lars Bjørn og hans folk på Gården måtte have prøvet at koble dette drab til lignende uopklarede sager, men havde de mon også øjne på det samme som han? At sammentræffene mellem denne nye sag og den gamle sag, der nagede ham allermest, simpelthen var for oplagte til at være tilfældige.

Han læste igen og opsummerede artiklens fakta.

Den dræbte var blevet identificeret som den syvogtresårige Rigmor Kirschmeyer. Findestedet var Kongens Have i København, lige bag en fashionabel restaurant, og at det var et drab, var uomtvisteligt. Ingen kunne frembringe et så brutalt slag mod sit baghoved ved egen kraft.

Obduktionen viste, at ofret kun var blevet påført et enkelt, men dræbende slag fra et temmelig bredt og rundt stumpt redskab. Avisomtalen karakteriserede ofret som en helt almindelig pensioneret kvinde med et roligt og ganske normalt liv. Fra hendes taske var forsvundet ti tusind kroner, som kvindens datter med sikkerhed kunne sige havde ligget i den, da hendes mor forlod hendes lejlighed i Borgergade, kort før hun blev slået ned. Derfor blev motivet karakteriseret som en berigelsesforbrydelse med overfald og døden til følge, i journalistisk sprog enklere betegnet som rovmord. Drabsvåbnet var stadig ukendt, og formentlig på grund af styrtregn og det kolde aprilsvejr havde ingen vidner set ugerningen, som en tjener på restaurant Orangeriet vurderede måtte være begået imellem klokken tyve femten, da han var ude at ryge, og så en halv time senere, da han igen gik ud for at få stillet sin smøgtrang og fandt liget.

Ud over det forelå der ikke mange konkrete oplysninger, men Marcus kunne tydeligt se både liget og gerningsstedet for sig. Ofret havde fået ansigtet trykket ned i den fugtige jord efter et tungt fald, og kroppen havde også sat aftryk i underlaget. Det havde været et bagfra kommende overraskelsesangreb, som den afdøde ikke havde haft skyggen af chance for at værge sig mod. Og det var nøjagtig sådanne omstændigheder, han selv havde stået og betragtet for en del år siden. Dengang havde den dræbte kvinde været en vikar på Bolmans Friskole, en Stephanie Gundersen, og hun havde været en del yngre end det seneste offer, men ellers var den mest evidente forskel, at det første lig ikke var blevet tisset på.

Marcus sad et øjeblik og genkaldte sig omstændighederne ved fundet af det første offer. Hvor ofte havde han ikke tænkt på det? Og hvor ofte havde han ikke som nu siddet med en følelse af, at sådanne tanker var fuldstændig nyttesløse?

Nu havde drabsmanden efter hans mening altså igen slået til. Samme område i byen og med bare seks-syv hundrede meter imellem de to gerningssteder.

Han rystede på hovedet af frustration og ærgrelse. Hvorfor var det ikke ham, der var blevet ringet op forleden, så han havde kunnet se gerningsstedet, mens det endnu var frisk?

I en rum tid stirrede han passivt på mobiltelefonen, der lå og skreg til ham på kanten af køkkenbordet.

'Så tag mig dog, og gør noget ved det,' sagde den.

Marcus så væk. Nu var sagen sytten dage gammel, og så kunne den vel vente lidt endnu.

Han nikkede for sig selv og ragede så pakken med cigaretter til sig. Han måtte lige have et par stykker til, før han vidste, hvad hulen han egentlig ville.

9

Torsdag den 12. maj 2016

"NEJ, ALTSÅ, HVOR er det bare nice, det her." Michelle rykkede ind i sofakrogen og trak sin taske med sig.

Denise gabte oven på den lange nat og så sig om. Hun prøvede at se det hele med Michelles øjne. Caféen var kun halvfuld, og gæsterne, et lille, men blandet udsnit af arbejdsløse, studerende og to kvinder på barsel, syntes lige så livligt som et begravelsesfølge i regnvejr. Denise kendte godt nok hyggeligere steder end sådan en nedslidt café, men denne gang var det altså Jazmine, der havde valgt.

"Jeg trængte godt nok også til at komme hjemmefra," fortsatte Michelle. "Patrick er helt rundt på gulvet for tiden, jeg ved snart ikke, hvad jeg tør sige til ham. Vi skulle også have været på ferie sammen, og det kommer vi så heller ikke."

"Hvorfor smider du ham ikke bare ud?" spurgte Denise.

"Det kan jeg ikke, for det er hans lejlighed, ja, det er faktisk hans alt sammen." Michelle sukkede og nikkede for sig selv. Åbenbart vidste hun, hvor fast hun sad i skidtet. "Jeg var lige ved ikke at komme og møde jer, for jeg har overhovedet ingen penge, og Patrick giver mig ikke nogen."

Denise lænede sig ned mod gulvet og skubbede vinflasken i tasken lidt til side, så hun kunne komme til sin pung.

"Skide pissemyre, ham Patrick. Men skråt op med ham, Michelle, du kan bare få af mig," sagde hun og trak pungen frem, mens hun noterede sig de to veninders store øjne, da hun åbnede den.

"Her, den er din," sagde hun og lagde en seddel fra bundtet af tusindkronesedler foran Michelle. "Så kan ham Patrick rende dig et vist sted den næste uges tid."

"Øh, tak. Det ..." Michelle følte efter på sedlen med fingerspidserne. "Jeg ved ikke ... jeg kan nok ikke betale dem tilbage."

Denise viftede afværgende med hånden.

"Og hvis så Patrick finder ud af det ... jeg ved ikke ..."

"Der var da ret mange penge i den pung," kom det tørt fra Jazmine. Om lidt spurgte de vel om, hvordan hun havde fået fingre i dem, når hun var på støtten ligesom de.

Denise lurede lidt på Jazmines ansigtsudtryk. Indtil nu havde de tre kun mødtes tre gange, og selv om hun virkelig godt kunne lide de andre, så var spørgsmålet jo, hvor godt de kunne lide *hende*.

Hun smilede. "Skal vi ikke bare sige, at jeg er god til at spare."

Jazmine lo tørt. Det var tydeligt, hun havde hørt bedre løgnehistorier end den. Så drejede hun pludselig instinktivt sit ansigt mod døren, og Denise fulgte hendes blik.

Den første af pigerne, der trådte ind ad caféens indgangsdør, vækkede et par bekymrede trækninger i Jazmines ansigt. Øjne, der kneb sammen, kæbemuskler, der vibrerede under den bløde hud, øjenbryn, der samledes over næseryggen. Som et byttedyr, der rejser sig på bagbenene for at rekognoscere, scannede hun bevægelserne uden for døren, og da de næste piger kom ind, lænede hun sig mod de to andre.

"Kan I huske punkeren, der provokerede os på sjasen, første gang vi mødtes?"

De nikkede.

"Pigerne dér hedder Erika, Sugar og Fanny, og når de er her, så kommer hende Birna også om lidt. Bare vent."

"Skal vi så ikke hellere gå et andet sted hen?" spurgte Michelle ængsteligt.

Denise trak på skuldrene. Hun var sgu da ligeglad med det sorte krapyl. Hende skræmte hun ikke.

"De har en bande, The Black Ladies," fortsatte Jazmine, "og de er kendt her i kvarteret, og ikke for noget godt."

"Gad vide hvorfor," sagde Denise, mens hun besigtigede deres helt igennem rædselsfulde påklædning og makeup. Black, ja, men ikke Ladies.

De var langtfra de eneste i lokalet, der et halvt minut senere noterede sig Birnas ankomst og demonstrative slængen sig ved bordet sammen med resten af banden. En af de ammende kvinder trak lige så stille brystet tilbage i blusen og rejste sig op, mens hun nikkede til sin veninde. De lagde et par sedler på bordet, pakkede og gik, uden et ord, uden et blik på de sortmalede kvinder, der rykkede rundt i sæderne og nedstirrede alle omkring sig.

Da deres anfører fik øje på Jazmine, rejste hun sig fra bordet og stod et øjeblik med et hårdt blik rettet direkte mod deres gruppe, så de kunne forstå, at det her var forbudt territorium, så længe hun var der.

Denise tog en hurtig slurk af sin kop og rejste sig så lige så demonstrativt, selv om Jazmine rykkede hende i ærmet. Hun var en del højere end Birna, som hun stod der i sine stiletter, hvilket bare fik Birna til at knytte hænderne hårdere.

"Vi går," hviskede Jazmine, mens hun langsomt rejste sig. "De smadrer os, hvis vi bliver. Kom."

Måske mistolkede tæskegruppen Jazmines reaktion, for nu rejste alle medlemmerne i The Black Ladies sig også.

Der opstod en vis uro bag disken, bemærkede Denise. De to servitricer trak over mod baglokalet, mens den mandlige tjener vendte ryggen til gæsterne og trak en mobil op til øret.

"Kom nu, Denise." Jazmine tog hende i armen, men Denise vristede sig løs. Troede de, at man kunne kommandere med hende? Troede de, at fordi man var lækker og feminin, så betød det også, at man var svag?

"De har været i fængsel for vold, Denise. Fanny, hende med karsehåret, har stukket folk med kniv," hviskede Jazmine.

Denise smilede. Havde hendes morfar måske ikke lært hende, hvad man gjorde ved fjender? Hvis nogen her forventede, at hun stak af, så kendte de hverken Denise eller hendes baggrund.

"Den ene af dem bor kun tre gader fra mig, de ved, hvor de skal finde mig, Denise," hviskede Jazmine igen. "Så kom nu."

Denise vendte sig mod Michelle, men hun virkede ikke bange som Jazmine, bare beslutsom.

Midt på gulvet stod Birna med lynende øjne, men det gjorde ikke indtryk på Denise. Det burde det måske have gjort, da Birna trak et nøgleknippe op af lommen og en for en stak nøglerne ind imellem sine fingre, så de kom til at stritte som et djævelsk knojern.

Denise smilede skævt og steg ud af sine højhælede, samlede dem op og rettede stålstiletterne direkte mod modstanderen.

"Birna, du husker vores aftale," råbte manden bag disken truende med mobilen strakt frem mod hende.

Birna drejede modvilligt ansigtet mod ham, dvælede et øjeblik ved synet af den tændte telefon, og stak så uden at ændre udtryk nøglerne i lommen.

"Du har to minutter, så er de her," advarede tjeneren.

De øvrige medlemmer i banden stirrede afventende på deres leder, men Birna reagerede ikke. Hun vendte sig bare mod Denise med et is-koldt blik.

"Tag du bare stylterne på igen, Dukkelise," sagde hun med sin kraftige islandske accent. "Vi skal nok få dig nakket på et tidspunkt, bare rolig. Så skal jeg få stoppet de skide sko ned i halsen på dig, så du kommer til at sprælle. Og til dig, halvabe." Hun vendte sig mod Jazmine. "Jeg ved, hvor du bor, okay?"

"Gå så, Birna. De er på vej," kommanderede tjeneren.

Hun så på ham og stak en løftet tommel mod ham. Så viftede hun ad sin klike og forsvandt uden at lukke døren efter sig.

Inden Denise havde fået skoene på igen, lød der en dyb brummen ude på gaden, og tjeneren trådte frem mod døråbningen.

Tre enorme motorcykler med nogle pumpede typer med vest og

læderarmbånd om håndleddene parlamenterede et øjeblik med manden fra caféen. Så vinkede de ad hinanden, og motorcyklerne trak ud i vejbanen og forsvandt.

Tjeneren så på Denise, da han passerede dem. Hans ansigt var respektfuldt, men ikke venligt, og da et par af de lokale cafégæster begyndte at klappe, sendte han dem et blik, der fik dem til at stoppe.

Denise var tilfreds med sig selv over at have taget teten, men da hun så Jazmines ansigt, konstaterede hun også, at en magtkamp imellem dem hurtigt kunne blive en realitet.

"Ja, undskyld, Jazmine," sagde hun derfor. "Jeg kunne bare ikke lade være. Bliver det et problem for dig, tror du?"

Jazmine pressede læberne sammen. Selvfølgelig var det et problem. Så trak hun vejret dybt og sendte Denise et spinkelt smil. Undskyldningen var tilsyneladende modtaget.

"Skal vi så betale og komme videre?" sagde Denise og trak pungen frem, men Jazmine lagde en hånd over hendes.

"Er vi enige om, at vi er veninder?" spurgte hun.

I baggrunden nikkede Michelle intenst og samtykkende.

"Ja, selvfølgelig," svarede Denise.

"Så er vi vel også fælles om alting, ikke? Beslutninger, handlinger, og hvad vi vil."

"Det ville være fint, ja."

"Vi har alle tre hemmeligheder, men sådan behøver det vel ikke altid at være, er vi ikke også enige om det?"

Denise tøvede. "Jo," svarede hun endelig. Michelles bekræftelse var mere uforbeholden, men hvad fanden havde hun også af hemmeligheder?

"Så vil jeg afsløre en af mine hemmeligheder. Og jeg betaler, okay?" Hun ventede, til de begge havde nikket, og fortsatte så. "Jeg har ikke en rød reje," grinede hun, "men det plejer ikke at stoppe mig."

Hun nikkede hen mod hjørnet. "Se ham med murerbukserne. Han sidder og glor på os, og det har han gjort, siden vi kom."

"Jeg så det," svarede Michelle. "Hvorfor tror han, vi er interesserede i ham og hans snavsede bukser? Og hvorfor rejste han sig ikke op og hjalp os, da hende bimboen truede os?"

"Har du set, hvordan han har klædt os af med øjnene?"

Denise vendte sig. Der sad fyren med kort, tyk hals bag sin halvtomme ølflaske og smilede skævt, mens vennerne lænede sig ind over bordet med korslagte arme. Tydeligvis var han koblets selvbestaltede førerhund.

Jazmine så direkte på manden og vinkede ham over mod dem. Et øjeblik virkede han forvirret, men interessen fejlede ikke noget.

"Se og lær," hviskede Jazmine, mens hun løftede hovedet mod manden, da han stillede sig foran dem i en dunst af billig barbersprit.

"Hej," sagde Jazmine. "Du ser godt ud. Og derfor bliver det dig, der skal betale vores regning."

Han rynkede brynene og drejede sig mod sine venner, der opmærksomt trak sig tilbage i sæderne.

Igen fangede han Jazmines blik. "Betale? Hvorfor skulle jeg det?"

"Fordi du har siddet og labbet os i dig. Har du måske ikke forestillet dig, hvordan vores kusser ser ud?"

Han trak hovedet baglæns og skulle til at protestere, men Jazmine slog hurtigt til.

"Du må se min, men så skal du også betale. Jeg har et foto af den, som min fyr har taget."

Han smilede. Åbenbart forstod han pludselig dealen, omend han ikke var helt med på præmisserne.

"Du viser mig jo bare en eller anden, du har fundet på nettet." Han vendte sig mod sine kammerater og grinede. Uden for hørevidde forstod de ingenting, men de grinede da tilbage.

"Er du med eller hvad?" Jazmine tog sin mobil op af tasken. "Du skal bare betale regningen. Vi har ikke nogen penge."

Han stod et øjeblik og vippede i sine sikkerhedssko.

Denise prøvede at holde masken. Jazmine var stinkende cool, og manden langsomt ved at bløde op, det var fedt at se på.

Så vendte murersvenden sig mod disken. "Tjener! Hvor meget skylder damerne?" råbte han.

Han tjekkede det på kassen. "Hundrede og toogfyrre en halv," returnerede han.

Fyren vendte sig mod Jazmine. "Jeg plejer ikke at betale for at se pussykatte, men man er vel en gentleman og hjælper kvinder i nød." Så tog han en velspækket pung frem og hev pengene op.

"Behold resten," sagde han, da han smækkede sedlerne på disken. Hvilken generøsitet, syv en halv krone oven i prisen.

'Sort arbejde,' tænkte Denise med blikket på pungen. Sådan en håndværker-sugardaddy havde hun også.

Jazmine strakte mobilen frem mod ham og lod ham få et godt og grundigt kig.

Han nikkede og trak vejret en anelse dybere gennem let udspilede næsebor, mens blikket hoppede fra Jazmines øjne og ned på mobilskærmen. 'Vil du mere end det, så er jeg med på den,' sagde hans blik. Denise var imponeret.

"Hvis du vil se et, hvor jeg ikke er barberet, så er det to hundrede ekstra," tilbød hun.

Fyren var tilsyneladende helt væk, mens halsen og ørerne blussede af øget blodgennemstrømning.

Så lagde han de to hundrede på bordet. "Men så skal du også sende det til min mail." Han dikterede adressen bogstav for bogstav, mens Jazmine tastede.

Da der efter få sekunder lød et bling fra mobilen, vendte han sig mod vennerne, sendte dem en afskedshilsen og gik.

"Tror I ikke, han fiser direkte hjem og rykker i pytonen?" grinede Michelle.

Det var lettjente penge. Denise nikkede anerkendende. "Var det din hemmelighed?" spurgte hun.

Jazmine rystede på hovedet. "Nej, for søren, det var da bare et trick.

Hemmeligheden får I senere." Hun stak tohundredkronesedlen i baglommen, pakkede tasken og foreslog, at de gik.

Så rejste en fyr sig fra et af bordene ved disken og klaskede endnu en tohundredkroneseddel på bordet foran dem.

"Jeg så, hvad du lavede. Jeg vil godt se med."

Jazmine smilede og tog mobilen frem af tasken.

Denise scannede manden. Mange faktorer fortalte, hvorfor han stod der. Selv om han højst var femogtredive, så havde ansigtet mistet sin glød. Ingen ringe på fingrene, der vidnede om fast forhold. Tøjet pænt nok, men forkert sammensat. Skæl på den upressede jakke. En typisk fyr med fast arbejde og ingen at komme hjem til.

Denise kunne ikke lide ham. Frustrerede mænd kunne lynhurtigt eksplodere, og det kom til at passe.

I en overraskende bevægelse greb han Jazmine om håndleddet, så han kunne få alt på den lille skærm med i god ro og orden. Denise ville gribe ind, men Jazmine rystede afværgende på hovedet. Den klarede hun selv.

"Jeg vil se hele kroppen," sagde fyren. "To hundrede er for meget for den lille dusk."

'Overmod,' tænkte Denise, mens alarmklokkerne ringede.

"Kom nu, bitch. Fuld figur, ellers slipper jeg ikke."

Jazmine vristede sig løs og trak mobilen til sig. Selv Michelle viste handlekraft, da hun flåede tohundredekronesedlen af bordet og lod den forsvinde.

Så råbte fyren op. Kaldte dem ludere og tyve, og at de alle tre skulle have et par på hovedet.

Det var dér, tjeneren tog affære og viste, at han kunne få ting til at ske. Myndigt greb han fat i manden og spurgte ham, om han skulle ringe efter rockerne en gang til, eller om han ville forlade etablissementet af sig selv.

Fyren nåede lige at spytte på bordet, før han kastede sig ud ad døren.

Tjeneren rystede på hovedet og trak en klud op af forklædet.

"I er nogle livlige unge damer," sagde han, mens han tørrede spyttet af. "Lidt for livlige på en torsdag eftermiddag efter min smag," sagde han. "Så når fyren er nået ned i den anden ende af gaden, vil jeg sætte stor pris på, om I fandt jer nogle andre jagtmarker."

Det var svært at sige noget til.

Fem minutter senere stod de ude på gaden halvt krummet sammen af grin. Denise skulle til at sige, at de tre havde meget at lære af hinanden, men blev i stedet afbrudt af den umiskendelige lugt af barbersprit fra mureren, som Jazmine lige havde plukket. Hun vendte sig mod indgangspartiet i ejendommen ved siden af, samtidig med at murersvenden trådte frem.

Truende, beslutsomt og lynhurtigt tog han fat i remmen på Jazmines taske, og selv om hun trak i den, fik han hånden stukket ned og hevet mobilen frem.

"Giv mig pinkoden, eller jeg smadrer din mobil mod brostenene," advarede han og løftede den højt op over sit hoved, parat til at gøre alvor af truslen.

Man kunne se på Jazmine, at det slag på forhånd var tabt. At de lettjente penge hurtigt ville finde tilbage til deres ejermand, og at mobilen trods alt var mere værd.

"4711," sagde hun og lod ham stå og taste, til billedprogrammet var åbent. Han rullede lidt frem og tilbage, før han fandt mappen. Da han åbnede indholdet, var Jazmines hånd allerede nede i baglommen efter pengene.

"For helvede, jeg vidste de!" råbte han. "Din møgso, det er jo ikke dig!" Han stak et foto frem mod hende af den kvinde, der havde lagt underliv til. Det var åbenbart en hel serie.

Jazmine trak på skuldrene. "Vi kunne jo ikke betale, og du var den, der virkede mest som en gentleman, var det ikke også det ord, du brugte om dig selv?"

Jazmines smil, der var tænkt at skulle sekundere denne ubekymrede tilståelse, blev i et pludseligt udfald smadret af murerens knytnæve, og hun røg direkte i fortovet.

Han skulle lige til at sparke hende, som hun lå der, men standsede midt i bevægelsen og sank stille om. Den vinflaske, Denise havde taget med til deres møde, var alligevel mere, end hans tyrenakke kunne stå imod.

STENENE PÅ FORTOVET ud mod kanalen på Gammel Strand var solvarme, da de satte sig ind under rækværket side om side med en gruppe andre unge, som sad og daskede med benene mod bolværket og vandet under sig. Nu var sommersolen ved at få fat, og lyset stod skarpt, så hævelsen på Jazmines kindben var ikke helt let at overse.

"Skål," sagde Denise og langede rødvinsflasken videre.

"Og tak til dig." Jazmine skålede mod Denise, trak flasken op til munden og tog en ordentlig skylle. "Og også til dig," sagde hun henvendt til flasken og rakte den videre til Michelle.

"Du skulle ikke have sparket ham så hårdt, mens han lå der, Jazmine," sagde Michelle lige så stille. "Jeg kunne ikke lide, at han blødte fra tindingen. Hvorfor gjorde du det, han var jo helt væk?"

"Jeg er dårligt opdraget," kvitterede hun.

De to så et øjeblik på hinanden, og så begyndte Michelle at grine.

"Selfies!" råbte hun og hev mobilen frem.

Denise smilede. "Pas på, du ikke taber den i vandet," sagde hun, mens de rykkede tættere på hinanden.

"Sammen ser vi eddermugme lækre ud, synes I ikke?" Michelle holdt mobilen ud i strakt arm foran dem. "Der er ikke mange her, der har bedre skanker end os," grinede hun.

Denise nikkede. "Det var et flot nummer, du lavede på caféen, Jazmine. Jeg tror, vi kan blive et godt team."

"Så kunne vi måske kalde os for The White Ladies," grinede Michelle. To slurke, og rødvinen havde åbenbart allerede fået godt tag i hende.

Denise smilede. "Du ville fortælle os din hemmelighed, Jazmine, er det nu?"

"Ja. Men så vil jeg ikke høre en skid dårligt om det bagefter. Ingen bebrejdelser eller sådan noget lort. Det har jeg fået nok af hjemmefra, okay?"

De svor tavst med hænderne oppe og grinede så. Hvor slemt kunne det være?

"Da vi mødte hinanden, var det kun tredje gang på seks år, jeg var på sjasen for at tigge, men jeg har faktisk været på støtte hele tiden."

"Hvordan det?" Specielt Michelle lød interesseret. Ikke så underligt i hendes situation.

"Jeg sørger for at blive gravid, og jeg gennemfører graviditeten. Det har jeg gjort fire gange nu."

Denise skød hovedet frem. "*Hvad* har du?"

"Ja, I hørte, hvad jeg sagde. Man er grim i nogle måneder med maven og patterne og alt det, men jeg er kommet mig fint hver gang." Hun klappede sig på sit flade maveskind. Mor til fire børn, og man kunne ikke se det.

"Har du en mand?" spurgte Michelle naivt.

Jazmine lo uden lyd. Det var åbenbart det, der var hele pointen.

"Bortadopterede, alle fire. Systemet er enkelt. Bliv gravid med hvem som helst, og klag over bækkenløsning eller noget andet helselort, og sociallovgivningen freder dig. Når de så skal til at sætte dig i arbejde, så bliver man gravid igen. Barnet fjerner de helt automatisk efter et stykke tid, og så bliver man igen gravid og er fredet endnu en gang. Det er nu et par måneder siden, så på det sidste har det bare været de der møder på sjasen." Hun lo.

Michelle greb ud efter flasken. "*Det* ville jeg ikke kunne," sagde hun. "Jeg drømmer virkelig om at få børn, selv om det nok ikke bliver med Patrick." Hun tog en slurk og vendte sig mod Jazmine. "Du ved altså ikke, hvem der er far til børnene?"

Jazmine trak på skuldrene. "Måske til en af dem, men det er jo også fuldstændig ligegyldigt."

Denise fulgte vandspejlets krusninger, efter at endnu en rundfartsbåd havde passeret dem. Jazmine var ikke en type, hun havde mødt før. En bemærkelsesværdig kvinde.

"Er du så gravid nu?" spurgte hun.

Jazmine rystede på hovedet. "Men måske om en uge, hvem ved?" Hun forsøgte at smile. Det var tydeligt, at der var andre scenarier, som hun hellere ville gennemleve.

Mente hun mon, at det var ved at være tid til at udtænke nye strategier for at overleve?

"Hvad med den pigebande? Hvis du er gravid, og de overfalder dig? Har du tænkt på det?" spurgte Michelle.

Hun nikkede. "Jeg er alligevel på vej væk fra kvarteret." Hun trak undskyldende på skuldrene. "Ja, jeg bor hjemme, har jeg ikke fortalt det?"

De svarede ikke, men det forventede hun vist heller ikke.

"'Næste gang du er gravid, så smider jeg dig ud,' råber min mor hele tiden." Jazmine pressede læberne sammen. "Jeg skal bare finde et sted, og så er jeg skredet."

Denise nikkede. Uholdbare boligsituationer alle tre.

"Hvis du ikke drømmer om børn, hvad drømmer du så om, Jazmine?" spurgte Michelle. Hun var åbenbart ikke kommet længere.

Jazmine så tom ud. Den slags drømmerier var tydeligvis ikke nogen daglig beskæftigelse for hende.

"Nævn hvad som helst," prøvede Michelle at hjælpe på vej.

"Okay. Så er det at få smadret den lusede sagsbehandler Anne-Line Svendsen og blive fri for sjasen."

Denise lo, og Michelle nikkede. "Jah, bare blive helt fri. Måske noget med reality-tv, hvor man kan vinde penge, så man kan gøre, hvad man vil."

Så vendte de sig mod Denise og så opfordrende på hende.

"Nå, er det min tur? Men I har jo allerede nævnt det hele. At få skaffet en masse penge, og så få den kælling til sagsbehandler godt og grundigt ned med nakken."

De så tavst på hinanden, som om de pludselig indså, hvordan der kunne sættes en stopper for deres genvordigheder.

10

Fredag den 13. maj 2016

FRUSTRATION VAR ET behersket ord for den sindstilstand, Carl befandt sig i efter forgæves at have ventet over en halv time i retssalen. Lige for tiden lignede København mere end nogensinde et bombekrater, med de elendige koordineringer af vejarbejder og omlægninger på grund af Metrobyggerierne, og det fik så være, hvad det ville, men kunne han og vidnerne komme til tiden på trods af det, så kunne dommeren for fanden da vel også.

Det var i det hele taget en rigtig møgsag, og nu var den igen blevet udskudt. Og for at gøre ondt værre var det overhovedet ikke en sag inden for Carls domæne, han havde bare været på en rutineundersøgelse i området, da kvinden skreg om hjælp inde fra et hus.

Carl så over på den tiltalte, der sad og skulede. Tre måneder før havde han stået foran Carl med en lægtehammer og truet ham med, at hvis han ikke skred fra hans ejendom, så ville han plante hammerspidsen i skallen på ham. Det var en af de meget få gange, hvor Carl havde ønsket, at han havde haft sin tjenestepistol med. Derfor gjorde han, som manden forlangte, og forsvandt.

Da han tyve minutter senere vendte tilbage med forstærkning og knaldede døren ind, havde manden allerede flækket kæben på sin filippinske kæreste og trampet på hende, så samtlige ribben var brækket fra brystbenet. Bestemt ikke noget kønt syn.

Og igen tænkte Carl, at havde han dog bare fulgt sin børnelærdom på politiskolen og haft pistolen i hylsteret inden under jakken, så havde han kunnet forhindre det.

Nej, det skulle ikke ske igen. Efter den episode var han blevet mere omhyggelig med at sætte skulderhylsteret på plads. Og nu sad den grimme stodder så dér med sit neandertalfjæs og grinede mod ham, som om han kunne slippe for sin straf, fordi dommeren var et drys og ikke kunne komme til tiden. Godt nok stod der ikke idiot i panden på fyren, men det var da lige før. Mindst fire år i brummen, tippede Carl, han ville få for den voldsepisode, for det var bestemt ikke første gang. Man kunne bare håbe på, at der var nogen, der gav ham en røvfuld i spjældet, så svinet kunne lære, hvordan det var at blive maltrakteret så brutalt.

"Du skal op til Lars Bjørn," informerede folkene i vagtstuen ham om, da han nåede tilbage til Politigården.

Carl rynkede panden. Var han måske en snothvalp, man uden videre kunne diktere, i hvilken retning han skulle bevæge sig, og hvornår? Nu havde han spildt halvanden time på det rene ingenting, var det måske ikke nok for den dag?

"Og Bjørn bad os om at give ham et vink, når du var på vej, så det er bare direkte op ad trappen til venstre, Carl," grinede de bag ham.

Hvad ragede det ham, hvad de var blevet bedt om?

NEDE I KÆLDERKORRIDOREN stod Gordon og viftede med armene. "Vi har et problem," nåede han at fyre af, inden han noterede sig Carls mørke sindstilstand.

"Nå da. Men måske er det bedre, at Assad forklarer det," skyndte han sig at tilføje.

Carl stoppede op. "Forklarer hvad?"

Gordon stirrede mod loftet. "Det er noget med vores afdeling, som Lars Bjørn er kommet på. Noget om, at vi ikke har løst nok sager."

Carl rynkede brynene. Det var fjorten dage siden, han havde opgjort opklaringsprocenten for Afdeling Q til at være femogtres for de seneste to år, og det var på ingen måde mindre end de foregående år. Nøgternt set var det betragteligt mere, end hvad man kunne forvente, når man så på, at det var den slags sager, som resten af korpset i realiteten havde måttet henlægge som uopklarede. Femogtres procent succes og femogtres procent gerningsmænd, der ikke længere kunne gå frit omkring. Så hvad fanden snakkede Bjørn om?

"Tag det her, og læg det på mit bord." Han smækkede retsprotokollen i armene på Gordon og sigtede direkte mod trappen og de uendeligt mange trin opad.

Han skulle lære Bjørn at læse statistikker, skulle han.

"JO, DESVÆRRE, CARL, det er fuldstændig korrekt." Lars Bjørn så næsten ked ud af det, men den slags krokodilletårer var Carl ikke faldet for, siden en gymnasiekæreste grædende fortalte ham, at hun var blevet gravid med hans bedste ven.

Forventeligt blev Bjørns næste sætninger sagt med mindre indføling. "Folketingets retsudvalg har behandlet opklaringsraterne i de forskellige retskredse for at kunne lave en bedre fordeling af midler og styrkelse af de lokale mandskaber, og især har man gransket særbevillingerne. Lige netop der faldt Afdeling Q åbenbart igennem, så man har skåret jer. I kommer til at afskedige en medarbejder og så flytte herop, såfremt afdelingen ikke skal nedlægges, er deres melding. Jeg beklager, Carl, men jeg kan ikke gøre noget ved det."

Carl så mat på ham. "Jeg aner ikke, hvad du snakker om. Vores opklaringsprocent er femogtres, og de sager, vi endnu ikke har løst, venter bare på et gennembrud. Det er sager, som alle andre har opgivet, og som ville mugne i arkiverne, hvis vi ikke havde været der."

"Hmmm. Femogtres procent, siger du, hvor står det? Det kan jeg ikke se ud af mine papirer."

Han rodede lidt rundt på det sirligt ordnede skrivebord.

"Hér!" Et papir blev løftet i vejret, og Bjørn pegede på et tal, før han rakte det videre til Carl. "Det her er, hvad Afdeling Q har indrapporteret. Og her er, hvad administrationen fik ud af det. Opklaringsprocent:

femten, står der, og det er ikke just femogtres procent, vel, Carl? Så konklusionen er, at I er for ineffektive, og at afdelingen koster samfundet en bunke penge, som kan være bedre placeret heroppe."

"*Femten* procent!!!??" Carl spilede øjnene op. "De er da helt rundt på gulvet. Og hvad ved de middelmådige idioter på Christiansborg om, hvad vi koster, og hvad vi gør? Det kan godt være, at vi er nogle få rapporter bagud, men det er det hele."

"Et *par* rapporter? Halvtreds procent til forskel er ikke et *par* rapporter, Carl. Du overdriver som sædvanlig, og det gavner heller ikke i den nuværende situation."

En pludselig opstået følelse af bål og brand hærgede Carls nervesystem. Var det måske ham, der havde skabt den situation?

"For det første er den analyse det rene nonsens, og for det andet er det jo jer, der negler det meste af Afdeling Q's bevilling, husk det, Lars Bjørn. Så bliver *vi* nedlagt, så er det for at spare mindre end en fjerdedel af, hvad retsudvalget tror, vi koster. Det papir er ikke engang værd at tørre røv i." Han viftede vredt med det. "Hvor har I de tal fra, Lars?"

Bjørn slog ud med armene. "Spørger du *mig* om det, Carl? I har jo selv givet os rapporterne."

"Så har I satengaleme ikke fået registreret dem ordentligt."

"Nå, men det er der altså delte meninger om, som du kan forstå. For at klare denne beklagelige situation, så foreslår jeg, at du skiller dig af med Rose Knudsen, og at jeg indlemmer Gordon i min administration, og så flytter du og Assad herop. Så må vi jo se, om I to kan tilpasse jer vores mere regelrette facon."

Han smilede og regnede sikkert med, at lige netop på det punkt ville Carl bombesikkert ikke parere ordrer, så hvad var han ude på?

"Altså igen, Carl, jeg beklager. Men politidirektøren har indberettet det til retsudvalget, og så er det jo i bund og grund ikke længere min afgørelse, vel?"

Carl så på sin overordnede med rynkede bryn. Havde manden gået på kursus i Statsministeriets departement for ansvarsforflygtigelse? Vorherre bevares da, vidste Bjørn ikke bedre end at danse kinddans med de inkompetente tåber, der kun forstod at kratte i lakken, men aldrig vidste en skid om, hvad lakken egentlig dækkede?

"Men hør nu, Carl, hvis du er så utilfreds, så klag dog til politikerne," sluttede han af.

Carl glødede og smækkede med døren, så etagen rystede, og fru Sørensen tabte både mund, ører og den stak papirer, hun lige havde samlet op fra skranken.

"I to," råbte han over mod hende og Lis, der stod og fodrede makulatoren. "Er det jer, der har indberettet forkerte tal nede fra os, og nu er ved at tage livet af afdelingen?"

De rystede uforstående på hovedet.

Han smækkede Bjørns memo ned foran dem. "Er det noget, I har skrevet?"

Lis lænede sit nydelige brystparti ind mod skranken. "Ja, det har jeg," sagde hun uden fortrydelse.

"Men det passer jo ikke, hvad du skriver, Lis," sagde han pikeret.

Hun vendte sig mod sit skrivebord, bukkede sig og trak et chartek op af foldearkivet.

Carl prøvede at styre sit blik. Der var blevet en del mere af hende, siden hun havde født sin sidste i en alder af seksogfyrre. Alt sammen sad ret så pænt, men måske burde man hjælpe hende lidt på vej med at svede ammefedtet af sig. Han trak vejret tungt. Hun havde altid været hans førstevalg, når han tunede ind på kanalen med hede nattedrømme, og så lavede hun den her svinestreg mod ham.

"Nej," sagde hun med hånden nede i en talrække. "Jeg forstod det egentlig heller ikke, men se, det stemmer altså, hvad jeg har skrevet. Jeg er ked af det, Carl, men I har afleveret præcis så mange rapporter om afsluttede og løste sager, som jeg skriver." Hun pegede på tallet på den nederste linje. Ikke et tal, Carl kunne genkende.

"Jeg har endda pyntet lidt på det, søde Carl!" Der kom smilet med de krydsede fortænder, hvad pokker det ellers skulle nytte.

Så lød der skridt bag ham, og Carl vendte sig. Det var politidirektøren i stiveste puds på vej mod Lars Bjørns kontor.

Nikket, han sendte Carl, var yderst afmålt. Politigårdens administrativt udnævnte rationaliseringsekspert var åbenbart ude på en af sine sjældne, men givetvis glubske runder.

"HVOR ER ROSE?" råbte Carl, da han nåede sidste trin på trappen nede i kælderen.

Ekkoet fra den nøgne korridor nåede dårligt nok tilbage, før Assad stak sin krøllede manke frem fra døråbningen til sit kosteskab af et kontor.

"Hun er her ikke, Carl. Hun gik."

"Gik? Hvornår?"

"Lige efter du skulle over i retten. Det er mindst to timer siden, så du skal så nok ikke regne med, at hun kommer tilbage i dag. I hvert fald ikke lige foreløbig."

"Ved du noget om, at Rose ikke har fået afleveret vores rapporter på de sager, vi har afsluttet – ud over Habersaat-sagen, selvfølgelig?"

"Hvilke sager? Hvornår?"

"Vores mand oppe på Stjernegangen siger, at gennem de sidste fire-ogtyve måneder har Rose kun afleveret godt en femtedel af rapporterne til drabsafdelingen."

Assads øjenbryn slog en sløjfe. Det vidste han åbenbart ikke.

"Pokkers også, Assad, hun er da blevet helt bimmelim." Carl skred resolut ind til sit skrivebord, tastede Roses hjemmenummer og lod ringetonen køre, til Roses automatiske mobilsvarer gik i gang.

Det var ikke en besked, han havde hørt før. Normalt var Roses telefonsvar grænsende til det hysterisk sprudlende, men denne gang lød stemmen usædvanlig hæs og trist.

"*Rose Knudsen her,*" sagde den. "*Hvis du vil mig noget, så er det bare ærgerligt. Indtal en besked, men du skal ikke regne med, at jeg lytter til den, for sådan er jeg.*" Og så kom bippet.

"Rose, for katten, så tag dog telefonen, det er vigtigt," indtalte Carl alligevel. Måske sad hun i den anden ende og snerrede, måske grinede hun ligefrem, men det skulle nok få ende, når han fik fat i hende. For var det Rose, der havde sjusket så eklatant med sine indrapporteringer,' så ville Afdeling Q under alle omstændigheder blive en medarbejder mindre.

"HVAD SIGER DU, Gordon, fandt du Roses dokumentationer?"

Han nikkede og bøjede sig ind over Carls computer. "Jeg har overført dem til dig, så du kan selv se." Han åbnede dokumentet og scrollede ned over siderne.

Carl pressede læberne sammen. Linje for linje var det en nøjagtig redegørelse for, hvilke sager Afdeling Q havde beskæftiget sig med, hvilke sagsnumre, sagernes karakter og datoerne for, hvornår de åbnede og lukkede dem, og med hvilket resultat. Grønne kolonner med løste sager, blå med de igangværende, lilla med dem, de havde lagt fra sig, og røde for dem, de havde opgivet. Og hertil endelig datoen for, hvornår rapporten var afsluttet og overført til administrationen. Sandt at sige var det et umådeligt grønt indtryk, som modtagerne fik at se, og samtlige rapporter på nær Habersaat-sagen var afslutningsvis forsynet med et flueben. Alt efter bogen.

"Jeg ved ikke, hvad det her går ud på, Carl, men vores Rose har i hvert fald gjort, som hun skulle," sagde Gordon, og sådan talte en tro væbner.

"Hvordan har hun så afleveret dem?" kom det fra døren.

Gordon vendte sig mod Assad, der stod med en kop sukkerdryppende te i hånden.

"Som en vedhæftet fil overført på intranettet."

Assad nikkede. "Til hvilken adresse? Har du så tjekket det, Gordon?"

Han foldede sit teleskopkorpus ud og vadede tilbage til Roses kontor mumlende for sig selv. Det havde han altså ikke.

Carl spidsede ører. Hårde lædersåler på betongulv var ikke nogen almindelig lyd dernede. En sådan ildevarslende lyd som den, Holly-woodskuespillere frembragte, når de illuderede naziofficerer i dårlige krigsfilm, kunne kun fru Sørensen eftergøre. Normale politifolk går med rågummisåler, medmindre de har permanent sæde på politidirektørens domæne, og dem var det i hvert fald ikke.

"Føj, hvor her stinker," var fru Sørensens første bemærkning med overlæben druknende i små svedperler. Forleden havde man spøgt med, at hun under sine hedeture sad med fødderne i en balje koldt vand neden under skranken. Der var altid en god historie om fru Sørensens opførsel, og sjældent usand.

"Den her mellemøstlige odør skal I ikke bryde jer om at slæbe med op til os," fortsatte hun og lagde en plastikmappe foran ham. "Her er den udførlige statistik for jeres afdeling. Vi har de seneste seks måneder stort set ikke modtaget en eneste rapport fra jer, så ledelsen har konkluderet, at I heller ikke har løst noget af betydning i samme tidsrum. Men nu er jeg og Lis begyndt at undre os lidt, for vi følger da gud ske lov med i, hvad der sker her på Gården. Vi ved jo, at Afdeling Q en del gange i nævnte periode har skabt pæne avisoverskrifter omkring de sager, I har været inde over, så noget stemmer altså ikke, det medgiver jeg."

Hun forsøgte sig med et lille smil, men manglede nok træning, for det lykkedes ikke.

"Jeg har det her, Carl," kom Gordon brasende ind. Han lagde udskriften på bordet og pegede. "Rose har sendt sine filer til henholdsvis Lis og Catarina her." Han nikkede til hende. "I begyndelsen kun til Lis, og siden Lis' barsel næsten kun til Catarina Sørensen."

Fru Sørensen krummede sit svedende stavær sammen over udskriften. "Javel," sagde hun og nikkede. "Adressen er rigtig nok, det er sådan set til mig. Problemet er bare, at det nu er mere end tyve måneder siden, at den var aktiv, for jeg er jo blevet skilt i mellemtiden og har taget mit eget navn tilbage. Nu er initialerne ikke længere CS, men CUS."

Carl tog sig til hovedet. Hvorfor var der ikke en automatisk omdirigering fra en gammel mailadresse til en ny? Himmel og helvede, var det en form for sabotage, eller var det øvrige samfunds rodebutik nu også kommet til dem?

"Hvad står CUS for?" spurgte Gordon.

"Catarina Underberg Sørensen," svarede hun med en vis patos.

"Hvorfor stadig Sørensen, når du nu har skiftet til dit pigenavn?"

"Fordi, lille Gordon, at Underberg Sørensen *var* mit pigenavn."

"Åh. Og du giftede dig så med en Sørensen og kom til at hedde det igen, men uden mellemnavnet?"

"Ja, sådan ville min mand jo helst have det. Det andet blev alt for fint for ham." Hun tiskede et øjeblik. "Eller også var det, fordi han var en jammerlig alkoholiker og ikke ville kaldes ved øgenavn."

Gordon rynkede brynene, tydeligvis forstod han ikke hendes sidste bemærkning.

"Underberg er en tysk bitter, Gordon," informerede hun spidst, som om det på nogen måde var oplysende for en mand, der sjældent drak alkohol og kunne blive pottestiv af dunsterne fra en aftershave.

NETOP FÆRDIG MED en redegørelse af den slags, der ville sætte politidirektøren til vægs, og parentetisk bemærket også ville kunne skaffe ham en fjende for livet, lænede Carl sig tilbage og så sig om. Dette ydmyge kælderkontor var hans base, til de bar ham ud. Her var alt, hvad han havde brug for. Et askebæger, en fladskærm med alle kanaler, et skrivebord med skuffer, man kunne lægge benene op i. Hvor fandt man ellers sådanne vitale genstande på Politigården?

Carl forestillede sig politidirektørens problem med at forklare sig til retsudvalget og skreg højlydt af grin, indtil telefonen ringede.

"Er det Carl?" spurgte en farveløs stemme, han syntes, han burde kende, men ikke vidste hvorfra.

"Det er Marcus, Marcus Jacobsen," sagde stemmen, da pausen blev for lang.

"Marcus, for pokker! Jeg kunne næsten ikke kende din stemme," røg det ud af ham.

Carl kunne ikke nære sig for at smile. Marcus Jacobsen, hans gamle drabschef i egen høje person i den anden ende af røret! Et lyslevende eksempel på, at Danmark engang blev ledet af folk, der både var seriøse og til det yderste af fingerspidserne vidste, hvad de havde med at gøre.

"Ja, jeg ved det, stemmen er lidt ru, men det *er* mig, Carl. Der er bare løbet en del smøger i åen siden sidst!"

Det var vel tre-fire år siden, at Carl og han sidst havde talt med hinanden, så en vis anstrengt form for samvittighedsnag krøb gennem røret. Carl vidste jo, hvor hårde kampe Marcus havde været igennem i den forløbne tid, bare ikke hvordan de var endt. Det var lige netop det, der var fejlen, for det burde han vide.

Bare fem minutter efter var katastrofens fulde omfang rullet ud. Marcus var blevet enkemand, og han var mærket for livet.

"Det gør mig utroligt ondt for dig, Marcus," sagde han og forsøgte at finde trøstens ord i en hjerne, der normalt ikke beskæftigede sig med den slags.

"Tak, Carl, men det er ikke i den anledning, jeg ringer. Jeg tror, vi to lige nu har brug for hinanden. Jeg er nemlig faldet over en sag, som jeg synes, vi bør snakke om. Ikke fordi jeg partout vil pudse dig på den, det vil folkene oppe på Stjernegangen nok have sig frabedt, men fordi den sag minder mig om en anden, der har naget mig i alt for mange år. Og så måske også fordi jeg på den måde lidt uforvarende er blevet mindet om, hvor taknemmelig jeg er over, at der stadig er nogen på Gården, der holder et vågent øje med sager, som ellers ville blive skubbet over i hjørnet."

CAFÉ GAMMEL TORVS frokostrestaurant var det sted, de havde aftalt at skulle mødes halvtreds minutter senere.

Marcus sad allerede ved sit gamle bord. Han var blevet ældre og mere slidt at se på, måske ikke så underligt efter de frygtelige år, før hans kone endelig måtte give op.

Nu var han alene, og Carl vidste af hjertet, hvad ensomhed og følelsen af at være blevet forladt kunne gøre ved en mand.

Uden at deres erfaringer i øvrigt kunne sammenlignes.

86

Marcus greb hans hånd, som om de havde været gamle venner og ikke kolleger på hvert sit løntrin.

Måske af høflighed, måske fordi han havde trang til at lande blødt i Politigårdens virkelighed, spurgte han så Carl, hvordan det nu var gået Afdeling Q på det sidste.

Det spørgsmål var lige vand på Carls mølle, så han busede så heftigt ud med frustrationerne, at skyen på leverpostejmaden på det nærmeste dirrede.

Marcus Jacobsen nikkede, ingen vidste bedre end han, at konstellationen af Carls og Lars Bjørns helt forskellige kemier godt kunne resultere i noget sprængfarligt.

"Men Lars Bjørn er faktisk god nok, Carl. Jeg kan slet ikke forestille mig, at det kunne være et nummer, som Bjørn har udtænkt. Selv om døde mailadresser jo normalt omdirigeres til de nye. Kan det være politidirektørens værk?"

Carl kunne ikke se logikken. Hvad i alverden skulle direktøren få ud af det?

"Tjahhh, hvad forstår en gammel drabschef sig på kildevand og politik? Hvis jeg var dig, så ville jeg nok alligevel tjekke det." Han nikkede til tjeneren, at han godt måtte skænke en snaps mere, tog den i én slurk og rømmede sig. "Hvad ved du om drabet på Rigmor Kirschmeyer?"

Carl fulgte Marcus' eksempel og tømte sit glas i ét hug. Det var en af den slags snaps, der snørede øverste og nederste del af tarmsystemet sammen på én gang.

"Lige en snaps for min svigermor," sagde han hostende og tørrede tårerne af øjenkrogen. "Hvad jeg ved? Faktisk ikke så meget. Lige nu efterforsker de jo sagen oppe på andensalen, så den er uden for mit revir. Men konen blev dræbt i Kongens Have, ikke? Er det tre uger siden?"

"Ah, knap og nap. Helt præcis tirsdag den 26. april klokken cirka kvart over otte om aftenen."

"Hun var i midten af tresserne, så vidt jeg husker, og det var rovmord. Manglede der ikke et par tusind kroner i hendes pung?"

"Ifølge datteren ti tusind, jo," nikkede Marcus.

"Drabsvåbnet blev ikke fundet, men det var et stumpt redskab, og det er stort set, hvad jeg ved. Jeg har haft nok at gøre med mine egne sager, men mon ikke jeg ved, hvad du tænker om det hele? Det var faktisk lige før, jeg fik kuldegysninger, da du ringede, Marcus, for det var bare et par timer efter, at jeg havde talt med en vis Mogens Iversen. Måske husker du ham som manden, der tilstod alle mulige forbrydelser?"

Med en anelse forsinkelse nikkede han. Ingen på Politigården, måske lige bortset fra Hardy, kunne matche hans klæbehjerne.

"Og Iversen tilstod såmænd drabet på hende lærervikaren Stephanie Gundersen. Jeg er sikker på, han fik ideen ved at læse om overfaldet på Rigmor Kirschmeyer, for jeg kan sagtens forestille mig, hvordan aviserne har draget sammenligninger mellem de to overfald. Bagefter smed jeg selvfølgelig idioten ud."

"Aviserne, siger du? Nej, der er ingen, der seriøst har koblet de to sager, så vidt jeg ved, men vi frigav jo heller ikke ret mange oplysninger om drabet på Stephanie dengang."

"Okay. Jamen du og jeg ved så, at der er en del lighedspunkter mellem de to sager. Men du skal vide, at den gamle Stephanie Gundersen-sag endnu ikke er blevet overgivet til mig. Jeg har ganske vist en meget tynd sagsmappe liggende på den, men de samlede sagsakter ligger oppe hos Bjørn."

"Har du stadig Hardy boende hjemme hos dig?"

Carl smilede over emneskiftet. "Ja, ham slipper jeg da vist først af med den dag, han finder en dame, der tænder på kørestole og på at tørre savl og snot." Han fortrød morsomheden i samme øjeblik, det var slet ikke fair.

"Nej, spøg til side, det er det samme med Hardy," fortsatte han. "Han bor stadig hos mig, og det går udmærket. Han er faktisk blevet ret mobil nu. Det er nærmest mirakuløst, hvad han kan udrette med de to fingre, han har fået lidt følelse i. Men hvorfor spørger du lige om det?"

"Dengang med Stephanie Gundersen kom Hardy til mig med nogle oplysninger om hende og den skole, hun vikarierede på. Tilsyneladende havde Hardy mødt hende før. Det vidste du måske ikke?"

"Øhh, nææh. Han efterforskede den i hvert fald ikke, for i 2004 var han sammen med mig og ..."

"Hardy var aldrig bange for at give sine kolleger en håndsrækning. En god mand. Virkelig trist, at det skulle gå ham sådan."

Carl smilede og lagde hovedet på skrå. "Jeg tror, at jeg er med, Marcus. Dit ærinde er gennemskuet."

Han smilede og rejste sig. "Virkelig! Men det glæder mig da oprigtigt, vicepolitikommissær Carl Mørck. Virkelig meget endda," sagde han og skubbede et par papirer med notater over mod ham. "Og så må du ellers have en god pinse."

11

Onsdag den 11. maj til fredag den 20. maj 2016

HVAD INGEN OMKRING Anneli vidste, var, at den Anne-Line Svendsen, de syntes at kende på både godt og ondt, i realiteten slet ikke havde eksisteret i efterhånden mange dage.

Igennem den sidste tid, hvor hendes traditionelle dagligdag langsomt var blevet tilført både bekymringer og stor, stor vrede, havde Anneli indtil flere gange taget hele sit nuværende liv og sin selvopfattelse op til revision. Fra at være en samvittighedsfuld borger og medarbejder, for hvem idealerne var samfundssind og ansvarsbevidsthed, var hun nu som en anden Mr. Hyde dykket ned i sine laveste instinkter og havde fundet vejen frem til det, hun havde besluttet sig for fra nu af skulle blive hendes fremtidige og muligvis korte liv.

Efter kræftdiagnosen havde hun gennemlevet et par dages tyngende dødsangst, og det havde afspejlet sig som en passiv vrede, der endnu en gang blev vendt mod de satans unge kvinder, der så ufortjent nassede på samfundet og spildte deres og andres tid. Så med det og deres hånende ord om hende i baghovedet definerede Anneli sit enkle mantra: 'Hvorfor i alverden skulle de have lov at leve, når jeg ikke skal?' Og det hjalp.

Det var lige før, Anneli smilede, da hun var på vej til sygehuset for at få sin dom, for beslutningen var endegyldigt taget.

Skulle hun dø, så skulle de sateme også.

Konsultationen blev en lang snak gennem tågedis, for Anneli kunne ikke koncentrere sig om alle de uvirkelige, virkelige ord. Begreber som skildvagtlymfekirtler, scintigrafi, røntgen, hjertekardiogrammer og kemo gled forbi. Hun ventede bare på den endelige og ultimative dom.

"Din kræftknude er østrogenreceptor-negativ, så vi kan ikke behandle dig med anti-hormoner," havde lægen sagt og forlænget det med en forklaring om, at knuden havde en malignitetsgrad på tre, som var den farligste type, men at knuden var lille, fordi den blev fundet så tidligt, og at det med en operation nok alt sammen skulle lykkes så udmærket.

Sådan en lang sætning, der afsluttedes med et 'nok alt sammen skulle lykkes så udmærket', var ildevarslende.

'Nok skulle!' Hvad pokker betød så det 'nok'?

På operationsdagen var det hele gået lynhurtigt. Onsdag morgen klokken otte havde hun meldt sig syg af influenza. Narkosen var klokken ni, operationen et par timer senere, og så var hun hjemme igen sent på eftermiddagen. Alt sammen radikale omvæltninger i det ellers så stille liv, hun hidtil havde haft, og Anneli kunne ikke helt følge med.

Svarene på celleprøverne kom af alle dage fredag den 13., et par dage efter operationen.

"Der var ikke kræft i skildvagtlymfeknuden," fik hun med bankende hjerte at vide. "Alt tyder på, at der er stor chance for, at du får et godt og langt liv, Anne-Line Svendsen." Her tillod lægen sig at smile en smule. "Vi har foretaget en brystbevarende operation, og du kan regne med hurtig heling, hvis du følger anvisningerne nøje. Bagefter må vi så tage fat på din videre behandling."

"NEJ, JEG HAR det stadigvæk meget underligt, det er en værre omgang, den her influenza. Jeg kan selvfølgelig komme ind på kontoret, men jeg er bange for, at jeg smitter de andre. Så hvad med at jeg venter med at komme til en gang i næste uge, så burde det da være overstået?"

Lidt tøvende kom hendes afdelingsleders svar i den anden ende af røret: smittefare på jobbet var nok ikke det bedste, så hun måtte hellere se at komme sig, så godt hun kunne. De ville selvfølgelig glæde sig til, at hun var tilbage igen efter pinse.

Anneli lagde røret på og mærkede et smil fødes. Hun havde været dødsmærket og derfor besluttet, at hun ville hævne sig på de piger, der ikke havde nogen værdi for samfundet, og nu skulle hun måske slet ikke dø. Hun skulle gå til stråling og få tør hud og forvente træthed som døden, men hvad havde det egentlig at gøre med hendes hævntogt mod kvinder som Jazmine og Camilla og Michelle, og hvad satan de ellers hed? Intet!

Et mantra er et mantra, og det skulle der ikke laves om på, som hun så på det.

Samme aften sad hun stik imod lægernes anvisninger og tømte det meste af indholdet af en cognacflaske, som en behjertet sjæl havde glemt hos hende ved den eneste komsammen, hun nogensinde havde holdt.

I denne rus af gærede druer fra en støvet flaske genvandt hun al sin indignation og vrede. Fra dags dato var det slut med at agere offer. Hun ville gå til sine kommende behandlinger uden at forklare sig på arbejdet, og hvis nogen spurgte, såfremt hun kom for sent om morgenen efter en af disse behandlinger, så havde hun været hos psykolog for at få efterbehandlet den gamle stress. Det var da i hvert fald noget, som enhver centerchef kunne forstå.

Hun lo igen og holdt det halvtømte glas op mod lyset fra hængelampen.

Nej nej, fra nu af ville hun bare tænke på sig selv og dække sine egne behov. Slut med den pæne pige, der stort set aldrig løj og gjorde ureglementerede ting. Slut med hende, der troede, at hun ville bukke under og allerede var begyndt at tænke på et gravsted. Fra nu af skulle hun leve livet og ikke finde sig i noget fra nogen.

Åh, det var så skønne scenarier, der dansede foran hende i rusen. Hun så dem alle for sig. Pigerne og deres idiotiske mødre, der gennem årene havde vanrøgtet deres afkom til uduelighed, og som hun nu ville få til at dejse omkuld i chok.

"De var blevet til ABSOLUT INGENTING!" råbte hun, så forsatsruderne klirrede.

Hun lagde sig sidelæns på sofaen med mavekramper af grin og stoppede først, da operationssåret begyndte at dunke. Så slugte hun endnu et par smertestillende piller og pakkede sig ind i sit gamle vattæppe.

I morgen ville hun lige så stille og roligt udtænke, hvordan de møgtøser skulle udraderes, og så ville hun skaffe sig en adresseliste over de allermest overflødige og uduelige piger i hele Storkøbenhavn.

FORAN HENDE LÅ der halvtreds printede sider fra Google om, hvordan man enklest og sikrest stjæler en bil. Et væld af spændende informationer og mange ting, der virkede uhyre logisk, når man først havde læst på lektien og lært de remser, en biltyv måtte lære udenad, hvis tingene ikke skulle gå galt. Kunne man disse basale sætninger på fingerspidserne, så vidste man også, hvad der var essentielt for at kunne skaffe sig adgang til en aflåst bil uden nøgle og få den i gang.

Det eneste kriminelle, hun kunne komme i tanke om, at hun indtil nu havde gjort, var, hvis hun undlod at gøre kassedamerne i Fakta opmærksom på, når hun fik for meget tilbage. Fuck det, havde hun altid sagt, for offentligt ansatte som Anneli havde i forvejen ikke for meget at rutte med. Men at stjæle biler for at bruge dem til at slå ihjel med var nu alligevel en anden sag. Det var lige, så det boblede i hende.

Ideen havde hun fået fra en kriminalsag, der var slået stort op i medierne. En morder på Bornholm havde smadret en pige med sit køretøj, så hun røg helt op i et træ. Hun kunne lige se det for sig. Det var en forbrydelse, som det havde taget tyve år og en masse held at få opklaret, og det var ovenikøbet på tyndtbefolkede Bornholm. Så gjorde man det samme i en millionby som København og passede godt på, hvem hulen skulle så regne ud, at det var hende?

'Næh, god forberedelse og omhyggelighed, så går det,' tænkte hun. Og omhyggelig og godt forberedt på alle mulige måder var hun.

Det var alfa og omega, at man ikke benyttede en bil, der kunne knyttes til en, så derfor måtte man stjæle den, og det vidste hun nu en del om.

Uanset om man var professionel eller amatør i faget, så skulle man først sikre sig, at bilen ikke var forsynet med tyverialarm. Den enkleste måde at tjekke det på var at skubbe hårdt til bilen, når man gik forbi. Hylede den, sprang man de næste ti biler over og skubbede så til den ellevte. Og først når man havde fundet en tilpas gammel spand, der ikke reagerede på den slags, kunne man fortsætte til punkt nummer to.

Var der overvågningskameraer i nærheden? Folk i vinduer eller på gaden, forbipasserende på cykler, knallerter eller biler, som kunne få øje på hende, når hun gik i gang? Alt sammen sikkert logisk for en ung og entreprenant biltyv, men ikke for en såkaldt pæn kvinde i sin bedste alder.

Derefter skulle køretøjets mærke og tilstand besigtiges nøje. Anneli var jo ikke ude på at skulle sælge bilen til en mekaniker i Lodz eller ribbe den for airbags og dyrt gps-udstyr, så de kostbare køretøjer var ikke emner for hende. Hun skulle bare have en hvilken som helst nogenlunde pålideligt kørende bil, der kunne hamres direkte ind i et menneske og med sikkerhed slå det ihjel.

Når det var gjort, så havde hun tænkt sig at sætte den fra sig et tilfældigt sted langt væk fra påkørselsstedet.

Vigtigst var det, at det var en bil, der var nem at stjæle. Sådan en gammel model, hvor eventuelle ratlåse kunne vrides i stykker, eller som måske ligefrem kunne startes med en skruetrækker stukket i tændingslåsen. Det skulle i hvert fald ikke være en model med startspærre, men det kunne tjekkes på hendes smartphone. Og så var der det elementære, som at tjekke, om dækkene var flade. Om der var genstande i bilen, der kunne skabe problemer. En babylift med en baby i, for eksempel. Og så om man kunne manøvrere bilen hurtigt nok væk fra parkeringspladsen. Var der i det hele taget plads til at komme ud af parkeringsbåsen? Anneli skulle i hvert fald have mindst fyrre centimeter både foran og bag bilen, men det var vist heller ikke unormalt.

Anneli smilede og løb ned over alle tjekpunkterne. Hvor løb man så hen, hvis man blev opdaget midt i forehavendet? Og hvis man ikke nåede det, hvilken søforklaring ville man så fyre af?

Anneli øvede sig. 'Guuuud, er det ikke min bil? Jeg kunne heller ikke forstå, at nøglen ikke passede. Åh nej, gud, altså, hvis det ikke er min bil, hvor har jeg *så* sat den henne?' Mon så ikke de fleste ville tro, at hun var en lovlydig, men fuldstændig forvirret kvinde? At hun var gået i panik eller måske var lettere dement?

Den lørdag glemte Anneli fuldstændig sine smerter. Hun åd bare piller og tømte barskabet og læste så i øvrigt, til hun var helt blå i hovedet. Det var simpelthen årtier siden, hun havde følt sig så varm, så handlekraftig og vital. Så kunne det vel heller ikke være virkelig forkert.

Dagen efter gjorde hun sit første forsøg.

Hun udså sig fra Google Street View en stor parkeringsplads i Herlev, hvor hun regnede med, at bilparken ikke var lige så fisefornem og utilnærmelig som for eksempel i Holte eller Hørsholm.

Under S-togsturen begyndte det at krible i hele Annelis krop. Alle medpassagererne syntes pludselig så grå og ligegyldige. Unge mennesker, der kyssede eller lo, irriterede hende ikke, som de plejede at gøre, og kvinder på hendes alder, der på et eller andet tidspunkt bare skulle tilbage til familien og kødgryderne, havde hun nærmest ondt af.

Så klappede hun på tasken, hvor skruetrækkeren, pumpepuden, det lille koben, glashammeren og den dyre, tynde nylonsnor fra Silvan lå og ventede på at indfri hendes forventning.

Følelsen var næsten som at blive genfødt.

ANNELI SÅ SIG omkring. Det var en stille søndag dagen efter Melodi Grand Prix'et. Tilsyneladende påvirkede det ikke stemningen herude i forstaden, at Danmark var blevet sparket ud med fuld musik, den var bare mat og sløv, som den plejede.

Meningen med dagens mission var ikke at fuldbyrde et tyveri, men bare at prøve at nå så langt som at komme ind og sidde i køretøjet. Lige nu havde hun ikke så travlt, for sikkerheden kom før alt andet. Senere på ugen ville hun så gå videre i agendaen og prøve at kortslutte tændingen og køre sig en tur. Hun bestemte selv tempoet.

Hun fandt sig en fristende Suzuki Alto, der stod med rustpletter under dørene og lignede en, der i forvejen var stjålet. Rundt omkring hende var der behersket aktivitet; det var også lige nu, at alle normale mennesker fladede ud med morgenkrydderen eller susede rundt for at gøre pinsefrokosten klar.

Den grå skrammelkasse stod mellem et par BMW'er af den ældre type, som hverken brede stålfælge eller larmende anlæg kunne opgradere. Her kunne hun i ro og mag dunke til Suzukien.

Den gyngede tavst på hjulene, altså ingen alarm.

Så var der tre muligheder. Enten den med snoren, der skulle tvinges ind gennem passagerdørens sprække og ned og gribe fat om låsetappen i døren. Den besværlige med pumpepuden, der kunne stikkes ind i bagagerumsklappens sprække og tvinge den op, så man kunne sparke bagsæderne ind, og så endelig den lidt enklere med at smadre ruden.

Den dag var Anneli mest disponeret for at smadre ruder.

På internettet havde hun lært, at det bedst lod sig gøre med et kort slag nede i hjørnet af ruden, så det gjorde hun. Først med den flade side af hammeren, hvilket ikke virkede, og så med et slag med spidsen.

'Ikke for hårdt,' huskede hun sig selv på. Hun skulle ikke risikere, at hånden fløj helt igennem og blev skåret til blods.

Efter tredje slag vurderede hun, at ruden var unormal og ikke bare lod sig smadre.

Så tog hun fat i dørhåndtaget. Lige akkurat det burde hun nok have prøvet lidt før. For så åbnede den.

EFTER ET PAR TIMERS indbrud i forskellige bilvrag og med forskellige metoder vurderede hun nøgternt, at med hendes udtalte mangel på fingernemhed pegede alt på, at det var bedst bare at smadre ruder. Alt det der med snore og luftpuder fungerede ikke for hende. Snorene knækkede, eller sløjfen, der skulle gribe om låsetappen, snøredes sammen, og luftpuden punkterede allerede ved første forsøg. Næh, smadring af ruder vidste man, hvad var. Bagefter kunne man så bare prikke alle glasstumperne ud af vinduesrammen og børste glasskårene fra passagersædet ned på gulvet. Ingen ville tage notits af det åbne vindue her i denne lune maj måned, så længe vejret artede sig, som det gjorde. Og ville man bruge en bil flere gange og prøve at camouflere indbruddet lidt, så var gennemsigtigt og solidt plastik såmænd nemt nok at skaffe.

Dertil kunne hun så konkludere, at hendes værktøj, og især hammeren, nok ikke var det bedste til formålet. Derfor ville en spids carbontingest, som man foreslog på nettet, blive det næste, hun skulle have fat i. Og så var der det med tændingen. Et enkelt sted prøvede hun at presse en skruetrækker hårdt ind i tændingslåsen og dreje til, men *det* lød ikke godt.

'Mindre og spidsere skruetrækker næste gang, og så lidt bedre håndelag,' tænkte hun.

Der var stadig studier, der ventede.

ANNELI NÅEDE HELT frem til den efterfølgende fredag morgen, før hun begyndte at føle sig fuldbefaren. Ugen var gået med lidt arbejde om dagen og indbrud i forskellige bydele i døgnets resterende timer, og nu var det lykkedes hende at starte bilerne med forskellige metoder.

Når man så endelig sad i sådan en vogn, man ikke selv havde betalt for, og tog et gadehjørne for fuld speed, føltes adrenalinpumpen ekstra effektiv. Med pulsen oppe og forsvarsmekanismerne i fuldt beredskab var det en væsentlig yngre model af Anne-Line Svendsen, der sad bag rattet, ja, sådan føltes det i hvert fald. Synet og hørelsen skærpedes, ligesom evnen til hurtigt at analysere omgivelserne, og huden blev varm og spændstig.

Pludselig følte Anneli sig dreven og snu. Som et menneske, der endnu ikke havde nået sit fulde potentiale, som en kvinde, der kunne matche mænd i næsten hvad som helst.

Kort sagt var Anneli ganske langsomt blevet en anden.

På hendes køkkenbord lå der nu en lang liste over unge kvinder, som hun gennem de seneste år havde haft professionel berøring med.

Det var piger og kvinder, for hvem intet andet end deres egne behov betød noget her i livet. Alt omkring dem syntes at skulle være til for dem. De nassede på både omverdenens følelser og almisser, og Anneli hadede hver eneste af dem. Ja, hadede var for svagt et ord.

Det havde været lidt af en opgave at tiltuske sig relevante oplysninger fra de andre socialforvaltningskontorer, som hun havde frekventeret de sidste år, der skulle jo være såkaldt faglige grunde til at tjekke dem, men det valgte Anneli at se stort på, og nu havde hun halvtreds navne at vælge mellem, og det var hun godt tilfreds med.

Det var dem, verden skulle befris for.

Midt på ugen havde hun lavet en prioritering. Først kom dem, der havde irriteret hende mest, og det var et blandet selskab fra de tre social-kontorer, så man ikke uden videre ville ane drabsmønstret, og dernæst dem, der havde pumpet systemet i længst tid.

Anneli tændte sig en cigaret og lænede sig tilbage i køkkenstolen. Fik politiet nogensinde ram på hende, så ville hun tage sin straf med oprejst pande. Intet i hendes hjem holdt på hende, og ingen mennesker ude i samfundet holdt hende tilbage, dertil var relationerne for overfladiske og ligegyldige. I fængslet derimod ville hun få det, der betød mest for de fleste mennesker: tryghed, faste måltider, faste rutiner og masser af tid til at læse gode bøger. Langt væk fra usselt arbejde og stress. Såmænd var der sikkert også nogle enkelte derinde i fængslet, hun ville have det bedre med end dem herude, hvorfor dog ikke?

Næh, skulle det endelig være alternativet, så var det ikke det værste.

Fra nettet printede hun nogle kort over Københavns forskellige kvarter-er på A3-papir og markerede med blyant, hvor pigerne boede. 'Man skal ikke pisse i sin egen baggård,' tænkte hun og frasorterede de piger, der boede i nærheden af hende på Østerbro, og lagde dem nederst i bunken.

Efter en del overvejelser valgte hun Michelle Hansen som sit første offer. Dels var pigen mindre godt begavet og formentlig derfor også let at overliste, og dels var hun en krævende og smaskirriterende gås, som gav Anneli knopper, bare hun tænkte på hende.

Hun vidste, at pigen boede hos sin fyr, Patrick Pettersson, og at ejendomskomplekset lå så tilpas langt inde i labyrinten af Nordvestkvarterets små gader, at man måtte regne med, at trafikken var begrænset, så hun kunne få ro til forehavendet. Altså syntes der umiddelbart ikke at være noget, der forhindrede hende i at tage næste skridt.

Hun smed pakken med cigaretter i tasken og begav sig ud i morgentrafikken. Nu skulle hun ud og finde en bil.

Jagten var i gang.

12

Fredag den 20. maj 2016

DA MICHELLE FYLDTE syvogtyve, følte hun sig pludselig gammel. Seksogtyve lå lige på grænsen, men syvogtyve! Hvor tæt var man så ikke kommet på de tredive, og hvor lang tid siden var det ikke, at hun havde den alder, hvor alle berømthederne debuterede? Så tænkte hun på Amy Winehouse, Kurt Cobain og alle andre kendte, der døde i den alder, hun nu havde, og på alt det, de havde opnået inden da.

Og så døde de bare. Alt for tidligt, skrev man.

Michelle derimod levede i bedste velgående, og hun havde ikke opnået andet end at bo i en etværelses i Nordvest sammen med Patrick, som hun godt nok stadig var lidt forelsket i, men var det så bare det? Var det ikke sådan, at hun altid havde fået at vide, at hun var født til noget særligt, og nu var hun syvogtyve. Hvor var det særlige lige blevet af?

Alle de tv-optrædener, hun aldrig var blevet tilbudt, pinte hende. Ikke fordi hun havde prøvet at gøre noget videre opmærksom på sig selv, men alligevel. Hvorfor var der ikke en, der havde opdaget hende, når hun gik på gaden, ligesom hende Natalya Averina fra Roskilde? Eller som Kate Moss, Charlize Theron, Jennifer Lawrence, Toni Braxton og Natalie Portman? Hun så da bedre ud end de fleste, og synge kunne hun også, sagde hendes mor.

Nu var hun altså syvogtyve, og så skulle det snart ske. Patrick havde været med i et enkelt realityshow, og det var dér på skærmen, hun blev forelsket i ham, selv om han allerede blev stemt hjem i afsnit to. Ham fik hun da, efter at have stalket ham i nogle uger, så noget skete der altså. Og hvis han kunne komme i tv, så kunne hun også, så feminin og lækker hun var. Brugte på det nærmeste en halv time hver morgen til at barbere benene, armene og skridtet, en halv time til håret og en halv time til ansigtet og så bagefter tiden til at klæde sig ordentligt på. Havde hun måske ikke stadigvæk en flad mave? Så hendes opererede bryster måske ikke bare fantastiske ud? Var hendes tøjsmag og sans for sammensætning måske ikke mindst lige så god som de kællinger, der blev castet ud af ingenting?

Jo, snart måtte der ske et eller andet. Og kunne hun ikke blive berømt, så måtte hun se at blive rig. Gifte sig med en milliardær eller sådan noget. Det var i hvert fald ikke som blomsterbinder, neglestylist eller sminkøse, man blev rig, og slet ikke som vaskekone i Helsingør. Kunne de da overhovedet ikke forstå det? Patrick, hendes stedfar og hendes sagsbehandler var alle sammen efter hende, men hvorfor? Hun var jo udset til at blive noget større. For et par måneder siden havde hun sygemeldt sig med stress, de krævede alle sammen bare for meget af hende, og nu faldt hammeren pludselig for gud ved hvilken gang med det sindssyge bøvl med Patricks lejlighed og socialt bedrageri og alt det der.

Betød det så, at hendes fremtid bare var den her etværelseslejlighed? Skulle hun drøne på arbejde tidligt hver morgen og få grimme rynker af mangel på søvn? Skulle hun høre på Patricks brok år ud og år ind? Godt nok knoklede han, det vidste hun, med masser af sort arbejde om aftenen, når ellers han da ikke var udsmider på Victoria, det diskotek, hvor de kyssede hinanden første gang. Men hvorfor kunne han så ikke bare få en skidegod idé, som kunne gøre dem rige, så de kunne få et dejligt hus med pæne møbler, nystrøgne duge og et par smukke børn?

Okay, hun forstod da godt, at når han gik med hende op på sjasen, så var det, for at de skulle få det en smule mere luksuriøst. Lidt klejner skulle hun da bringe hjem, sagde han altid, men hvad skulle de håndører hjælpe? Patrick havde materielle behov, som hendes lille løn aldrig ville kunne dække. Fitnesscenter tre gange om ugen. Lækkert tøj og massevis af spidse læderstøvler. Og biler. Jo, han havde allerede en bil, en Alfa Romeo med lyse sæder, og det var hun da glad for, når han ellers gad tage hende med ud at køre. Men nu ville han hellere have en anden bil, en nyere og dyrere, og det var med garanti det, han ville bruge de penge til, som hun kunne tjene. Det var bare ikke rimeligt.

Hun så ned på sin venstre hånd. En lille, diskret tatovering med Patricks navn tittede frem ved roden af tommelen, og Patrick havde fået lavet en med hendes navn lige dér på tricepsen, hvor to muskelgrupper kæmpede om magten, og det så superlækkert ud. Men var det bare det?

Næste gang ville hun fylde otteogtyve, og hvis der ikke var sket noget inden da, så ville hun skride fra ham og finde en anden mand, der værdsatte hendes fortrin lidt mere kontant.

Michelle kastede et blik over på ham, som han lå der rullet ind i lagenet og strakte sig med nøgen underkrop. Det var faktisk kun dér i sengen, at hun havde det rigtig godt med ham, nu hun lige tænkte over det.

"Hej," sagde han og gned øjnene. "Hvad er klokken?"

"Du har en halv time, før du skal gå," svarede hun.

"Gosh!" gabte han. "Og hvad laver du så i dag? Går du på centret og siger undskyld til hende sagsbehandleren?"

"Nej, jeg skal noget andet. Så ikke lige i dag, Patrick."

Han rejste sig på albuerne. "*Hvad* skal du? Noget andet? Du skal sgu da ikke noget andet, der er vigtigere, dumme kælling!"

Hun snappede efter vejret. 'Dumme kælling!' sagde han. Det ville hun i hvert fald ikke finde sig i at blive kaldt af nogen.

"Du skal ikke kalde mig dumme kælling, at du ved det!"

"Nå, for hvad er det så lige, der sker ved det, Michelle? Der er vist noget ret så vigtigt, du ikke forstår, og så må du da være en dum kælling. For det er snart tre uger siden, at din sagsbehandler afslørede os i socialt bedrageri, og ovre på bordet ligger der to rudekuverter og breve med stempler på, som du ikke engang har gidet åbne. Og hvorfor får du nu almindelige breve fra sjasen, tjekker du da for helvede aldrig din e-boks, om jeg må spørge? Det kunne jo være vigtigt, har du ikke tænkt på det?

Der er garanteret bøder eller stævninger eller girokort eller sådan noget lort i dem."

"Du kan da bare selv åbne dem og se efter, hvis du er så nysgerrig."

"Der står sgu da *dit* navn på, ikke, så hvad med selv at gøre det? Jeg skal fandeme ikke rodes mere ind i det lort. For helvede, Michelle, tag dig nu sammen, for ellers smider jeg dig ud, det kan du godt regne med."

Hun sank et par gange. Det her var alt for meget på en gang. Så rejste hun sig fra toiletbordet, skulle lige til at råbe et eller andet ad ham, men vidste, at hvis hun gjorde det, så ville det bare komme ti gange tilbage.

Michelle stirrede ned i gulvet. Hvis hun ikke tog sig sammen, så fik hun tårer i øjnene, og de ville ødelægge hendes perfekte makeup.

Hun vaklede de femten skridt ud til badeværelset og smækkede døren i efter sig. Patrick skulle i hvert fald ikke se, hvordan han kunne hyle hende ud af det.

"Du bliver der ikke for længe," råbte han fra sengen. "Om lidt skal jeg derud."

Nu afslørede spejlet tydeligt, hvad det var, han gjorde ved hende. Faktisk sad der allerede en rynke i panden. Vidste han da ikke, hvad det kostede at få sådan en glattet ud med Botox, det åndssvage fjols?

Michelle greb fat i vaskens kant. Hun havde det faktisk temmelig underligt lige nu. Som om alle de grimme ord havde sat sig i mellemgulvet og nu bare ville op på en gang.

Hun bed sig i underlæben og mærkede et opstød svide i halsen. 'Smider dig ud,' havde han sagt. 'Smider dig ud!'

Hende?!

Opkastet kom heftigt og uden varsel, men ikke en lyd undslap Michelle. Han skulle eddermukme ikke vide, hvordan han påvirkede hende, og at han kunne pibe hende helt ud af det i en sådan grad, at hun måtte brække sig. Hun havde gjort det et par gange før, men som hun nu stod der med halsbrand og rester af gårsdagens mad siddende i mundvigen, tog hun den endelige beslutning om, at denne gang skulle blive den sidste.

DA PATRICK ENDELIG var gået, gik hun systematisk til værks og rodede alle hans gemmer igennem. Fandt en hundredkroneseddel her og der. Fandt smøger i jakkelommer, selv om han sagde, at han var holdt op, fordi det var for dyrt, og det skulle hun i øvrigt også tage at gøre. Fandt kondomer i enkeltpakninger i de små lommer i hans Levis-jeans.

Kondomer, hvad skulle han med dem? Hun tog da for helvede p-piller og var skidebange for at få blodpropper af dem. Hvad skulle han så med kondomer?

Hun flåede et par stykker fra hinanden og smed dem på sengen. Så kunne han selv regne ud, hvorfor hun ikke var der, når han kom tilbage.

Michelle så sig omkring og overvejede, hvad hun skulle tage med. Selv for en kortere periode ville hun under ingen omstændigheder flytte tilbage til sin familie, for der var Stephan også, idioten som hendes mor nu havde dyrket i tre år, og som var helt syg i hovedet. Ville hendes så-kaldte stedfar måske ikke have hende til at arbejde for sig på sit beskidte bilværksted for lusede fjorten tusind om måneden? Skulle *hun* måske svine sig til med olie for fjorten tusind om måneden?

Som om det var en tjeneste, han gjorde hende.

Hun sad et øjeblik og stirrede ind i tapetet og prøvede at se det hele udefra. Hvorfor var hun så skidedårlig til sådan noget som det her? Hvorfor kunne hun ikke bare gøre ting, der var rigtige og gode for sig selv? Hun trængte virkelig til at få lidt støtte, lidt gode råd.

Så tænkte hun på Denise og Jazmine, der var så handlekraftige. Hvad mon de ville gøre i hendes tilfælde?

MICHELLE TRÅDTE NED på gaden med en god følelse i kroppen. Hun hav-de ringet til pigerne, og de skulle mødes i byen om en time, og så ville hun lægge alle kortene på bordet. Måske kunne de så hjælpe hende, ja, måske havde en af dem ligefrem et tip om, hvor hun kunne få et ordent-ligt sted at sove det næste stykke tid.

Hun smilede og så godt den røde bil lidt længere nede ad gaden trække ud fra parkeringspladsen. Den, der kørte, var sikkert en som hende selv, der ikke havde en klokkestreng at skulle hænge i. En, der tog sig selv alvorligt nok.

Hun nikkede. Om nogle måneder havde *hun* sikkert også sin egen bil. Lige før hun var gået, havde hun tjekket sin facebookside og set, at der igen var casting til et tv-program, og hun passede i hvert fald bedre til det end hende, der havde lagt tippet op. Det var et helt nyt koncept, ikke noget, Michelle havde hørt om før, noget med piger på en farm, som helt igennem skulle klare sig selv med mad og almindelige ting, som man nu gør. *Det* kunne hun i hvert fald, men det behøvede hun selvfølgelig ikke at fortælle dem i programmet. Hun skulle bare spille dum og lade, som om hun ikke vidste, hvordan man kogte kartofler og sådan noget. Spille dum og se skidegodt ud og strutte med røv og bryster. Så tog de hende, det var helt sikkert.

Hun skråede over gaden. Der var også et andet realityshow, som søgte efter deltagere. Drømmedate, hed det vist n...

Hun så sig instinktivt over skulderen, men det var allerede for sent. Pludselig var bilen der og lyste op som en rød plamage midt på vejen, helt tæt på og lynhurtig med motoren hylende i lavt gear.

Kvinden bag ruden så direkte på hende, mens hun flåede i rattet og styrede mod hende, og det ansigt fik Michelle til at stikke hånden afværgende frem i panik.

Men hånden stoppede ikke bilen.

DET VAR EN svag dunken i armen, der vækkede hende. Hun prøvede at åbne øjnene og rejse sig bare en anelse, men kroppen lystrede ikke.

'Jeg ligger vist med åben mund, gør jeg ikke?' tænkte hun, mens lugte og lyde, hun ikke kunne placere, lagde sig over hende som en dyne.

"Michelle, hør her." Hun mærkede stille rusk i den friske arm. "Du er kommet til skade, men det er ikke noget alvorligt. Kan du åbne øjnene?"

Hun mumlede et eller andet. Det var bare en dum drøm.

Men så var der nogen, der klappede hende på kinden. "Kan du vågne op nu, Michelle? Der er en, som gerne vil snakke med dig."

Hun trak vejret dybt i et gisp, der trak hende ud af døsen.

Over hende omkransede et hvidt, skærende lys et ansigt, der så direkte ned på hende.

"Du ligger på Bispebjerg Hospital, Michelle, og du er okay. Du har været utroligt heldig."

Nu så hun, at det var en sygeplejerske. Hun havde fregner, det havde Michelle også engang haft.

Bag hende stod en mand, der nikkede venligt til hende.

"Det er politiet, der er kommet for at stille dig et par spørgsmål, Michelle."

Manden trådte frem. "Ja, mit navn er Preben Harbæk, jeg er politiassistent ved Bellahøj politistation. Jeg vil gerne stille dig et par spørgsmål om, hvad du kan huske fra ulykken."

Michelle rynkede på næsen. Der lugtede stærkt derinde, og lyset var alt for skarpt.

"Hvor er jeg?" spurgte hun. "Er jeg på hospitalet?"

Manden nikkede. "Du er blevet kørt ned af en flugtbilist, Michelle, husker du det?"

"Jeg skal møde Denise og Jazmine, så må jeg godt gå?" Hun prøvede igen at finde støtte på albuerne, men så dunkede det i hovedet. "Jeg skal snakke med dem."

Sygeplejersken så intenst på hende. "Du skal blive liggende, Michelle. Du har en dyb flænge i nakken, og du er blevet syet med mange sting. De veninder, du skulle møde, sidder ude i venteværelset. De ringede til din mobil og spurgte, hvor du blev af." Hun så alvorlig ud, men hvorfor det, når Jazmine og Denise sad derude?

"Du har ligget her i tre timer, og vi er nødt til at observere dig for hjernerystelse, for du fik et kraftigt slag i hovedet, da du blev slynget ind mod fortovet. Du lå dybt bevidstløs, da en af gadens beboere fandt dig, og du havde mistet en del blod."

Michelle forstod ikke det hele, men hun nikkede. Det var i hvert fald godt, at Jazmine og Denise var der. Så kunne hun fortælle dem, at hun lige var skredet fra Patrick.

"Forstår du, hvor alvorligt det her er, Michelle?" spurgte politimanden.

Hun nikkede og svarede så på hans spørgsmål, så godt hun kunne. Jo, hun så da bilen, den var rød og ikke ret stor. Den kørte lige mod hende, mens hun gik over vejen. Da hun blev forskrækket over det, prøvede hun at stoppe den med sin hånd. Var det derfor, det gjorde så ondt i den?

Politimanden nikkede. "Men den er ret så mirakuløst ikke brækket," sagde han. "Du må godt nok være en stærk pige."

Det kunne hun godt lide, at han sagde. Han var sød nok.

Ellers havde hun ikke noget at tilføje.

"DE SIGER, DU skal ligge her i nogle dage, Michelle." Jazmine så sig om i lokalet. Det var tydeligt, hun ikke følte sig ret godt tilpas, men der lugtede også rimeligt klamt på stuen. Kun en skærm adskilte sengen fra sidemandens, og derindefra stank der virkelig dårligt. Ovre ved hånd-vasken og spejlet stod et stativ med bækkenet, som sygehjælperen lige havde taget fra hende, så lækkert var der godt nok ikke.

"Vi kommer hver dag og besøger dig," sagde Denise. Hun virkede ret ligeglad med stedet og stanken.

"Vi ville have taget blomster med, men så tænkte vi, at vi hellere ville bruge pengene nede på cafeteriaet," sagde Jazmine. "Må du komme op?"

Det vidste Michelle ikke, så hun trak på skuldrene.

"Jeg er gået fra Patrick," sagde hun henkastet. "Gider I ikke lige se, om det er min taske derovre?" Hun pegede på en bylt, og de nikkede, så det var godt.

"Jeg gider ikke, han skal komme her, så vil I godt sige det til dem derude?"

De nikkede.

"Så har jeg måske et sted, hvor du kan bo, uden at det skal koste dig noget," sagde Denise. "Og der er også plads til dig, Jazmine."

Michelle så taknemmeligt på hende. Gud, hvor godt.

"I hvert fald for et stykke tid," understregede hun så.

Michelle pressede læberne sammen. Det var skidefint, men hun havde også bare vidst det. De to ville ordne det hele for hende.

"Hvad skete der? De siger, du er blevet kørt ned. Hvad sagde du til politiet?" spurgte Denise.

Hun forklarede det med bilen.

"Men det var ikke Patrick, vel?" spurgte Denise.

"Nej," hun grinede, hvad var det for et spørgsmål? Havde hun ikke lige sagt, at det var en lille, gammel og rød smadrekasse? Som om Patrick ville nedlade sig til at sidde i sådan en.

"Patrick kører Alfa Romeo, den er større. Og sort."

"Folk i trafikken er syge i hovedet," kommenterede Jazmine.

Så kom det, hun simpelthen var nødt til at sige. "Men jeg synes altså, at jeg kendte ansigtet på hende i bilen."

De blev helt tavse, som om de ud over en nærmere forklaring også forventede et fuldstændigt signalement.

"Har du sagt det til politiet?" spurgte Denise.

"Nej." Michelle sparkede til sengetæppet. Det var jo ikke til at få luft med det på.

Så kastede hun med hovedet mod sidemandens forhæng. Det ragede i hvert fald ikke hende, hvad hun nu ville fortælle.

"Jeg var lige ved at sige det til ham politimanden," hviskede hun, "men så ville jeg først spørge jer, hvad I synes, at jeg skal." Hun gjorde tys-tys-tegn med fingeren foran sine læber.

"Hvad mener du?" hviskede Denise så.

"Jeg syntes, det var Anne-Line Svendsen, der sad i bilen."

De reagerede lige præcis med de grimasser, hun regnede med. Chok og mistro og mangel på forståelse.

"Christ, altså! Er du sikker?" spurgte Denise.

Hun trak på skuldrene. "Næsten, tror jeg. Det var i hvert fald en, der lignede hende. Også trøjen."

108

Denise og Jazmine så på hinanden. Troede de ikke på hende?

"Synes I, jeg skal melde det?" fortsatte hun.

De sad et stykke tid og så ud i luften. Alle tre hadede Anne-Line Svendsen. Tre bistandsklienter, som kællingen havde gjort det surt for i snart mange år.

Jo, Michelle tænkte det samme, som de gjorde lige nu, det var hun sikker på. *Hvis* det virkelig var Anne-Line Svendsen, hvem ville så tro på en pige som hende? Hvorfor skulle en sagsbehandler, der ovenikøbet havde vundet en stor gevinst, gøre sådan noget? Hun kunne godt se problematikken.

'Er det måske ikke mig, der har begået socialt bedrageri?' tænkte hun. Jo, det var det. Og var det ikke meget risikabelt og kostede dyrt med falske anklager? Jo, det vidste hun i hvert fald fra tv-serier.

"Jeg skal til samtale hos hende på mandag," sagde Jazmine et øjeblik efter. "Så spørger jeg hende sgu ligeud, om det var hende, der gjorde det."

Denise nikkede. "Godt nok. 'Bare lige på og hårdt,' sagde min morfar også altid."

"Men hvis hun nu nægter, og det gør hun selvfølgelig, hvad gør vi så?" spurgte Jazmine. "Nogen forslag?"

Denise smilede, men hun sagde ikke noget.

13

Fredag den 13. maj og tirsdag den 17. maj 2016

UDE I ALLERØD var grillsæsonen for længst fløjtet i gang, og hvad der før steg til vejrs som en mild duft af røg fra naboens have, dækkede nu som en fed tåge af brændt kød hele parkeringspladsen.

"Halløj, Morten og Hardy!" råbte Carl, mens han smed sin frakke i entreen. "Griller I også?"

Der lød en svag brummen fra Hardys elektriske kørestol, da han nærmede sig. Denne dag var han klædt helt i hvidt, en stærk kontrast til hans mørke ansigtsudtryk.

"Noget galt?" spurgte Carl.

"Mika har lige været her."

"Nåda! Er han begyndt at give dig behandlinger om fredagen? Jeg troede ellers ..."

"Mika er kommet med Mortens ting. De er gået fra hinanden. Nu sidder Morten i en krog i stuen og er godt ked af det, kan jeg sige dig. Lige nu trænger han til sine venners omsorg, så jeg har sagt til ham, at han indtil videre godt kan komme tilbage til os og bo i kælderen, okay?"

Carl nikkede. "Det var ligegodt ..." Han strøg Hardy let over skulderen, idet han passerede ham. Godt, at Morten og Hardy i det mindste havde hinanden.

Den forsmåede elsker sad sammenkrummet helt inde i hjørnet af sofaen med hængende kæbe og lignede en, der netop havde fået stukket en dødsdom ud. Ligbleg, opløst af gråd og tilsyneladende fuldstændig udmattet.

"Hej, min ven, hvad er det, jeg hører?" spurgte Carl.

Måske skulle han have kantet sig lidt forsigtigere ind på emnet, for effekten blev, at Morten rejste sig med et sæt og kastede sig om halsen på Carl med et gutturalt brøl, mens floder af tårer sprøjtede ud af ham.

"Jamen dog!" var alt, hvad han kunne finde på at sige.

"Jeg kan næsten ikke tænke på det," hulkede Morten ind i Carls øre. "Jeg er bare så ulykkelig! Og så nu her til pinse, hvor vi ellers skulle have været på tur til Sverige."

"Fortæl mig lige, hvad der er sket, Morten?" Han tvang ham i armslængde fra sig og så ham direkte ind i de sejlende øjne.

"Mika vil læse til læge," hylede han, mens snottet løb. Det lød ellers ikke så livsfarligt.

"Og så siger han, at han ikke længere har tid til et fast forhold. Og jeg *ved*, at det sikkert er noget andet."

Carl sukkede. Så skulle de nok til at rydde kælderen endnu en gang, så Morten kunne flytte tilbage til sit gamle revir. Så måtte papsønnens ting væk. Egentlig også på tide. Hvor mange år var det overhovedet siden, at Jesper flyttede?

"Du kan få kælderrummet, hvis du vil," afledte han ham. "Jesper har godt nok en del ting dernede, men jeg skal nok få ham ..."

Morten nikkede og takkede, mens han tørrede sine øjne med bagsiden af hånden som en lille dreng. Hans før så trivelige krop så virkelig afpillet ud, bemærkede Carl først nu. Man kunne næsten ikke kende ham.

"Er du syg, Morten?" spurgte han forsigtigt.

Mortens ansigt snerpedes sammen. "Ja. Jeg er dødeligt syg af kærlighedssorg. Hvor i verden finder jeg sådan en guddommelig fyr som Mika? Det gør jeg jo ikke, for han er en drøm. Himmelsk. Så velplejet og lækker og helt ustyrlig fantasifuld i sengen. Udholdende og stærk og dominerende som en hingst. Du skulle bare vide, hvor ..."

Carl bremsede ham med håndfladerne fremme. "Mange tak, Morten. Du behøver ikke forklare yderligere. Jeg tror, jeg er med."

EFTER MIDDAGEN, SOM Morten under højlydte og regelmæssige brøl fik ekspederet ind på bordet, men selvfølgelig ikke selv havde appetit til at indtage, så Hardy intenst og granskende på Carl, og Carl kendte det udtryk. Det var en garvet opdagers blik.

"Ja ja, Hardy. Du har set rigtigt. Der *er* faktisk noget, jeg skal fortælle dig," sagde han så. "Marcus og jeg har mødt hinanden."

Hardy nikkede, faktisk uden at virke forbavset. Havde de allerede talt sammen?

"Jeg tror, jeg ved hvorfor, Carl," sagde han. "Jeg ventede bare på, at det måtte komme, men jeg havde nok forventet, at det ville være dig, der først kom på det."

"Øh, pas! Du kan måske lette lidt på låget? Hvad tænker du på?"

Hardy lirkede på joysticken, så kørestolen gled lidt på afstand af spisebordet. "Sammenfaldene, Carl. Overfaldet i Kongens Have i 2016 og overfaldet i Østre Anlæg i 2004. Har jeg ret?"

Carl nikkede. "Okay, spot on. Men hvis du en anden gang har flere af den slags veldokumenterede anelser, så giv mig lige et praj med det samme, okay?"

Hardy havde siddet med den anelse i næsten tre uger, sagde han. Tre uger med en handicappets åbenbare overskud af tid og ingen til at forstyrre tankebanernes uransagelige veje. Med stor møjsommelighed havde han gennemtænkt og opremset elementerne i overfaldet på Stephanie Gundersen for tolv år siden og det på Rigmor Kirschmeyer for knap tre uger siden og fundet sammenfaldene temmelig signifikante.

"Man kunne selvfølgelig også først gøre sig den ulejlighed at fokusere på forskellene mellem de to overfald, for der er faktisk ikke så mange. Mest markant er vel, at der blev pisset på Rigmor Kirschmeyers lig og ikke på Gundersens. Og pisset var fra en mand, det har Tomas fortalt mig."

Carl nikkede. Selvfølgelig havde han talt med Politigårdens kantinebestyrer, Tomas Laursen, den tidligere og sædvanligvis godt opdaterede polititekniker.

"Okay, så mener man altså, at den, der slog Rigmor Kirschmeyer ihjel, var en mand? Men gjorde man også det i Stephanie Gundersens tilfælde? Jeg ved ikke så meget om den sag, og Marcus Jacobsen sagde, at den i sin tid blev delvist mørklagt."

"At det skulle være en mand, der slog Stephanie Gundersen ihjel? Nej, ikke umiddelbart. Læsionen i hendes hoved var godt nok voldsom og udført med stor kraft, men da man aldrig fik kendskab til, hvilket mordvåben der blev anvendt, så vidste man heller ikke noget om tyngden og effekten af det. Derfor kan man på ingen måde konkludere, at der var noget specifikt ved det dræbende slag, som peger på, hvilket køn der kunne have forårsaget det."

"Men Hardy, jeg kan se det på dig. *Du* tror, at drabsmanden er den samme, er det rigtigt?"

Han rystede igen på hovedet. "Hvem ved? Men sammenfaldene er markante."

Nu var Carl med. Hardy ville ikke lade ham slippe nogen af sagerne, før spørgsmålet var besvaret.

"Men der var også en anden forskel på de to drab," tilføjede han.

"Tænker du på ofrenes alder? Der var vel femogtredive år imellem dem."

"Nej. Jeg tænker igen på de dræbende slag. I Gundersens tilfælde blev baghovedet på det nærmeste banket halvt ind i hjernen, hvorimod slaget mod Rigmor Kirschmeyer var mere præcist og afbalanceret. Et kort hug mod baghovedet lidt længere nede mod halshvirvlerne, så rygmarven på det nærmeste blev cuttet over, og hvor kraniet så ikke beskadiges helt så radikalt."

De nikkede til hinanden. Lige nøjagtig det kunne jo have mange forklaringer. En anden drabsmand, drabsvåbnenes forskellige tyngder og overflader. Eller simpelthen at drabsmanden var blevet mere ferm.

"Men Hardy, du ved det lige så godt som jeg. Jeg tror ikke, at jeg kan gøre så meget ved Kirschmeyer-sagen, for den har drabsafdelingen naturligvis oppe hos sig. Og lige nu skal jeg vist ikke gøre mig ud til bens med Bjørn."

Så forklarede han den aktuelle situation med drabschefen og ned-droslingen af Afdeling Q.

Her standsede Morten i baggrunden sit forehavende med nærmest at tørre emaljen af en gryde. "Så skal du stjæle Kirschmeyer-sagen fra Lars Bjørn, Carl," råbte han fra køkkenregionen. "Rejs dig som en mand, og løs begge sager, *det* siger jeg."

Og det skulle komme fra ham.

Carl rystede på hovedet og så på Hardy, men han smilede bare. Åbenbart var han enig med Morten.

EFTER NOGLE ROLIGE fridage uden anden bekymring end Mortens lejlig-hedsvise tudeture sad Assad og han så endelig igen på kontoret og parla-menterede om, hvorvidt de nu skulle tage den Gundersen-sag, selv om den ikke var sunket ned i kælderniveau endnu. Både Hardy og Marcus var jo så forhippede på, at han skulle se på den, men Carl var lidt skeptisk.

"Hvad så, hvis vi begynder i den anden ende med Kirschmeyer-sagen?" forsøgte Assad.

"Hmm. Lige den sag ligger jo i allerhøjeste grad oppe på anden sal," sagde Carl, men han kunne godt mærke, at det begyndte at klø i ham. Den lød i hvert fald mere spændende end det, de ellers var i gang med.

"Vi kunne jo få Laursen lidt med, Carl. Han går og brokker sig over sit kedelige liv oppe i cafeteriaet."

Carl nikkede. 'Tjahh, hvorfor egentlig ikke?' tænkte han, da Rose duk-kede op i en mundering, som ingen af dem før havde set.

Hun nærmest sprang ned i gangen med sine kulørte sneakers og ultrastramme jeans og præsenterede sig uden videre som Roses søster Vicky Knudsen, mens hun rettede på sit ultrakorte hår.

Gordon, der havde stukket næsen ud fra kontoret, hvor han havde siddet, måbede: "Hvad har du dog gan..." Assads ryk i Gordons arm stop-pede ham imidlertid.

"Kommer du ikke med mig, Gordon? Mens Carl snakker med Vicky, så trænger du og jeg vist til en meget god kop kaffe," insisterede Assad.

Gordon skulle til at protestere, men løftede i stedet det ene lange ben i smerte, da Assad aktiverede sin spidse støvles fulde tryklufteffekt mod hans skinneben. Så forstod han vist.

Carl sukkede over det barokke i situationen, men bød alligevel venligt Vicky indenfor. Skulle han nu til at vænne sig til endnu en af den slags forklædninger, så ville han da lige først forklare denne selvskabte reinkarnation af Rose, at man ikke sådan bare uden videre kunne buse ind fra gaden og tro, at man blev regnet for noget, hvis man ikke var ansat på stedet.

"Jeg ved, hvad du vil sige," kom det transformerede kvindemenneske ham i forkøbet. Måske var det så ikke helt så galt, som dengang Rose imiterede sin søster Yrsa.

"Jeg er Roses lillesøster, nummer to i en flok på fire piger."

Carl nikkede. Rose, Vicky, Yrsa og Lise-Marie. Han havde hørt om dem til hudløshed, og Vicky var ifølge Rose den mest sangvinske og levende af dem. Det skulle nok blive morsomt.

"Hvis du tror, at jeg ligesom Yrsa er kommet herned for at blive dynget til med ligegyldigt arbejde i jeres hengemte katakomber, så tager du meget fejl. Jeg er udelukkende kommet her for at fortælle, at I skal behandle min søster Rose ordentligt. I skal ikke drille hende, og I skal simpelthen heller ikke sætte hende til noget, som gør hende ked af det, blokerer hende, keder hende eller fremprovokerer utilstedelige associationer, okay? Hun har haft det ad helvede til i hele pinsen på grund af jer."

"Jeg ..."

"Du får her og nu lejlighed til på hele Afdeling Q's vegne at sige undskyld for det pres, I pålægger Rose, og bagefter vil jeg tage hjem til hende og overbringe hende den. Og så vil jeg for jer inderligt håbe, at Rose, den mest effektive medarbejder i denne grød af sløvsind, finder en smule nåde frem i sit misbrugte væsen."

Så rejste hun sig og så energisk på Carl med knytnæver på hofterne og et bidsk udtryk. En hvilken som helst ynder af B-film ville elske det.

"Jamen så undskylder jeg da!" sagde Carl uden betænkningstid.

"HVAD VAR DET, der lige skete dér, Carl? Gik hun igen?" Assads bekymrede øjenbryn sprang på det nærmeste buk med hinanden.

"Ja. Jeg kunne let få en bange anelse om, at Rose denne gang er kommet noget længere ud end sidst," sukkede han. "Jeg ved ikke, hvad den personlighed, der lige var her, tænker, men det er min fornemmelse, at Rose måske i selve øjeblikket faktisk troede fuldt og fast på, at hun var Vicky. Jeg ved det sgu ikke, Assad. Måske var det også bare skuespil."

Assad trak vejret dybt og lagde en stor stak udskrifter på Carls bord. Det var så tydeligt, hvor hårdt han tog det, når der var bøvl med Rose. Nu havde de to arbejdet sammen i syv år, og det var da gået ret godt, men på det sidste havde Roses indlæggelser og svingende sindsstemninger nærmest stået i kø efter hinanden. Man vidste aldrig med hende.

"Tror du, det så er slut med Afdeling Q?" sagde Assad med sammenknebne øjne. "For hvis Rose ikke kommer tilbage, så kan vi vel lige så godt gøre, som Bjørn siger. Altså hvis du da ikke har tænkt dig at gøre brug af dem der," sagde han og pegede på bunken af udskrifter.

Han så udfordrende på Carl. Overraskende nok lignede han ikke en mand, der havde resigneret.

"HAN ER OPTAGET lige nu," sagde Lis uden virkning, mens Carl fløj forbi skranken og bragede ind ad Bjørns dør som en anden løbsk gravko. Og mens døren stadig svajede i sine hængsler, bankede han Assads print af Roses rapporter ned i bordet mellem Bjørn og hans gæst, hvem fanden han end var.

"NU kan du fandengaleme få lov til at læse nogle papirer, du ikke har fået manipuleret med, Bjørn. For MIG skal du ikke løbe om hjørner med."

Drabschefen tog det med forbavsende ro og så på gæsten. "Må jeg præsentere dig for en af vore mest kreative efterforskere," sagde han roligt og pegede fra den ene til den anden. "Carl Mørck, leder af Afdeling Q, vores kælderkolde hold, der efterforsker alle sagerne med spindelvæv på."

Bjørns gæst nikkede til Carl. En irriterende type. Rødt skæg, hænge-bug og briller, alt sammen med årtier på bagen.

"Og Carl, her har du Olaf Borg-Pedersen, der producerer Station 3, du kender sikkert det udmærkede tv-program."

Manden rakte hånden frem, og den var svedig og glat. "En fornøjelse at møde dig," sagde han. "Ja, *vi* ved jo udmærket, hvem *du* er."

Carl var pissehamrende ligeglad med, hvad han vidste, og vendte sig mod sin chef. "Nu kigger du det her godt igennem, Bjørn, og så forven-ter jeg en bragende god redegørelse for, hvordan hulen I kunne tage så meget fejl."

Bjørn nikkede anerkendende. "En virkelig stædig og bidsk hund, vi har løbende rundt i koblet," sagde han henvendt til sin gæst. Han dre-jede hovedet mod Carl. "Men har du noget at klage over, så synes jeg, du skal tale direkte med politidirektøren. Han vil sikkert sætte pris på at blive orienteret."

Carl rynkede brynene. Hvad fanden havde Bjørn gang i?

Så samlede han stakken op fra bordet og forlod lokalet uden at lukke døren efter sig.

'Hvad så?' tænkte han og stillede sig op ad væggen i buegangen, mens flere af hans kolleger i drabsafdelingen passerede, uden at han gen-gældte deres nødtvungne hilsen.

Hvorfor i alverden reagerede Bjørn ikke stærkere på, at Carl gik så aggressivt frem? Selvfølgelig holdt han sig sikkert tilbage på grund af sin gæst, men alligevel, det føltes anderledes end ellers. Handlede det om Bjørns og politidirektørens indbyrdes forhold? Var Carl lige nu gjort til drabschefens marionetdukke, en nyttig idiot, der var udset til at lede et oprør mod deres øverste chef, så Bjørn ikke selv behøvede at gøre det?

Hans blik gled hen over svastikakorsfliserne og mod politidirektørens enemærke.

Det måtte virkelig komme an på en prøve.

"NEJ, DU KAN ikke komme til at tale med ham nu, Mørck, politidirektøren sidder i møde med retsudvalget inde i Parolesalen," sagde den ene af direktørens to velpolerede sekretærer. "Men jeg kan lave en aftale for dig. Hvad med den 26. maj klokken tretten femten?"

'26., sagde hun det? Han skulle edderrolme give hende klokken tretten femten om ikke mindre end ni dage,' tænkte han og tog uden videre varsel fat i dørhåndtaget til Parolesalen og skred ind.

En flok ansigter stirrede undrende på ham hen over det otte meter lange egetræsbord. Chefpolitiinspektøren sad for bordenden, rank på sin læderstol og uden at fortrække en mine, politidirektøren selv stod ude ved bogreolerne med rynkede bryn, og politikerflokken sad med deres sædvanlige næser i sky af irritation over ikke at blive taget alvorligt nok.

"Undskyld mig, han slap bare forbi mig," kaglede sekretæren bag ham, men Carl var bedøvende ligeglad.

"Okay," sagde han med mørk stemme og så sig omkring. "Nu hvor hele banden er samlet, så vil jeg gerne annoncere, at Afdeling Q's opklaringsprocent gennem de sidste år er femogtres og intet mindre."

Han klaskede Roses rapporter på bordet.

"Jeg ved ikke, hvem der heroppe i tårnet har fundet på at sabotere vores tal, men hvis der er nogen herinde, der kan finde på at lægge stemme til, at Afdeling Q skal nedlægges eller indskrænkes, så vil jeg gerne sige, at det kommer til at vække umådelig genlyd."

Carl noterede sig politidirektørens forvirring, men så rejste chefpolitiinspektøren, en myndig mand med et stoisk, langt ansigt og genoldige øjenbryn, sig op og henvendte sig til mødedeltagerne.

"Undskyld mig lige et øjeblik, mens jeg taler med vicepolitikommissær Carl Mørck om det her."

CARL LO HELE vejen ned til kælderen. Hvilket sceneri.

Tydeligvis var han kommet med noget, som de høje herrer i udvalget *ikke* var bekendt med. De havde været tæt på at nedlægge en afdeling,

118

som praktiserede gode efterforskninger med mange opklaringer, og nogen skulle jo have ansvaret for den fejltagelse. Carl så politidirektørens ansigt for sig og lo endnu en gang. Den bøf ville politidirektøren, og han alene, komme til at stå på mål for. Prestigetab, kaldte man det i finere kredse. Carl kaldte det at få trykket røven godt ned i vandskorpen.

"Vi har fået gæster, Carl," var det første, Assad mødte ham med på gangen.

"Skal du ikke spørge mig, hvordan det gik?"

"Jo, jeg ... Så hvordan gik det så?"

"Ja, ser du! Nu du spørger mig, så tror jeg, at Lars Bjørn har lavet et nummer med vores direktør, for jeg er hamrende sikker på, at Bjørn udmærket kendte de rigtige procenttal, og at han mod bedre vidende har ladet de forkerte oplysninger sive videre til politidirektørens sekretariat. Og så er overbossen hoppet på det og har givet direktiver baglæns til Bjørn om, at Afdeling Q skulle drosles ned, og bagefter orienteret politikerne om ændringerne."

"Okay, så spørger jeg så dumt," sagde Assad. "Hvorfor skulle Bjørn gøre det?"

"Jeg føler mig ret sikker på, at Lars Bjørn hele tiden har taget Afdeling Q i forsvar over for direktøren og nu har fået understreget, at han havde ret i, at Afdeling Q har sin berettigelse trods de store udgifter. For jeg tror ikke, at Bjørn har fortalt ham, at hans afdeling snupper mere end halvdelen af vores budget. Men nu ved politidirektøren da, at han skal være forsigtig med at give den slags utvetydige ordrer til Bjørn. Det er et mytteri mod politidirektøren, Assad, og Bjørn kender mig. Jeg reagerer, når jeg bliver provokeret nok, og så kører det."

Assad rynkede brynene. "Det var nu ikke så pænt gjort af Bjørn at bruge os."

"Nej, men jeg har også tænkt mig at tage hævn."

"Hvordan? Vil du så tisse på hans sukkerkage?"

"På hans sukkermad, Assad, det hedder det." Carl smilede. "Ja, noget i den stil. På en måde stjal Bjørn vores opklaringsprocenter til sit eget formål, kan man ikke sige det? Og så er det vel også i orden, at jeg til gengæld stjæler lidt sager fra drabsafdelingen til *mit* eget formål, hvornår og hvis det passer mig."

Assad lagde an til en high five. Han var med.

"Hvem var det, du sagde ventede på mig?" spurgte han så.

"Jeg sagde da bestemt ikke noget om hvem, Carl."

Carl rystede på hovedet. Nu var Assad ellers langt om længe ved at lære dybden af det danske sprogs finesser, men ingen er selvfølgelig ufejlbarlig.

Han nåede lige at runde døråbningen til sit kontor, før alvorens gru gik op for ham.

Dér sad den navnkundige, rødskæggede tv-mand Olaf Borg-Pedersen i Carls egen stol og lignede en, der burde have noget at sige.

"Er du ikke gået forkert?" spurgte Carl. "Lokummerne er lidt længere oppe ad gangen."

"Ha ha. Næh, Lars Bjørn har fortalt mig så meget godt om jer her-nede, at vi sammen har besluttet, at Station 3 skal følge Afdeling Q's arbejde i nogle dage. Bare et lille filmhold på tre mand. Mig, en kame-ramand og en lydmand. Skal det ikke blive morsomt?"

Carl spilede øjnene op og lagde an til at give ham en sang fra de var-me lande, men besindede sig så. Her var chancen måske for lidt sabo-tage, og Lars Bjørn ville ikke blive glad.

"Jo, det lyder ganske morsomt," nikkede han med blikket fast naglet til de notater, Marcus Jacobsen havde overbragt ham, og som nu lå og flød ulæst på skrivebordet. "Vi efterforsker faktisk en sag, der måske kunne interessere dig. En ret så aktuel drabssag, der kunne præsenteres flot i jeres program, og som efter min mening hænger sammen med en af vore gamle sager."

Den ramte lige i skabet.

"Jeg skal nok sige til, når vi tager fat på den."

"VI ER ALTSÅ ret bekymrede for Rose, Carl."

Der stod de, det mest aparte par på hele Politigården. Firskårne, lille mørke Assad, med maskuliniteten sitrende fra hver en kulsort skægstub, og den blege giraf til Gordon, der stadig havde sin første regulære barbering til gode. Rynkerne i ansigterne var derimod identiske, det var helt rørende.

"Det vil hun nok sætte pris på, drenge," sagde han.

"Vi har tænkt os at køre derud nu, ikke, Assad?" sagde Gordon.

Han nikkede. "Jo, vi må se, hvordan hun har det, Carl. Måske skal hun indlægges igen."

"Ja ja, I to," beroligede han. "Tag den nu lidt med ro, så galt fat er det sikkert ikke. Lad Rose nu bare rase ud, hun har jo ligesom fået afleveret sit statement. Jeg er sikker på, at hun er god igen i morgen."

"Ja, måske Carl, og måske er hun ikke," sagde Assad. Han så ikke overbevist ud.

Carl forstod ham egentlig godt.

"Time will show," sagde han så.

14

Tirsdag den 17. maj 2016

PARFUMERNE STOD LIGE så nydeligt på rad og række på toilethylden og trykkede sig op ad hinanden. En flakon for Vicky, en for Yrsa og en for Lise-Marie, for sådan havde Rose arrangeret det. Tre vidt forskellige og sarte dufte, der hver især vidnede om personlig stil og til en vis grad også elegance, hvilket ikke ligefrem var det, man ville anklage Rose for at besidde mest af.

Disse flasker havde hver især fået påklistret en etiket med de respektive søstres navne, og sprayede Rose en af disse dufte på undersiden af sine håndled, gik der som regel kun få sekunder, før hun kunne kopiere den pågældendes personlighed og identitet til mindste detalje.

Sådan havde Rose altid haft det med duftene af de kvinder, hun var vokset op med. Da hun var barn, havde hun med henholdsvis Eau de Cologne og Chanel no. 5 på håndleddene optrådt som mormor og mor og senere i livet som alle sine søstre. Kun hendes egen duft var nærmest anonym, for 'som nøgen var man selvklart enklest at klæde på', som hendes blege dansklærerinde med en vis selvironi altid sagde.

Tidligere i dag havde hun som så mange gange før påført sig et ordentligt skvæt af Vickys parfume, og båret af denne aroma havde hun taget S-toget ind til byen for at give Carl en opsang. Inden da var hun gået til frisør og havde ladet sig klippe så ultrakort, at selv Vicky ville finde det dristigt. Hun havde købt en bluse fra Malene Birger og et par cowboybukser så stramme og snærende i skridtet, at alle andre end netop Vicky ville finde det uanstændigt. Da hun således iført Vickys ham og

122

kendetegn nåede Politigården, havde hun vist den undrende vagt sit id-kort og derefter i fem mindeværdige minutter tordnet mod Carl om, hvor hårdt og uretfærdigt og ufølsomt han altid behandlede Rose, hendes elskede søster.

Det var Roses erfaring, at en forklædning ofte havde samme indflydelse på folk som spiritus, idet begge dele styrkede modet og de karaktertræk, der normalt ikke tålte at se dagens lys.

Hun vidste udmærket, at Carl ikke så let lod sig narre af den slags, selv om hun engang slap af sted med at agere sin søster Yrsa i flere dage, men det var også ligegyldigt. Folk lyttede jo ligesom bedre til ens nødråb, hvis de blev udtrykt af andre end en selv eller af personer, man lod, som om man var.

Efter det havde hun haft det helt fantastisk i en times tid, for Carl havde ikke fortjent bedre, men så gik det alligevel galt.

Hun nåede kun lige akkurat tilbage til Stenløse Station, så kom det altopslugende blackout som lyn fra en klar himmel. Hun huskede ikke, hvad der skete i timerne efter, pludselig sad hun bare i sin stue med gennemtissede bukser og den dyre bluse trukket halvt af skuldrene og flået i stykker op til navlen.

Derfor var Rose blevet bange. Ikke kun forvirret og urolig, som hun havde været mange andre gange, hvor hendes mørke sider havde taget over, men sølet ind i total og irrationel angst. Disse sorte blokader var sjældne og overfladiske, men denne gang var det anderledes. Det føltes nærmest, som om en celledræbende væske havde forgrenet sig i hjernen, og at der voksede hinder på hendes sanseapparater.

"Enten dør jeg af det, eller også er jeg ved at blive rigtig sindssyg," hviskede hun.

"Men prøv så lige at tænke dig om. Du har jo næsten ikke fået noget at drikke de sidste fire døgn, ikke spist noget, næsten ikke sovet. Så må det jo ende sådan," argumenterede hun.

Og hun kastede sig over køleskabets rester og drak litervis af vand for at få det bedre, men hver gang hun foretog en synkebevægelse, føltes det, som om et indre vakuum trak hende yderligere ind i sig selv. Det gav en kvalme, der var ti gange værre, end når man skulle brække sig.

Da det blev aften, bevægede hun sig som en zombie fra rum til rum og spyttede på de tomme vægge. Dybt inde i sig selv så hun ansigter, der stirrede stift på hende alle vegne fra: panelerne, vægfladerne, fliserne på toilettet og lågerne i køkkenet.

'Slå korsets tegn over os, hvis du vil spærre vejen for det onde,' skreg fladerne. 'Værn dig mod de uundgåelige afgrunde, hvis du kan, men skynd dig, for du har ikke meget tid at bruge af.'

Og Rose fiskede alle de skriveredskaber frem, hun kunne finde i sine skuffer, og lagde dem foran sig. Med langsommelig grundighed udvalgte hun et par bundter speedmarkere i sort og rød og begyndte så at sværte væggene til med ord, der for en stakket stund kunne bringe alle hendes onde tanker på afstand.

Efter lange timer i denne tågetilstand med værkende håndled og stive nakkemuskler skiftede hun speedmarkeren over til den anden hånd og fortsatte. Ikke et eneste hvil aftenen og natten igennem undte hun sig selv. Ikke engang da hun trængte til at gå på toilettet, stoppede hun. Det var ikke første gang den dag, hun havde tisset i bukserne, hvorfor skulle hun så bekymre sig over, om hun gjorde det igen? Angsten for, at en barskere virkelighed ville overmande hende, hvis hun ikke bare fortsatte, drev hende. Ustandselig søgte hun nøgne flader, hun kunne dække med sit budskab, og til sidst var der kun spejlene, køleskabet og lofterne tilbage.

På det tidspunkt rystede Roses hænder helt ukontrolleret, og blinkebevægelserne var endeløse. Opkastningsrefleksen overtog nærmest hendes åndedræt, og hovedet virrede som et pendul i et ur.

Da Rose havde skrevet sig gennem natten, og de første lyse timer afdækkede lejlighedens vægge og flader med deres hæslige budskab om afmagt, var kroppen nærmest ude af kontrol. Da hun betragtede sig selv i korridorens spejl imellem de mange røde og sorte linjer og opdagede, hvordan den Rose, hun ellers kendte så godt, nu umiskendeligt mindede

124

hende om de forvrængede ansigter og fortabte sjæle på landets lukkede afdelinger, gik det endegyldigt op for hende, at hvis hun ikke gjorde noget lige med det samme, så ville hun gå til grunde.

Da hun bønfaldende og med rystende stemme ringede til den psykiatriske afdeling og bad om akut hjælp, anbefalede de hende, at hun bare tog en taxa og selv kom derud. De forsøgte at lyde lidt friske og optimistiske, måske i håb om, at det til en vis grad ville smitte af på hende og indgyde hende lidt handlekraft.

Det var faktisk først, da hun begyndte at skrige i telefonen, at alvoren gik op for dem, og at ambulancen nok burde blive løsningen.

15

Onsdag den 18. maj 2016

CARL SAD KLISTRET til fladskærmen og undrede sig. Med over en million faste seere var kriminalprogrammet Station 3 blevet dansk tv-histories mest populære og konstante program nogensinde. Andre af den slags programmer gik seriøst til værks og skildrede politiets arbejde med omhu og gav gerne en hånd med til opklaringsarbejdet, hvis det var muligt. Station 3 havde bare et andet sigte og gjorde sit bedste for at forklare de kriminelles adfærd ud fra den devise, at alle forbryderiske handlinger udsprang af dårlig social baggrund, og derfor kom programmet i mange tilfælde også til at forherlige forbryderen.

Det program, Carl lige havde set, var absolut ingen undtagelse. Først havde der været et såkaldt tilbundsgående studie af Hitlers baggrund, som konkluderede, at han var blevet vanrøgtet, og at Anden Verdenskrig kunne have været undgået, hvis barndommen havde været mere harmonisk. Som om det var en nyhed. Derefter var der fokus på femten amerikanske seriemorderes adfærd, der uden undtagelse skulle være udsprunget af parallelle serieafstraffelser i deres helt unge år. Og gang på gang blev det gjort klart, at politiets arbejde i bund og grund bare var en form for social indsats, der havde til formål at hjælpe disse forbrydere med at fravige denne ellers så ufravigelige skæbne på et tidligt tidspunkt af deres liv.

Det var alt sammen tosselogik for burhøns og analfabeter, og alligevel tjente programmets professionelle psykologer og andre konsulenter tykt på at analysere voldsforbrydere, mordere, bedragere og andet pak som værende ofre, mens veltalende journalister brugte deres pjankede snakketøj til at udspørge forbryderne om de overgreb, som forbryderne selv engang havde været udsat for.

Carl rystede på hovedet. Hvorfor fanden spurgte de aldrig ind til, hvorledes disse forbrydere kunne bortforklare alle de modbydelige overgreb, som de havde været årsag til? Alvor blev til underholdning, og politikerne kunne læne sig tilbage og ånde lettet op, fordi Danmarks mest populære tv-program fik viderebragt det indtryk, at der blev gjort noget ved tingenes tilstand.

Carl trykkede på eject og vejede et øjeblik den dvd i hånden, som tv-selskabet havde lagt til ham, før han smed den i papirkurven. Hvad fanden havde Bjørn tænkt sig, at han skulle bidrage med til det infantile program? At han selv var sprunget med på vognen, forekom ham nu endnu mere idiotisk.

Han vendte sig mod Assad, der stod bag ham. "Hvad skal man sige til det hø, Assad?"

Han virrede lidt med hovedet. "Tjah, Carl, du kunne så lige så godt spørge om, hvorfor kamelen har så store fødder."

Carl mærkede rynkerne i panden rive sig løs. Kunne de satans kameler ikke snart slå sig ned et andet sted?

"Store fødder?" Han trak vejret dybt. "Vel for ikke at synke ned i sandet, går jeg ud fra. Men hvad hulen har kamelers store fødder med de tv-udsendelser at gøre, Assad?"

"Svaret er, at det har kamelerne for at kunne danse fandango på giftslangerne, hvis krybet skulle være så stupidt at glide forbi."

"Og?"

"Ligesom kamelerne har vi to også meget store fødder, Carl. Var du ikke klar over det?"

Carl så ned på Assads korte andefødder og tog en dyb indånding. "Så du mener altså, at Bjørn har sat os på opgaven for at gøre det besværligt for Station 3?"

Assad stak en godt arret tommeltot i vejret.

"Jeg gider sgu da ikke lege kamel, for at Bjørn skal få det bedre," sagde han og rakte hånden ud efter fastnettelefonen. Næh, hvis nogen skulle lege kamel, så kunne Bjørn gøre det selv.

Han nåede lige at lægge en hånd på telefonen, da den ringede.

"JA!" vrissede han. Man kunne da heller aldrig få ro til at gøre noget færdigt.

"Goddag, mit navn er Vicky Knudsen," lød en spagfærdig stemme. "Jeg er Roses lillesøster."

Carls ansigt reorganiserede sig. Det her skulle nok blive spændende.

Han greb ekstrarøret og rakte det til Assad.

"Jamen goddag, Vicky, det er Carl Mørck her," kom det med et strejf af syrlighed. "Hvorledes står det så til med Rose i dag? Fik du overbragt hende min undskyldning?"

Der blev tavst i den anden ende. Nu vidste hun vel, at han havde gennemskuet hende.

"Jeg forstår ikke. Hvilken undskyldning?"

Assad gjorde tegn til, at Carl hellere måtte tone sig lidt ned. Var hans angrebslyst virkelig *så* tydelig?

"Jeg ringer, fordi det desværre er helt galt fat med Rose," fortsatte hun.

"Ja, mon ikke," hviskede Carl med hånden for røret, men Assad hørte ikke efter.

"Rose er igen blevet akut indlagt på Psykiatrisk Center i Glostrup, så jeg ringer for at fortælle jer, at hun ikke vil være klar til at komme tilbage til jer før om et stykke tid. Jeg skal nok sørge for, at afdelingen sender jer hendes sygemelding."

Carl skulle til at protestere og sige, at nu var legen gået for vidt, men de næste sætninger stoppede ham.

"Et par af vores venner så hende sidde og ryste over hele kroppen på det, man kalder Den Gule Bænk ved Matas i Egedal Centret i går. De ville tage hende med hjem, men hun bad dem bare om at skride. Derefter ringede de til mig, at jeg nok burde komme, og så ledte jeg og vores lillesøster Lise-Marie hele centret igennem efter Rose. Det blev bare ikke os, der fandt hende, men en parkeringsvagt, det fik vi senere at vide. Han havde opdaget hende på jorden i en sø af tis halvsovende op ad en bil ude på den bageste p-plads og iført en bluse, som hun delvist havde revet af overkroppen. Det var også ham, der hjalp hende hjem.

Så i morges ringede vores mor og fortalte, at Psykiatrisk Center havde kontaktet hende, og at Rose nu igen var indlagt. Jeg ringede selvfølgelig omgående til dem, og den psykiatriske oversygeplejerske fortalte mig, at de blandt andet havde fundet en S-togsbillet i hendes bukselomme, og den var stemplet på Hovedbanen. Så vi tror, at hun må være gået fra stationen i Stenløse og på vej hjem måske er stoppet for at handle, det plejede hun nemlig at gøre i Meny. Men da p-vagten fandt hende, havde hun ingen varer hos sig, så det var nok alligevel ikke blevet til noget."

"Det gør mig ondt at høre, Vicky," hørte han sig selv sige, mens Assad nikkede i takt til hans ord. Det var faktisk meget trist.

"Er der noget, vi kan gøre? Kan vi besøge hende, tror du?" Igen nikkede Assad, men denne gang langsommere og med skarpe, anklagende øjne.

Carl forstod budskabet. Det var rigtigt nok. Han skulle have ladet Gordon og Assad køre ud til Roses lejlighed i går.

"Besøg? Nej, desværre ikke. Lægerne har lagt en behandlingsplan for hende og ser helst ikke, at noget forstyrrer den."

"Hun er vel ikke tvangsindlagt, er hun?"

"Nej, men hun vil næppe søge væk fra institutionen, så længe hun har det, som hun har det, siger de. Hun er klar til at modtage behandling."

"Okay. Du må sige til, hvis det ændrer sig."

Der opstod en pause, som om hun skulle samle sig om at sige mere. Sikkert ikke noget, der kunne bløde de sørgelige nyheder op.

"Faktisk ringer jeg ikke kun for at fortælle det her," kom det endelig. "Jeg og mine søstre vil meget gerne bede jer om at komme herud til Roses lejlighed. Det er den, jeg ringer fra. Og husk, at hun er flyttet en etage op."

"Du mener nu?"

"Ja, please, det ville være så godt. Vi havde bare tænkt, at vi ville hente noget tøj til Rose, og havde slet ikke ventet det syn, der mødte os. Vi har snakket om, at du eller nogen inde fra jeres gruppe måske kunne komme og hjælpe os til at forstå, hvad det er, der sker med Rose."

ROSES KNALDRØDE Vespa-scooter stod ved siden af cykelstativerne på Sandalsparkens parkeringsplads under et par nyudsprungne træer og udtrykte intet andet end fordragelighed og normalitet. I denne gule boligkarré indspundet i svalegange havde Rose boet i mere end ti år uden på nogen måde undervejs at have udtrykt utilfredshed med det. Lige præcis det forhold var svært uforståeligt efter det syn, der mødte Carl og Assad, da Vicky, slet ikke ulig den kvinde, Rose havde udgivet sig for dagen før, åbnede døren.

"Hvorfor er Rose flyttet herop, er den ikke helt mage til hendes gamle lejlighed?" spurgte Carl, mens han så sig om.

"Jo. Men her kunne hun se kirken, det kunne hun næsten ikke fra stueetagen. Ikke fordi hun er religiøs eller noget, hun syntes bare, det var bedre," svarede Vicky og viste dem ind i stuen. "Hvad siger I til det her?"

Carl sank to gange. Mage til miserabelt kaos og ubeskriveligt rod. Nu forstod han bedre, hvorfor Roses parfume fra tid til anden var ret så markant, men dæmpe den indeklemte stank kunne den alligevel ikke. Lejligheden så faktisk ud, som om den havde huset en tvangssamler, der havde haft besøg af en indbrudstyv, som havde foretaget en total ransagning af hele indboet. Papemballage alle vegne. Flyttekasser halvfyldt med skuffeindhold. Brugt service i stabler på sofabordet. Spisebordet dækket af madrester og tømte emballager. Bøger revet ned fra hylderne, tæpper og dyner flået fra hinanden, sofaer og stole skåret op. Ikke en flade var skånet.

Det var et syn, der lå meget langt fra den lejlighed, som Carl og Assad havde besøgt for et par år siden.

Vicky pegede på væggene. "Det var de der, der forskrækkede os mest."

Omme bag Carl mumlede Assad et par ord på arabisk. Havde Carl evnet det, havde han sikkert sagt det samme, for almindelige ord ville ikke kunne slå til. På alle vægge, oppe og nede og i alle skriftstørrelser havde Rose skrevet den samme sætning igen og igen.

'DU SKAL IKKE VÆRE HER', var der krattet med stor vildskab. Han forstod godt, hvorfor søstrene havde ringet.

"Har I fortalt psykiaterne om det her?" spurgte Assad.

Vicky nikkede. "Vi har mailet dem fotos af det meste af lejligheden. Lige nu er Lise-Marie inde i Roses soveværelse og fotografere resten."

"Er der også noget dér?"

"Alle vegne. Toilettet, køkkenet. Selv på indersiden af køleskabet har hun skrevet den sætning."

"Har du nogen som helst idé om, hvor længe det her har stået på?" spurgte Carl. Han kunne simpelthen ikke få dette ragnarok til at hænge sammen med den ellers så vanvittigt strukturerede person, der til daglig hersede rundt med dem alle sammen i Afdeling Q.

"Jeg ved det ikke. Vi har ikke været her i lejligheden, siden mor var hjemme fra Spanien."

"Jeg tror, at Rose har nævnt det. Det var til jul, ikke? Altså for snart fem måneder siden."

Vicky nikkede med nedadkrængede mundvige. Det tog helt sikkert hårdt på hende, at de ikke havde været der for Rose. Det var de ikke ene om.

"Kommer I ikke lige herind?" råbte Lise-Marie fra soveværelset. Hun lød lettere desperat.

De fandt hende i et lignende dekoreret rum, grædende og siddende i skrædderstilling oppe i sengen med fotografiapparatet på dynen. Mellem sine ben havde hun en flad papkasse, der tilsyneladende var stopfuld af grå noteshæfter med mørke shirtingrygge.

"Åhh, Vicky, det er frygteligt," udbrød Lise-Marie. "Se her! Rose blev bare ved og ved. Også efter fars død."

Vicky satte sig på sengekanten og tog et af hæfterne op og åbnede det.

Der gik et sekund, så ændrede udtrykket i hendes ansigt sig, som om hun var blevet tildelt et slag.

"Det er løgn," sagde hun, mens lillesøsteren gemte ansigtet i hænderne og lod tårerne løbe frit.

Vicky greb endnu et par af de gamle hæfter og så op på Carl. "Det her gjorde hun altid, mens vi var små. Vi troede bare, at det holdt op, da vores far døde. Her er det første, hun lavede."

Hun rakte et af hæfterne til Carl. '1990', stod der med speedmarker på forsiden.

Assad lænede sig ind over Carls skulder, da han åbnede det.

Havde det været grafisk kunst, havde det været spændende, nu var det bare trist og lidt rystende at se på.

Han bladrede hæftet igennem. Bare det samme igen og igen, ja, hver eneste side var udstyret med denne ene sætning, skrevet med en tiårigs karakteristiske blokbogstaver. Tætte og dansende.

'HOLD KÆFT HOLD KÆFT HOLD KÆFT', stod der side op og side ned.

Assad greb ud efter et af de andre hæfter, '1995', stod der på forsiden med sort og på bagsiden med hvidt.

Han åbnede det, så Carl kunne se med.

'JEG KAN IKKE HØRE DIG JEG KAN IKKE HØRE DIG JEG KAN IKKE HØRE DIG', stod der denne gang side efter side.

Carl og Assad så på hinanden.

"Rose og vores far havde det ikke godt sammen," sagde Vicky.

"Det er fandeme en underdrivelse," kom det fra sengen. Nu havde den yngste søster åbenbart fattet sig så meget, at hun kunne snakke med.

"Jeg ved det." Vicky så træt ud. "Vores far blev dræbt ved en arbejdsulykke på Stålvalseværket i 1999. Siden dengang så vi ikke mere Rose sidde med de hæfter. Og her er de så alligevel."

Hun smed et af dem frem mod Carl, der greb det i luften.

'2010', stod der på forsiden, og indeni var det ligesom de andre fuldstændig fyldt ud med en enkelt sætning, nu bare med en noget mere voksen skrift.

'LAD MIG VÆRE LAD MIG VÆRE LAD MIG VÆRE LAD MIG VÆRE'.

"Mon ikke hun på den måde kommunikerede med jeres far, og det lige meget om han var levende eller død?" spurgte Assad.

Både Carl og kvinderne nikkede.

"Det er jo fuldstændig sindssygt," græd den yngste.

Vicky var mere fattet, slet ikke den ustyrlige og slagfærdige pige, som Rose altid talte om. "Far mobbede hende," sagde hun helt nøgternt. "Vi ved ikke helt præcis, hvordan han gjorde, når han var værst, for det har hun aldrig fortalt os, men vi har altid vidst, at hun hadede ham for det. Simpelthen så meget, at det ikke er til at forstå."

Carl rynkede brynene. "Mobbede hende, siger I? Mener I, at han begik overgreb mod hende? Seksuelt, altså, ved I det?"

De rystede begge på hovedet. Det var ikke sådan, deres far var. Han havde det hele i munden. Det var i hvert fald det, de hævdede.

"Jeg forstår bare ikke, hvorfor det ikke stoppede, da far døde. Men her er alle hæfterne. Og så nu alt det oppe på væggene." Vicky nikkede op mod dem. De var så tætbeskrevne, at der ikke var plads til ret meget mere.

"Det giver jo slet ingen mening," snøftede Lise-Marie.

"KOM LIGE HERUD i entreen, Carl," råbte Assad.

Han stod foran spejlet og kiggede på kommodemøblet. Trods dårlig plads lå der en høj stabel bøger på det. Brede og tynde som atlasser, hvilket det dog ikke var.

"Jeg kiggede igennem bunken, Carl, og du tror, det er løgn."

Han løftede den øverste bog, en mellemstor sag med stift bind. 'Gården', hed den kort og godt, og Carl kendte den udmærket. Det var en gennemgang af Politigården i København, og ret så minutiøs bortset fra det eklatante fravær af Afdeling Q nede i kælderen.

Så kendte man virkelig sit værd.

"Se her!" Assad pegede på den næste bog i bunken, cirka halvanden centimeter tyk og indbundet i shirting ligesom de ret så mange, der lå nedenunder i hver sin farve.

Han slog op på den første side. "Se engang overskriften. Hun kalder den 'Posedamen'."

Assad bladrede videre til den næste side og pegede på et foto af en ung kvinde.

"Hun har lavet et persondatastamkort på alle de implicerede i sagen," sagde han og pegede på teksten nedenunder.

'Kirsten-Marie Lassen alias Kimmie', stod der.

Carl læste videre.

'Opsummering: Bopæl i et lille murstenshus ved banelegemet op ad Ingerslevsgade. Har levet på gaden i elleve år. Får et dødfødt barn en del år tilbage. Faren bor i Monte Carlo, moren, Kassandra Lassen, er bosiddende i Ordrup. Ingen søskende.'

Han screenede siden. Her kunne man simpelthen finde alle de vigtigste oplysninger om hovedpersonen i den første sag, Rose havde deltaget i.

Han bladrede hurtigt gennem de næste sider. Ingen personer var glemt, alle med fotos og deres levnedsbeskrivelser samt avisudklip med disse menneskers vigtigste nedslag i livet.

"Der ligger over fyrre sager i bunken, Carl. Det er alle dem, Rose har medvirket til opklaringen af i Afdeling Q, og hun har givet dem navne. Jeg kan for eksempel nævne 'Brevet i flasken', 'Sprogø-skandalen' og 'Marco', for bare at nævne nogle stykker."

Han trak en rustrød scrapbog nederst i bunken ud.

"Den her tror jeg vil interessere dig mere end de andre, Carl."

Carl åbnede den. 'Den grænseløse', kaldte hun den.

"Det er Habersaat-sagen, Carl. Prøv at se på den næste side."

Carl vendte et blad og stirrede på et ansigt, han ikke genkendte.

"Det ligner Habersaat, men det er det vel ikke," sagde han.

"Nej, men læs teksten nedenunder, og blad så videre."

'Arne Knudsen – 12.12.1952-18.5.1999', stod der under fotoet.

"Okay," sagde Carl og bladrede om til næste side, hvor der var et foto af Christian Habersaat.

"Blad frem og tilbage, så kan du se det."

Det gjorde han, og det var rigtigt. Set lige efter hinanden var ligheden imellem de to slående. Specielt øjnene var næsten identiske, bortset fra at Arne Knudsens var fuldstændig døde at se på.

"Roses far var vist en ret så ubehagelig mand, tror jeg," sagde Carl.

"HUN MÅ HAVE været rimeligt langt ude, siden hun skar alle møblerne op og rev alting fra hinanden," kom det fra Assad, der havde indtaget sin sædvanlige stilling med benene oppe på frontpanelet.

De havde kørt i ti minutter og ikke sagt et ord, men nogen skulle jo bryde tavsheden.

"Ja, længere ude, end man kunne have anet," indrømmede Carl.

"Jeg sidder så og tænker på, hvad den far har gjort ved hende," fortsatte Assad. "Hvorfor kun ved hende og ikke de andre døtre?"

"Jeg spurgte Vicky om det, så det hørte du nok ikke. Men var der optræk til, at han mobbede søstrene, så bremsede Rose ham lige med det samme."

"Hvordan? Hvorfor kunne hun så ikke stoppe ham, når han var ude efter hende?"

"Godt spørgsmål, Assad. Det var der heller ikke nogen af søstrene, der kunne give svar på."

"Det er ligesom kameler. Ingen forstår en pind af, hvorfor de gør, som de gør."

"Jeg ved ikke, om jeg bryder mig om sammenligningen, Assad."

"Det er, fordi du ikke forstår at respektere kameler godt nok, Carl. Men det er dem, der redder mennesker gennem ørkenen, husk det."

Respekt for kameler?! Han rystede på hovedet. Men det måtte han vel så hellere se at få, om ikke for andet så for husfredens skyld.

Resten af turen sad de tavse og boksede med hver deres indre mono-

135

loger og selvbebrejdelser. Hvorfor satan havde de ikke fulgt lidt bedre med i Roses liv?

Carl sukkede. Nu var der tre sager, han skulle rette periskopet mod: et mord på en kvinde for tolv år siden, et, der var tre uger gammelt, og så nu mordet på det, de kendte som Roses personlighed.

Han vidste knap nok længere, hvilken af disse sager der stod først for tur.

16

Fredag den 20. maj til mandag den 23. maj 2016

ANNELI KLÆDTE SIG af i en tågerus og lagde sig på sengen, stadig rystende af den cocktail af ophidselse og adrenalin, som mordet på Michelle ude i Nordvestkvarteret havde hensat hende i. Det var virkelig fuldstændig ukendte følelser for denne pæne pige, der nu i snart halvtreds år havde siddet på den allerforreste række i flinkeskolen og aldrig før havde gjort nogen eller noget fortræd. Hvordan kunne hun dog have vidst, hvor godt det ville føles at gøre sig til dommer og herre over andres liv? Det var ligesom hæmningsløs sex, som man ikke havde kunnet forudse ville komme. Som ivrige hænder på ens krop, der tændte ting i en, som ellers syntes forbudte. Engang havde hun undladt at affærdige en mand, der sad ved siden af hende i biografen, og som uden videre lagde en hånd på hendes lår. Bare ladet ham gøre, hvad han ville, mens hun sad der og gled ind i de af lærredets omfavnelser, som alligevel aldrig kunne blive hendes. Og den affekt, han havde bragt hende i, da han stak hånden helt ind i skødet på hende, og hvordan hun tøjlede sin udløsning i stumme skrig, mindedes hun nu lige der, hvor hun lå og kærtegnede sig selv, mens kroppen skiftevis lukkede op og ned for dette ubegribelige, at hun havde slået et andet menneske ihjel.

Michelle Hansen havde været lige nøjagtig så let et offer, som Anneli havde regnet med. Havde vadet skråt ud fra fortovet uden at se sig ordentligt for og naivt forsøgt at værge for sig med armen, men først i det øjeblik da det allerede var for sent.

Anneli havde på forhånd forestillet sig, at hun ville være nervøs over det, der skulle til at ske. At hun ville reagere med ondt i maven og bankende hjerte, men lige til det øjeblik, hvor hun trådte på speederen, havde der ikke været nogen som helst reaktion af den art. En ti sekunders magnumstor indsprøjtning af adrenalin, det var det hele, og så var det overstået.

Måske havde Anneli regnet med, at sammenstødet ville komme til at føles anderledes, men den dumpe lyd, da kroppen blev ramt, stod slet ikke mål med synet af Michelle Hansens krop i baglæns flugt og hovedet, der ramte mod fliserne.

De havde set hinanden i øjnene en tiendedel af et sekund før selve påkørslen, og netop det havde været det mest forløsende. Det, at pigen med sit sidste gisp måtte erkende, at hun var blevet udset. At bilens fører var en, hun kendte, og at hun nu fik, hvad hun havde fortjent.

Den lille Peugeot, som hun havde valgt, havde været forbavsende god og let at manøvrere, så Anneli vurderede, at hvis hun nu kørte ud efter sit næste offer allerede i weekenden, så ville hun kunne bruge den en gang til.

Med Michelle Hansens skrækslagne ansigt stærkt lysende i sit indre glemte Anneli kræften, smerterne og angsten og trykkede i stedet nakken hårdt ned i hovedpuden. Måske var det i virkeligheden en slags guddommelig gestus, at dette dumme pigebarn med sit allersidste blik kunne give et andet menneske sådan en helt overjordisk nydelse. Ja, måske havde forsynet på en eller anden måde udset sig såvel offer som gerningsmand til denne symbiotiske forløsning. Den ene ved at aflevere liv, den anden ved at få det tilført.

ANNELI VÅGNEDE UDHVILET og med hovedet totalt opfyldt af projektet. Allerede om et døgn ville hun have ekspederet endnu et overflødigt menneske ud af verden, og hvor føltes det dog fantastisk. Selvfølgelig var det i samfundsmæssig forstand forkert, det vidste hun udmærket. Selvtægt, for slet ikke at tale om drab, var jo ulovligt. Men når hun nu tænkte på de tusinder af timer, hvor sådanne snyltende piger havde drevet gæk med både hende og systemet, var det så ikke på tide og godt for alle, at nogen endelig tog affære? Og når man tænkte på sædernes forfald i Danmark lige nu, så var der mange andre ting end hendes lille vendetta, man kunne kritisere endnu hårdere. Politikerne opførte sig som svin og kørte rundt med samfundet med hovsaløsninger og vanvittige ideologier, der hørte diktaturer til. Hvad fanden betød så et par små drab ved siden af et karaktermord på en hel nation?

Hun satte sig i sit lille køkken med de rædselsfulde, foliobeklædte skabslåger og opbyggede stille og roligt i dette stærkt personlige verdensbillede en følelse af retfærdig harme og altfavnende handlekraft. At hun herinde i dette ydmyge hummer for en tid repræsenterede al udøvende magt i verden, og at ingen kunne sige det imod.

Hun ville have fejret mediernes dækning af Michelles død ved at kræse om sig selv den dag. Købe ting, hun ellers ikke undte sig, forkæle sig med lidt lækkert at spise, og så først derefter planlægge detaljerne for sin næste straffeekspedition.

Men da hun zappede ind på tekst-tv, og tekstlinjen, hun havde ledt efter, pludselig stod der, mærkede hun i stedet et voldsomt dolkestød i brystet, og al lykkefølelse blev flået ud af hende.

'Ung kvinde påkørt af flugtbilist i det nordvestlige København slipper mirakuløst med livet i behold', stod der.

Alt i Anneli frøs til is. Hun læste teksten igen og igen, før hun fattede sig og med krampagtige bevægelser tastede ind på siden.

Ofrets navn blev ikke nævnt, naturligvis blev det ikke det, men alligevel kunne der ikke herske tvivl om, at det *var* Michelle Hansen.

I sin desperation gennemsøgte hun teksten for ordene 'i yderste livsfare', men fandt ikke engang dem. Hun var chokeret. Kunne ikke trække vejret.

Så sortnede det for hende, og hun faldt bagover mod køkkengulvet.

DA HUN VÅGNEDE og med en kraftanstrengelse fik presset sig op og ind i en krog ved siden af køleskabet, stod modbydelige spørgsmål i kø.

Havde Michelle Hansen så virkelig set hendes ansigt? Men hvordan skulle hun kunne nå det, når forruden var så møgbeskidt, og der kun var tale om brøkdele af et sekund? Og hvis hun alligevel havde set hende, som hun først havde håbet, hvad betød det så? Anneli vidste såmænd udmærket, at der gik tretten på dusinet, når det kom til midaldrende kvinder med ansigter, som lignede hendes, så hun kunne da bare nægte. Forklare det med, at pigen måtte have indbildt sig det eller helt bevidst anklagede hende, fordi hun hadede hende. At hun bare var en simpel nasser på samfundet, og at hun på den der usle måde nu søgte hævn, fordi Anneli havde gjort det svært for hende.

Anneli overbeviste sig selv om, at ingen andre kunne have set hende. Gaden havde været fuldstændig øde, og selv om der måske havde været enkelte vidner oppe i vinduerne, så ville de umuligt kunne identificere hende.

Eftertænksom trak hun en flaske rødvin hen til sig og drejede skruelåget af. Hvad så, hvis nogen havde nået at se bilens registreringsnummer? Det fik hende til at ryste lidt på hånden, da hun hældte op, for så ville politiet jo lige her og nu være på jagt efter bilen.

Hun tømte glasset i et par slurke, mens hun tænkte.

Hvordan ville hun kunne få oplyst, om bilen var efterlyst? Og hvis den var det, stod bilen så parkeret langt nok væk fra hendes hjem her i Webersgade?

Anneli vurderede situationen frem og tilbage. Der var så meget, der lige nu føltes forkert. Først og fremmest at Michelle Hansen stadig var i live, men bestemt også at der med dette kunne være spændt ben for hele hendes projekt.

"Nej," råbte hun højt for sig selv efter det tredje glas. Nu havde hun endelig mærket, at hun levede. Endelig havde hun følt livslysten bruse i årerne, og det ville hun ikke opgive for noget. Ikke engang med risiko for at blive opdaget, hvis hun fortsatte.

Så Anneli trak i tøjet uden først at have været i bad og gik målbevidst ud i det milde solskin og ned mod gaden, hvor hun havde parkeret den røde Peugeot.

Hun ventede, til intet bevægede sig i gadebilledet, og så løsnede hun plastikket af den smadrede rude og åbnede døren, satte sig ind og tvang skruetrækkeren i tændingslåsen.

Anneli havde en plan, og den var ud over at være klog også enkel. Hun måtte vide, om politiet havde fået oplyst flugtbilens registreringsnummer, og hvad kunne vel bedre fortælle hende det, end hvis hun parkerede vognen på et offentligt sted, hvor der var trafik og færdedes meget politi? Så ville det vel kun være et spørgsmål om tid, før hun fik svar på, om de interesserede sig for den.

I løbet af de to timer, hvor Anneli stod lidt på afstand og betragtede den parkerede bil, havde mindst fire patruljerende politibiler passeret den i adstadigt tempo. Og da der i den forbindelse ikke skete noget, så indløste hun en p-billet med mønter og lod den stå. Stod den stadig i Griffenfeldsgade dagen efter, så havde hun sit våben intakt.

SENTA BERGER HAVDE opkaldt sig selv efter en berømt tysk filmstjerne, hvilket Anneli havde haft svært ved at vænne sig til. Tidligere havde samme Senta heddet Anja Olsen, for så igen at ændre det til Oline Anjou, før hun langt om længe havnede med dette glamourøse navn, som hun på ingen måde kunne leve op til. Hende havde Anneli haft som klient i de år, hvor pigen fra at være en irriterende og selvpromoverende, superkrævende attenårig havde udviklet sig til at blive en intetsigende, glimmerglitrende opblæst pestilens på otteogtyve.

Anneli fik knopper af at tænke på denne Senta, og glæden var derfor stor, da hun flyttede kontor og efterlod mokken til andres dom og dømmekraft. Men selv om hun i professionel forstand slap for synet af denne besynderlige Barbie-efterligning, så stødte hun som privatperson ustandselig på hende ude i byen.

Senta var altid belæsset med indkøbsposer fra tøjforretninger og åndede kun for denne konsumtrang for offentlige midler, hvilket i timevis efter disse tilfældige møder fik akkumuleret Annelis naturlige harme og vrede. Derfor var det ikke spor tilfældigt, at Anneli trak Sentas nummer ud i dette lidt specielle lotteri af snyltende pigers journaler, hvilket i sidste ende ville ende med Senta Bergers død.

Anneli tog sig god tid. Dagen efter lørdagsfesterne plejede den slags piger sjældent at vove sig ud på gaden før langt op ad eftermiddagen, så hun satte sig godt tilbage i bilsædet med sin termokande og øjnene stift rettet mod den gadedør, hvorfra man måtte forvente, at pigen kom ud.

Hvis hun fulgtes med nogen, så ville Anneli vente til en anden dag, og det samme gjaldt, hvis der ikke var fuldstændig fri bane.

Herude i Valby var der på en søndag eftermiddag lige så dødt som i Lyngbys restauranter på en nytårsaften. En sjælden gang gik en ud efter wienerbrød til kaffen, eller en cyklist skød genvej videre ned mod Vigerslevvej, men ellers foregik der absolut intet. Det var lige præcis, som det skulle være.

Da klokken nærmede sig sytten, var der bevægelser oppe i Senta Bergers lejlighed. Gardiner blev trukket fra, og konturen af en skikkelse kastede skygge på ruden.

Anneli skruede hætten på termokanden og trak sine handsker på.

Der gik ikke et kvarter, så åbnedes gadedøren, og Senta spankulerede ud med kopitaske, ultrakort nederdel, lårlange læderstøvler og similipelscape i purpurrødt.

Hun blev dræbt hundrede meter længere fremme inde på fortovet. Den dumme kælling havde åbenbart skruet helt op for lyden i sine høretelefoner, for hun nåede ikke at gøre noget som helst, før kroppen var kvast mod husmuren.

Bagefter var hun med garanti stendød, men alligevel var det med en vis frustration, at Anneli trak vognen tilbage på kørebanen og forlod kvarteret. Meningen var jo, at pigen skulle have set på hende, for pokker. At hun fik noteret sig sin banemand, lige før enhver tankevirksomhed gik i sort, og hjernen blev smurt ud på væggen. Så ville et livs fejltagelser og misbrug blive erkendt i selve dødsøjeblikket, og det var jo netop det smukke ved det hele.

Det var jo det, der ophidsede Anneli. Så nej, hun var ikke tilfreds. Heller ikke denne gang var det faldet fuldstændig rigtigt ud.

HUN KØRTE VOGNEN direkte i vaskehallen og blev siddende i den, mens børsterne forsøgte at flå plastikket af sideruden. Bagefter søbede hun det indtrængende sæbevand i kabinen op og aftørrede alle de steder, hun kunne have berørt.

Beslutningen var, at hun kun ville bruge bilen en gang til og så ikke mere. For ikke alene måtte hun være forsigtig med sit valg af ofre, så der ikke tegnedes et genkendeligt mønster, hun måtte også være forsigtig med mordvåbnet.

Ligesom sidste gang ville hun parkere vognen i Griffenfeldsgade. Om vognen var efterlyst, fordi den var stjålet, eller fordi den havde været flugtbil, kom i bund og grund ud på ét, spørgsmålet var kun, om politiet holdt øje med den. Nu var det bare om at stoppe godt med mønter i automaten og så gå tilbage til vognen hver dag for at skifte p-billetten ud. Havde politiet ikke i mellemtiden observeret den, så kunne den bruges igen.

Hun samlede termokanden, nogle få hår, smårester af crackers og et par brugte papirlommetørklæder sammen i en plastikpose og smækkede døren i. Det skulle ikke vare længe, før hun tog på sit næste raid, og så ville hun sørge for, at ofret fik vendt sig i tide.

Om så hun skulle bruge hornet.

STRÅLETERAPIEN UDEN FOR RIGSHOSPITALETS hovedindgang lå fuldstændig indpakket i en labyrint af skurvogne og hektisk aktivitet. Anneli fulgte skiltene til indgang 39 og vandrede derefter flere etager ned under jorden, mens tankerne kredsede om strålefare og tressernes bunkers, der skulle kunne modstå atomangreb. 'Tag det roligt, Anneli, de vil dig det bedste,' beroligede hun sig selv og trådte ind i en ventesal af uventet størrelse med informationsskranke, akvarium, sofagrupper, fladskærme med tv-programmer og et hav af solstråler, der faldt blødt gennem lysskakten og ind over de mange grønne planter. Hernede denne tidlige mandag morgen sad alle patienterne, der skulle have strålebehandling, og trods triste årsager til folks tilstedeværelse herskede der en tryg og mild stemning. Her sad alle på de samme præmisser i en slags skæbnefællesskab, hver især med små bitte tatoverede prikker på kroppen, så sygeplejersker og radiografer fra gang til gang kunne pejle sig helt præcist frem til, hvor strålebehandlingen skulle sættes ind. Hernede var man for at give livet en chance, nøjagtig ligesom Anneli ville være det fem dage om ugen i de kommende fire-fem uger.

Hvis det mod forventning skulle vise sig, at hverken stråler eller kemo kunne komme kræften til livs, så ville hun speede drabene op. Nøgternt set ville hun kunne nå at slå dusinvis af disse kvinder ihjel, hvis hun gjorde sig umage. Og kom politiet for tæt på, så kunne løsningen jo passende være at slå flere ihjel om dagen, for sagen var jo enkel nok. Om det var en eller fyrre kvinder, hun slog ihjel, så kom det ud på ét i et land, hvor den ultimative dom var anbringelse på livstid. Hun havde jo set, hvor godt de mordere, man ikke turde lukke ud i samfundet igen, levede på de psykiatriske forvaringsanstalter, og hvis *det* var det værste, så klarede hun såmænd også det.

Anneli smilede for sig selv, da de kaldte hende ind til strålebehandlingen, og hun smilede stadig, da hun en time efter sad på sin kontorstol og rådgav klienter.

Efter et par af de yderst få tilfredsstillende konsultationer blev det endelig Jazmine Jørgensens tur.

'Du kan bare vente dig,' tænkte Anneli med en vis fryd, da tøsen satte sig og allerede efter få sekunder drejede hovedet mod vinduet, sikkert fuldstændig bedøvende ligeglad med, at det rent faktisk var hende, der bestemte dagsordenen.

Hun skulle bare vide, hvordan Anneli havde det med den attitude.

Igennem et par år havde Jazmine Jørgensen klaret frisag med graviditeter med relaterede lidelser og barselsorlov og ikke ydet dagens gerning. Nu var hun indstillet til psykologhjælp, og modtog hun ikke tilbuddene om mere radikale præventive midler, så måtte der jo indkaldes til møde om, hvad man i så tilfælde skulle gøre ved hende.

Anneli forestillede sig dog ikke, at det skulle komme så vidt. Efter et par måneder ville Jazmine Jørgensen under alle omstændigheder ligge i sin grav, om hun så havde et barn i maven eller ej.

De næste minutter afstak Anneli rammerne for deres fremtidige samarbejde, jobsøgningskurser, prævention, budgetstyring, og som forventet så Jazmine ikke et øjeblik væk fra vinduet og gadebilledet udenfor. Provokerende, ja, men det øgede også Annelis fornemmelse af, at hun kæmpede retfærdighedens sag.

Hun skubbede et stykke papir ind over bordet for at orientere finken lidt mere uddybende om, hvad hun lige netop havde siddet og fortalt hende, og endelig rettede pigen ansigtet mod hende.

For en ung kvinde som hende, der uanset situationen altid forsøgte at tage sig mest indtagende ud, var ansigtet pludselig ualmindeligt koldt og ucharmerende. Bag den kalkede væg af eyeliner, foundation og læbestift lå der flere elementer i dette tuttenuttede dukkeansigt, som Anneli ikke før havde set. En trods, der nærmede sig noget aggressivt lurende. En snert af viljestyrke, der rakte langt ud over de sædvanlige krav om penge og en stædig nægtelse af til gengæld at skulle udføre et stykke arbejde for dem.

"Har du hørt, at Michelle Hansen klarer den?" spurgte pigen overrumplende og tørt. Intet i pigens ansigt forandrede sig, hun stirrede bare hadefuldt koldt på Anneli, der per refleks kom til at reagere med et næsten umærkeligt slag med hovedet og gud ske lov ikke mere end det. Men i Annelis indre stormede det i alle retninger. Kaotiske tanker og forsvarsmanøvrer blandede sig med stærk og kølig afmålthed og mangel på forståelse.

Hvad fanden vidste den modbydelige tøs egentlig?

"Michelle Hansen, siger du?" sagde hun lidt tøvende. "Hvad er der med Michelle? Kender du hende?" spurgte hun, som om hun ikke vidste det. Var det måske ikke de tre, der sad og bagtalte hende i venteværelset? Sådan noget glemte man bare ikke.

Et øjeblik sad de og så hinanden an. Anneli med sine øjenbryn en anelse løftet, og Jazmine med sine sænket som en hund, der øjeblikket efter ville trække læberne tilbage og blotte alt det, der kunne skade en modstander.

'Hun lader mig tage initiativet, så tænk dig nu godt om, Anneli!' sagde hun til sig selv.

"Du svarer mig jo ikke, Jazmine, og jeg tror så heller ikke, jeg er helt med. Hvad mener du med, at Michelle 'klarer den'? Klarer hvad?"

Jazmine sagde stadig ingenting. Så blot på Anneli, som om hun ventede, at den mindste trækning ved et øje eller pulsen på hendes hals skulle afsløre hende.

Anneli trak vejret roligt, selv om alt i hende skreg til himlen, at det her bare havde at være løgn. Lige nu var hun presset op i en krog, og det eneste, hun kunne gøre, var at formane sig selv om, at ingen i verden ville kunne bevise hendes forbrydelser. Gud ske lov havde der, så vidt hun vidste, ikke været vidner til hendes påkørsel af hverken Michelle Hansen eller Senta Berger.

"Er der ikke noget om, at røde biler og du passer godt sammen?" spurgte tøsen så iskoldt.

Anneli smilede, så godt hun kunne. "Sig mig engang, Jazmine, har du det helt godt? Tag nu det her stykke papir med hjem, og læs grundigt på det." Hun skubbede sin skrivelse yderligere et par centimeter mod pigen. "Og så er min bil i øvrigt blå og sort. En fin lille Ka, kender du dem?"

Og idet hun gjorde tegn til, at nu måtte Jazmine Jørgensen gerne gå, tænkte hun, at det så var sidste gang, den røde bil havde været i aktion, og at det nok var en god idé at holde lidt øje med denne piges bevægelser og omgang med andre.

I hvert fald betød det her møde, at Jazmine med øjeblikkelig virkning måtte hives en del pladser op i køen.

17

Torsdag den 19. maj 2016

"DET VAR HER, man fandt Rigmor Kirschmeyer."

Tomas Laursen pegede på et næsten fuldstændig udvisket omrids i græsset.

Carl smilede. Assad havde fået den fænomenale idé at lokke Politigårdens kantinebestyrer med hen til Kongens Have. Tomas var for længst fratrådt som polititekniker, men øjnene fejlede bestemt ikke noget.

"Ved vi så, hvilken indgang i parken hun er kommet ind ad?" spurgte Assad. "Var det den dernede?"

Carl så langs smedejernsgitteret ud til Kronprinsessegade og mod det yderste hjørne af parken. Han nikkede. Eftersom kvinden havde forladt datterens lejlighed i bunden af Borgergade-kvarteret i øsregnvejr, så var det mest sandsynligt, at hun havde benyttet indgangen ud til Sølvgade, så hun kunne skyde genvej mod udgangen til Gothersgade.

"Jeg forstår det egentlig ikke rigtig," fortsatte Assad. "Hun boede ude i Stenløse og plejede at tage S-toget. Ved vi overhovedet, hvorfor hun så gik mod Nørreport Station og ikke mod Metroen på Kongens Nytorv eller Østerport Station, det ville da være mere logisk?"

Tomas Laursen bladrede i den allerede ret så digre politirapport. Fantastisk, at han havde lokket den ud af drabsafdelingen.

Nu rystede han på hovedet. "Det ved vi ikke, nej."

"Men hvad siger afdødes datter? Det kunne da være, at hun vidste det," spurgte Carl.

Det afkræftede Laursen. "Vi har en udskrift af, hvad hun oplyste til politiet, og det er ikke meget. Så lige det har vores kolleger heller ikke fået boret i."

'Det var da ellers et ret så elementært spørgsmål, hvorfor fanden havde de ikke stillet det?' tænkte Carl.

"Hvem står for efterforskningen?" spurgte han så.

"Det gør Pasgård."

Carl sukkede. Mage til selvforherligende, overfladisk lort skulle man lede længe efter.

"Ja, jeg forstår dig," nikkede Tomas. "Men han er også *næsten* lige så stor en brokkerøv som dig, Carl. Han bliver bestemt ikke glad, når han hører, at du efterforsker hans sag."

"Så må vi jo hellere holde det hemmeligt for ham, ikke?" foreslog Assad.

Laursen nikkede og knælede ved siden af omridset, mens han undersøgte græsset. Stadsgartneren havde til punkt og prikke fulgt politiets påbud om ikke at slå det i en afstand af tre meter fra findestedet, så derfor var det groet en anelse højere end det omgivende græs.

"Hmm," sagde Laursen og løftede forsigtigt et enligt, vissent blad op, der lå en halv meter fra det afmærkede omrids.

Carl bemærkede, at både Assad og Laursen rynkede brynene, og fulgte så deres blikke, der langsomt gled langs bedene og smedejernsgitteret ned mod Sølvgade. Jo, nu så han det også, det var sørme rigtigt observeret. Det blad på græsset kom ikke fra de omkringstående buske eller træer.

"Kan bladet have ligget her i over tre uger?" spurgte Assad.

Laursen trak på skuldrene. "Sandsynligvis, ja. Findestedet ligger lidt væk fra stierne, og der har jo ikke rørt sig nogen videre vind i ugevis." Så virrede han med hovedet. "Og omvendt kan det jo på et hvilket som helst tidspunkt efter drabet have siddet på en sko eller være bragt herover af en hund. Hvad er det overhovedet for en slags blad, ved du det, Carl?"

Hvor fanden skulle han vide det fra? Han var da for hulen hverken gartner eller botaniker.

"Jeg går lige en tur," sagde Assad, hvilket var noget af en underdrivelse, eftersom han satte i løb og lignede en mellemting mellem en fransk bulldog og en, der lige havde skidt i bukserne, sådan som han hjulede ned langs stien mod Sølvgade-indgangen.

Carl måbede.

"Jeg kan se, at bladet har været trykket helt fladt. Så det kan faktisk meget vel have siddet under en sko," sagde Laursen med bagdelen i vejret og næsen trykket helt ned mod det.

Carl skulle lige til at kommentere, at de vist så ikke fik meget mere ud af det findested, for alle sporene, for slet ikke at snakke om liget, var jo ligesom forduftet.

"På den anden side så ser jeg nu nogle meget fine riller på bladets overside. Og sko har ikke sådan nogen smalle riller, og heller ikke hunde," fortsatte Laursen og lo. Hans humor havde altid været meget indforstået.

"Så hvad?"

Laursen bladrede igen i rapporten og pegede så på et billede af liget. "Så kan det jo være fra dem her," sagde han og duppede på ligets bukser. "Smalriflede fløjlsbukser. Meget populære blandt ældre damer, der ikke bare sådan skifter deres garderobe ud hver anden dag," konkluderede han.

Carl tog bladet op og nærstuderede det. Han havde sgu ret.

"Måske bliver vi klogere, når ham hundredmeterløberen er kommet i mål," sagde han og pegede på Assad, der kom imod dem i fuld fart som en bissende gnu.

Han var stakåndet, men stolt. "Her," sagde han og stak et blad lige op i synet på dem. "Sådan nogle blade er der mange af dernede i buskadset lige til venstre for indgangen omme bag cykelstativerne."

Med ét lignede Tomas Laursens ansigt en flækket krydder. Det var længe siden, Carl havde set ham så begejstret.

"Skidehamrende godt!" udbrød kantinebestyreren jublende. "Så ved vi, hvor det mandepis kom fra. Ja, vi ved virkelig meget lige pludselig."

Assad nikkede. "Jeg læste også, at hun havde en hundelort på skoene."

"Ja, men der var ikke grus i lorten," svarede Laursen. "Så det er mere sandsynligt, at hun trådte i den uden for murene."

Carl var overhovedet ikke med.

"I TROR FAKTISK, at forløbet har været nogenlunde sådan, som I skitserer? Det ville da virkelig være et gennembrud." Carl var skeptisk.

Laursen lo. "Ja, fandeme ja. Det er lige før, man har lyst til at søge ind i politiet igen."

"I mener altså, at Rigmor Kirschmeyer ville have skudt genvej gennem parken, men allerede er begyndt at løbe på fortovet udenfor? Og hvorfor tror I så det?"

"Hun var en nydelig dame, ikke? Fine håndlavede damesko fra Scarosso, og så havde hun tilmed været gift med en skotøjshandler og kendte med garanti skidt fra kanel. Sådan nogle eksklusive sko koster mere i handel og vandel end to tusind kroner, det kan jeg godt sige dig," sagde Laursen.

"Lige noget for statsministeren," lo Assad.

"Og de sko ville hun ikke frivilligt tvære ned i en hundelort, er det det, du mener?" deducerede Carl med et smil over sit eget vid. Hvem pokker ville i øvrigt frivilligt træde i en hundelort?

Laursen stak en tommel i vejret.

Assad nikkede. "Hun er løbet på fortovet og har så ikke fået set sig godt nok for. De øsede jo også ned den aften, så jeg er enig med Laursen."

Det var fuldstændig som at se en gammel film med Sherlock Holmes og Watson i fri dressur.

"Og hun så sig ikke for og trådte i en hundelort med sine fine, dyre sko, ikke fordi hun skulle nå noget, men fordi hun følte sig truet, er det derhen, I vil?"

Så røg der to tommelfingre i vejret.

Han fulgte med de to ned til buskadset og stod et øjeblik og så på det. Ganske udmærket gemmested, hvis det endelig skulle være.

"Okay, lad os rekapitulere. Rigmor Kirschmeyer er løbet, fordi hun følte sig truet. Er løbet ind i Kongens Have ..."

"Rosenborg Slotshave, Carl," indskød Assad.

"Det er sgu da den samme park, Assad."

Der røg de mørke øjenbryn i vejret.

"Og så er hun løbet ind i *Rosenborg Slotshave*," rettede han for husfredens skyld, mens han så på Assad. Tilsyneladende gjorde det navn ham mere tryg. "Og så har hun gemt sig i det her buskads, hvor jorden er dækket med de samme blade som det, vi fandt ved findestedet. Det er åbenbart et sted, hvor der bliver pisset en del."

"Ja, det kan du da lugte, Carl. Her stinker ligefrem på meters afstand, men det er også lige inden for indgangen til parken og praktisk for den, der pludselig trænger," konkluderede Laursen.

"Hmm. I siger, at det tis, som retsmedicineren noterede sig på liget, var på højre balle og lår, og så udleder I nu, at det var, fordi hun satte sig i skjul i løvet." Carl nikkede for sig selv. "Men hvorfor har overfaldsmanden så ikke slået hende ned lige her? Er det, fordi vedkommende har overset hende og er løbet forbi?"

Laursen smilede begejstret. Endelig var de kommet på bølgelængde, så det ud til.

"Formentlig, ja," sagde Laursen. "Og så har Rigmor Kirschmeyer siddet dér et stykke tid, til hun har følt sig sikker på, at der var fri bane, og er derpå fortsat videre hen ad stien. Men det er bare en teori, vi ved det jo ikke med sikkerhed."

Det havde han sørme ret i.

"Så tror I vel også, at overfaldsmanden i mellemtiden har gemt sig nede ved restauranten og er kommet frem i det øjeblik, Kirschmeyer gik forbi?"

Der kom de satans tommelfingre op igen.

Carl grinede hovedrystende. "Måske skulle man råde jer to til at begynde at skrive kriminalromaner, når I bygger jeres konklusioner og teorier på noget så løst som hundelorte og visne blade."

"Ikke desto mindre er det temmelig sandsynligt, Carl." Laursen så på ham med afdæmpet selvtilfredshed, og det klædte ham faktisk. "I årene som polititekniker lærte jeg, at det er ud fra de vildeste tanker, at mysterier pludselig løser sig, kan du følge mig?"

Carl nikkede, det vidste han bedre end nogen. Han kunne bare ikke lade være med at smile. Hvis denne hypotese havde det mindste på sig, så var der en vis politikommissær ved navn Pasgård, der på et tidspunkt ville komme til at slå knuder på sig selv af ærgrelse.

"NÅEHH, der er I jo," råbte en mandsstemme hen over plænen. "Så havde ham Gordon ret. Kan vi ikke lige få jer til at gå tilbage til stedet, hvor kvinden blev fundet?"

De kom tre mand høj. Kameramand, lydtekniker og så denne pisseirriterende Olaf Borg-Pedersen fra Station 3 i egen høje person. Hvad helvede lavede de dér, og hvorfor havde Gordon fortalt dem, hvor de var? Han kunne bare vente sig.

Da de stod ved findestedet, vinkede Borg-Pedersen ad sin lydmand, der trak en tingest op af rekvisittasken.

"Vi har taget en spraydåse med hvid maling med, så vi lige kan kridte ligets position op igen. Vil I, eller skal jeg?"

Carl rynkede brynene. "Hvis du så meget som sprayer det mindste pift, så skal jeg den ondelyneme tømme hele dunken i knolden på dig. Er du da vanvittig mand, det er et findested."

Olaf Borg-Pedersen var en mand med års erfaring i at håndtere genstridige mennesker, det var helt tydeligt, så han stak ufortrødent en hånd i jakkelommen og trak tre Yankie Barer op.

"Lidt til blodsukkeret?" sagde han.

Det var kun Assad, der tog imod. Ja, alle tre barer, faktisk.

DER STOD EN farlig masse navne på dørtelefonen, hvor navnet Kirschmeyer gik igen to gange. Stueetagens Birgit F. Kirschmeyer var den, de var kommet for at tale med, og så var der øverst oppe på femte en Denise F. Kirschmeyer, som Carl ikke vidste, hvem var.

"Hvad giver I?" sagde han, mens han trykkede på dørtelefonen. "De tv-folk var da helt sindssyge, at de troede, de kunne komme med ind til en afhøring."

"Joeh, men alligevel, Carl. Du skulle nok lige have tænkt dig om, før du lossede ham tv-produceren over skinnebenet. Jeg er ikke sikker på, at han troede på, at det var et uheld," sagde Laursen.

Carl så med et skævt smil på Assad. Var det ikke den slags alternative, men ret så effektive kommunikationsformer, som han havde stoppet Gordon med? Assad smilede tilbage og trak på skuldrene. Bare skidtet virkede, så var det vel godt nok.

De ringede på dørtelefonen endnu nogle gange, før en drævende kvindestemme endelig erklærede sig.

"Det er politiet," sagde Laursen. En dum indledning, men kommunikation havde nok heller aldrig været mandens spidskompetence, han var jo tekniker.

"Ja, goddag, fru Kirschmeyer," blødte Carl op. "Vi ville være taknemmelige for fem minutter af din tid."

Der lød en forkølet brummetone, og Carl sendte Laursen et sigende blik, da han skubbede døren til opgangen op. 'Hold dig i baggrunden,' sagde det.

Hun åbnede døren på vid gab i en næsten lige så åben kimono og afslørede derved både hvid hud og ålede strømpebukser. Allerede dér fortalte hendes spiritusånde, hvilket tidsfordriv hun lod sine dage gå med.

"Ja, undskyld, vi ikke har meldt vores ankomst i forvejen, fru Kirschmeyer, det beklager jeg. Men vi var lige i nabolaget," sagde Carl.

Hun stirrede på de tre mænd, mens hendes skikkelse duvede lidt fra side til side. Især synet af Assad havde hun en smule svært ved at slippe.

"Så dejligt at møde dig," sagde Assad og stak næven frem mod hende som en purk med julelys i øjnene. Han havde godt nok et fermt tag på kvinder, og ikke mindst hvis de havde en lille skid på.

"Her er lidt rodet for tiden, der har været så meget at gøre," sagde hun og forsøgte at gøre plads i sofaen. Et par udefinerlige genstande røg på gulvet, og så sad de der.

Carl indledte med at kondolere. Det måtte have været svært at miste sin mor på den forfærdelige måde.

Hun nikkede nogenlunde lige op og ned og gjorde sig store anstrengelser for at holde øjnene åbne nok til at kunne følge med.

Carl så sig omkring og talte mindst femogtyve tomme vinflasker og dertil et løst antal flasker med spiritus af forskellig observans spredt over gulvet, stuens kommoder og reolerne. Hun havde bestemt ikke kedet sig.

"Birgit Kirschmeyer, vi vil gerne spørge dig, om du har noget begreb om, hvorfor din mor valgte at gå gennem Kongens Ha…" Carl så på Assad, "… jeg mener gennem *Rosenborg Slotshave* i stedet for at gå ned til Metroen på Kongens Nytorv eller op til Østerport Station. Ved du det?"

Hun slog et slag med nakken. "Hun syntes, der var pænt i parken."

"Så det gjorde hun altid?"

Kvinden blottede et smil med læbestift ud over alle fortænder.

"Ja," sagde hun og nikkede en masse gange, før hun fik taget sig sammen til at fortsætte. "Og så handlede hun i Netto."

"Ved Nørreport Station?"

"Ja, nemlig! Altid!"

Der gik et kvarter, før de måtte indse, at timingen ikke var helt optimal, hvis man ville nå frem til nogle af de mere indviklede spørgsmål.

Carl gav tegn til de andre, at det måske var på tide at gå, men så tog Assad over.

"Hvorfor gik din mor rundt med så mange, mange penge på sig? Du sagde, at det drejede sig om ti tusindkronesedler, men hvordan vidste du så egentlig det, Birgit?" Assad greb hendes hånd, hvilket på det nærmeste fik hende til at spjætte, men han slap den ikke.

"Jamen hun viste mig dem. Mor kunne rigtig godt lide kontanter – hun pralede med dem."

'Godt, Assad,' sagde Carls blik. "Pralede hun også over for fremmede med sine penge?" spurgte han så.

Birgit Kirschmeyer sænkede sit hoved og lod det gungre et par gange mod brystet. Grinede hun uden lyd?

"Min mor pralede altid, ha ha. Alle vegne og altid og simpelthen alle vegne." Hun lo nu åbenlyst. "Det skulle hun nok ikke have gjort."

'Touché,' tænkte Carl.

"Havde din mor også penge liggende og flyde derhjemme?" spurgte Assad.

Hun rystede på hovedet. "Ikke på den måde. Hun var ikke dum, min mor. Meget kan man sige, men ikke dum."

Carl vendte sig mod Laursen. "Ved du, om der har været foretaget ransagning på afdødes bopæl?" spurgte han med dæmpet stemme.

Laursen nikkede. "Man fandt ikke noget, der kunne hjælpe med opklaringen."

"Var det Pasgård?"

Laursen nikkede. Bortset fra Børge Bak i gamle dage så var der næppe nogen, Carl havde mindre respekt for.

Carl vendte sig mod kvinden. "Det skulle vel ikke være sådan, at du ligger inde med en ekstranøgle til din mors lejlighed, Birgit?"

Hun prustede et par gange, som om det var et værre mas, han nu havde ført hende ud i. De måtte hellere skynde sig, før hun faldt helt i søvn.

Så rettede hun pludselig hovedet op og svarede forbavsende klart, at det havde hun, og det havde hun, fordi hendes mor var en klovn og smed sine nøgler væk. Så hun havde engang fået lavet ti sæt, og nu var der fire tilbage i skuffen.

Hun overlod dem et enkelt sæt, men insisterede på først at se deres politiskilte. Da hun havde set nøje på Carls, lempede han det videre til Laursen, så hun kunne se på det selv samme en gang til. Det var hun tilsyneladende godt tilfreds med. Assad glemte hun helt.

"Lige en sidste lillebitte ting, Birgit Kirschmeyer," sagde Carl, da de stod på dørtærsklen. "Denise Kirschmeyer, er det noget familie?"

Hun nikkede uden begejstring.

"En datter?" spurgte Assad.

Hun vendte sig lidt akavet mod ham, som om han havde svaret korrekt på sidste spørgsmål i Hvem vil være millionær.

"Hun er ikke hjemme," sagde hun så. "Jeg har overhovedet ikke talt med hende siden begravelsen."

TILBAGE PÅ POLITIGÅRDEN satte Carl sig tungt ved sit skrivebord og stirrede på alle papirerne. To bunker var igangværende sager, som sagtens kunne vente, så dem lagde han væk. Så var der en sag, som Rose ville have ham til at se på, så den røg hen i hjørnet. Resten af papirerne var bare noter og diverse print, og hvad folk ellers syntes burde kunne interessere ham. Normalt røg det meste i papirkurven, men Marcus' notater kunne han ikke bare lige smide væk. Det var selvfølgelig klart, at den sag nagede ham, og selvfølgelig måtte han se koblinger, når der var den mindste chance for det. Sådan var det med de pensionerede politimænd, det havde Carl ligesom prøvet før. Men skulle han overhovedet gå ind i den? Risikerede han ikke bare at havne i en blindgyde, ligesom folk før ham havde gjort det? Og risikerede han ikke bare at skuffe Marcus, så manden ikke længere havde nogen muligheder for at få den løst og derfor ville glide helt ind i sig selv? Det frygtede han faktisk.

Han trak et farveprint hen til sig. 'Stephanie Gundersen', havde en eller anden skrevet med blokbogstaver nedenunder.

Det var især øjnene, han hæftede sig ved. Lidt skråtstillede, måske ligefrem grønne, men i hvert fald den slags øjne, der naglede en fast og fortryllede en.

Hvorfor slog man en pige som hende ihjel?

Var det, fordi øjnene slet ikke fortryllede, men snarere forheksede?

Det var nok det, der var spørgsmålet.

18

Mandag den 23. maj 2016

DER VAR DØDSTILLE i S-togskupeen, for næsten alle surfede på smartphones og iPads. Nogle energisk og koncentreret, mens andre rullede tommelen desperat ned over skærmen i håb om, at der bare var en eller anden form for kontakt.

I første omgang var det ikke kontakt, Jazmine søgte, da hun så på sin telefon. Hun talte dage i Google-kalenderen fra afkrydsningen af hendes sidste menstruation og til nu, og alt indikerede, at ægløsningen var lige om hjørnet, og så skulle beslutningen bare træffes.

For hvad skulle hun? Tog hun en graviditet mere, så blev hun med garanti smidt ud hjemmefra, men hvad betød det? Så måtte kommunen jo bare træde til også i det tilfælde.

Hun smilede let ved tanken. Så kunne Anne-Line Svendsen stikke alle sine formaninger, planer og restriktioner, og hvad hun ellers havde at komme med, skråt op i sin fede røv. Var hun først blevet gravid og klagede over rygsmerter, så var hun fredet endnu en gang. De kunne i hvert fald ikke kræve, at hun fik foretaget abort.

Jazmines sidste graviditeter havde hun dårligt mærket, selv om hun sagde noget andet til lægen. Ingen opkastninger og ingen bondeanger, da de hentede ungen, så det var jo let nok. Alligevel virkede det lige nu for én gangs skyld temmelig perspektivløst at gøre det igen. For når næste unge var afleveret, og hun igen blev sluset ind i kontanthjælpssystemet, så var hun pludselig blevet tredive. *Tredive!* Selv om hun ikke nærede forventning om, at prinsen på den hvide hest ville dukke op, så fik hun pludselig devalueret den valuta, hun altid havde værnet om, det, der alle dage havde været hendes sikreste kort til at kunne påkalde sig miraklet: hendes ungdom.

'For hvem vil have en kvinde på tredive, der har fået fem børn med gud ved hvem og har bortadopteret dem alle? Ja, eller med fire børn, for den sags skyld,' tænkte hun nøgternt.

Hun løftede blikket mod sine medpassagerer. Var der overhovedet nogen herinde, som hun gad få som mand, sådan som tingene havde formet sig for hende? Og omvendt, var der mon overhovedet nogen herinde, der ville have hende? Ham derovre i hjørnet på femogtredive, der gled ugraciøst rundt i sædet, som om han var smurt bagi med vaseline, han ville sikkert gerne. Men skulle hun virkelig spilde sin tid og sit liv på en som ham? Temmelig udsigtsløst.

Jazmine rystede på hovedet og tastede sig ind på den datingside, der hurtigst gav resultat. Victoria Milan var godt nok udelukkende forbeholdt folk i faste forhold, der søgte utroskab, og man kunne næppe påstå, at Jazmine befandt sig centralt i den målgruppe, men hvad ragede det hende? Kunne hun skaffe sig et uforpligtende samleje med en ordentlig mand, der kunne finde ud af personlig hygiejne og ellers ikke gav hende besvær, og som man måske kunne presse lidt penge ud af, når hun viste ham sin tykke mave, så var den webside helt perfekt. Herudover havde sitet også en panikknap, man kunne trykke på, hvis de, der var kærester eller gift med sitets brugere, pludselig kom og kiggede dem over skulderen. Skidesmart for Jazmine, specielt fordi hun indtil nu havde boet i en skotøjsæske af en lejlighed, hvor spisebordet var det eneste sted, man kunne sidde og surfe. Den nødknap havde hun brugt nogle gange, når hendes mor kom snusende. POW! Og så var den date skjult.

Hun loggede ind på sin nydeligt camouflerede profil og så på emnerne. Skulle hun selv vælge, så fandt hun sig nu en mand, som ikke var noget særligt. Det gjorde det betydeligt lettere for hende at aflevere ungen, når den sandsynligvis ikke blev supersmuk, og desuden var det hendes erfaring, at almindelige mænd bare var bedre elskere end dem, der så godt ud.

Hun smilede, nu hun tænkte på det. Hold da fest, hvor kunne de kiksede mænd somme tider gøre sig umage.

"HVAD SAGDE HUN så?" spurgte Michelle, mens hun rykkede utålmodigt i Jazmines ærme. Trods hudafskrabninger og plastret i baghovedet så så hun bestemt bedre ud, nu da hun var stået op fra sygelejet og stod i sit eget tøj.

"Vent," sagde Denise. Hun pegede på den vagthavende sygeplejerske, der stak hovedet ind.

"Jamen så må du have det godt, Michelle. Pas nu på dig selv," sagde hun og rakte hende et lille plastikglas. "Du kan tage to af dem her et par gange om dagen, hvis du stadig får hovedpine, men kom ind til os, hvis du på noget tidspunkt føler, at der er et eller andet galt, ikke også?"

Michelle nikkede, og sygeplejersken gav hende hånd, det var meget formelt.

"Kom så, sig det nu, Jazmine," gentog Michelle, da sygeplejersken var gået.

Jazmine nikkede spørgende mod nabosengen.

"Stinkdyret, der lå der? Nej, hun blev udskrevet i morges." Michelle vrængede lidt på næsen, og så vendte de nysgerrige øjne levende tilbage. "Fik du Anne-Line til at afsløre noget? Hvad sagde du til hende?"

"Midt under alt det sædvanlige sagsbehandlergejl, hun plejer at fyre af, så sagde jeg, at du havde det godt, og så spurgte jeg hende, om hun egentlig foretrak at køre i røde biler."

"*Gud*, det gjorde du vel ikke?" Michelle trak hånden op for munden.

Jazmine nikkede. "Jo. Selvfølgelig reagerede hun, det ville vi andre vel også gøre, men hun virkede altså ikke rystet, det synes jeg ikke."

"Du tror ikke, det var hende, jeg så?"

Jazmine trak på skuldrene. "Nej, ikke umiddelbart."

Et øjeblik virkede Michelle utryg ved den besked, men hun nikkede dog, og efter hun havde samlet sit habengut, trak de ud i modtagelokalet, der adskilte etagens fire afdelinger og husede både informationsskranke, venteafdeling og elevatorer. Fra panoramavinduerne, der vendte mod en stor del af det nordlige København, bragede lyset ind som midt på sommeren, og næsten alle i venterummet sad vendt mod udsigten og byens tage.

"Guud, der sidder Patrick," hviskede Michelle bekymret og pegede over mod sektionens sofa, hvor et ordentligt muskelbrød sad henslængt med opsmøgede ærmer og lignede en bodybuilder.

Jazmine så over på ham. Han måtte lige være kommet, for han var der ikke, da hun og Denise sad der.

Denise var hurtig og skyggede for Michelle, men da var det allerede for sent. Åbenbart havde fyren hundeinstinkt og vejrede bytte, for han rejste sig i samme sekund, han fik drejet ansigtet i deres retning. Seks skridt, og så stod han ved siden af dem og stirrede på Michelle, som om han var parat til at give hende endnu et ophold på stue 32, eller hvad den nu hed.

"Hvad fanden har du gang i, Michelle? Hvorfor måtte jeg ikke besøge dig?"

Michelle tog fat i Denises arm og trak sig ind bag den. Hun var åbenbart bange for ham, det forstod Jazmine godt.

"Hvem er de kællinger?" spurgte han vredt.

"Det er Denise og Jazmine, og de har ikke noget med dig at gøre," sagde hun stille.

"Det, som Michelle har gang i, er, at hun er flyttet," svarede Denise på hendes vegne. "Hun vil ikke længere bo sammen med dig."

Et par lodrette rynker rejste sig over hans næserod. Den besked var han ikke tilfreds med.

"Fuck dig, kælling. Indtil Michelle har betalt for det, hun skylder mig, så er det her vist ikke noget, du skal blande dig i, vel?" sagde han og pressede Denise væk fra Michelle og op mod væggen.

Et par af de ventende rykkede i sædet ved tumulten, og en syge-plejerske ved informationsskranken så op. Måske derfor sænkede han armen.

"Hvad skylder hun for? At hun boede hos dig og passede dig op i hoved og røv?" spurgte Denise uden den mindste trækning. "Du troede måske, det var gratis at have sex med en pige som Michelle?"

Michelle så bekymret ud nu, og Jazmine delte den følelse. Måske ville det være klogere, hvis Denise tøvede lidt med konfrontationerne.

"Du virker da ellers stor nok til at forstå grundprincipperne, fister, men du har måske ikke haft piger nok?" fortsatte hun bare.

Fyren smilede, tilsyneladende var han for smart til at lade sig provo-kere med alle de tilskuere. I stedet vendte han sig mod Michelle.

"Jeg er pisseligeglad med, hvad fanden du gør. Men hvis du flytter fra mig, så har du bare at betale din andel af huslejen for februar, marts, april og maj, Michelle. Seks tusind, det var aftalen, er du med? Efter du har betalt dem, så kan du skride, hvorhen du vil, men ikke før, okay?"

Michelle sagde ingenting, men hendes hånd på Jazmines arm ry-stede. 'Hvordan vil du have, jeg skal kunne det?' sagde hendes ansigt.

Så trådte Denise igen imellem dem. Et øjeblik stod den store mand og hun og stirrede på hinanden. Havde det været et hvilket som helst andet sted, så var det gået fuldstændig galt.

Denise puffede ham frygtløst i brystet et par gange. "Du kan få halv-delen nu og så ikke mere," sagde hun. "Eller du kan skride ad helvede til uden en skid."

Så stak hun hånden i tasken og trak tre tusindkronesedler op.

"I SKAL IKKE forvente jer det store," sagde Denise, mens hun stak nøglen i låsen. "Min mormor var bare en dum gammel kælling, så møblerne er grimme, og der stinker af billig parfume."

Jazmine nikkede. Nu havde Denise sagt det samme ti gange på vejen derud, som om hun ikke var fløjtende ligeglad med, hvordan den lej-lighed var, og hvad den lugtede af. Så længe der var en seng at sove i, til hun fandt noget andet, så var hun bare glad, og det kunne hun se, at Michelle også var.

"Guuuud, der står jo fotos af dig både derovre og dér, Denise. Og er hende dér din mor?" udbrød Michelle henrykt. Hun pegede på et sorthvidt foto af en veldrejet og smuk kvinde, som var blevet klippet ud af sin baggrund og i stedet sat ind foran et farvefoto fra en park.

Denise nikkede. "Ja, men det er længe siden, hun ser ikke ligefrem sådan ud mere."

"Hvorfor er fotoet klippet ud på den måde?"

"Fordi min far stod ved siden af hende, og ham fik min mormor og morfar hurtigt skåret ud af vores liv."

"Åh," Michelle så ud, som om hun var helt ked af, at hun havde spurgt. "Men hvor er han så nu? Ser du ham?"

"Han var amerikaner og tidligere soldat. Min mormor kunne ikke fordrage ham, og min mor bakkede ham ikke op, så han rejste tilbage og gik ind i hæren igen."

"Hvorfor har du så din mors navn og ikke hans? Var de ikke gift?"

Denise fnøs. "Hvad tror du? Selvfølgelig var de det, og jeg har også hans efternavn. Denise Frank Kirschmeyer."

"Sygt mærkeligt, det er jo et drengenavn. Kan det også være et efternavn, det vidste jeg ikke. Skriver du med ham?" spurgte Michelle videre.

Denise smilede skævt. "Lidt svært, når han blev smadret til plukfisk af en vejsidebombe og døde lige før jul i Afghanistan i 2002. Fed julegave, ikke?"

De oplysninger ændrede ikke Michelles spørgende ansigtsudtryk.

"Han er død? Men så er det vel på en måde din mormors skyld," sagde Jazmine.

Denise pegede anklagende på et falmet foto af hende. "Det er lige præcis, hvad det var."

Jazmine så sig om i stuen. Pæne møbler, hvis man ellers kunne lide egetræsborde og brunt, glat læder. Hun selv var mere til Bo Bedre-stilen.

Ikke fordi hun nogensinde ville få råd til de ting, men så vidste man da, hvad der var godt.

Alt i alt bestod lejligheden af værelser nok til, at de kunne få hvert deres soveværelse, konstaterede hun med tilfredshed, og desuden var der spisestue og stor opholdsstue med panoramavinduer, som åbenbarede en bred overdækket altan, en græsplæne, og bagved den endnu en boligblok ligesom den, de befandt sig i. Betydeligt bedre forhold end der, hvor hun kom fra.

Hun gik gennem entreen og ud på badeværelset og inspicerede det, for vigtigere rum i en lejlighed fandtes næsten ikke. Det var ikke voldsomt stort, men egentlig okay. Vaskemaskine, tørretumbler og et par skabe, der kunne ryddes for konens gamle bras, så det gik fint. Spejlet var enormt, fyldte faktisk hele indhakket med håndvasken, så de behøvede ikke engang at stå derude en ad gangen.

"Var din mormor invalid, Denise?" spurgte hun, da de sad over for hinanden i stuen.

"Hvorfor spørger du om det?"

"Der er gribehåndtag på væggen og sådan nogle armlæn på toilettet, man kan vippe op og ned. Gik hun dårligt?"

"Hun!? Nej, hun fes rundt som en skoldet skid, når hun kunne komme til det. Næh, de ting efterlod den tidligere ejer vist bare."

"Hvad med din morfar? Han brugte det heller ikke?"

"Han var allerede død, da hun flyttede herud, det er længe siden, han var meget ældre end hende."

"Okay, men det betyder vel heller ikke noget," kom det fra Michelle. Tænkte hun mon på håndtagene eller på den gamle mand? Man forstod aldrig helt, hvad hun sad med i hovedet.

"Hvem betaler for lejligheden?" spurgte Jazmine så.

Denise tændte en cigaret og pustede røgen mod loftet.

"Det er en ejerlejlighed, og den er købt ud. Fællesudgifterne bliver bare trukket på hendes konto, det sørger Skifteretten for, og der står en hel del. Min morfar havde en skotøjsforretning, og han forhandlede nogle kvalitetsmærker med eneret i Danmark, men da han døde, solgte min mormor det meste af skidtet på én gang. Jeg regner med at arve halvdelen, når dødsboet er gjort op, og så finder vi os fandeme et andet sted. Her vil jeg i hvert fald under ingen omstændigheder blive. Jeg *hader* det her sted."

"Hvad med mad og sådan noget?" spurgte Jazmine. "Michelle tjener ikke noget, og hvis jeg ikke tager et arbejde, så mister jeg kontanthjælpen." Hun bed sig i kinden og tog en af smøgerne på bordet. "Jeg har ægløsning i denne uge, så jeg overvejer at gå ud og blive gravid."

Jazmine trak smartphonen frem, lagde den på bordet, åbnede sin dating-konto og pegede på et foto. "Jeg har en aftale med ham her i aften. Hjemme hos ham, faktisk. Hans kone er til jubilæumsfest med sin gamle skoleklasse et sted i det mørke Jylland, så vi har det hele for os selv."

"Ham der?" Michelle måbede, og Jazmine gav hende ret, for køn var han fandeme ikke. Men eftersom mandens kone var gravid, så var sæden vel god nok.

"Det synes jeg altså ikke, du skal." For en gangs skyld så Michelle voksen ud. "Hvad så om et år?"

Også Denise så spørgende ud.

Jazmines blik faldt ind i cigaretrøgen, men der fandt hun aldrig svar på noget. "Hvad mener du med 'hvad så om et år'?" spurgte hun.

Denise dumpede sit skod i en vase med visne tulipaner, der stod midt på bordet. "Okay, Jazmine. Hvis du endelig skal lægge krop til at føde børn, hvorfor tjener du så ikke kassen på det? Det er sgu da ynkeligt, at du kun vil nøjes med understøttelse, mens du er gravid. Find dig et par, der ikke kan få børn. Sådan som du ser ud, skidegodt, faktisk, så kan du nemt få hundrede og halvtreds tusind kroner under bordet for at være rugemor. Har du ikke tænkt på det?"

Jazmine nikkede.

"Nå! Er det så ikke en bedre løsning?"

"Ikke for mig, nej. Jeg vil overhovedet ikke vide noget om barnet. For mig er det bare en klump kød, jeg afleverer, okay?"

Michelle så forfærdet ud, det så Jazmine godt, men hvad fanden vidste hun om, hvad det gjorde ved en, hvis man kom til at se ungen i øjnene? Det havde Jazmine prøvet én gang, og det gjorde hun *ikke* igen.

"Okay, I've got your point," sagde Denise. "Men så skulle du tage at gøre, som jeg gør. Skaf dig et par sugardaddies. Fyrene kan du selv vælge, der er nok af dem. De er måske til den lidt ældre side, men de kan godt være ret generøse. Går du kun i seng med hver enkelt af dem en gang om måneden, så får du let fem tusind ud af dem, hvis du gider gøre dig umage. En eller to af dem om ugen, så kører det jo. Hvor pokker skulle mine penge ellers komme fra? Og det er ikke kun, når du er otteogtyve, kan jeg godt fortælle dig. Du kan holde mange år endnu."

Michelle begyndte at famle ved sin kniplede kraveudskæring. Hun virkede tydeligt utilpas ved situationens udvikling. "Det der er da prostitution, Denise," sagde hun. "Og det, du gør, Jazmine! Det er bare endnu værre."

"Okay. Så ved jeg ikke, hvad du kalder det, du havde med Patrick," sagde Denise. "Det, vi så på Rigshospitalet, lignede jo ikke ligefrem kærlighed. Men okay, Michelle, hvis du kan finde noget bedre at tjene den slags penge på, så sig endelig til. Jeg er med på den værste."

"Den værste, hvad er det?" spurgte Jazmine.

"Hvad som helst. Bare jeg ikke bliver knaldet på det. Undskyld udtrykket."

Jazmine grinede og skoddede sin cigaret. Så måtte konen prøves af. "Også mord?"

Michelles kop hang i luften, men Denise smilede bredt. "Mord!? Hvad tænker du på?"

Hun tænkte sig om et øjeblik. "Slå nogen ihjel. Nogen, der har mange penge liggende derhjemme."

"Ha ha, du er vel nok kreativ, Jazmine. Og hvem skulle vi så begynde med? En af modedronningerne? Eller en kunsthandler?" spurgte Denise.

Måske sagde hun det for sjov, Jazmine kunne ikke greje det.

"Jeg ved jo ikke, om den slags folk sådan har kontanter liggende, men så kunne vi bare begynde med Anne-Line."

"Guud ja," udbrød Michelle ophidset. "Jeg har hørt, hun engang har vundet et par millioner, så noget må hun da have liggende. Men behøver vi at slå hende ihjel? I siger det vel bare for sjov, ikke?"

"Siger du, at Anne-Line har penge? Det er godt nok svært at se." Denises smilehuller groede i begge kinder. "Egentlig et ret kreativt bud, Michelle. Slår vi hende ihjel, er det to fluer med et smæk: først og fremmest pengene, og så at vi er kommet af med hende. Virkelig en interessant tanke, ja, det er, ha ha, men nok ikke så realistisk."

"Vi kunne måske bare nøjes med at afpresse hende, det er også bedre, hvis nu hendes penge står i banken," fortsatte Michelle. "Hvis du og Jazmine siger til hende, at I vil vidne på, at I har set hende, da hun ville køre mig ned, tror I så ikke, at hun hoster op med noget?"

Her fangede Jazmine for alvor Denises blik.

19

Mandag den 23. maj 2016

CARL STOD ET øjeblik og så på opslagstavlen i situationsrummet, og meget tydede på, at Assad, Gordon og Laursen havde haft travlt, for detaljerigdommen var stor.

Flere af de ophængte effekter så han for første gang. Billeder af Rigmor Kirschmeyers lig, der lå på jorden med smadret baghoved. Et foto af et stolt ægtepar og nogle ansatte foran skotøjsforretningen i Rødovre. Et par journaler fra Hvidovre Hospital, der omhandlede flere af Rigmor Kirschmeyers hospitalsbesøg: fjernelse af livmoderen, en mindre læsion i hovedbunden syet, en skulder af led sat på plads.

Så var der et kort over kvindens bevægelser fra Borgergade til finde-stedet, et par fotos af buskadset i Kongens Have, som Assad havde taget med sin smartphone, en faktaliste, som her på det sidste var i strid med den efterforskning, de havde foretaget oppe på anden sal, og så Rigmor Kirschmeyers obduktionsrapport. Endelig var der Fritzl Kirschmeyers dødsattest og andre mere eller mindre ligegyldige ting, som Carl ikke mente hørte hjemme der.

Alt i alt var der ved at komme kød på Kirschmeyer-sagen. Problemet var bare, at de ikke havde skyggen af mistænkte, og at sagen de facto ikke var deres og heller ikke ville blive det. Gik de videre med det her, så havde han alene ansvaret.

Mest lyst havde han til at delagtiggøre Marcus Jacobsen i deres op-dagelser, men risikerede han så ikke, at den gamle drabschef ville bede ham om at gå kommandovejen? At han ikke ville vise fornøden forståelse for Carls forsøg på at blande sig i kollegernes arbejde deroppe på anden?

"Har I tænkt jer at rapportere noget til Bjørn om vores opdagelser, Carl?" spurgte Tomas Laursen meget apropos.

Assad og Carl så på hinanden. Carl nikkede mod Assad for at få ham til at svare. Så havde han indtil videre ryggen fri.

"Mon ikke de har nok at gøre med den anden sag deroppe lige nu," svarede Assad.

Fint, at Assad bøjede af på Afdeling Q's vegne, men hvad snakkede han om? Hvilken sag?

"I har måske ikke set dagens avis?" kom Assad ham i forkøbet. "Vis os den lige, Gordon."

Et par benede hænder lagde avisen på bordet. Det lange gespenst lignede efterhånden en vandrende pind. Spiste han aldrig noget?

Carl mønstrede forsiden. 'Er ofrene for flugtbilisten tilfældige?' var overskriften, og under den var der indsat billeder af to kvinder, som var blevet påkørt inden for de seneste døgn.

Carl læste billedteksterne. 'Michelle Hansen, jobsøgende, 27 år. Hårdt kvæstet efter påkørsel den 20. maj'. 'Senta Berger, jobsøgende, 28 år. Dræbt ved påkørsel den 22. maj'.

"Avisen har draget sammenligning imellem de to ofre," kom det ivrigt fra Gordon. "Ikke så underligt, når man ser nærmere efter, vel?"

Carl så på ansigterne med skepsis. Godt nok var de født det samme år og temmelig nydelige begge to, men hvad så? I dagens Danmark var der masser af påkørsler, hvor ulykkesbilisterne var for feje til at tage ansvaret, oftest fordi de var under indflydelse af stoffer eller alkohol. Gid fanden havde det lort.

"Se bare på øreringene, Carl, de er stort set ens. Og blusen er den samme købt i H&M, bare i to forskellige farver," fortsatte Gordon.

"Ja, og makeuppen er som snydt ud af begge næser," indskød Assad. Hans billede var måske lidt misforstået og ikke så delikat, men rigtigt var det. Også på den led lignede de hinanden lidt, det kunne Carl da godt se.

"Rougen på kinderne, læbestiften, øjenbrynene og håret med de lidt lyse striber og flot klippet," fortsatte Assad. "Havde jeg været sammen med dem på samme tid, ville jeg ikke kunne kende forskel på dem efter fem minutter."

Laursen nikkede. "Klart nok, der er visse ligheder, meeennn ..."

Endnu en gang var Laursen og Carl fuldstændig på bølgelængde. Sammenfald som dem forekom i en uendelighed.

Carl smilede skævt. "Okay, Assad. Du forestiller dig altså, at kollegerne oppe på anden sidder med avisen foran sig og kæder de to ulykker sammen?"

"Det ved jeg, de gør," sagde Gordon. "Jeg var oppe hos Lis for at spørge om noget, og hun sagde, at man allerede havde sat et hold på sagen. En cyklist havde set en rød Peugeot drøne ud af gaden, hvor Michelle Hansen blev ramt, og en lignende bil var set holde med motoren tændt i over en time i den gade, hvor den anden pige blev dræbt. Lars Bjørn har kommanderet flere af holdene ud i de to områder hele dagen for at afhøre folk. Jeg tror også, at Pasgårds hold er med."

"Halleluja for det," sagde Assad.

Carl så endnu en gang på avisforsiden. "Det var alligevel pokkers, som de prioriterer det her! Men uanset hvad de render rundt og laver, så tvivler jeg på, at den efterforskning lægger drabsafdelingen ned. Den klarer ordenspolitiet, til der foreligger et bevis for drab." Han vendte sig mod Laursen. "Men Tomas! Hvis ikke *du* informerer Pasgård og folkene, der efterforsker Kirschmeyer-sagen, så tror jeg sørme, at jeg også godt kan komme til at glemme det."

Laursen rejste sig og klaskede Carl på skulderen på vejen ud. "Så må vi jo håbe, at du kommer først i mål, Carl."

"Tjahhh. Hvad skulle stoppe mig?"

Han vendte sig mod Assad og Gordon. Flere ting i sagen måtte belyses. Deres antagelse var, at Rigmor Kirschmeyer havde følt sig forfulgt lige før drabet og derfor havde gemt sig. De formodede, at det kunne skyldes, at hun havde den dårlige vane med at vifte lidt for frimodigt og åbent med sine mange kontanter. Spørgsmålet var så, hvordan man fik afdækket hendes gøren og laden fra datterens lejlighed og frem til gerningsstedet. Havde hun været inde et sted og åbnet pungen foran snotten på nogle folk, der ikke burde have set det? Eller var det et tilfælde, at en rovmorder havde fået så godt et bid? Men hvis nu overfaldsmanden bare var en helt tilfældig person, hvorfor var hun så flygtet? Havde vedkommende mon forsøgt at overfalde hende længere nede ad gaden? Og var det overhovedet sandsynligt på et sted, hvor så mange færdedes og boede?

Der var virkelig mange uafklarede aspekter i bare den lille del af efterforskningen, så Assad og Gordon ville få travlt med at besøge bunkevis af opgange, kiosker, caféer og lignende.

"Sig, hvad du ellers har lavet, Gordon," sagde Assad med et skævt smil.

Carl vendte blikket mod gutten. Hvad havde han *nu* lavet, som han ikke selv turde bringe på bane?

Gordon trak vejret dybt. "Jeg ved altså godt, det ikke er noget, vi har aftalt, Carl, men jeg tog en taxa ud til Stenløse."

Carl rynkede panden. "Til Stenløse! For dine egne penge, går jeg ud fra."

Det svarede han ikke på. Så havde han haft fingrene i skuffen med taxaboner.

"Roses yngste søster har lånt mig alle Roses noteshæfter," sagde han. "Hun mødte mig ude i lejligheden."

"Jasååååå! Og denne Lise-Marie bad dig selvfølgelig på sine knæ om at komme ud efter dem, eller hvad? Hvorfor kom hun ikke selv herind med dem, hvis det var så vigtigt for hende?"

"Ah, det var ikke helt sådan." Spillede han forlegen? Hvor kunne den mand dog være irriterende. "Det var faktisk min idé."

Carl mærkede varmen stige op i ansigtet, men før han nåede at koge over, brød Assad ind.

"Se, Carl. Gordon har sat det hele i system."

Et par gibbonhænder lagde Roses stabel af noteshæfter og et ark A4-papir foran dem på bordet.

Carl så på papiret, en kronologisk samling af tekststrenge, der fyldte det meste af siden, og hvis budskaber ved første øjekast så temmelig skræmmende ud.

Der stod:

1990 HOLD KÆFT
1991 HADER DIG
1992 HADER DIG SINDSSYGT
1993 HADER DIG SINDSSYGT – JEG ER BANGE
1994 BANGE
1995 JEG KAN IKKE HØRE DIG
1996 HJÆLP MOR – MØGSO
1997 ALENE HELVEDE
1998 DØ
1999 DØ – HJÆLP MIG
2000 SORTE HELVEDE
2001 MØRKT
2002 BARE GRÅT – VIL IKKE TÆNKE
2003 VIL IKKE TÆNKE – ER IKKE
2004 HVIDT LYS
2005 GULT LYS
2006 JEG ER GOD
2007 DØV
2008 LATTEREN OPHØRT, HVAD?
2009 PIS AF, LORT!
2010 LAD MIG VÆRE
2011 JEG ER OKAY, OKAY?
2012 SE MIG NU, SVIN!
2013 JEG ER FRI

2014 JEG ER FRI – DET SKER IKKE – VÆK
2015 JEG DRUKNER
2016 JEG DRUKNER NU

"Det er de sætninger, som Rose har skrevet i hæfterne her." Gordon pegede på forsiderne. 1990 til 2016. De var der alle sammen.

"I hvert eneste hæfte er der, som I jo allerede ved, et eller andet udsagn, der går igen og igen, og det er disse udsagn, jeg har systematiseret på det her papir. Alt i alt er der seksoghalvfems sider med disse sætninger per noteshæfte, med undtagelse af et par af dem, som Rose ikke har fået fyldt helt ud."

Gordon åbnede det øverste noteshæfte, det fra 1990, hvor hun i én køre havde skrevet 'HOLD KÆFT HOLD KÆFT'.

"For hver ny dag har hun sat en tynd streg under det første ord," sagde han. "Fire streger på en side strækker sig derfor over knap fire dage, kan I nok se."

Han pegede på en tilfældig side. Det var rigtigt, tynde streger adskilte dagene, og hver dag havde det samme antal linjer. Rose havde åbenbart været stærkt systematisk anlagt allerede som tiårig.

"Jeg har talt stregerne. Der er rent faktisk tre hundrede og femogtres streger, for hun sætter også en streg under den sidste sætningsstrengs første ord på årets sidste dag."

"Hvad så med skydeårene?" spurgte Assad.

"Det hedder skudårene, Assad," rettede Carl.

Han rynkede brynene. "Skudårene??! Ikke for klogt," kom det tørt.

"Det er godt spurgt, Assad," sagde Gordon. "Også det har hun haft styr på. I de syv skudår, der har været siden 1990, har hun sat en ekstra dag ind. Hun har ovenikøbet sat en ring om den streng af ord, der svarer til skuddagen."

"Ja, hvorfor ikke? Det er bare vores Rose," gryntede Carl.

Gordon nikkede. Han så helt stolt ud på Roses vegne, men i ham havde hun også en fuldstændig tro væbner og fan. Plus det løse, der fulgte med.

"Hvorfor syv? Er der ikke kun seks af de der ... skudår?"

"Det er den 20. maj i dag, Assad. Vi *har* passeret februar. Og 2016 *er* faktisk et skudår."

Assad så på Carl, som om han var blevet anklaget for at være åndssvag. "Jeg tænkte altså på år 2000, Carl. År delt med hundrede er ikke skudår, det ved jeg da."

"Rigtigt, Assad, men er året deleligt med fire hundrede, så *er* det et skudår. Kan du ikke huske diskussionen dengang i år 2000? Det blev sagt igen og igen."

"Okay." Han nikkede og så eftertænksom ud, ikke såret. "Måske var det så, fordi jeg ikke var i Danmark lige deromkring."

"Og man tænkte ikke på skudår, der hvor du befandt dig?"

"Ikke så meget," sagde han.

"Og hvor var så *det*?" spurgte Carl.

Assad cuttede øjenkontakten mellem dem. "Åhh, lidt her og der."

Carl ventede. Mere kom der åbenbart ikke fra den kant.

"I hvert fald valgte jeg at notere, hvad det er, hun har nedfældet år for år," afbrød Gordon, "og det siger en del om, hvordan hun har haft det i de pågældende perioder."

Carl scannede siden. "Nej, i år 2000 har hun i hvert fald ikke haft det ret godt. Stakkels pige." Han pegede bagefter på år 2002. "Jeg noterer, at der i nogle af årene er angivet to forskellige udsagn, og i 2014 hele tre. Hvorfor er der det, har du også regnet det ud, Gordon?"

"Både ja og nej. Jeg ved ikke akkurat, hvorfor de er ændret, men man kan jo tælle dagene og nå præcis frem til, hvornår udsagnet skifter, så vi må gå ud fra, at der må være sket noget særligt i hendes liv netop på de dage."

Carl analyserede videre ned ad siden. Fem af årene havde to forskellige sætninger, kun ét år havde tre.

"Vi ved jo så godt, hvorfor skiftet kom i 2014, ikke, Carl?" sagde Assad. "Hun valgte at skrive en ny sætning lige efter hypnosen, er det ikke rigtigt, Gordon?"

Han nikkede en anelse overrasket. "Jo, lige netop. Og det er faktisk det eneste år, hvor der midt i det hele er et par tomme dage. Først skriver hun: DET SKER IKKE DET SKER IKKE. Så kommer der tre tomme dage, som hun bare angiver med delestregerne, og så bagefter igennem resten af året står der: VÆK VÆK VÆK."

"Meget mærkeligt, det hele," konstaterede Assad. "Hvad sker der så, når et nyt år starter? Kommer hun så bare med nogle nye sætninger hver gang?"

Gordons ansigt skiftede. Det var meget svært at se, hvordan det her egentlig påvirkede ham. På den ene side var han alvorsfuld som nødhjælpsarbejderen, der kommer en forulykket til undsætning i yderste sekund, på den anden side var han som en dreng, der lige havde scoret sin første kæreste, nærmest helt eksalteret.

"Det er ret stærkt spurgt, Assad. Faktisk starter hun alle syvogtyve år med en ny sætning den 1. januar, bortset fra i fire år."

Assad og Carl stirrede på årstallene, og især på 1998 og året efter. DØ, stod der! Man blev helt dårlig ved at læse det. Var det virkelig deres Rose, der havde så oprørt et sind, at ordene DØ DØ DØ DØ gik igen og igen hver eneste dag gennem halvandet år?

"Det er nærmest sygt," sagde Carl. "Hvordan kan en ung kvinde sidde aften efter aften og skrive det her forfærdelige? Og så pludselig vender hun på en tallerken og skriger om hjælp i en uendelighed. Hvad er der foregået i hende?"

"Virkelig skræmmende," kom det stille fra Assad.

"Har du også talt dig frem til, på hvilken dato udsagnene skifter i 1999, Gordon?" spurgte Carl.

"Det var den 18. maj!" kom det prompte. Han så stolt ud, og det havde han også grund til at være.

"Du milde Moses, åh nej," sukkede Carl.

Gordon så uforstående ud. "Skete der da noget specielt den dag?" spurgte han.

Carl nikkede og pegede på en tynd, gul papfolder, der stod i skjul nederst i stålreolen mellem to mapper med hvide mærkater på ryggen. 'Regulativer', stod der på dem. Så var man da sikker på, at ingen af folkene i Afdeling Q kom i nærheden af den.

Gordon rakte ned efter papfolderen og gav den til Carl.

"I har forklaringen her," sagde han og trak en avisside frem af folderen og lagde den på bordet.

Han pegede på datoen øverst på forsiden, den 19. maj 1999, og førte så fingeren ned over siden og plantede den på en af de mindre nyheder.

'Voldsom arbejdsulykke på Stålvalseværket koster en syvogfyrreårig mand livet', stod der.

Carl lod fingeren glide videre ned i reportageteksten til ofrets navn.

"Som I ser, hed manden Arne Knudsen," sagde han. "Og det var Roses far."

De stod et øjeblik lidt forstenede og tyggede på det, mens øjnene gik fra avisudklippet og over på Gordons papir.

"Vi kan vist godt være enige om, at Roses noteshæfter er et samlet statement over hendes sindstilstand gennem mere end seksogtyve år," sagde Carl, mens han satte Gordons print op på opslagstavlen.

"Det skal nok ikke lige hænge der, når Rose kommer tilbage," sagde Gordon.

Assad nikkede. "Selvfølgelig ikke, det ville hun aldrig tilgive os, og heller ikke sine søstre."

Carl var enig, men lige her og nu måtte det blive hængende.

"Vi ved fra hendes søstre Vicky og Lise-Marie, at Roses far evig og altid var efter hende, og at Rose så søgte ind i de her noteshæfter, når hun sad alene på sit værelse om aftenen," sagde han. "Tilsyneladende var det en slags terapi for hende, men noget tyder på, at den i længden ikke hjalp hende."

"Slog han hende?" Gordon knyttede hænderne, men det så faktisk ikke særlig farligt ud.

"Nej, ikke ifølge søstrene. Og han begik heller ikke seksuelle overgreb mod hende," svarede Assad.

"Så svinet havde det hele i sin beskidte kæft?" Nu blev Gordon postkasserød i hovedet. Faktisk klædte det ham.

"Ja, og det igen ifølge søstrene," svarede Carl. "Han tyranniserede hende helt uhæmmet, men vi ved bare ikke på hvilken måde, så det må vi spørge ind til. Vi kan jo konstatere, at der ikke har været en eneste dag igennem mere end seksogtyve år, hvor denne systematiske chikane ikke har påvirket hende og sat dybe spor i hendes personlighed."

"Jeg kan slet ikke forstå, det er den samme Rose, som vi kender," sagde Assad. "Kan I?"

Carl sukkede. Det var svært.

De stod alle tre foran Gordons seddel og betragtede den indgående. Ligesom for de andres vedkommende hvilede også Carls øjne et minuts tid på hver linje, før han gik videre til den næste.

DER GIK MINDST tyve minutter, før nogen sagde noget. Nu havde de stået og set på listen og hver især noteret sig, hvad de fik ud af det. Mindst ti gange havde Carl følt et stik i hjertet over Roses selvbestaltede og ensomme terapi. Disse årelange, stumme råb om hjælp.

Han sukkede. Det var faktisk virkelig overraskende hårdt at tænke på, at denne kvinde, som de mente at kende så godt, i alle de år havde måttet leve med den slags altoverskyggende, dybe sindsbevægelse, som hun kun kunne tackle med hårde udsagn og ord.

'Åh, Rose,' tænkte Carl. Selv om hun inderst inde havde haft det sådan, så havde hun dog alligevel haft overskud til at hjælpe og trøste ham, da han var helt nede. Og oven i det havde hun dagligt fundet styrke til at gå helhjertet og oftest hudløst ind i Afdeling Q's barske sager. Så længe hun bare havde dette sikre system at komme hjem til, kunne hun få afløb for alt det negative i sig.

176

Kloge, dygtige Rose. Deres alle sammens smaskirriterende, pragtfulde og martrede Rose. Og nu var hun indlagt igen. Så havde hendes system i sidste ende alligevel ikke været tilstrækkeligt for hende.

"Prøv lige engang at høre her," sagde Carl.

De to andre så op.

"Der er overhovedet ikke tvivl om, at hendes forhold til faren har bestemt ordvalgene. Men kan vi ikke også være enige om, at når et udsagn skifter midt i et år, så må det relatere til en helt specifik hændelse, og de første mange år kun til noget dårligere?"

De nikkede begge to.

"Og så kan man senere tolke, at der også har været positive udviklinger. Et sort helvede i år 2000 bliver langsomt mere og mere lyst gennem de senere år og ender til sidst i et udsagn, der hedder 'Jeg er god'. Så vores opgave er altså, hvis vi ønsker at forstå, hvad der er overgået Rose, og det gør vi selvfølgelig, at vi får afdækket de begivenheder, der udløser enten ondt eller godt. Tydeligst ser man en sådan udvikling, da faren dør i '99, fra noget totalt uforsonligt og til det nærmest modsatte."

"Hvad tror I? Taler hun til sig selv eller til faren, når hun skriver?" spurgte Gordon.

"Ja, det er nok det, vi må søge hjælp om hos dem, der kendte hende bedst i de år."

"Vi må tilbage til søstrene så. Måske ved de, hvad der er sket i årene, hvor sætningerne pludselig ændres."

Carl nikkede.

Nu havde Gordon fået sin naturlige leverpostejfarvede ansigtskulør tilbage. Åbenbart var det, når han så mest syg ud, at han havde det bedst. Det havde Carl aldrig før tænkt over.

"Hvad med om vi går til en psykolog for at få tolket Roses udsving? Så har vi også en, der kan videreformidle resultaterne af undersøgelserne til hendes psykiatere ude i Glostrup," foreslog Gordon.

"Ja, god idé. Så må vi op og snakke med Mona, ikke, Carl?" For en gangs skyld havde Assad tørret det skæve smil af, når talen faldt på hende.

Carl foldede hænderne og lagde hagen på knoerne. Selv om han og Mona arbejdede i den samme bygning, så var det efterhånden et par år siden, han rigtig havde talt med hende. Og selv om han gerne ville, så synede hun på afstand så utilnærmelig og tynd i huden, at det virkede som halsløs gerning. Han havde selvfølgelig spurgt Lis, om hun mon var syg, men det havde hun afkræftet.

Carl prøvede at lade være med at rynke brynene, men det lykkedes ikke. "Okay, Gordon! Så ringer du til søstrene, nu du har fået så godt et forhold til dem. Måske kan vi få nogle af dem med til det møde, hvis de ellers kan afse tid til det. Og du, Assad, du koordinerer det. Helst i morgen, ikke? Tal lige med Mona, og sæt hende kort ind i sagen."

Der kom Assads skæve smil. "Og hvad så med dig, Carl? Skal du så hjem og dandere den, eller vil du hellere op på anden og snage i Kirschmeyer-sagen?" spurgte Assad med et lille drilsk smil inde et sted bag skægstubbene.

Hvorfor fanden spurgte han overhovedet, når han allerede kendte svaret?

20

Tirsdag den 24. maj 2016

DE HAVDE STÅET længe foran spejlet på badeværelset. Jazmine og Denise forrest og Michelle bagved i midten, småpludrende som gamle veninder, mens de kommenterede hinandens hår og bobbede lidt op i det med løse hænder. De så knaldgodt ud. Hvis Michelle nu ikke havde boet sammen med dem, så ville hun simpelthen kopiere dem. Jazmines teknik med at trække sine markante kindben stærkere op med en blød pensel, Denises fuldstændige cool måde at skubbe sine bryster op på, alle mulige ting, hun syntes adskilte dem på væsentlige punkter.

"Min fyr gav mig fire tusind i går," sagde Denise, "hvad med din, Jazmine?"

Hun trak på skuldrene. "Først ville han ikke give noget. Han blev faktisk skidegal og sagde, at det var ikke sådan en datingside, men så stak han mig alligevel to tusind, for han var godt tændt. Men da jeg rakte ham et kondom, så ville han have tusind tilbage, idioten, og det var jeg så nødt til at give ham, sådan som han så ud i hovedet."

Michelle stak hovedet ind mellem dem. "Du sagde ellers, at du ville prøve at blive gravid med ham?"

Hun løftede øjenbrynet derinde i spejlet. "Ikke med ham, han var for grim. Ikke fordi det betød noget, men så ville jeg altså have noget mere for det her og nu."

Michelle så på sit ansigt. Kunne hun gøre, hvad de andre gjorde? Og ville nogen have hende, sådan som hun nu så ud? Blåsort om begge øjne, plaster ved øret og i nakken. Blodudtrædning i det højre øje.

"Tror I, det her forsvinder?" spurgte hun og markerede, hvad hun tænkte på. "Jeg har hørt, at blodet i øjnene gør det hvide i dem brunt, hvis det ikke forsvinder hurtigt."

Denise vendte sig om med eyelineren hængende i luften.

"Hvor i alverden har du samlet det op? Tror du også på nisser?"

En ubehagelig følelse af at være blevet afsløret som dum satte sig i hende. Skulle *de* nu også til at nedgøre hende? Var hun måske ikke lige så god som dem? Kunne de slet ikke lide hende? Hvis hun ikke lige havde været så heldig, som hun havde været, så ville hun ikke stå her, men ligge i en kiste. Tænkte de overhovedet ikke på det? Tænkte de slet ikke på, at hun ingenting havde, og at hun ikke var som dem? Hun kunne i hvert fald ikke gå i seng med fremmede mænd på den måde, *de* gjorde. Gjorde det hende så også bare dum?

Michelle vidste på en måde godt, at hun ikke var helt så begavet, som hendes forældre altid havde tudet hende ørerne fulde med, at hun var. Måske var de heller ikke selv lige så kloge, som de gik og troede. I hvert fald havde hendes opvækst i det lille, beskedne gasbetonhus i Tune skærmet hende mod den virkelighed, at mens hun gik i sin lille prinsesseverden og tænkte på teint og hår og tøj, der matchede, så var mange af pigerne på vejen stille og næsten umærkeligt trådt ud af eventyrverdenen og i fuld gang med at dygtiggøre sig.

Første gang hendes selvforståelse fik et slag, der gjorde virkelig ondt, var, da hun i ramme alvor påstod, at ebola var en by i Italien, og senere samme aften, at fortiden havde været i sort-hvid, fordi det havde hun set *så* mange gange på film. Det resulterede i hårde og grimme kommentarer om hendes intellekt, og alene blikkene var nok til at sende hende ned i det dybfrosne hul af skam, som hun rigtig mange gange siden havde stiftet bekendtskab med. Ofte fik hun udtrykt sig med ord, der gav mening for hende, men som slet ikke eksisterede. Og når hendes vås blev påtalt, så havde hun efterhånden lært at afvæbne sine kritikere med en latter, der i hvert fald i hendes optik vidnede om både selvironi og situationsfornemmelse. Virkeligheden var imidlertid, at sådanne slag sårede dybt, og Michelle lærte efterhånden kun at tale om ting, hun havde forstand på, og ellers holde sin mund, hvis hun ikke kendte folk.

Og så gled hun ind i alle dagdrømmene.

Dér kom den smukke prins ridende på sin hvide hest. Dér handlede det om rigdom, tilbedelse og om at blive båret på hænder. Hun var jo fuldstændig klar over, at hun så godt ud og var et sødt menneske, og at det var det, som alle prinser ledte efter. Det vidste hun fra romantiske bøger, som hun her ved morgenbordet med Denise og Jazmine med stolthed og fryd prøvede at gengive. Sådan som de talte om at prostituere sig på den ene eller anden måde, så var hun da nødt til at vise dem en anden vej.

Denise løftede blikket fra yoghurten. "Prinsen? Tror du virkelig, han findes?" sagde hun. "For det tror jeg ikke – ikke længere."

"Jamen hvorfor dog ikke? Der er da mange søde fyre i verden?" spurgte Michelle.

"Vi er snart tredive, Michelle. Løbet *er* kørt, okay?"

Michelle rystede på hovedet. Det var bare ikke acceptabelt, det gjorde hende helt febrilsk.

Hun rettede ryggen. "Skal vi ikke lege Sandhed?" sagde hun for at skifte samtaleemne og skubbede tallerkenen med Tarta-krydder til side med et smil.

"Du mener Sandhed eller Konsekvens, ikke?" spurgte Jazmine.

"Nej nej, ikke nogen konsekvens, det er kun sjovt, hvis der er mænd, der leger med. Bare sandhed." Hun lo. "Må jeg lægge ud? Den, der svarer dårligst, skal vaske op."

"Svarer dårligst? Og hvem skal lige bestemme det?" spurgte Denise.

"Det ved vi, når det kommer. Er I med?"

De andre nikkede.

"Okay, Jazmine, hvad er det værste, du har gjort i dit liv, bortset fra det med børnene, du gav væk?" Hun så godt trækningen i Jazmines ansigt, så det sidste havde hun måske ikke behøvet at sige, men det var jo bare for en sikkerheds skyld, så hun ikke skulle ind på det igen.

"Det gider jeg ikke svare på," sagde hun.

Allerede dér ødelagde de legen, og Michelle var slet ikke sikker på, at det ville være så godt for hende at bo sammen med dem. Men hvad skulle hun ellers?

"Kom nu," sagde Denise. "Sig det, Jazmine."

Hun trommede med fingerspidserne på bordet og tog så en dyb indånding. "Jeg gik i seng med min mors kæreste. Han var den første, jeg blev gravid med," og så trak hun hovedet bagover og smilede skævt.

"Guud," sagde Michelle, mens hun så på Denises løftede øjenbryn. "Fandt din mor ud af det?"

Hun nikkede, så smilehullerne åbenbarede sig.

"Og så var den affære slut, ikke?" grinede Denise.

Jazmine nikkede igen. "Jo, mon ikke! Og for os begge to, skulle jeg hilse og sige."

Michelle var henrykt. Man kom så tæt på hinanden med den leg.

"Og dig, Denise? Hvad er det værste, du har gjort?"

Det var tydeligt, at hun skulle tænke sig godt om, sådan som hun inspicerede sine glorøde negle.

"For mig eller for andre?" spurgte hun med hovedet på skrå.

"Det må du selv bestemme. Legen har ikke sådan nogle regler."

"Mange ting, synes jeg. Jeg stjæler fra mine sugardaddies, hvis jeg kan komme til det. I går stjal jeg for eksempel et billede af konen til ham, jeg var sammen med. Nogle gange, hvis jeg vil af med dem, så afpresser jeg dem, og så betaler de, får fotoet tilbage og forsvinder."

"Det lyder ikke som det værste, du kunne finde på," sagde Jazmine tørt.

Der bredte sig en skælmsk bølge af smilerynker over Denises morgenmaske. "Sig du din værste ting, Michelle, så skal jeg nok komme på noget bedre om lidt."

Michelle bed sig i underlæben. Hun vidste næsten ikke, hvordan hun skulle få det sagt.

"Det er så piiiiiinligt!"

"Kom nu, din tur," sagde Jazmine irriteret, mens hun skubbede sin snavsede tallerken over mod hende. "Ellers kan du begynde at vaske op lige med det samme."

"Ja ja. Det kommer nu." Hun skjulte underansigtet i sin hule hånd. "Hvis jeg kunne få et job som nøgenmodel, så tror jeg godt, jeg kunne finde på at gå i seng med fotografen, det ville ligesom gøre det mere komplet."

"Hvad er det for noget pis at fyre af, Michelle? Du kan da godt begynde at vaske op med det samme." Jazmine så hårdt på hende. "Du får os til at komme med rigtige ting, og så kommer du med det gejl. Hvad tror du ikke, vi andre ville i den situation? Tror du måske, det var sjovt for mig at kneppe med den grimme stodder i går og så forlange penge for det?"

"Det var da bedre, end hvis du blev gravid igen, ikke?" sagde Denise.

Jazmine nikkede. "Kom så, Michelle, vær ikke sådan en åndssvag gås. Hvad er det værste, eller mest piiiiinlige, du har gjort?"

Michelle så væk. "Jeg elsker at se Paradise Island."

"Årh, hold da kæft, din lille frøken lammekølle, du kan ..."

"Og drømmer tit om selv at være med."

Jazmine rejste sig halvt. "*Du* tager opvasken."

"Og mens jeg ser det, og hvis så Patrick ikke er hjemme, så onanerer jeg til det hele tiden. Jeg smider alt mit tøj og kæler for mig selv igennem hele udsendelsen, det er vildt frækt."

Jazmine satte sig. "Okay, crazy! Der tog du sørme et stik hjem, din lille ludertøs." Hun smilede.

Så var Michelle tilbage på banen igen.

"Jeg ved da godt, det er, fordi jeg har været så pissetræt af Patrick. Ja, lige nu hader jeg ham på en måde. Hele natten, mens I var godt i gang, så tænkte jeg bare på, hvordan jeg kunne hævne mig på ham. Sladre til hans arbejdsgiver om, at han stjæler kabler og stikkontakter og bruger dem, når han laver sort arbejde. Eller punktere alle dækkene på hans bil, som han elsker så højt. Eller bare ridse den hele vejen rundt. Eller jeg kunne sørge for, at han bliver til grin på diskoteket, hvor han arbejder. Det sidste ville han hade allermest. Han ..."

"Nå," afbrød Jazmine hende, det var slet ikke rart. "Kommer der så også noget fra dig, Denise?"

Hun sad og nikkede, mens hun tænkte sig om. "Det værste jeg har gjort? Jeg ville nok sige, at det er, at jeg lyver hele tiden. At ingen kan regne med mig, og det kan I heller ikke."

Michelle rynkede panden. Det var godt nok en tarvelig ting at sige.

"Men nu siger jeg noget andet, og det bliver i hvert fald slemt nok."

"Så kom med det!" Jazmines forventninger var helt tydeligt stormende, men det var Michelles ikke. Denise havde jo lige sagt, at hun ville lyve for alt og alle. Hvad var der så ved at høre på hende?

"Jeg synes, vi skal hjælpe Michelle."

Michelle rynkede panden. Tog hun pis på hende? Var hun nu til grin igen?

"Okay, så gør vi det. Men hvad har det med legen at gøre?" spurgte Jazmine.

"Hvis Michelle er med på spøgen, så er det dig, der har tabt legen, Jazmine." Hun vendte ansigtet mod Michelle. "Som det er nu, så bidrager du ikke med en skid her, gør du vel, Michelle? Jeg taler kun om penge nu, ikke? Så nu skal du sige os, hvordan vi skaffer dem, og lige meget hvad du svarer, så gør vi det."

Michelle var helt forvirret. "Hvad skal jeg sige om det? Jeg ved da ikke, hvordan vi skaffer dem, for så havde jeg jo nok gjort det allerede. Patrick har jo smidt mig ..."

"Sig hvad som helst, Michelle. Du har foreslået, at vi skal røve Anne-Line Svendsen, så skal vi det?"

"Nej, det var bare ..."

"Skal vi tage ind til Patricks lejlighed og stjæle alt, hvad han har?"

Michelle tog en dyb indånding. "Nej, for katten, han ville jo bare vide, det var mig."

184

"Hvad så, Michelle? Jeg er villig til at gøre, hvad du siger, også hvis det bliver rigtig slemt."

Jazmine lo, hun var åbenbart helt med på den leg. Michelle havde det slet ikke godt med det. Hvad skulle hun svare?

"Du snakkede før om, at Patrick stjæler fra sin arbejdsgiver. Så kunne du måske afpresse ham," foreslog Jazmine.

"Nej!" Hun rystede på hovedet. "Det tør jeg ikke. Han slår mig ihjel, hvis jeg gør sådan noget."

"Han er sørme en flink fyr, ham Patrick. Men hvad er det for et diskotek, han er dørmand hos, Michelle, og hvornår er han der?" spurgte Jazmine.

Michelle rystede mere og mere intenst på hovedet. "Han er der om onsdagen og fredagen, men hvad kan vi få ud af det? Han giver mig ikke nogen penge, hvis det er det, I tror, og vi kan heller ikke gøre ham noget, for der er kameraer og alting."

"Hvilket diskotek er det, spurgte jeg?"

"Det er ikke et rigtigt diskotek, nok mere en slags natklub."

"Hvilken natklub, Michelle?"

"Det er Victoria ude i Sydhavnen."

Jazmine lænede sig tilbage og tændte en ny cigaret. "Victoria, okay! Der har jeg været mange gange og samlet fyre op. Det er et skidegodt koncept, de har lavet, fordi der også er åbent mandag til torsdag. Det er de faktisk alene om, på nær et par city-natklubber og bøssesteder. Drinksene er obligatoriske, men hvis man bare har købt en Zombie, så kan man patte på den resten af aftenen, hvis der ikke hægter sig en fyr på og betaler resten. Men hvor længe har Patrick arbejdet der? Jeg kan ikke huske, jeg har set ham."

Michelle forsøgte at huske. Det med tiden var ikke så let for hende.

"Lige meget," fejede Denise spørgsmålet af. "Fortæl os alt, hvad du ved. Hvordan indgangen er, hvilken vej der går op til kontoret. Hvornår de åbner og lukker, hvordan der er på for eksempel en onsdag. Er der mange kunder, og hvad er det for nogle typer? Fortæl os alt det, vi kan finde på nettet, og alt det, vi ikke kan. Og bagefter kan du så supplere med det, du ved, Jazmine,"

"Hvorfor skal I vide alt det? Har I tænkt jer, vi skal røve det?" Hun smilede. Det hele var vel bare for sjov, var det ikke?

Men Denises og Jazmines tavshed blev lidt for lang.

21

Tirsdag den 24. maj 2016

EFTER EN LANG nat med Mortens evindelige op- og nedture var både Carl og Hardy kørt flade. Hvordan fortælle en fyrre kilo overvægtig og ellers lalleglad tumling, at der kan komme et tidspunkt her i livet, hvor kun et eklatant vægttab nytter noget, hvis man vil holde på en bodybuildende, muskelstruttende, testosteronsvulmende, encyklopædisk vidende og i særklasse charmerende førsteelsker? Der findes som bekendt ganske mange veje til Rom, men bestemt mindst lige så mange krinkelkroge i en oversensitiv mands helt igennem ulykkelige og forsmåede hjerte. Uanset hvad Hardy og Carl kunne finde på at distrahere Mortens selvcentrerede, sårede sind med, så var det som at plante nye voodoo-nåle i hans altfortærende jalousi og tilsyneladende uhelbredelige sorg.

Derfor var det meget forståeligt, da Hardy efter en nat, hvor kælderen cirka hvert tiende minut genlød af hjerteskærende hulken, endelig var blevet mør.

"Jeg kører mig en tur i landskabet," sagde han, allerede før dagen havde fået ben at gå på. "Sig til Morten, at jeg får tanket kørestolens batteri op ude hos lopperne på Gladgården, og at jeg nok først er hjemme til aftensmad."

Carl nikkede. Klog mand.

Derfor var det også en noget mat Carl, der som dagens første gerning tog trappen i Politigårdens rotunde op til anden sal for at se, om han kunne pumpe lidt ny viden ind i Kirschmeyer-sagen.

NÅR EN NY sag med et efterforskningsmæssigt perspektiv havnede i drabs-afdelingen, så mærkede man det på den samme irrationelle måde som lugten og skarpheden i luften, der varsler sne, lige før den begynder at falde. Gode kolleger løftede hovedet en ubetydelighed, rygraden blev lidt rankere, øjnene en anelse mere sammenknebne. Trods umådeligt lidt at have det i anede drabsafdelingen mere eller mindre kollektivt et varsel om en latent galning, der slog mennesker ihjel ved at køre ind i dem. Alle gangene summede af determination og lyst til at gøre en for-skel, for var instinktet rigtigt, så ville en målrettet og dygtig indsats kunne spare menneskeliv.

"Hvad fanden ved I, der er så oprørende?" spurgte Carl, da Bente Hansen passerede ham på gangen. Nylig udnævnt politikommissær og en af de få af kollegerne på Politigården, som Carl havde stor respekt for.

"Ja, det må du nok spørge om, men Terje Plougs næse skal man ikke kimse ad. Han har sat to hold sammen på tværs af de andre hold for at finde paralleller mellem de to flugtbilistpåkørsler, og de har allerede fundet ud af en del."

"Som hvad?!"

"At der i begge tilfælde er benyttet en rød Peugeot, formentlig model 106, den lidt kantede af dem, og at det meget vel kan være den samme begge gange. At der ved den sidste påkørsel tydeligvis var tale om en bevidst handling fra chaufførens side. At der ikke var antydning af bremsespor i nogen af de to sager. At beboere i området i den første sag mener at have set en bil som den beskrevne være parkeret i et stykke tid i gaden og et godt stykke ude fra kantstenen. At ofrene i påklædning og personligt udtryk lignede hinanden, havde samme alder og var kontant-hjælpsmodtagere."

"Okay, men dem er der unægtelig en del af i dagens Danmark, og for-retninger sælger jo det tøj, som forretninger gør. Nævn mig bare ét hjem, der ikke har en eller anden beklædningsgenstand fra H&M hængende i skabet."

Hun nikkede. "Men nu holder de altså øje med sådan en rød bil. Alle patruljevogne skal indrapportere, hvis de ser en rød Peugeot af den lidt ældre type og med eventuelle mærker på vognen, der kan minde om mærker efter en påkørsel."

"Så nu sidder der ti mand i drabsafdelingen og venter på det?"

Bente Hansen stak en spids albue ind i hans mellemgulv. "Altid spydig og ironisk, Carl Mørck. Det er sgu da godt, at der er nogen her i Danmark, der ikke ændrer sig, som vinden blæser."

Var det et kompliment eller hvad?

Han smilede til hende og styrede direkte mod skranken, som lige akkurat ikke dækkede fru Sørensens sure fjæs. Hvorfor sad hun ned, og hvorfor lige dér?

"Ud over Pasgård, hvem kan jeg så snakke med om Kirschmeyer-sagen?" spurgte han naivt.

Hun skubbede demonstrativt et par papirer til side. "Det her er jo ikke ligefrem en informationstjeneste for tjenestemænd, der ikke gider gå kommandovejen, vel, Carl Mørck?"

"Er Gert på Pasgårds hold?"

Så løftede hun hovedet en ekstra tand, med pandehåret klistrende til panden og underlæben krænget nedad, så man kunne se tænderne i undermunden. Irritation var det forkerte ord for den tilstand, Carl antog, at hun befandt sig i.

"Hvordan pokker vil du have det, Carl? Skal jeg skære det ud i pap, bøje det i neon, hugge det i marmorblokke eller svejse dig en skulptur med meterhøje bogstaver? GÅ KOMMANDOVEJEN, OKAY?"

Det var i dette brølende øjeblik, at sagernes sammenhæng gik op for Carl. Fru Sørensen havde igen hedetur og sad nu med fødderne i et fad iskoldt vand godt dækket af skranken. Hun var dragen, der var sluppet løs, heksen på Bloksbjerg og en horde vildt bissende hyæner i blodrus på én og samme tid. Ren gift.

Carl bakkede. Fra nu af og til dette overgangshelvede var overstået, så ville han stille og roligt finde den nærmeste omvej udenom furien.

"Hej Janus," råbte han, da Gårdens informationschef i fuldt ornat traskede ud ad stjernegangen. Så var det åbenbart tid til at samordne hans og drabschefens opfattelse af, hvordan man skulle reagere på avisernes teorier om flugtbilistens ofre.

"Kan du kort briefe mig om Kirschmeyer-sagens udvikling, Janus? Nede hos os er der nogle alarmklokker, der ringer, så måske ..."

"Snak med Pasgård, det er ham, der står for den sag." Han vinkede kort over til fru Sørensen, der sendte et træt blik tilbage. Måske skulle det gøre det ud for en vis respekt.

Og så stod Carl igen der med hatten i hånden, da Lis kom dansende ud af Lars Bjørns kontor og yndefuldt holdt døren for Janus Staal.

"Ved du noget om Kirschmeyer-sagens udvikling, Lis?" spurgte han.

Hun fnisede. "Og hvem har mon fortalt dig, at jeg lige nu har taget referat? Pasgård sidder nemlig inde hos Bjørn." Hun så over på fru Sørensen, der viftede afværgende med hænderne.

"Lis, prøv at høre her. Vi har en sag, der måske krydser den sag, og du ved, hvordan Pasgård og jeg har det med hinanden."

Hun nikkede. "Ved du hvad, Carl. Efterforskningen pågår i flere retninger, og Pasgård ved udmærket godt, at der har været et overfald for en del år siden, som kunne minde om det på Rigmor Kirschmeyer. Af samme grund har de lige været i telefonisk kontakt med Marcus Jacobsen, der fortalte dem, at du og han havde drøftet omstændighederne ved begge drab. Og Pasgård er edderrasende over det, kan jeg godt fortælle dig. Så hvis jeg var dig, så ville jeg skynde mig ned og passe mit, for han kommer ud om tyve sekunder."

Okay. Den handske skulle han nok selv samle op. Fandens bare, at drabsafdelingen havde fået trukket Marcus ind i den sag. Så var det da godt, at han ikke havde fået orienteret Marcus om, hvad de havde opdaget ovre i Kongens Have. Fra nu af måtte han nok hellere holde kortene virkelig tæt til kroppen, hvis de ikke skulle stjæle hele lortet fra ham.

Der stod nærmest en røgsky foran Pasgård, da han åbnede døren. Et millisekund efter han havde konstateret, at Carl stod der og ventede med korslagte arme, detonerede hans velkendte mangel på charme.

"DU har bare at holde dig fra mine sager, dit store fjols. Du kan tro, at jeg skal gøre livet surt for dig, og du kan tro, at Bjørn har en skideballe parat til dig så stor som ..." Han tænkte sig et øjeblik om.

"Som dit ego, Passemand?" foreslog Carl.

Han ikke alene kneb øjnene sammen, han knyttede hele sit fjæs, så mund, næse og øjne gled i ét. Hvad han derefter råbte i en sammen-klistret køre på fuldeste power, anede Carl ikke, men det var nok til, at Bjørn åbnede sin dør.

"Den klarer jeg, Pasgård," sagde han roligt og vinkede Carl ind ad døren.

Informationschefen sad ved skrivebordet og nikkede neutralt, da Carl satte sig og gjorde sig klar til en tjenstlig næse af de lidt større.

"Janus fortæller mig, at der er lidt problemer med vores fælles projekt, Carl," sagde han så.

Carl rynkede panden. 'Fælles projekt', hvad handlede *det* nu om?

"Carl, du må forstå, at Olaf Borg-Pedersen rapporterer til mig. Det er informationsafdelingen og politidirektøren, der har valgt dig til at bistå dem, når de laver en reportage til Station 3, som kommer til at adskille sig lidt fra deres sædvanlige linje, hvor journalisterne altid tager forbry-dernes parti."

Carl sank en gang.

"Ja, du sukker, men fra i morgen må du udvise lidt mere konduite over for tv-holdet, okay?"

Hvad fanden skulle han svare på det? Nu blev tingene jo for alvor blandet sammen.

"Hør lige her, det var sådan, at tv-manden ville følge med ind til en afhøring sammen med sit kamerahold, og der sætter vi altså grænsen."

Informationschefen nikkede. "Naturligvis gør vi det, men i stedet for kun at afvise alting så skal du altså tilbyde dem noget konstruktivt i stedet for, ikke, Mørck?"

"Ikke forstået."

"Du siger til dem: Nej, I kan ikke komme med til det her, men i morgen kan vi foreslå dit og dat. Så har de fået lidt fuldkost at tygge på, ikke?"

Carl sukkede.

"Vi ved jo godt, at du blander dig i Pasgårds arbejde, Carl," kom det fra Bjørn. "Hvorfor i alverden skulle du ellers stå sammen med Tomas Laursen i Kongens Have på Kirschmeyers findested? Men hvad fandt du så, Carl?"

Carl så ud ad vinduet. Den udsigt var det bedste ved det her kontor.

"Kom så, Carl!"

"Okay, okay." Han sukkede. "Vi fik en forklaring på det tis, som teknikerne fandt på ofret, og samtidig fik vi en idé om, at ofret har været forfulgt af drabsmanden."

"Se selv, hvad jeg sagde, Janus," sagde Bjørn.

De nikkede til hinanden og smilede. Hvad i alverdens riger og lande havde de gang i? De ville måske ligefrem have sagen opklaret?

"VI SKAL OP til Mona om ti minutter, Carl," sagde Assad, da Carl netop havde sat sig på sit kontor. "Fandt du ud af noget deroppe?"

"Ja, at vi uofficielt er udvalgt til at kunne blande os i Kirschmeyersagen, fordi vi er de eneste, de vil betro at sætte Station 3-holdet på plads. Station 3 har selv bedt om at kunne følge netop den sag, og Pasgård er nok den sidste, de kunne tænke sig at stille foran et kamera. Alle ville hade politiet bagefter."

Assads underlæbe faldt.

"De syntes også, at du gennem årene har fået en vis status som vores etniske vidunderdreng, og at det er på tide, at folk ser vores divergens."

Han rynkede brynene. Det var også et svært ord.

"Du mener vel diversitet, ikke, Carl?"

Så var det Carls underkæbe, der gav efter for tyngdekraften. Diversitet? Hed det det?

"Jamen så må vi så se at gøre, som de siger, Carl. Med min charme skal det nok gå." Assad lo et øjeblik og stoppede så op og granskede Carls ansigt. "Sig mig engang, er du okay?"

"For helvede nej, Assad. Jeg gider sgu da ikke have de bonderøve på slæb de næste fjorten dage."

"Det var ikke det, jeg mente. Jeg tænkte på, at du nu skal møde Mona."

"At vi skal hvad?"

"Jeg tænkte nok, du ikke hørte, hvad jeg sagde. Mona venter på os. Og Roses søster Yrsa venter sammen med hende oppe på kontoret. De andre to søstre var på arbejde."

22

Tirsdag den 24. maj 2016

SPISESEDLEN UDEN FOR KIOSKEN på Vesterbro Torv var temmelig iøjnefaldende. Dagbladene og et af frokostbladene nævnte dårligt nok flugtbilistepisoderne, men nyhedsavisen DK skruede helt op for alle kontakterne i deres opfølgning af gårsdagens tophistorie om de påkørte kvinder. Ingen skulle være i tvivl om dagens salgsparametre. Rødt og gult og masser af dramatik.

Det var de samme vellignende fotos af Michelle Hansen og Senta Berger, de havde fundet frem, og alligevel var de stærkt misvisende. Her fik læserne præsenteret to unge, sunde og vitale kvinder, hvis sammenlignelige ulykker avisen omtalte på en måde, som havde de forvoldt stor sorg og furore.

'Jobsøgende', stod der igen ved deres navne. Anneli fnøs, for intet kunne være mere forkert. Virkeligheden var jo, at de to bare var et par nassende slimklatter, som ingen burde bekymre sig om. Og det harmede Anneli, at de på den måde ved hendes hjælp havde opnået den i alle sammenhænge ufortjente berømmelse, som pigerne hele livet havde udbasuneret, at de følte sig kaldet til.

Hvorfor kunne man ikke bare sige ligeud, hvad de piger var for nogle? At de var igler og snyltere og blodsugere af den værste slags? Parasitter, som man bare skulle klaske ihjel og så glemme alt om? Hvorfor kunne journalisterne ikke tjekke de personer, de skrev om, og hvad de egentlig stod for, før de kom med deres øregejl om, hvor yndige og vellidte de var?

Gu var de da ej vellidte. Ikke af hende, i hvert fald, og hvem så?

Og nu havde hun efter morgenens strålebehandling siddet bag sit skrivebord og tænkt og tænkt. Hvad nu hvis Jazmine eller Michelle havde set spisesedlerne eller de forbandede forsider og fik lyst til at snakke lidt nærmere med politiet? Hun prøvede virkelig at forestille sig den situation, at der pludselig stod et par efterforskere og ville veksle et par ord med hende. Men havde Jazmines konfrontation med hende dagen før måske ikke én gang for alle fået afklaret, at det pres kunne hun godt stå for? Det syntes hun da. Hvis politiet gik hårdt til hende, så ville hun bare svare, at hun ikke kendte noget til det, og at hun ville være lige så chokeret som alle andre, hvis det viste sig, at disse påkørsler virkelig var udført med vilje. Og så ville hun huske at sige, at det her berørte hende særlig meget, fordi hun kendte dem begge. At det var nogle år siden, hun havde truffet Senta Berger, men at hun var sådan en god pige, der slet ikke havde fortjent den skæbne.

Anneli lo for sig selv ved tanken og holdt sig for munden, så de ikke hørte noget ude på gangen. Det kunne lige passe, at man skulle til at stille spørgsmål om, hvad der nu var så morsomt. Så meget latter var der jo ikke ligefrem i den afdeling.

ANNELI HAVDE SIDDET og overvejet sit næste træk og prøvet at komme sig over den grimme fornemmelse af, at man pludselig med ét kom tættere på hende og hendes gerninger.

Egentlig havde hun forestillet sig, at hun ville slå sit næste offer ihjel allerede samme aften, og hun vidste ovenikøbet, hvem det skulle være. Hun var ikke en køn pige, hvilket måtte siges at være et forudseende træk i forhold til avisens sammenligning af de to andre pigers nydelige fremtoning. Næh, hendes nye offer havde gennem årene, fra at være en almindelig, men storkrævende pige med alt for høje tanker om sig selv, stædigt og vedholdende udviklet sig til en lidet tiltalende, overvægtig proletartøs med dårlige manerer og en tøjsmag, som selv russere i sovjettiden ville afvise som smart.

195

Roberta, kaldte hun sig, dækkende over det mindre flatterende Bertha, og hun var nok den af Annelis mange aversioner, der ufortjent havde pumpet flest penge ud af systemet i hendes tid som sagsbehandler. Alene mængden af støvler, som pigen gennem årene havde bedt om at få udskiftet, fordi de gamle var revnet på grund af hendes overdrevent fyldige lægge. Bare hendes eminente egenskab til at ignorere advarsler og så kalde det forglemmelser. Ikke en eneste gang havde en aktiverings-plan sat noget i gang hos hende andet end beklagelser. Og hun havde taget karantæner og laveste ydelser i stiv arm og lånt til højre og venstre, når hun ellers kunne finde nogen, der var med på det. Og i takt med det havde hun møjsommeligt fået opbygget en klatgæld på mere end halvanden million allerede på det tidspunkt, da Anneli søgte et andet sted hen. Det var nu fire år siden, så gælden var i mellemtiden sikkert flerdoblet, alt andet skulle da undre.

En hurtig søgning på Krak.dk, og Anneli havde hende. Hun boede stadig i den samme sidegade til Amagerbrogade i en karré med små lejligheder og sporadisk liggende værtshuse tæt omkring. Anneli var sik-ker på, at hun ville kunne finde hende på en af disse pubber, mens hun flød ud på en barstol med slappe håndled og en mur af cigaretrøg som skillerum mellem hendes ølglas og manden ved siden af, som hun helt sikkert fik til at betale gildet.

En enkelt gang for en del år siden var Anneli efter aftale troppet op på hjemmebesøg hos denne Bertha Lind for så at ramle ind i en lukket dør. Efter rundtur på værtshusene fandt hun hende så endelig på Café Nordpolen, og der havde de et hurtigt skænderi om misligholdelsen af aftalen. Siden da havde Anneli ikke gjort sig den ulejlighed at gøre noget ekstra for hende.

Nej, Bertha Lind var ikke noget dydsmønster og ej heller noget for-billede for nogen eller noget. Hun ville sandsynligvis ikke få helt den samme fremtrædende plads på forsiden som de andre mere attraktive ofre.

Problemet var nu bare, at med avisernes dækning af påkørslerne var

196

trolden så at sige sprunget op af æsken, og så måtte hun jo nok revurdere planen. Bertha måtte vente lidt endnu.

DA HUN FIK fri fra arbejde, tog hun en rask beslutning og cyklede mod Sydhavnen, hvor Jazmine boede.

I en halv time stod hun foran den røde bygning og bedømte den og omgivelserne. Når hun kørte Jazmine ihjel, skulle det i hvert fald ikke ske her. Dels var Borgmester Christiansens Gade, selv nede i denne afspærrede ende, alt for befærdet, og dels var der konstant et hav af mennesker, som enten handlede lige ovre på den anden side i Fakta eller stod og hang på torvet. Så Anneli måtte hellere følge sin oprindelige plan om bare at holde godt øje med pigebarnet og så improvisere derefter. På et eller andet tidspunkt skulle der nok vise sig en eller anden lille vane eller uvane, som afslørede Jazmines sårbarhed og gav hende en idé om, hvor påkørslen kunne finde sted.

Hun så op mod tredjesalen, hvor Jazmine i alle sine år havde haft folkeregisteradresse. Ud over hende boede der ifølge registret en Karen-Louise Jørgensen, som var Jazmines mor. Sikkert en kvinde, der havde måttet finde sig i lidt af hvert, med alle de graviditeter, Jazmine havde sluset inden for murene. Men havde denne Karen-Louise Jørgensen måske ikke selv opfostret den lille djævel og medvirket til, hvad hun var blevet for en? Så hende havde Anneli heller ikke ondt af.

Men hvad nu, hvis Jazmine faktisk ikke boede der længere? Hvis hun ligesom så mange andre benyttede sine forældres adresse og i stedet boede hos en eller anden fyr, der ikke havde lyst til at miste en del af sin boligsikring? Måske var Anneli i virkeligheden så heldig, at Jazmine var flyttet til en adresse, der var lidt mere regulær og afsidesliggende.

Hun slog morens telefonnummer op på sin smartphone og tastede det. Der gik kun et øjeblik, så var der kontakt.

"Jeg skulle tale med Jazmine," sagde hun med fordrejet stemme.

"Nå. Og hvem er du?" Hun lød vældig affekteret. Sært at høre herude i arbejderkvarteret.

"Øh, jeg er hendes veninde, Henriette."

"Henriette? Jeg har aldrig hørt Jazmine nævne en Henriette. Men du ringer altså forgæves, Henriette. Jazmine bor her ikke længere."

Anneli nikkede, så var hendes intuition altså rigtig.

"Åh, hvor ærgerligt, er det virkelig rigtigt? Men hvor er hun så nu?"

"Du er den anden pige, der spørger efter Jazmine i dag, men du taler da i det mindste ordentligt dansk. Hvorfor spørger du egentlig? Hvad skal du med hende?"

Det var et meget direkte spørgsmål. Hvad i alverden ragede det egentlig hende? Jazmine var dog en voksen kvinde.

Nu kunne hun se Jazmines mor træde frem og stå med mobilen oppe ved vinduet. Hun havde minsandten morgenkåbe på på denne tid af dagen. Hvilken rollemodel.

"Jeg lånte nogle penge af Jazmine, da jeg skulle købe julegaver, og nu har jeg endelig fået nogle, så jeg kan betale hende tilbage."

"Det lyder mærkeligt, Jazmine har aldrig nogen penge. Hvor meget?"

"Undskyld?!"

"Hvor meget skylder du hende?"

"Toogtyve hundrede," skød hun fra hoften.

Så opstod der en lille pause. "Toogtyve hundrede, siger du?" kom det så. "Men hør her, Henriette, Jazmine skylder mig en masse penge, så dem kan du jo bare give til mig."

Anneli var forbløffet. Det var sandelig en handlekraftig møgkælling.

"Okay, det kan jeg da godt. Men så er jeg nødt til først at ringe til Jazmine og sige det."

Hun lød ærgerlig. "Jamen så gør du det, farvel."

'Nej nej nej, du må ikke lægge på, det hjælper mig jo ikke en pind,' skreg det i Anneli. "Jeg bor ude i Vanløse," røg det ud af hende. "Er det ikke i nærheden? Så kan jeg jo sige det til hende selv."

"Jeg ved sandelig da ikke, om det er i nærheden. Hun er lige flyttet til Stenløse, og jeg aner ikke, hvor det ligger, det sagde jeg også til hende den anden. Så vidt jeg ved, så får Jazmine stadig sine breve her på adressen, så hun kommer vel på et tidspunkt efter dem, og så kan jeg jo fortælle, at du har givet pengene til mig."

"Stenløse!? Nå ja, det er da også rigtigt, det har jeg da faktisk hørt noget om. Ude på Lilletoftvej, ikke?" Hun anede ikke, om der var noget, der hed det i Stenløse, men hvo som intet vover!

"Nej, det hed det ikke. Hun sagde det selvfølgelig ikke direkte til mig, hvorfor skulle hun det, jeg er jo trods alt bare hendes mor? Men jeg hørte hende tale med en i mobil. Det var noget med sandaler, så vidt jeg kunne høre. Men husk at give mig pengene, okay. Hun skal ikke have dem."

DA ANNELI SLOG Sandal og Stenløse op på Krak-kortet, dukkede kun Ejerforeningen Sandalsparken op, og den var ikke sådan lige at overskue, så hun nu ved selvsyn, da hun stod der. To lange karréer med forskudte huse i enderne med rundt regnet hundrede lejligheder, så hvordan hulen skulle hun finde ud af, hvor Jazmine holdt til, når hun ikke havde sin folkeregisteradresse dér, medmindre altså hun dansede rundt på svalegangene? Skulle hun vade rundt om blokkene i en uendelighed til den lyse morgen, det var da vist ikke nogen god idé. Skulle hun ringe direkte til gimpen og komme med en eller anden udflugt om tv-abonnement til ingen penge eller sådan noget? Risikoen for, at hun ikke bed på, var stor, og så var der måske lagt kim til mistanke.

Hun så træt ned ad den første blok. Navneskilte på alle dørene, som foreningens vedtægter krævede, men der var så mange. Så tænkte hun, at hun måske bare kunne tjekke navnene på Krak på internettet, men indså i samme åndedrag, at Jazmine umuligt havde kunnet nå at registrere sig på adressen. Hun kunne selvfølgelig gå alle opgangene igennem og tjekke postkasse for postkasse, men sandsynligheden for, at Jazmine havde klistret sit navn oven på eller ved siden af lejlighedens ejers navn, var nok overmåde lille.

Anneli sukkede, for muligheden var naturligvis til stede, og det var da bedre end ingenting.

Hun begyndte i A-opgangen i den ene ende af den forreste blok og studerede navneskiltene på de sølvfarvede postkasser, der hang i klynger bagest i indgangspartiet. Og da hun allerede efter det syn var ved at opgive ævred, for det var absolut ikke den slags forening, hvor folk satte improviserede skilte op, så faldt hendes øjne i opgang B på et navn, der fik hendes hjerte til at springe et slag over.

To fluer med et smæk, tænkte hun omgående.

For navnet, der stod med helt autoriseret skrift i postkassens slidse, var 'Rigmor Kirschmeyer'.

Et efternavn, der ganske vist ikke var Jazmines, men som til gengæld tilhørte en, der stod mindst lige så højt på Annelis dødsliste.

23

Tirsdag den 24. maj 2016

SELV UDEN FOR HENDES kontor var duften umiskendelig. Sensuelle svundne dage og måneder ramte Carls næsebor og satte hjernen i alarmberedskab. Hvorfor havde han ikke taget en pænere skjorte på? Hvorfor havde han ikke snuppet en af Mortens vaniljearomatiske deodoranter og smurt armhulerne til? Hvorfor havde han ...

"Hej Carl, hej Assad," lød stemmen, der engang havde kunnet slå ham i gulvet.

Hun sad der i et rum uden skrivebord, men med fire lænestole og smilede med røde læber, som om de havde set hinanden i går.

Han nikkede til hende og Yrsa, kunne ikke andet, og satte sig så med en klump i halsen så stor, at det ville blive svært at klemme en lyd ud.

Mona var sig selv og alligevel anderledes. Kroppen var næsten den samme smækre og lystskabende, men ansigtet så han på en ny måde, selv om forandringerne var små. De røde læber var blevet tyndere, de smalle rynker over overlæben dybere, huden løsere i ansigtet, men alt i alt mere fristende at stryge hen over.

Det var hans Mona, der var blevet ældre. Hans Mona, der havde levet år uden ham. Hvad havde den tid gjort ved hende?

Han klæbede et kort sekund til det korte, men stadig intense smil, hun sendte dem, og snappede efter vejret. Som et slag satte det sig i hele kroppen og gjorde næsten fysisk ondt.

Havde hun lagt mærke til hans reaktion? Det ønskede han i hvert fald ikke.

Hun vendte sig mod Roses søster, der sad i lænestolen ved siden af hende.

"Yrsa og jeg har gennemgået Gordon Taylors liste og det tilhørende tidsskema for, hvornår Rose Knudsen ændrer udsagnene i sine mantrahæfter, som man kunne kalde dem. Yrsa har en del at sige til det, så vidt jeg allerede har hørt. Vil du, Yrsa? Så skal jeg nok undervejs støtte dig eller prøve at kommentere, hvordan jeg ser på det."

Den rødhårede imitation af en figur i en Tim Burton-film nikkede og virkede oprigtig ramt af situationen. 'I må undskylde, hvis jeg kommer til at græde,' sagde hendes øjne. Så trak hun vejret dybt og gik i gang.

"Meget af det her ved I selvfølgelig i forvejen, men jeg ved jo ikke præcis, hvad I ved, så jeg ridser alligevel det hele op. Det er meget mærkeligt, men det er faktisk først nu, at jeg forholder mig så konkret til det, Rose skriver. Nu kan jeg sagtens se, at det giver god mening, det Gordon har mærket op."

Hun lagde papiret med alle udsagnene foran dem. Carl kunne dem næsten udenad.

"Min far begynder at være efter Rose, da jeg er syv år gammel, Vicky otte, Lise-Marie fem og Rose er ni. Jeg ved ikke hvorfor, men det var, ligesom der skete et eller andet i 1989, som fik ham til at gå i kødet på hende. Fra 1990 til '93 blev det bare værre og værre. Når Rose i '93 begynder at skrive, at hun er 'bange', så er det nok på det tidspunkt, hun begynder at bure sig inde på sit værelse. Faktisk var der en overgang, hvor hun også låste døren og kun åbnede for mig eller min storesøster Vicky. Så kom vi med mad til hende, for noget skulle hun jo have at spise. Vi skulle banke flere gange og forsikre hende om, at far ikke stod derude, før hun åbnede. Hun gik faktisk kun ud af værelset, når hun skulle i skole eller på wc, og det sidste var kun, når alle sov."

"Kan du give et par eksempler på den psykiske terror, som din far udsatte Rose for?" sagde Mona.

"Jamen det var på så mange måder. Rose kunne absolut ikke gøre noget rigtigt i hans øjne, og var der den mindste anledning til det, så nedgjorde han hende totalt. Tværede hende helt ud med, at hun var grim, at ingen i hele verden gad hende, og at det havde været bedre, hvis hun ikke var født. Den slags. Vi andre lukkede ørerne, fordi det ikke var til at holde ud, så meget af det er desværre slettet af hukommelsen nu. Vi har siddet og snakket om det, Lise-Marie, Vicky og jeg, og det er så lidt, vi kan huske, det er virkelig ..." Hun foretog et par hurtige synkebevægelser, så trangen til at græde blev undertrykt, men øjnene fortalte tydeligt, hvor trist hun var over, hvor ubetydeligt de egentlig havde hæftet sig ved Roses ulykke.

"Gå du bare videre i gennemgangen, Yrsa," sagde Mona.

"Okay. I '95 kan man se, at Rose går til modangreb. Kan man ikke fornemme det, når man læser sætningen 'Jeg kan ikke høre dig'?" Hun så spørgende på dem.

"Du mener altså, at alle de her udsagn er en slags indre samtale med din far, og at det fortsætter, efter at din far er død?" spurgte Carl.

Yrsa nikkede. "Ja, helt sikkert. Og Rose ændrer sig i '95 fra at være en skræmt og bange Rose til en, der tør ting, og det er helt sikkert på grund af en ny pige, der kom ind i hendes klasse midt i skoleåret året før. Hun hed, så vidt jeg husker, Karoline, og hun var sådan en sej pige, der lyttede til rap og hiphop som 2Pac, Shaggy og Eightball, mens vi andre piger var vilde med boybands som Take That og Boyzone. Hun kom inde fra Vesterbro og gad ikke finde sig i noget, og det smittede af på Rose. Pludselig gik vores søster i det tøj, der irriterede min far allermest, og holdt sig for ørerne, når han gik hårdt til hende."

Carl så det tydeligt for sig. "Og alligevel slog han hende ikke?"

"Nej, far var mere sofistikeret end det. Han kunne finde på at forbyde min mor at gøre rent på Roses værelse, eller han sørgede for at straffe hende ved at fjerne hendes lommepenge og favorisere os andre på alle måder."

"Og I andre syntes, at det var i orden?" spurgte Carl.

Hun trak undvigende på skuldrene. "Dengang troede vi jo, at Rose var ligeglad. At hun klarede sig på sin måde."

"Hvad med jeres mor?" spurgte Assad.

Yrsa pressede læberne sammen, og der gik et halvt minut, før hun var fattet nok til at gå videre. Øjnene søgte alle mulige steder hen, så hun på den måde undgik en direkte øjenkontakt med dem, og sådan blev det ved, et stykke tid efter at hun fortsatte.

"Mor holdt altid med far. Altså ikke virkelig for alvor, men på den måde, at hun ikke gjorde noget for at sige ham direkte imod eller tage parti for Rose. Og da hun endelig gjorde det en enkelt gang, så vendte far bare sit tyranni mod hende, det var prisen for Roses oprør. Man kan se det i 1996, hvor mor til sidst gav op og ligesom far begyndte at gå efter Rose. Set i bakspejlet lå hun ligesom i slipstrømmen på vores fars hårde udfald."

"Så er det derfor, at Rose skriger om hjælp fra sin mor i det års noteshæfte. Men fik hun så det?"

"Mor flyttede, og så var Rose næsten forsvarsløs. Det har hun hadet mor for lige siden."

"Hun skriver 'Møgso', da din mor flytter."

Yrsa bekræftede det med et nik og så ned i gulvet.

Her brød Mona ind. "Fra da af får Rose det dårligere. Og selv om hun klarede gymnasiet ret godt, så blev det bare værre og værre med chikanen. Til sidst turde hun ikke gøre andet, end hvad hendes far forlangte. Og da hun efter studentereksamen blev bedt om at betale fuld pris for at bo hjemme, så sagde hun ja til et kontorjob på Stålvalseværket, hvor hendes far også arbejdede. Et halvt års tid senere dør han ved en tragisk ulykke på værket, og Rose står lige ved siden af og ser sin far blive mast af en stålblok. 'Hjælp mig', skriver hun derefter."

"Hvorfor tror du, hun gør det, Yrsa?"

Hun vendte blikket mod Carl og virkede træt som døden. Måske var hendes og hendes søstres passive rolle gået op for hende i al sin gru. I hvert fald kunne hun ikke svare.

Igen blev det Mona, der kom hende til undsætning. "Yrsa har forklaret mig, at hun og hendes søstre ikke ved det med bestemthed, for Rose flytter fra de andre på det tidspunkt. Men der er ingen tvivl om, at Rose befinder sig i en slags permanent chok og ramler ind i en depression af en eller anden art. Ulykkeligvis er det ikke noget, hun lader sig behandle for, så hun synker længere og længere ned. En form for sortsyn og sort samvittighed over alt muligt, der får hende til at gøre de mærkeligste ting. Hun begynder at gå på værtshus for at samle mænd op. Hun går i seng med hvem som helst. Har det ene onenightstand efter det andet. Og hun spiller roller, når hun har de forhold. Hun gider faktisk ikke være sig selv længere."

"Selvmordstanker?" spurgte Carl.

"Måske ikke i begyndelsen, vel, Yrsa?"

Hun rystede på hovedet. "Nej. Hun forsvandt bare for sig selv og begyndte at klæde sig ud som os søstre. Hun legede, at hun var en anden, måske fordi far ikke havde mobbet os, og vi søstre egentlig havde et ret normalt familieliv, og det var faktisk Roses skyld, for hun gik altid imellem og tog kampene for os," kom det stille. "Værst var det ved årtusindskiftet. På selve nytårsaften var vi piger for en sjælden gangs skyld sammen alle fire. Vi andre havde kærester med, men Rose var alene og havde det helt sikkert ikke ret godt. Det var lige efter, at vi havde sunget Vær velkommen Herrens år, at Rose meddelte, at nu havde hun fået nok af det hele, og at det år ville blive det sidste for hende. En dag nogle uger senere til Lise-Maries fødselsdag så vi hende sidde og lege med en saks, som om hun ville klippe sig i håndleddet med den."

Yrsa sukkede. "Dengang var det bare en trussel, og ikke som da hun blev indlagt på Nordvang sidste år, hvor hun på det nærmeste havde klippet begge pulsårer over." Hun tørrede sine øjne og fik hold på sig selv igen. "Men i hvert fald fik vi hende dengang til at gå til psykolog. Ja, det var faktisk Lise-Maries fortjeneste, vores lillesøster, som Rose helt bestemt altid har været mest knyttet til."

"Okay! Mon psykologen fra dengang er en, vi kan få til at hjælpe os til at forstå?" spurgte Carl. "Kan du huske navnet, Yrsa?"

"Pigerne prøvede at snakke med ham, men han påkaldte sig sin tavshedspligt, Carl. Yrsa har fortalt mig, hvem han var. En Benito Dion, jeg kendte ham faktisk. Han var dygtig og underviste os i kognitiv ..."

"Du siger 'var'. Lever han ikke længere?"

Mona rystede på hovedet. "Og gjorde han det, så ville han være et stykke over hundrede år i dag."

Fandens også!

Carl trak vejret dybt og kiggede ned over listen med Roses sætninger. "Jeg kan se, at de næste par år vender hun langsomt tilbage til en mere almindelig tilstand fra 'Sort Helvede' til 'Mørke' og så til 'Gråt'. Derefter formaner hun formentlig sig selv til 'Ikke at tænke' og til slet ikke at være. 'Er ikke', skriver hun. Men hvad sker der så i 2004, hvor der pludselig er helt nye toner med 'Hvidt Lys'? Ved du det, Yrsa?"

"Nej, men det fandt Gordon vist ud af, tror jeg. Hun kom på politiskolen og klarede det rigtig godt og var ret glad for alting, indtil hun dumpede til politiskolens køreprøve."

'Og alligevel var hun ikke helt normal,' tænkte Carl. Havde man måske ikke fortalt ham, hvordan hendes promiskuøse adfærd på skolen efterhånden blev en belastning? At hun var et legendarisk nemt knald?

"Men hun ryger alligevel ikke helt tilbage til 'Helvede', da hun ryger ud? Virker mere stabil, er det ikke rigtigt?" spurgte han.

"Hun fik jo et godt arbejde på Station City som kontorist, kan du ikke huske det?" rev Assad ham ud af tankebanen. Carl havde helt glemt, at han var der.

"På det tidspunkt bliver hun 'Døv' over for din far, kan jeg se." Carl pegede på 2007. "Resten af hendes udsagn tror jeg godt, vi kan komme med bud på, men det har Gordon måske allerede gjort?"

Mona nikkede. "Hendes ansættelse i 2008 i Afdeling Q gør hende stærk, og nu nærmest håner hun sin far. 'Latteren ophørt, hvad?' og endnu mere udtalt i 2009, 'Pis af, lort'."

"Jeg ved ikke, om du husker det, men året efter kommer hun ind på arbejde og har pludselig klædt sig ud som Yrsa, og det show gennemfører hun flere dage i træk. Faktisk narrede hun os fuldstændig, så godt illuderede hun en anden. Var det rent skuespil for at drille os, eller tolker du det som et tilbagefald, Mona?"

Det var første gang i flere år, at han havde tiltalt hende direkte ved navn. Hvor lød det dog underligt fremmed i hans mund. Det føltes nærmest intimiderende. Alt for intimt. Alt for ...! Hvad pokker skete der her?

"Jamen husker du ikke, at I lige forinden havde været oppe at toppes, Carl?" sagde Assad. "Hun reagerede, som om du havde mobbet hende."

"Det gjorde jeg da ikke, gjorde jeg?"

Mona rystede på hovedet. "Det får vi nok ikke at vide. Men udefra set og uanset hvad så har arbejdet med jer haft en utroligt gavnlig virkning på hende," deducerede hun. "Og så kommer den af jeres sager, som Gordon har forklaret os om, hvor en vis Christian Habersaat, der skyder sig selv på Bornholm, fysisk ligner pigernes far så meget, at Rose næsten bryder sammen over det. Det kunne nok i længden have været en situation med gavnlig virkning, men så sker der det fatale, at I går til en hypnotisør, hvor alt det fortrængte med ét får lov til at poppe op til overfladen og sender hende til psykiatrisk behandling, første gang mens hun arbejder herinde, er det ikke rigtigt?"

Carl spidsede læberne. Det var ikke nogen rar gennemgang. "Jo, men jeg troede jo, at det bare var en slags hysteri eller et af Roses sædvanlige luner, som kunne overstås relativt hurtigt. Vi har været meget igennem i årenes løb, så hvordan skulle man vide, at det var så alvorligt, som det var?"

"Hun skriver 'Jeg drukner', så den episode har nok taget en del hårdere fat, end I vidste, Carl, det kan man ikke bebrejde jer."

"Nej, men hun sagde heller aldrig noget."

Han lænede sig forover og granskede hukommelsen. Var det nu også rigtigt, hvad han gik og troede? Sagde hun virkelig aldrig noget?

"Når jeg i bagklogskabens klare lys tænker over det, så fornemmer jeg, at Assad hele tiden var mere årvågen." Han vendte sig mod ham. "Hvad siger du, Assad?"

Krøltoppen tøvede et øjeblik og strøg højrehånden et par gange hen over den lodne venstre underarm. Det var tydeligt, at han prøvede at svare så blidt som muligt.

"Jeg forsøgte jo at stoppe dig, da du bad hende om at skrive den Habersaat-rapport, husker du ikke det? Men jeg vidste så heller ikke alt det her, for så havde jeg jo nok insisteret lidt mere."

Carl nikkede. Og nu stod der sort på hvidt i det sidste noteshæfte som det allersidste udsagn fra Rose: 'Du skal ikke være her'. Hendes far var kommet tilbage i hendes liv.

Følgevirkningerne af hans tyranni var uden ende.

"Hvad så nu, Mona?" spurgte han lettere fortvivlet.

Hun lagde hovedet lidt på skrå og udstrålede nærmest ømhed.

"Jeg laver en rapport til Roses psykiatere om, hvad vi ved, og du gør, hvad du er bedst til, Carl. Find pigen, der fik Rose til at være oprørsk. Find ud af, hvilken karakter farens psykiske chikane havde, måske ved veninden, hvad der satte det hele i gang. Og endelig, så så skal du og Assad gøre alt, hvad I kan for at finde ud af, hvad der egentlig skete på det stålvalseværk."

24

Onsdag den 25. maj 2016

"DU KOMMER IKKE for at arbejde, siger du, men hvorfor kommer du så?" spurgte hendes leder med slet skjult mistro i tonefaldet.

Anneli så tomt på hende. Hvad så med hende selv? Hvornår havde hun sidst lagt en dags arbejde, som kunne få medarbejderne til at nikke anerkendende? I hvert fald ikke i det job, hun havde nu. Faktisk gik det bedst, når damen var på et af sine sædvanlige lederkurser et eller andet eksotisk sted sammen med resten af de kommunale banditter, for så var der ro til at tage de seje træk. Ledere som hende havde Anneli haft et par stykker af gennem årene, men hende her tog alligevel prisen. Ucharmerende, uengageret og fuldstændig ude af trit med cirkulærer og lovgivninger, og hvad man må og ikke må. Kort sagt var hun den i afdelingen, der bedst kunne undværes, men som man aldrig nogensinde slap for.

"Jeg arbejder lidt hjemme, så jeg hele tiden er nogenlunde ajour, men nu havde jeg lige brug for at tjekke nogle ting på kontoret," sagde Anneli med tankerne dybt begravet i flere af sine potentielle ofres sagsmapper.

"Arbejder hjemme, okay? Ja, for vi må jo ellers sige, at du på det sidste har haft en del, skal vi ikke bare kalde det for klatfravær, Anne-Line."

Afdelingslederen klemte øjnene i, så øjenvipperne skjulte pupillerne. Det var i sådanne øjeblikke, man skulle tage sig mest i agt. Nu var det ikke mere end fem uger siden, at kvindemennesket havde været på et svinedyrt effektivitetskursus i Bromølla i Sverige og fået lært, hvad en konsekvent politik over for medarbejderne kunne betyde for hendes popularitet hos centerchefen, og hvilke signaler man skulle sende for at skræmme de underordnede. Fire kolleger var blevet degraderet til lortejobs i mellemtiden, og om et sekund kunne det let blive Annelis tur.

"Nå. Men nu er vi så nok kommet dertil, hvor vi snart må overveje at se en lægeattest, hvis du føler, at du har problemer med at gennemføre en normal arbejdsuge, Anne-Line." Hun smilede let, det havde hun også lært. "Du må selvfølgelig komme til mig, hvis der er noget, du gerne vil fortælle mig, men det ved du vel?" Den opfordring vidste hun udmærket var risikofri.

"Tak. Men jeg har bare arbejdet en del hjemme, mens jeg har prøvet at komme mig over influenzaen, og jeg tror egentlig ikke, at jeg er bagud med noget."

Der døde afdelingslederens ellers ubetydelige smil fuldstændig. "Nej, Anne-Line, men folk skulle jo gerne også kunne regne med, at du er til stede, når de har aftaler med dig, ikke?"

Hun nikkede. "Det er også derfor, jeg har fået ordnet et par af samtalerne over telefonen," løj hun.

"Jaså? Og de samtaler giver du mig så lige en skriftlig rapport om, ikke?" sagde hun, mens hun rejste sig og rettede på Annelis navneskilt.

Hende skulle hun nok komme til at høre mere fra.

Anneli så ud ad vinduet, hvorfra skærende solstråler kæmpede hårdt for at trænge gennem de nussede ruder og ind i dette formålsløse Sisyfos-land. Alt det småkævl og bavl, der udspillede sig i sidekontorerne, interesserede hende overhovedet ikke længere. Kollegerne føltes som skygger, der dækkede for lyset, og det havde hun tænkt, mens hun lå sit sædvanlige daglige kvarter og fik strålebehandling på briksen. Hun havde selvfølgelig gode klienter, som oprigtigt trængte til hjælp, og som samarbejdede så godt, de overhovedet kunne, for at forbedre deres situation, selv om det ofte var perspektivløst. Dem var der bare ikke så mange af lige for tiden, og som dagene gik, syntes de fleste af hendes sager på bordet mere og mere uvedkommende, for efter kræftdiagnosen og det nye projekt var Anneli ikke længere til lappeløsninger.

I de sidste dage havde hun modvilligt måttet tvinge sig selv ned i tempo og ind på kontorstolen, da planlægningen og forberedelsen til de næste drab tog tid. Bare det at finde en egnet bil havde hun brugt fem timer på aftenen før, men nu var også det fikset. I hvert fald var den skrammede, sorte Honda Civic, hun havde fundet ude i Tåstrup, simpelthen fantastisk til formålet.

Det var en undseelig, lav og mørk bil med tonede ruder, nærmest det fuldkomne mordvåben. Faktisk havde hun denne morgen siddet fuldstændig ubemærket i Hondaen i en times tid på Præstegårdsvejs p-plads ud for Sandalsparken, så hun kunne tjekke bevægelserne i kvarteret.

I denne velsignede ro konkluderede hun, at det i bund og grund var uvæsentligt, om der var vidner, når hun slog til. Hvad gjorde det, at de registrerede bilen og dens nummerplade, hvis hun alligevel kun ville gøre brug af den denne ene gang? Hun vidste jo, hvordan hun efter påkørslen skulle komme hurtigt væk, og også hvor hun skulle sætte bilen fra sig ovre i Ølstykke, godt og vel fem kilometer derfra.

Alt i alt syntes hun at være professionelt godt forberedt, og Anneli blev beruset over at tænke på det hele. Selvfølgelig ville hun slå til, i samme øjeblik der opstod en lejlighed til at ombringe Kirschmeyer-pigen eller Jazmine, ingen tvivl om det. Naturligvis kunne der opstå dilemmaer, for hvad skulle hun for eksempel gøre, hvis begge pigerne dukkede op på samme tid og eventuelt arm i arm? Sådan noget gjorde de skabagtige dukker jo. I så fald ville sammenstødet forårsage fundamentale skader på frontpartiet, og så kunne hun også risikere, at en eller begge kroppe røg op over køleren og smadrede forruden, det kendte man da til.

Hun smilede, for også mod den situation syntes hun at være garderet. Et tørklæde om hoved og hals og solbriller til at dække øjnene, så kunne glassplinterne bare komme an.

Jo, hun havde tænkt på det hele, syntes hun. Selv om hun havde læst en del om påkørsler af vildt, der røg igennem forruden og ind i kabinen og lemlæstede føreren, så var situationen alligevel en anden. Hjorte havde det jo med i panik at springe op, men sådan en atletisk reaktion havde hun hverken Denise eller Jazmine mistænkt for at kunne udføre. Og specielt da ikke, hvis hun påkørte dem bagfra.

Hun kunne lige se det for sig.

SAMME AFTEN EFTER arbejdstid bakkede hun ind på parkeringspladsen over for ejendommen, så hun havde frit udsyn op til lejligheden på svalegangen. Om tøserne kom eller gik, var ligegyldigt, hun skulle nok få ram på dem.

Hun lo lidt over denne nederdrægtighed og tænkte, at der i dette øjeblik ikke kunne være noget mere meningsfyldt end at sidde på dette gudsforladte sted i en stjålen bil med bilradioen på laveste blus og holde blikket fastnaglet på første sal. For deroppe holdt to af de piger til, som Anneli glædede sig allermest til at slå ihjel.

Et par gange var der aktivitet på svalegangen, og det var Annelis plan, at hvis en af pigerne viste sig, så ville hun starte vognen og lade den køre i tomgang. Det var sådan en æstetisk og kraftfuld brummen, en lyd, der varslede handling. Kun kamphelikopteres flugt op over tæt jungle befandt sig i samme lydmæssige spændingsfelt. Denne svirpende lyd af død var hele vietnamkrigens baggrundspuls. Poetisk, rytmisk og også tryghedsskabende, kunne man hævde, hvis man ellers befandt sig på den rigtige side af fronten. Hun lukkede øjnene et øjeblik for at genkalde sig scenarierne, og opdagede derfor ikke pakketransporteren fra UPS, før den holdt lige foran hende og spærrede muligheden for at køre ud, og ikke mindre væsentligt også for udsynet til pigernes lejlighed og fortovet foran.

Da pakkemanden passerede deres lejlighed oppe på svalegangen, trådte en skikkelse ud ad døren bag ham. Anneli nåede ikke at se, om det var Denise eller Jazmine, men en af dem måtte det være i den stærkt iøjnefaldende mundering.

Satans også, hun ikke kunne komme ud.

212

Anneli trak frustreret sin krop et par gange hårdt ind i rattet, som om det ville medføre, at pakkebuddet kom hurtigere tilbage.

Da han så endelig dukkede op, satte han sig ind i førerhuset og rodede med papirer et par minutter, før han endelig satte i gear og forsvandt.

Anneli opgav at køre i den retning, pigen fra lejligheden var forsvundet. Egedal Centret var kun et par minutters gang derfra, så mon ikke hun allerede havde ladet sig opsluge i labyrinten af forretninger?

I stedet trak hun vognen helt ud mod kørebanen, så situationen fra før ikke kunne gentage sig.

Og så kløede hun sig, hvor strålerne havde beskadiget hendes hud, og ventede.

HUN SÅ FØRST skikkelsen med indkøbsposerne nærme sig, da en ældre dame med hund passerede p-pladsen. Lige dér, næsten som på kommando, stoppede hunden op og satte sig til at besørge på fortovet ud for Anneli.

'Forbandede kræ,' tænkte hun, mens kvinden derovre famlede efter hundeposen i lommen, og den unge kvinde nærmede sig.

"Skrid nu ad helvede til, og lad lorten ligge," sagde hun, mens hun trak sig ned i sædet. Poserne, som pigen bar på, slaskede om benene på hende, selv om de slet ikke var fyldt. Det var et grotesk syn, som hun gik dér i sine ultrahøje hæle og en jakke, hvis prikker aldrig nogensinde havde været i nærheden af en leopard.

'Stadset op til fest og ballade, selv når hun skal på indkøb,' tænkte hun, da pigen rettede ansigtet mod hende.

Anneli holdt vejret et øjeblik. Det var Michelle.

Hun stivnede. Gud! Så boede Michelle der også, tænkte hun, mens alvoren gik op for hende. Boede de tre piger sammen i lejligheden, kunne det let blive en sprængfarlig kombination.

Hvad havde Michelle fortalt de andre? Havde de hende stadig mistænkt? Og i så fald hvad var så konsekvensen?

Bare ét ord fra dem til myndighederne, og hun ville være fanget i søgelyset. Hun kunne naturligvis nægte og henholde sig til pigernes uvederhæftighed og aversion mod hende, men hvad nyttede det, når det kom til stykket? Hendes emsige chef kunne jo bekræfte, at hun havde ændret adfærd på det sidste. De ville så let som ingenting kunne finde ud af, at hun gennem årene havde haft kontakt med dem, hun havde kørt ned. Hendes såkaldte veninder på arbejdet kunne erklære, at de sidste gang havde savnet hende til yoga, og ville levende kunne tilføje, hvor meget hun hadede den slags klienter. Politiets eksperter ville formentlig kunne tjekke hendes computer og spore hendes søgninger, uanset hvor meget hun prøvede at sløre dem. Man kunne måske endda finde dna-spor fra hende, hvor omhyggeligt hun end havde rengjort Peugeoten.

Der var faktisk rigtig mange grimme ting, de piger kunne sætte i gang. Anneli slukkede motoren og overvejede situationen.

Nu var Michelle åbenbart flyttet fra sin kæreste, så på hjemmefronten var der måske opstået den slags kurre på tråden, som kunne kaste en mistanke mod ham, hvis Michelle eller en af de andre kom galt af sted.

Kunne det være derfor, Michelle var flyttet fra Patrick? Mistænkte hun sin debile samlever for at ville skaffe sig af med hende? Var Anneli overhovedet i søgelyset?

I et øjeblik så hun for sig, at alle tre piger trådte ud på gaden på samme tid, så den her situation en gang for alle kunne blive løst. En hurtig acceleration og en kontant påkørsel, det var synet. Selvfølgelig ville ikke alle tre blive slået ihjel med det lette køretøj, hun havde skrabet til sig, så derfor måtte hun jo nok bakke et par gange hen over dem, før det var overstået.

Anneli smilede og begyndte at grine ved tanken. Det var så lattervækkende at forestille sig de tre dumme piger helt flade på kørebanen. Og hendes latter steg og steg, til kroppen begyndte at ryste.

Så bemærkede hun sig selv i bakspejlet: åben mund, tænderne blottet, et ganske hysterisk blik i øjnene. Det lagde en dæmper på morskaben.

Hun lod blikket falde ned ad sig og konstaterede, at kroppen lige nu havde sit eget liv. Hænderne trommede mod lårene, knæene bankede

214

mod hinanden som stempler, fødderne trippede på køremåtten som trommestikker. Det så helt sindssygt ud, men det var slet ikke ubehageligt, snarere føltes det lystfremkaldende, som om hun havde indtaget en slags afrodisiakum.

'Har jeg fået metastaser i hjernen? Er jeg ved at blive vanvittig?' tænkte hun og begyndte så igen at grine. Det var så urkomisk og fantastisk, det hele. Sådan en gammel socialrådgiver, som ingen regnede for noget. Hvilken magt hun pludselig havde fået. Hvilken helt uomtvistelig og altafgørende magt.

Anneli rettede blikket mod loftet. Den euforiske tilstand, hun befandt sig i, kaldte på handling. Kunne det ikke blive de tre satans piger deroppe i lejligheden, så kunne det hurtigt blive en anden.

Anneli afprøvede sin indskydelse og følte, at den var rigtig og god. Faktisk kunne hun overhovedet ikke huske, hvornår hun havde haft det bedre.

Hun så på uret. Klokken var blevet rigtig mange, men hvis hun kørte nu, så kunne Bertha Lind blive den næste.

En sort skygge gled ind foran vognen, da en taxa stoppede få meter fra Hondaen, og samtidig åbnedes døren oppe på svalegangen, og tre kvinder trådte ud.

I det øjeblik de steg ind i hyrevognen, var Anneli sikker. Selv om de to af dem stort set var uigenkendelige med al den makeup og sortfarvet hår, så kunne det ikke være anderledes. Det var Denise, Jazmine og Michelle spændt op til lir.

Og da taxaen startede og kørte, satte Anneli Hondaen i gear og fulgte efter.

25

Onsdag den 25. maj 2016

"GIDER DU LIGE lade være med at ringe til mig, når du er fuld, mor, hvor tit skal jeg sige det? Du stinker jo ligefrem ud af røret."

"Hvorfor siger du sådan noget, Denise? Jeg er jo bare ked af det." Hun snøftede en enkelt gang for at understrege sin pointe.

"Du er klam, mor. Hvad vil du mig?"

"Jamen hvor er du? Det er flere dage siden, jeg har hørt fra dig, og politiet har været her. De ville snakke med dig, og jeg vidste jo ikke, hvor du var."

"Politiet? Om hvad?" Denise holdt vejret og trak sig tilbage i stolesædet.

"De ville bare snakke med dig om mormor."

"Jeg skal ikke snakke med nogen om mormor, er du med? Jeg har ikke noget med det at gøre, og det skal du heller ikke få dem til at tro. Hvad har du sagt?"

"Ikke noget om dig. Hvor er du, Denise? Jeg kan komme hen til dig, der hvor du er."

"Nej, det kan du ikke. Jeg er flyttet ind hos en mand i ... Slagelse, og det skal du overhovedet ikke blande dig i."

"Jamen ..."

Denise afbrød forbindelsen og så på Michelle, der kom luskende ud fra sit værelse. Uden makeup så hun mere end almindelig ud. Øjnene blev nærmest små, alle konturerne i ansigtet flød ud. Når hun blev gammel, så ville hun kun være en skygge af sig selv. Hun ville blive slasket af forkert mad, ligne en ko i tøj, hun for længst var blevet for gammel til. Det var rigtig synd.

"Hej Denise." Michelle forsøgte vist at smile, men efter diskussionerne aftenen før skulle der mere til for at etablere en ægte intimitet imellem de to. Jazmine derimod var hun fuldstændig på linje med. Hun forstod situationen, og hvor meget på røven de var, hvis de ikke skabte sig et helt nyt liv. At toget var kørt for lillepigerne, at realiteterne, deres forkerte valg, manglende uddannelser og uudnyttede evner havde indhentet dem. Det ville en stakkel som Michelle aldrig lære at forstå.

"Stærkt, at du har valgt Coldplay, Denise," sagde Michelle, da mobilen igen gav lyd fra sig med morens ringetone.

Denise rystede på hovedet og afbrød omgående opringningen, gik i indstillinger og blokerede nummeret en gang for alle.

Så var *det* kapitel overstået. Lukket bog. Over and done.

"HOLD NU KÆFT, Michelle. Jeg ved sgu da godt, at der er forskel på et tyveri, et simpelt røveri og så et væbnet røveri. Men det går *ikke* galt, hvis du bare gør, som vi siger. Så hold da op med det pis."

Michelles øjne var nu streget op, så ikke alene øjenlåget var askegråt, men også eyelineren, vipperne og smilefolden under øjet. Hvis hun lignede noget, så var det nærmest en stumfilmstjerne, der led af tuberkulose. Var det sådan, hun skulle se ud i aften, så levede hun da op til kravet om at tage al opmærksomheden.

"Nu har du forklaret os, hvordan det hele hænger sammen. Hvordan managerens kontor ser ud, hvor de samler pengene fra entrébilletterne og i løbet af aftenen fra barerne, og hvordan man kommer derop. Vi er forsigtige, Michelle, det kan du regne med. Vi venter, til der er fri bane, og så skynder vi os. Det er tyveri, ja, men heller ikke mere end det."

"Og hvad så, hvis der kommer nogen? Hvad vil I så gøre?"

"Så truer vi dem selvfølgelig."

"Jamen så er det jo røveri." Hun pegede på iPad'en. "Se her! På

Wikipedia står der, at den, der begår røveri, bliver straffet med fængsel i op til seks år. *Seks* år! Så er vi pludselig midt i trediverne, livet er jo væk på den måde."

"Ja, og lad så være med at tro på alt, hvad der står på Wikipedia, Michelle." Jazmine tog iPad'en fra hende og så på opslaget. "Vi har jo aldrig været straffet før, så går det ikke så galt."

"Nå, men så se lidt længere nede." Nu rystede hun nærmest. Det tydede ikke godt for aftenens plan. Hun så på Denise. "Jeg så godt, hvordan du tæskede ham mureren i jorden, og det kan I garanteret godt finde på igen, og så er det grovere, Denise. Så bliver det op til ti år, kan jeg godt fortælle dig."

Denise greb hende i armen. "Tag det nu roligt, Michelle, det er jo ikke sket. Og hvad har du med det at gøre i aften? Ingenting! Du står bare og snakker med Patrick, mens vi andre gør arbejdet, ikke?"

Michelle så væk. "Siger du, at hvis det går galt, så tager I hele skylden?"

"Selvfølgelig. Hvad ellers?" Denise så på Jazmine, hun havde bare at nikke nu.

Og det gjorde hun.

"Godt, så er det afgjort. Og nu skal vi på skattejagt her i lejligheden."

"Skattejagt?" Michelle kunne ikke følge med.

"Min morfar havde en pistol, og min mormor har med garanti gemt den, jeg ved bare ikke hvor. Et eller andet sted her i lejligheden, tror jeg."

NÅR DET KOM til stykket, kendte Denise ikke sin mormors lejlighed særlig godt. De få gange, hun og hendes mor havde været inviteret derud, var stuerne altid blevet fyldt op af en flok brægende, gamle veninder, der havde øjne på stilke, så hun ikke kunne snuse rundt. Men nu stod skabene ubeskyttede, og Denise havde fremdraget bunkevis af røvsyge spadseredragter og cardiganer fra en helt anden tid.

"Smid skidtet på gulvet, så stopper vi det i sække bagefter," sagde hun.

"Vi sælger det til secondhand-shopperne på Østerbro, hvis de vil have det." Hun tvivlede dog.

"Jeg synes, det er ulækkert at rode i andres gamle tøj. Det lugter af mølkugler, og jeg har hørt, at det er usundt for huden," indskød Michelle.

I modsætning til hende gik Jazmine helt anderledes hårdt til værks. Skoæsker, hatte, undertøj, kasser med silkepapir, hullede nylonstrømper, hofteholdere i alle størrelser fløj ud af skabene. Jazmine var på jagt efter skatte, og alt andet var kun skrald.

De ledte under sengene, i syskabe, hev skuffer ud, trak møbler væk fra væggene, og da de havde været igennem samtlige rum, satte de sig og så sig omkring. Hvad der før havde været en ældre kvindes hjem, var nu en ældre kvindes mere end åbenlyse skamfulde samlen til huse og sanseløse mangel på virkelighedssans.

"Hvorfor har gamle mennesker så meget lort, der ikke er noget værd?" var Jazmines lakoniske sammenfatning.

Denise var irriteret. Kunne man i ramme alvor forestille sig, at hendes mormor havde skaffet sig af med hendes morfars relikvier? Billederne fra krigen, pistolen, medaljerne og uniformsdistinktionerne? Og hvis ja, hvad havde de så at true med i aften, når de stod med tyvekosterne i hånden og bukserne nede? Alt i alt var det skidt. I det mindste havde hun ventet at finde en eller anden æske med smykker, nogle værdipapirer, lidt valuta i en plastikpose fra de dage, hvor mormoren piskede rundt på charterrejser med sin olding af en mand. Men det her var bare lort, som Jazmine sagde.

"Så mangler vi kun den," sagde Michelle og pegede ud på altanen, der lige nu stod som en skrammelplads af potter og indpakkede planter og havemøbler, der ventede på de lune dage, som ejeren aldrig ville komme til at opleve. For en del år siden havde hendes mormor udstyret altanen med skydevinduer i den hensigt, at de en gang imellem skulle trækkes fra. Nu var de bare sløret af snavs og mangel på omsorg.

"Lad mig," sagde Jazmine.

Denise så på hende med voksende beundring. I forhold til Michelle virkede hun så spinkel og delikat, men hvis nogen kunne matche Denise i handlekraft, så var det hende.

Efter et øjeblik forsvandt hun ned bag vinduerne ude på altanen, og en skramlen og bragen godt pakket ind i meget lidt feminine verbale udladninger var et tydeligt bevis på, at der blev gået alvorligt til værks.

"Jeg tror, det er forkert, det vi gør," blev Michelle ved.

'Så skrid hjem til Patrick,' tænkte Denise. Bare hun dog i det mindste ville klappe i. Godt nok var det Michelles fortjeneste, at de tre havde fundet sammen, det måtte man lade hende, men lige nu syntes hendes rolle at være udspillet.

Når de først havde røvet det skide diskotek, så måtte hun og Jazmine diskutere, hvad Michelles rolle skulle være.

Der lød et suk ude fra altanen, og Jazmine rejste sig op fra gulvet med rodet hår og læbestift smurt ud på kinden.

"Kom lige ud og hjælp mig," sagde hun.

DET HELE GEMTE sig i en tung, aflang og afbleget høkasse med Familie Journaler fra firserne, der som dæklag lå over noget helt andet.

De satte sig på knæ rundt om kassen og betragtede Jazmines fangst. Denise havde aldrig set den kasse før, men anede, hvad den gemte.

"Det er godt nok noget gammelt noget, det her," sagde Jazmine, mens hun trak en bunke Neues Volk, Der Stürmer, Signal og Das Schwarze Korps op af kassen. "Er det ikke naziting? Hvorfor gemmer man sådan noget?"

"Fordi min morfar var nazist, derfor," svarede Denise. Siden hun var kommet til at sige det til en skolelærer som tiårig og fik et par uregle-menterede lussinger for det, havde hun ikke nævnt det for nogen uden for familien. Sjovt nok sagde det hende ingenting lige nu. Støvet havde lagt sig, og nu var det hende, der bestemte folks eftermæle.

"Hvad med din mormor?" spurgte Michelle.

"Ja, hvad med hende? Hun var vel ..."

"Føj for pokker, se så her." Jazmine lod et par fotografier falde på gulvet, og Michelle røg baglæns.

"Nej, hvor er det modbydeligt, det skal vi ikke se på," jamrede hun.

"Det er min morfar," sagde Denise og pegede på et foto, hvor han lagde løkken om halsen på en ung kvinde, der stod på en skammel. "Dejlig type, ikke?"

"Jeg kan ikke lide det, Denise. Jeg kan ikke lide at være her, når det er sådan nogle mennesker, der har boet her."

"*Vi* bor her, Michelle. Tag dig nu sammen."

"Jeg ved altså ikke, om jeg kan det der i aften, det virker så scary. *Skal* vi gøre det?"

Denise så vredt på hende. "Hvordan ellers? Vil du leve af mine og Jazmines penge? Tror du, det morer os at gøre, som vi gør, for at du kan få mad i munden? Vil du måske sprede ben for os, vil du, Michelle?"

Hun rystede på hovedet. Selvfølgelig ville hun ikke det, den lille tante Sofie.

"Her er et flag," sagde Jazmine. "Hold da op, Denise, det er et naziflag."

"Et hvad?" spurgte Michelle.

"Der ligger noget indeni, og det er tungt."

Denise nikkede. "Lad mig."

Forsigtigt bredte hun flaget ud på stuegulvet og afdækkede en aflang håndgranat med træskaft, et tomt magasin til patroner, en hel æske patroner og en fedtet pistol svøbt i stof.

"Se her," sagde Jazmine.

Hun holdt et stykke karton op i luften med tegninger af den pistol, de lige havde pakket ud. 'Pistole 08', stod der øverst.

Denise betragtede opmærksomt planchen med tværsnit og instruktioner og holdt det tomme magasin med plads til syv patroner op foran sig. Hun vejede det i hånden og skubbede det så op i skæftet. Der lød et effektivt klik, og pludselig følte hun, at der var balance i våbnet.

"Det er den pistol, han bruger dér," sagde hun og pegede på et foto, hvor hendes morfar henrettede en fange med nakkeskud.

"Føj, hvor er det ulækkert," sagde Michelle. "Den skal I altså ikke tage med."

"Der er jo ikke nogen patroner i, Michelle. Det er bare for at skræmme folk."

"Se!" sagde Jazmine og pegede på en vippeanordning øverst i enden på pistolens venstre side. "Der står på planchen, at det er en Sicherung, så hvis vi skal narre nogen, Denise, så skal vi huske at slå den opad."

Denise fandt sikringen og vippede den op og ned. Var den nede, stod der præget 'Gesichert' i metallet, hvor var det dog enkelt og sejt. Hun vejede den endnu en gang i hånden, det føltes helt rigtigt, som om man stod på toppen af verden og kunne bestemme alting.

"Det er en rigtig pistol, Denise," sagde Michelle småflæbende. "Man bliver straffet hårdt, hvis man truer nogen med sådan en, så den tager I ikke med, vel?"

Men det gjorde de.

I TAXAEN VAR Michelle tavs, mens hun sad og knugede sin håndtaske under brystet. Først da de blev sat af et par hundrede meter fra de nedlagte fabriksbygninger, der husede diskoteket Victoria, gav hun endelig udtryk for sin sindstilstand.

"Jeg har det bare så lousy. Jeg kan slet ikke forstå, hvad det er, vi gør. Skal vi ikke bare køre hjem igen, før det er for sent?"

Hverken Jazmine eller Denise svarede. De havde diskuteret det her til hudløshed, så hvad troede hun selv?

Denise så på Jazmine. Læbestiften, de kunstige øjenvipper, et par massive og kulsorte øjenbryn, det farvede, bobbede hår, en heftig mængde eyeliner og lige så meget foundation gjorde det næsten umuligt at se, hvem der var indenunder. Med små midler var det en virkelig effektiv og flot maskering.

"Du ser fandeme sej ud, Jazmine, men hvad så med mig?" Denise løftede ansigtet mod lyset fra en gadelampe.

"Perfekt. Pisseflot som en filmstar fra firserne."

De grinede, mens Michelle pegede på Denises håndtaske.

"Er I totalt sikre på, at pistolen ikke er ladt? Hvis den er, og det går galt, så koster det mindst fire år mere i spjældet. Mindst!"

"Selvfølgelig er den ikke det, du så jo selv, at magasinet var tomt," svarede Denise, mens hun rettede på tørklædet om halsen og vurderede trafikken på Sydhavnsgade. Hvis den fortsatte med at være lige så livlig som nu, så ville det kun tage få minutter, efter at det hele var overstået, før de igen sad i en taxa.

"Jeg ved godt, at jeg har sagt, at Patrick og de andre normalt ikke kropsvisiterer pigerne, men jeg kan ikke lide det her, jeg kan bare ikke lide det ..." messede Michelle de næste halvtreds meter. Gid hun dog snart ville sluge sin tunge, den kylling.

Da de rundede hjørnet, fulgte de strømmen mod indgangen. Stemningen var helt i top, og mange af dem lo. Så havde forfesterne i Københavns festmiljøer da gjort sit.

"Jeg tror eddermame, vi er de ældste," sukkede Jazmine.

Denise nikkede. Her i lyset fra flimrende gadelygter så mange af dem ud til kun lige akkurat at være gamle nok til at slippe gennem myndighedernes og Patricks nåleøje.

"Det er kun godt for os, hvis Patrick får travlt med at tjekke id'er," sagde Denise. Hun vendte sig mod Michelle. "Jeg håber, du har ret i, at han ikke vil genkende os som dem fra hospitalet."

"I skulle se jer selv. I er godt nok ikke lette at genkende. Men hvis jeg tager fejl, så går vi bare igen, ikke?"

Jazmine sukkede. "Det har vi jo talt om hundrede gange, Michelle. Selvfølgelig gør vi det. Vi er ikke dumme!"

"Okay, undskyld. Men altså, Patrick er faktisk ret nærsynet, og det vil han ikke indrømme, så jeg har aldrig set ham med briller. Hvis I trækker jeres tørklæder lidt op og viser hele kavalergangen frem, som vi har aftalt, så ser han nok ikke andet." Den sætning smagte hun et øjeblik på. "Den møghund," tilføjede hun så.

Jazmine så på uret. "Klokken er kun tolv, Michelle. Tror du overhovedet, at der er kommet noget i pengekassen på det her tidspunkt?"

Hun nikkede. "Det er jo onsdag, og de fleste skal tidligt op i morgen, så dørene åbnede allerede klokken elleve."

Hun pegede advarende mod kameraerne. Om et par sekunder ville de stå i rampelyset.

Ovre ved indgangen var Patrick i fuld gang, let truende som det bolværk mod uønskede gæster, han var ansat til at være. Tatoveringerne flashede på hans nøgne underarme, skjorteærmerne var rullet op til bicepserne, så man fattede alvoren, hvis man var ude på ballade. Hertil kom sorte handsker og støvler, som absolut ingen ville sparkes væk af.

Dette komplette billede af en fuldstændig uempatisk udsmiderrobot slap gæsterne ind en for en, visiterede et par af mændene, afviste plastikposer og bad lejlighedsvis om id. Dem, han kendte i forvejen, nikkede han bare til og verfede videre. Der skulle slet ikke herske tvivl om hans autoritet.

"Vent!" Michelle tog fat i Denises ærme. "Jeg tror, vi får hjælp," hviskede hun og pegede bagover mod en flok målrettede indvandrerdrenge, der krydsede over vejen. Måske var en enkelt af dem gammel nok til at komme ind, men næppe de andre. Tidlig skægvækst dækkede sjældent umodenhed, var Denises erfaring, og den havde Patrick sandsynligvis også gjort sig.

Det var tydeligt, at han allerede havde spottet problemet, så helt instinktivt trådte han et skridt frem, idet han trak en walkie-talkie op af lommen og talte ind i den.

"Så er det nu," hviskede Michelle. "Gå bag om mig og ind."

"Hej Patrick," sagde hun højt og klart, som om hun havde fået bugt med den værste nervøsitet.

En tydelig forvirring bredte sig i Patricks determinerede ansigt, for to så vidt forskellige problemstillinger var mere, end han umiddelbart kunne håndtere på en gang, og det gav plads til Jazmine og Denise.

Et par skridt og så stod de i forlokalet, mens Michelle blev udenfor for at aflede Patrick.

Sceneriet omkring dem var gråt og råt. Hvad rummet engang havde været brugt til, var ikke til at sige, for lige nu lignede det bare en møgbeskidt lagerhal med nøgne betonvægge. Der hvor der før havde været døre, var der nu bare åbninger. Gelændere var blevet fjernet og erstattet med rå forskallingsbrædder. Inventar og alt andet af værdi var blevet fjernet.

'Hele skidtet er revet ned inden et år,' tænkte Denise. I det hele taget var Sydhavnens æra ved at være et afsluttet kapitel, med alle de små selvstændige firmaer. Så tæt på havnearealet og de forfriskende briser over havneområdet var grundene simpelthen blevet for dyre.

De købte entrébilletter og skubbede sig ind imellem de dansende og videre hen over dansegulvet. Mange af fyrene sendte dem blikke, men denne gang var pigernes agenda selvsagt en anden.

Allerede nu var DJ'en gået i selvsving, og menneskemassen og betongulvet nærmest kogte under laserlysenes lynnedslag. Herinde forhindrede en trykbølge af lyd enhver meningsfyldt udveksling af informationer, så Denise pressede sig bare tavst gennem mængden i Jazmines slipstrøm.

Jazmine havde fortalt, at hun for et par år siden havde været oppe på kontoret med den stedfortrædende manager, som mere end villigt havde taget imod hendes generøse tilbud om en hyrdetime.

Senere havde hun så fået at vide, at han var endt på kirkegården efter et vildt overdrevent forbrug af metamfetamin og kokain, så godt det samme, at hun ikke var blevet gravid med ham, som det ellers var meningen. Det havde sikkert skadet fostret, konkluderede hun. Og vanskabte børn var ikke så lette at slippe af med, så hvem ville risikere det?

De forlod dansegulvet og trådte ud i en iskold mellemgang oplyst af lysstofrør og med ti meter til loftet, og der blev de stoppet.

Vagten, der i statur var Patricks klon, men ikke havde hans årvågne øjne, spærrede dem vejen og spurgte, hvad de skulle der, nogenlunde som de havde forudset.

"Hey, mand! Det er godt, vi fandt dig." Denise pegede på hans walkie. "Hørte du ikke, at Patrick har brug for hjælp derude? Der er bøvl med en flok indvandrerdrenge!"

Der stod skepsis malet i hans ansigt, men alvoren i Denises ansigt fik ham alligevel til at gribe efter walkien.

"Kom nu i gang, basse," råbte Jazmine. "Tror du, han har tid til et telefonmøde lige nu?"

Så pressede han sit kødfulde korpus i løb.

Jazmine nikkede mod en metaltrappe for enden af korridoren.

"Lige nu sidder der mindst en person på kontoret og kigger på over-vågningsmonitorerne, så du kan være sikker på, at vi allerede er blevet spottet," sagde Jazmine. Hun gjorde et kast med hovedet op mod loftet. "Du skal ikke se derop, men der sidder et kamera. Jeg vinkede til det, sidst jeg var her."

Denise tog fat i jerngelænderet, og ligesom Jazmine trak hun tørklæ-det op over underansigtet.

Netop som de åbnede døren til kontoret, væltede et inferno af lyd ud mod dem. Et par stod tæt omslynget ved endevæggen, halvt begravet i hinandens ansigter og hun med effektive og livlige hænder, der ikke udviste synderlige tegn på blufærdighed.

Denise så sig hurtigt omkring og bevægede sig så med en kats smidig-hed frem mod parret. Rækken af monitorer på sidevæggen stod som et flimrende tapet, og på en af dem så man ganske tydeligt, hvordan tin-gene nede ved indgangen allerede var kommet under kontrol. Lige dér i midten af skærmbilledet stod Michelle med brødebetynget mine ved siden af sin eksfyr, mens han fordelte sin professionelt truende opmærk-somhed mellem hende og den stadige strøm af nytilkomne.

Trods lidt småklammeri klarede Michelle det gud ske lov, som hun skulle, så det ud til.

Nu registrerede monitorerne, at vagten, de lige før stødte ind i, var

226

nået ned til indgangen. Han råbte et eller andet til Patrick, der rystede forvirret på hovedet og pegede på en anden vagt, der stod lidt længere fremme.

Fyren så frustreret ud. Om lidt var han med garanti tilbage på sin plads i korridoren, formentlig for at prøve at forhindre, at hans boss blev afbrudt i det, han var i færd med.

"ÅBN PENGESKABET!!" skreg Denise pludseligt og direkte ind i den kærlighedshungrende mands øre, så både han og kvinden, han kyssede, hoppede i vejret, og kvindens tandsæt klappede sammen om mandens tunge. I et ryk vendte han sig med rasende øjne og blodet silende fra mundvigene.

"Hvem satan er du?" betød hans uartikulerede hvæsen vist, mens han forgæves huggede ud efter tørklædet, der dækkede Denises underansigt.

"Hørte du, hvad jeg sagde?!" kommanderede hun igen. "Det er NU!"

Pigen bag ham grinede hysterisk, men stoppede omgående, da Denise stak en sort pistol i synet på hendes fyr og med al tydelighed slog sikringen fra.

"Du låser op, og så tager min hjælper pengene. Vi binder jer, når vi går, så hvis I makker ret, så overlever I," afsluttede hun, mens hun smilede derinde bag sit perfekt maskerede ansigt.

FEM MINUTTER EFTER stod de igen nede i korridoren med tørklæderne om halsen og tasken tilstrækkelig fuld af pengesedler til, at det måtte have været det hele værd.

Et eller andet kogte i hovedet på vagten, der nu igen stod og ventede på sin afmålte plads, men Denise var iskold.

"Du er bare en pissefed fyr, skulle jeg sige oppe fra bossen. Fik du hjulpet Patrick?"

Han så desorienteret ud, men nikkede dog.

Da de nåede tilbage til indgangen, var Patricks og Michelles små-skænderier droslet ned. Et enkelt blik mellem Denise og Michelle, og sagen var klar. Michelle kunne godt afslutte seancen.

"Du har ret, Patrick," sagde Michelle kælent, mens Jazmine og Denise gled bagom og ud mod vejen. "Jeg kommer forbi i morgen, og så får du de sidste penge, ikke, skatter?" kurrede hun.

Aftalen var, at de tre skulle mødes i smøgen, der adskilte Victoria og den næste hal, og der ventede de så ti meter inde i det dunkle, slørede lys og stanken af pis.

Denise lagde lettet nakken mod den sitrende betonvæg fra larmen inde på dansegulvet. "Er du sindssyg for en fest!" stønnede hun med blodbanen brusende af adrenalin. Ikke engang da hun første gang fik scoret sig en sugardaddy og lå i sengen og håndterede denne helt fremmede mand, havde hun haft det sådan.

Hun tog sig til brystet. "Banker dit hjerte også helt ad helvede til, Jazmine?" stønnede hun.

Hendes veninde returnerede med et ekstatisk grin. "Fuck, ja! Jeg tror sgu, jeg tissede i bukserne, da han langede ud efter dit tørklæde."

"Gud ja, det kunne nemt være gået galt, men det *gjorde* det ikke, Jazmine." Hun lo. "Så du ikke hans ansigt, da jeg slog pistolens sikring fra? Hold da kæft, mand, hvor så han dum ud. Og nu ligger de deroppe med gaffa i hele hovedet og plastikstrips alle vegne og prøver at regne ud, hvad fanden der egentlig skete." Hun tog sig til mellemgulvet. Det havde kun taget fem minutter, før det hele var overstået.

Det kunne bare ikke blive sprødere.

"Hvor meget tror du, vi fik fat i, Jazmine?" spurgte hun.

"Ingen anelse, men jeg tømte da boksen helt. Mange tusind, tror jeg. Skal vi kigge efter?"

Hun huggede hånden ned i tasken og trak en rodet bunke sedler frem. Flest tohundredkronesedler, men også mange femhundred- og tusindlapper.

Jazmine grinede. "*Hold* da op! Jeg tror sgu, der er over hundrede tusind, se selv!"

Denise tyssede på hende. Imellem bygningerne ud til vejen og med gadelyset som baggrund dukkede en sort og knivskarp silhuet op. En eller anden havde spottet dem, og det var en, der var både slankere og mindre end Michelle.

"Hvad helvede har I kællinger gang i?" råbte en stemme med accent, mens en kvindeskikkelse trådte frem mod dem.

Denise havde set hende før, det var Birna.

Jazmine snappede en enkelt gang efter vejret, og Denise forstod hvorfor, for Jazmine havde ikke haft åndsnærværelse nok til at stoppe pengene tilbage, men stod nu dér fuldt eksponeret som en anden kriminel taget på fersk gerning.

Birnas blik brændte sig fast på sedlerne.

"Det er da vist ikke jeres penge," sagde hun hårdt og trådte et skridt frem mod dem.

"I kan lige så godt aflevere dem med det samme. Kom!" sagde hun og gestikulerede med fingrene, hvor tjept det skulle gå.

'Tror hun, jeg er dum?' tænkte Denise, mens hun provokerende lagde hånden bag sit ene øre. "Hey, jeg kan sgu dårligt høre dig i den larm. Hvad er det, du siger, punk?"

"Er smatsoen tunghør, Jazmine?" var punkerens reaktion. "Eller tror du, hun er ude på at provokere mig?"

Så vendte hun sig mod Denise. "I ligner sgu da mere mig, end jeg ligner mig selv, med alt det kul, I har kørt rundt om øjnene. Er det, fordi man ikke skal vide, hvem I er?" Hun smilede skævt. "Men nu ved jeg det altså, så hvis I ikke vil have problemer, så afleverer I bare." Hun pegede direkte på Denise med en sort klo. "Så jeg siger dig, kælling, er du fræk en gang til, så går det galt. Giv mig så de penge."

Denise rystede på hovedet. Det her var bestemt ikke en del af planen. "Jeg ved ikke, hvad du tror, at du ved, men lad nu være med at dumme dig, ikke, Birna? Var det ikke det, du hed?" Denise stak hånden i lommen. "Har jeg ikke sagt, at du skal holde dig væk fra os?"

Et sekund, så var punkerens smil forduftet. "Okay, er det sådan, så er det bare værst for dig selv." Hun vendte sig mod Jazmine. "Kom nu, Jazmine, du kender mig. Fortæl hende kussen dér, at hun bare har at respektere mig." Så trak hun stille og roligt en springkniv op af lommen og udløste den. "For ellers så kommer hun til at fortryde det. Sig det så, Jazmine."

Hun ventede ikke på svar, men gik frem mod Denise og stod og viftede med kniven direkte mod hendes mellemgulv. Knivsbladet var tveægget og sylespidst og ville gå dybt ind uden den ringeste modstand, hvis hun gjorde alvor af sin trussel, det så Denise hurtigt.

"Hvad laver du egentlig her, Birna? Du er da ikke typen, der går på diskotek, er du?" spurgte Denise koldt uden at tage blikket fra kniven.

"Hvad mener du, lort? Det her er vores revir, her hersker vi, og det ved Jazmine godt, ikke også, Klokkeblomst?"

Denise så op mod vejen. Kom der forstærkninger fra Birnas bande? Fandeme nej. Så var punkeren altså uden rygdækning. Og fandeme nej igen, om Denise ville finde sig i hendes trusler. Her havde de planlagt og fuldført det hele til punkt og prikke, og så skulle sådan et grimt intetkønsvæsen ikke komme og stikke en kæp i hjulet.

"Jeg beklager, men det bliver ikke din dag i dag, Birna," sagde hun og trak lige så stille pistolen op af lommen. "Hvis du vil redde dit lorteliv, så kan du få en tusse lige på stedet, og så skal du skride. Og hvis du siger så meget som *et* ord til nogen, så kommer jeg efter dig, okay?"

Punkeren trak sig tilbage mod husmuren og vurderede et øjeblik det gamle monstrum i Denises hånd. Så smilede hun let og løftede hovedet, som om hun havde gennemskuet, at den under ingen omstændigheder kunne være nogen trussel.

"Hej, hvad sker der?" lød det forfærdet oppe fra vejen. Det var Michelle, uskyldsren og malplaceret med håndtasken over skulderen.

"Stærkt! Er hun også med? I overrasker mig fandeme," grinede punkeren. Og uden varsel sprang hun med et brøl frem mod Denise med kniven rettet direkte mod hendes underliv.

"Jeg skyder," prøvede Denise at advare hende, uden at det stoppede Birna, og instinktivt trykkede hun på aftrækkeren, som om det kunne hjælpe.

Drønet, der ekkoede mellem betonmurene og resulterede i en sky af krudtslam og et hul på størrelse med en enkrone i den islandske piges brystkasse, druknede i larmen fra diskoteket, allerede inden punkeren faldt om.

Denises hånd stod skråt opad fra rekylen. Hun forstod det ikke. Havde der været en patron i kammeret? Og hvorfor havde hun ikke set efter? Man havde jo kunnet se på planchen, hvordan det hele fungerede.

Fuldstændig stumme stod Jazmine og Denise og betragtede den livløse krop og blodet, der gled ud over den tørre asfalt.

"Hvad *sker* der, for fanden? Du sagde, den ikke var ladt, Denise!" hulkede Michelle nærmest lammet, mens hun vaklede mod dem.

"Vi skal væk herfra," råbte Jazmine.

Denise prøvede at ryste sig fri af chokket. Det var helt galt, det her. Hullet i væggen, blodet på skoene, den rygende pistol i hendes hånd, pigen, der stadig åndede, mens blodet flød ud under hendes ene armhule.

"Kuglen gik helt igennem hende," fremstammede hun.

"Kom nu! Kan I ikke se, hun stadig trækker vejret? Vi må hive hende ud til fortovet, ellers ligger hun bare her og bløder ihjel," bønfaldt Michelle.

Denise stak mekanisk pistolen i tasken, bukkede sig og greb fat i Birnas ene fod, mens Jazmine tog den anden, og så trak de hende op til enden af smøgen, så gadelampernes skær lige akkurat fangede hendes ben.

De så sig ikke over skuldrene, mens de forsvandt op mod Sydhavnsgade.

Det sidste, Michelle sagde, før de steg ind i taxaen, var, at det hele var forfærdeligt, og at hun havde det så underligt, at det var lige før, hun kastede op. At alt kørte rundt i hovedet på hende, hun troede endda, at hun lige havde fået et glimt af Anne-Line.

26

Onsdag den 25. maj 2016

'NU ER DET snarere reglen end undtagelsen,' tænkte Carl.

Under ham var lagenet flået af madrassen. Hovedpuden lå på gulvet. Alt, hvad der havde ligget på natbordet, var forsvundet som dug for solen. Så uroligt og dårligt havde han sovet igennem længere tid, og denne nat var det Monas skyld.

Hun ville bare ikke ud af hans hoved. Ikke mindst gårsdagens møde med hende og hendes synlige forandringer havde rørt noget fundamentalt i ham. Hendes løse, bløde hud på halsen og ved mundvigene. Hofterne, der var blevet bredere, de nu tydelige blodårer på håndryggene. Alt det havde pirret ham og holdt ham vågen. For snart tiende gang i en årrække var han gået ned på grund af hende, og trods talrige forsøg kunne han bare ikke få hende ud af kroppen. Han havde haft løse forhold indgået på værtshuse og caféer, lynaffærer på kongresser og kurser, månedlange afprøvninger af fastere forbindelser. Alt sammen havde været uden betydning, lige så snart han tænkte på Mona.

'Gad vide, hvad hun tænker om mig,' cyklede det rundt i knolden på ham. Nu måtte han snart se at få vished.

"JEG FANDT NOGLE flere af Jespers ting nede i kælderen. Kan jeg også lægge dem op på loftet?" spurgte Morten, mens han madede Hardy ved morgenbordet.

Carl nikkede, men indeni rystede han på hovedet. Trods Carls bønner havde hans papsøn stadig en masse lort stående dernede. For en måned siden fyldte fyren faktisk femogtyve. Han var færdig med HF og nu næsten bachelor på handelsskolen. Så hvad pokker var der egentlig i vejen med spørgsmålet om, hvor gamle ens såkaldte afkom skulle være, før man kunne være bekendt at forlange, at de flyttede *rigtigt* hjemmefra?

"Har I fundet noget, der kobler Kirschmeyer-sagen og drabet på Stephanie Gundersen, Carl?" slubrede Hardy.

"Vi arbejder på det," svarede han, "men Roses sag og tilstand optager os en del lige nu. Det viser sig jo, at vi rent faktisk er blevet meget knyttet til hende. Sådan noget ved man jo somme tider først, når katastrofen *er* indtruffet."

"Det er klart. Jeg troede bare, det var vigtigt for dig at få løst de sager, før Pasgård gjorde det."

Carl tillod sig at smile. "Så længe Pasgård bruger energi på at lede efter en mand, der pissede på liget, så har vi ro."

"Men spørger du mig, så skal du nok skubbe lidt på, Carl. Marcus Jacobsen ringede i går og spurgte, hvor langt du var nået. Han spiller på to heste lige nu, må du være klar over. For ham er opklaringen af Stephanie-sagen det altafgørende."

"Jamen Hardy, er den ikke *lidt* for afgørende for ham? Jeg har svært ved ryste det spørgsmål af mig."

Hardy grundede et øjeblik og hviskede lidt for sig selv. Det havde han altid gjort, når han tvivlede på noget. Den stille diskussion for og imod.

"Ved du hvad, jeg synes, du skal ringe til Rigmor Kirschmeyers datter," sagde Hardy så. "Du nævnte på et tidspunkt, at Rigmor havde hævet ti tusind kroner, før hun blev myrdet. Jeg tænker, at Birgit Kirschmeyer lidt mere præcist må kunne løfte sløret for, hvad den myrdede skulle bruge så mange penge til. Tag hende dog på sengekanten her til morgen. Som jeg kan forstå på Marcus, så holder hun sig ikke tilbage med natlige værtshusbesøg lige for tiden."

"Hvor ved Marcus det fra?"

Hardy smilede. "Tror du ikke, at selv en gammel cirkushest en gang imellem trænger til en tur i manegen?"

Talte han om sig selv nu? Det ville være underligt andet.

Carl gav ham et klem på skulderen. Ikke fordi den lamme mand ville kunne mærke det, men alligevel.

"Av for satan da," kom den uventede reaktion.

Carl stivnede, og Hardy så chokeret ud.

Det kunne jo ikke passe. På nær et par fingre havde Hardy været paralyseret fra halsen og ned i nu snart syv år. Hvordan ...

"Just kidding, Carl," lo Hardy.

Carl sank to gange.

"Ja, undskyld, gamle jas. Jeg kunne bare ikke dy mig."

Carl sukkede. "Det der gør du ikke igen, Hardy. Du gav mig faktisk et chok."

"Man har jo efterhånden kun det sjov, som man selv finder på," sagde han tørt, mens Carl så over på Morten, der vaklede op af kælderen med favnen fuld af Jespers efterladenskaber. Det var sandt nok. Lige for tiden var der ikke meget spas at hente i det her hus.

Carl trak vejret dybt. I et splitsekund var han bare blevet så glad, for hvor kunne det have været fantastisk, om Hardy ...

Så rømmede han sig og tog mobilen frem. Det var sikkert optimistisk at tro, at han kunne fange Birgit Kirschmeyer i et nogenlunde klart øjeblik så tidligt på dagen, men så gjorde han da, hvad Hardy havde rådet ham til.

Der gik forbavsende kort tid, før en skramlen og klirren af flasker i røret tilkendegav, at der var hul igennem.

"Jaaaah, hallo," lød det drævende i den anden ende.

Carl præsenterede sig.

"Jaaaah, hallo," sagde hun igen. "Er der nogen?"

"Jeg tror, kællingen har vendt telefonen på hovedet," sagde han opgivende til Hardy.

"Hej, hvem kalder du kælling? Hvem er du?" kom det surt i den anden ende.

Carl afbrød lige så stille opkaldet igen.

"Ha ha, den bemærkning var lidt dum, var den ikke?" lo Hardy, og det var godt at se. "Lad mig prøve," fortsatte han. "Du ringer op, slår medhøret til og holder mobilen for mig."

Hardy nikkede, da konen kom til og svarede med en svada af skældsord, som ellers for længst var uddøde i det danske vokabularium.

"Åh, jeg tror, De måske tager fejl, fru Kirschmeyer. Jeg ved ikke, hvem De tror, jeg er, men De taler med afdelingschef Valdemar Uhlendorff fra Skifteretten. Vi behandler i øjeblikket skiftet efter Deres afdøde mor, Rigmor Kirschmeyer, og har lige et par spørgsmål at stille Dem i den anledning. Kan De måske være mig behjælpelig med det?"

Man kunne tydeligt fornemme af tavsheden, hvor paf kvinden var blevet, og hvor hårdt hun kæmpede for at vriste sig løs af sprittågerne.

"Naturligvis, jeg skal ... prøve," kom det kunstigt.

"Tak. Vi ved, at Deres mor hævede ti tusind kroner kort før sin ulykkelige bortgang, og ifølge Dem selv havde hun dem stadig hos sig, da hun besøgte Dem kort før det fatale overfald. Har De mon nogen som helst anelse om, hvad de penge skulle anvendes til, Birgit Kirschmeyer? Herinde er vi jo altid bange for at komme til at overse en fordring, og der skulle nødigt være noget i forhold til Deres mor, som vi ikke kender til, og som siden vil skulle udredes. Skyldte Deres mor penge væk, tror De? Måske en privatperson, hun havde til hensigt at betale samme dag, eller kunne hun måske have haft et specielt indkøb i tankerne, som hun ikke nåede at få foretaget? Ved De det?"

Denne gang blev tavsheden bemærkelsesværdigt lang. Var hun faldet i søvn, eller granskede hun simpelthen bare sin sløvede hjerne?

"Et indkøb, tror jeg," svarede hun langt om længe. "Måske til en pels, hun havde talt om."

Det lød bestemt ikke overbevisende, for hvor køber man pelse så sent på dagen?

"Vi ved, at hun ofte brugte sit Visa-kort, så det virker mærkeligt på os, at hun har så stort et beløb i kontanter på sig. Men hun kunne måske bare godt lide at have kontanter på sig, er det sådan?"

"Ja," kom det hurtigt.

"Men ti tusind kroner? Det var dog ikke så lidt!"

"Nej. Men jeg tror desværre ikke, jeg kan hjælpe," rystede hendes stemme. Var hun begyndt at græde?

Klikket derefter lød lige så stille.

De to så på hinanden.

"Godt knoklet, Hardy."

"Fra små børn og fulde folk, som man siger. Hun løj, men det ved du vel?"

Carl nikkede. "Købe pels med kontanter? Datteren er kreativ, det må man lade hende." Carl smilede. Det havde været to minutters sødme-fyldt nostalgi at se manden folde sig ud som i gamle dage.

"Du kaldte dig Uhlendorff? Hvor hulen kom det fra?"

"Jeg kender en fyr, som har købt et sommerhus, hvor der engang boede en Uhlendorff. Men er vi ikke enige om, at I skal granske både Rigmor og Birgit Kirschmeyers bankkonti lidt tilbage i tiden? Der kan jo let være sammenfald mellem udtræk og indlån."

Carl nikkede. "Ja, hun kan have haft pengene med til sin datter. Men hvorfor havde konen dem så stadig på sig, *efter* hun forlod datterens lejlighed, kan du sige mig det?"

"Sig mig, er det dig eller mig, der får løn for politimæssigt arbejde, Carl? Jeg spørger bare."

De vendte ansigtet mod Morten, der halvt tildækket af sorte affalds-sække stod på trappen til førstesalen og hev efter vejret.

"Jeg fandt noget af Mikas gamle træningstøj dernede. Må jeg også lægge det på loftet, Carl?" spurgte Morten, kobberrød i ansigtet efter at have knoklet op og ned ad stigen.

"Ja, hvis du ellers kan finde plads."

"Der er plads nok. Bortset fra alt Jespers habengut og en masse kas-ser med puslespil fra Vigga og den slags så er der bare et par ski og en aflåst kuffert deroppe. Har du nogen idé om, hvad der er i den, Carl?"

Han rynkede brynene. "Mon ikke det også er noget af Viggas? Jeg skal nok få det tjekket en dag. Man skulle jo nødigt have et parteret lig liggende deroppe uden at vide det, vel?" Han lo ad Mortens reaktion. Hans fantasi manglede i hvert fald ikke noget.

"HVAD VIL DU helst i dag, Assad? Traske rundt med Gordon i kvartererne bag Kongens Have og tjekke steder, hvor Rigmor Kirschmeyer kunne tænkes at have vist sine mange kontanter frem, eller prøve at finde en nuværende eller tidligere ansat på Stålvalseværket, som kender omstændighederne ved Roses fars ulykke?"

Assad så på ham med tunge øjne. "Tror du ikke, jeg ved, hvad du har gang i, Carl? Er jeg måske en kamelko, der har mistet sin kalv?"

"Øhhh. jeg tror ikke lige ..."

"Når kamelkoen sørger, så giver den ikke mælk, men lægger sig fladt ned på jorden, og ingen verdens ting vil kunne få den i gang igen. Ikke før den får et gevaldigt rap lige i røven."

"Æhh ..."

"Selvfølgelig det sidste, Carl."

Nu var han slet ikke med.

"Jeg finder den mand på Stålvalseværket, ikke? Og det med Gordon kan du godt glemme. Han gik allerede runden i går, lige efter at vi havde været hos Mona. Sagde han ikke, at han ville det?"

Carl var målløs.

"Ja, det er rigtigt," samtykkede Gordon minuttet efter i situationsrummet. "Jeg var rundt i samtlige kiosker, på værtshusene, restauranterne, ved pølsemanden, simpelthen alle steder imellem Store Kongensgade og Kronprinsessegade på den ene led og mellem Gothersgade og Fredericiagade på den anden. Jeg viste dem et foto af Rigmor Kirschmeyer, og et par af dem kunne med et vist forbehold genkende hende, men havde i hvert fald ikke set hende i et godt stykke tid. Altså ikke nogen forklaring på, hvem hun kan have viftet om næsen med sine pengesedler ad den vej."

Carl var benovet. Fyren måtte være drønet fra sted til sted for at kunne nå det på den korte tid. Så var det da endelig en fordel, at han havde så ualmindeligt lange ben.

"Jeg er ved at prøve at støve Roses veninde fra skoletiden op," fortsatte han. "Jeg fik ringet til Roses gamle folkeskole, og der kunne sekretariatet bekræfte, at der kom en ny pige til i Roses klasse i 1994. Hun hed Karoline, som Yrsa fortalte oppe hos Mona. Skolen havde ikke længere arkiver på det, men en af de gamle lærere kunne huske både Rose og Karoline. Han kunne endda præcisere det og huske, at hendes efternavn var Stavnsager, faktisk."

Carl rakte tommelen i vejret.

"Ja, jeg har godt nok endnu ikke fundet hende under det navn, men det skal nok lykkes, Carl. Det skylder vi Rose, ikke?"

DER GIK EN time, så stod Assad i Carls døråbning.

"Jeg har fundet en tidligere medarbejder på Stålvalseværket. Han hedder Leo Andresen og er medlem af en historisk forening for fratrådte medarbejdere deroppe, og han ville prøve at finde frem til nogen, der var i nærheden af hal W15, da det med Roses far skete."

Carl så op fra sine papirer.

"Der er sket en hel del deroppe siden da, Carl. Fabrikken er overtaget af russerne i 2002. Virksomheden er blevet delt op i flere forskellige firmaer, og på selve værket er der kun tre hundrede medarbejdere tilbage af flere tusind, der arbejdede der før. Han sagde, at der var foretaget investeringer for milliarder, og at virkelig meget ser anderledes ud i forhold til dengang."

"Det er vel ikke så underligt, ulykken var jo for sytten år siden, Assad. Men hvad med den hal, du nævnte, er den stadig intakt, så vi kan besigtige ulykkesstedet?"

Han trak på skuldrene, det havde han åbenbart ikke fået spurgt om. Han var virkelig ikke oppe i sædvanlige omdrejninger.

"Leo Andresen ville tjekke det hele. Han huskede tydeligt ulykken, selv om han ikke havde med de folk at gøre, der var tæt på. Han arbejdede med stærkstrøm, tror jeg, han sagde, og det var et helt andet sted. Den er jo kæmpeenorm, den fabrik."

"Så må vi jo hellere krydse fingre for, at han finder en, der ved noget mere."

Carl trak papirerne hen foran Assad.

"Her er to bankkontoudskrifter, og spørg mig ikke om, hvordan jeg har fået fat på dem."

Han satte cirkler ved forskellige beløb omkring den første i hver måned på begge papirer. "Prøv at se her og dér og dér."

Carl duppede på et par af cirklerne. "Her er Rigmor Kirschmeyers udtræk siden 1. januar. Som du kan se, så er der et større kontantudtræk op til alle månedsskifter. Og se så her."

Han pegede på et par beløb på det andet stykke papir.

"Dette er så datterens konto. Sjovt nok, så bliver der i samme periode sat et lidt mindre kontantbeløb ind på hendes konto lige *efter* månedsskiftet, så Birgit Kirschmeyer har nok haft morens penge i hånden, inden hun satte dem ind på sin konto, og så ladet betalingsservicen klare både sin og Denises husleje, acontovarme og sådan noget. Det fremgår i hvert fald af bilagene her."

Assads øjne løb nærmest i vand. "Hutlihut," sagde han stille.

Carl nikkede. "Nemlig. Huttehut for det. Og hvad må man så tænke om det? Mon ikke Rigmor Kirschmeyer systematisk understøttede sin datter og sit barnebarn?"

"Og det gjorde hun selvfølgelig så ikke i den her måned, fordi hun blev slået ihjel den 26. april." Assad fik det særlige afklarede glimt i øjet, som når han rejste sig fra sit bedetæppe. Han talte på fingrene, mens han remsede sine fakta op.

"ET. Så vidt vi har fået oplyst af Birgit Kirschmeyer, så havde moren pengene på sig, da hun aflagde hende et besøg den 26. april.

TO. Pengene er ikke blevet indbetalt på Birgits konto, og derfor er en masse regninger ikke blevet betalt for maj måned.

TRE. Derfor kan man vel konkludere, at datteren ikke har modtaget pengene den dag, Rigmor Kirschmeyer blev slået ihjel.

FIRE. Der er sket et eller andet den dag, så Rigmor Kirschmeyer har besluttet sig for ikke at give sin datter pengene, som hun plejede.

FEM. Og vi ved ikke hvorfor!"

"Helt enig, Assad. Og SEKS: Hjælper det her os på nogen som helst måde, for vi kender jo ikke forholdet mellem Rigmor og Birgit Kirschmeyer?"

"Selvfølgelig må vi konfrontere Birgit med de forhold, men jeg tror også, at du må forske lidt mere i hendes mors baggrund. Hvem var Rigmor Kirschmeyer egentlig? Var grunden til, at hun understøttede sin datter, at hun forventede at få noget til gengæld? Og undlod hun at udbetale pengene den 26. april, fordi hun ikke havde fået det, hun skulle have? Var der tale om en form for afpresning? Eller var det snarere et spørgsmål om, at hun pludselig af en eller anden grund valgte en anden procedure?"

"Hvad mener du?"

"Hvorfor giver man andre mennesker kontanter på den måde? Fordi modtageren så ikke nødvendigvis behøver at svare skat af beløbet, tænker jeg. Men hvad så, hvis Rigmor Kirschmeyer fik kolde fødder? At hun pludselig indså, at den sammenligning, *vi* lige har foretaget, var en sammenligning, som skattevæsenet nøjagtig lige så let kunne foretage. Og det turde hun ikke længere binde an med. Hun tænkte måske, at hun i hvert fald ikke skulle bøde for datterens og barnebarnets sociale bedrageri."

"Kunne hun da komme til det?"

"Måske hvis beløbet blev meget stort. Men nej, det tror jeg faktisk ikke, men måske troede *hun* det. Det kan også være, at Rigmor Kirschmeyer havde tænkt sig fra nu af at ville indbetale pengene direkte på datterens konto. Måske kendte hun til datterens alkoholproblem og ville ikke risikere, at pengene blev brugt forkert."

"Kunne Birgit Kirschmeyer så ikke lige så godt trække pengene ud bagefter og bruge dem på sprutten?" spurgte Assad.

Han havde selvfølgelig ret. Der var virkelig mange aspekter i det ellers så enkle regnestykke.

"Moren havde i hvert fald penge nok til at understøtte datteren og barnebarnet, kan jeg se." Assad pegede på hovedsaldoen. Der stod mere end seks millioner.

Carl nikkede. Alene det var et motiv til at ønske hende død.

"Mistænker vi Birgit Kirschmeyer, Carl?"

"Jeg ved det ikke, Assad. Tjek både hendes, morens og barnebarnets baggrund. Find ud af noget om det hele, Assad, og giv mig så nummeret på ham stålarbejderen, så tager jeg over dér."

"Han hedder altså Leo M. Andresen og var engang tillidsmand og leder af en afdeling på værket, Carl. Så tal pænt til ham."

Det var ligegodt da noget af en proklamation. Talte han da ikke altid pænt til folk?

TILLIDSMAND LEO M. ANDRESENS stemme var trods pensioneringen ungdommelig, og jargonen endnu yngre, kort sagt var han umulig at aldersbestemme over telefonen.

"Vi kan jo bare mødes heroppe, når jeg har fundet nogen, der er lidt mere oppe på beatet, Carl Mørck. Man kan jo efterhånden fodre høns med de der gamle stålbavianer, så mange er der, ha ha. Nå, men lykkes det, så snupper vi lige en runde på værket og kigger på, hvor manden stillede træskoene."

"Øh, tak skal du have! Men så findes ulykkesstedet altså stadigvæk? Jeg har ellers fået en opfattelse af, at meget er bygget om."

Han lo. "Ja, W15 er bygget ud i alle mulige og umulige retninger, det er rigtigt nok. Slabsene kommer jo direkte fra Rusland nu, for værket støber nemlig ikke længere selv, og siden da er behovet for space blevet et andet. Men den del af hallen, hvor Arne Knudsen himlede, ligner stort set sig selv."

"Slabsene? Hvad er det jargon for? Slapsvansene?"

"Ha ha, godt set. Nej, det er de stålblokke, som russerne sender os, og som Stålvalseværket så presser om til plader."

"Javel, for det er altså bare det, man gør på værket?"

"Ja, bare og bare, det er da så meget sagt, det er jo noget tungt grej, det her. Men man modtager altså stålet fra Rusland i slabsblokke og opvarmer dem til cirka tolv hundrede grader og presser dem så til plader i alle størrelser og kun efter bestilling."

Carl havde flere spørgsmål, men så var der en i baggrunden, der råbte: "Leo, så er der kaffe," og manden takkede af.

På den måde kan sådan en pensionists hverdag jo ændre sig drastisk fra sekund til sekund.

27

Torsdag den 26. maj 2016

MICHELLE SAD PÅ kanten af sofaen med ansigtet begravet i sine hænder. Alt var simpelthen så forfærdeligt, at hun bare havde grædt og grædt det meste af natten. Lige så snart de var kommet hjem, havde hun af al magt prøvet at få dem til at forstå, hvor alvorligt det hele var. At de havde begået væbnet røveri og derefter skudt en pige.

At det hele allerede var i radioen.

Men de havde grinet ad hende og skålet i varm champagne og sagt, at hvis hun nu bare gik tilbage til Patrick med de par tusind kroner, som han mente, hun skyldte ham, og derefter lyttede til ham, som om hun var faldet ned fra månen, når han fortalte hende, hvad der var sket på diskoteket, så var der i hvert fald ikke nogen, der ville mistænke hende.

Og hvad hende Birna angik, så skulle hun overhovedet ikke tænke på det. Hun havde jo selv været ude om det. Men Michelle var ikke rolig, og det var ikke alene på grund af det. For bare seks dage siden var hun ved at blive kørt ihjel, og det var nærmest et mirakel, at hun trods smerter og knubs stadig kunne alt det, hun kunne. Men havde de to andre taget hensyn til hende i den retning? Nej, det havde de ikke. Nu havde de boet sammen i lejligheden i tre dage, og hvad var der sket? Michelle havde jo stort set ikke bestilt andet end at rydde op efter de to andre. Var det måske okay, når det var hende, der havde været på hospitalet og stadig indimellem havde ondt i hovedet, og ikke de andre? Det syntes hun ikke.

Overalt i lejligheden lå tøjet og flød. Lågene på makeup-krukkerne blev ikke skruet på. Der var tandpasta på spejlet, hår i vasken, udtværede telefonnumre på deres sugardaddies på flisevæggen. Toilettet blev ikke skyllet ud. De to andre lavede ikke mad, det gjorde Michelle, og det snavsede service måtte hun også tage sig af. I det hele taget var de slet ikke som de to piger, hun troede, de var. De tjekkede piger, som hun havde mødt i jobcentret, var bare nogle værre svin derhjemme, syntes hun.

Denise havde ovenikøbet taget en af sine sugardaddies med hjem sent om natten, selv om de havde været enige om, at det gjorde man ikke, og så kunne hun ligge derinde ved siden af og høre på det. Hun fik mere ondt i hovedet af sådan noget. Kunne slet ikke klare det, faktisk.

Og så det, der skete i går! Stik imod, hvad de havde forsikret hende om, så var det endt meget, meget galt. Og for at gøre ondt værre så virkede det, som om det overhovedet ikke bekymrede dem. Pistolen havde de bare smidt tilbage i høkassen ude på altanen. Men havde de ikke tænkt på, at hvis Birna nu døde, så var pistolen et mordvåben? Hvis Jazmine kunne finde den i kassen, så kunne politiet vel også. Det var slet ikke til at holde ud.

Hun så op på tv-skærmen og begyndte at ryste, mens hun tænkte på konsekvenserne. Der lå de to gimper inde på deres værelser og snorksov, selv om klokken var over ti, og man i TV2 News ikke talte om andet end røveriet og kvinden, der blev skudt. De sagde ikke noget om, hvorvidt Birna var død eller levende, plejede de ellers ikke det?

Og alle vegne lå der pengesedler og flød, fordi Jazmine og Denise i deres fuldskab havde kastet dem op i luften og ladet dem dale ned over sig som regn. Pengene var selvfølgelig gode nok, men hvordan skulle hun forklare Patrick, at hun pludselig kunne betale det, hun skyldte ham? Det var jo sidst på måneden, hvor hun ellers aldrig havde en nikkel tilbage, og kendte han hende ikke godt nok til at vide, at så måtte der være et eller andet galt? Jo, han gjorde så.

Og når hun sådan tænkte på ham og på, hvor længe de havde været sammen, så kunne hun ikke lade være med at tude igen. Hvorfor var hun overhovedet gået fra ham? Og hvorfor havde hun ikke bare taget det job på vaskeriet, når det var det, han så gerne ville?

På tv-skærmen stod nu en reporter i grå parkacoat foran Victoria med en mikrofon i hånden. Hans læber bevægede sig, og kameravinklerne vekslede.

Michelle skruede op for lyden.

"De to kvinder, der bar tørklæder for ansigterne, slap væk med et udbytte på mere end et hundrede og femogtres tusind. Det er lykkedes at lokalisere dem på de forskellige overvågningskameraer, og selv om de tilsyneladende har vidst, hvor de var placeret, og har beskyttet ansigterne, så har man nu fået et nogenlunde signalement af deres alder og statur. Politiets eksperter vurderer ud fra kvindernes gang og påklædning, at det formentlig drejer sig om to etniske danskere i tyverne med atletiske skikkelser og en højde på omkring en halvfjerds for den enes vedkommende og muligvis lidt højere for den anden. Begge har ifølge den overfaldne manager og en vagt blå øjne."

Michelle så med tilbageholdt åndedræt på de mange videoer af Jazmine og Denise set ovenfra, fra siden og på afstand. Gud ske lov så man ikke deres ansigter, ligesom han sagde, og det tøj, de havde på, kunne hvem som helst have været iført den aften, det trøstede hende lidt.

"Et nærmere signalement prøver man nu at rekonstruere ud fra en af vagternes beskrivelse, eftersom han som den eneste har set dem uden tørklæder." Han vendte sig mod et andet kamera. "De menes at være forsvundet op mod Sydhavnsgade, så for at få et overblik over deres færden forhører politiet sig i øjeblikket hos taxaselskaberne og ser på diverse overvågningskameraer på S-stationerne i nærheden og rundtomkring i bybilledet."

Så vendte han sig igen mod det første kamera. "Sammenhængen mellem røveriet og skuddramaet i smøgen op til natdiskoteket er endnu ikke klarlagt, men ifølge Victorias daglige leder, der blev holdt op af kvinderne, var den anvendte pistol af typen Parabellum, også kaldet Luger, et ret ikonisk 9 mm-håndvåben fra Anden Verdenskrig, hvilket også svarer til den kaliber, hvormed den nedskudte kvinde blev ramt."

Så viste de et foto af pistoltypen, og Michelle genkendte den. Det var lige sådan en, der lå derude i kassen på altanen.

"Den unge kvinde, der blev skudt, er kendt af politiet. Det drejer sig om den toogtyveårige Birna Sigurdardottir, som flere gange har været anholdt for vold og gadeuorden. Af samme grund udelukker politiet ikke, at hun kan have været medvider, og at det måske endda var hende, der stod bag planlægningen af røveriet. I øjeblikket afhører politiet ligeledes to kvinder, der menes at være medlemmer af en bande, der ledes af Birna Sigurdardottir, og som sammen med hende har begået flere overfald på andre kvinder, hovedsagelig i Københavns Sydvestkvarter, hvor også røveriet foregik."

Michelle rystede på hovedet. Der var så mange mennesker, der ledte efter dem. Hvad ville hendes mor og stedfar sige, hvis de vidste, at hun havde været med? Hun blev helt kold ved at tænke på det. Og hvordan ville alle dem, hun kendte, se på hende, hvis de vidste, at hun på en eller anden måde havde været med til det her?

"Birna Sigurdardottirs tilstand er ifølge lægerne på Rigshospitalet yderst alvorlig, og en afhøring af hende har hidtil været umulig og vil, hvis de værste prognoser holder stik, formentlig ikke kunne finde sted."

Michelle så ud i luften. Hvis hun døde, så var det mord. Og hvis ikke, så ville Birna jo vide, hvem de var. I hvert fald ville hun kunne fortælle om Jazmine, og så ville de finde ud af det hele, for fandt politiet Jazmine og gik hårdt til hende, så var hun ikke sikker på, at hun ville kunne holde tæt.

Hvad der end skete, så kunne det bare ikke være værre.

Michelle så på sit ur. Nu lagde reporteren nok an til at afslutte indslaget, for klokken var lige ved elleve, og så var der reklamer.

"Politiet konkluderer ud fra det lokalkendskab, gerningskvinderne har haft til Victoria, at der kan være tale om et insiderjob. I den sammenhæng har man netop nu taget flere af diskotekets ansatte ind til afhøring. Vi vender tilbage, når der er mere nyt i sagen."

Michelle trak sig baglæns på sofaen. Åh, gud! Hvad nu hvis det var Patrick, de havde fat i?

Hun pressede læberne sammen. Hun skulle bare væk herfra. Hjem til Patrick, bare væk.

Og mens hun samlede sine ting sammen, overvejede hun, hvor mange af sedlerne hun kunne tage med sig, for de havde jo ikke aftalt noget om det. Måske ville de andre blive umulige at have med at gøre, hvis hun overhovedet tog noget.

Til sidst besluttede hun sig for at tage de tyve tusind, der lå i et bundt på sofabordet, det var ikke så meget i forhold til de et hundrede og femogtres, og hvis hun nu bare gemte dem godt af vejen og kun gav Patrick et lille beløb, så kunne der vel ikke ske noget ved det.

Hun bankede på Denises værelse og gik ind, selv om der tilsyneladende ikke var noget liv.

Der lå hun halvt bevidstløs på sengen, fuldt påklædt med åben mund og makeuppen smurt ud over hele puden og lignede en luder. En anden pude var trykket godt ind mellem benene, og pengesedlerne flød rundt omkring hende og ned på gulvet. Michelle var oprigtig forarget over det.

"Jeg går nu, Denise," sagde hun. "Og jeg kommer ikke igen, okay?"

"M'kay," mumlede Denise. Hun gad ikke engang åbne øjnene.

Nede på gaden prøvede Michelle at tænke på ting, der var en smule positive i alt det her forbandede møg.

Det første og bedste var, at Patrick kunne bevidne, at hun *ikke* havde været med til røveriet, og at ingen vidste, at hun og de to andre piger havde fundet sammen. Dernæst hørte det til på plussiden, at Denise havde sørget for, at deres taxatur ikke kunne spores hertil. Den første taxa fra Sydhavnen tog de ind til Rådhuspladsen, og derefter var de gået op til Ørstedsparken, hvor de havde smidt tørklæderne og deres jakker foran en subsistensløs kvinde, der lå og snuede på en bænk. Derfra gik det videre med bus til Østerport Station, og så videre op mod Stenløse i en taxa, der kom fra et andet selskab end den første.

Undervejs havde Jazmine og Denise bare ladet som ingenting og talt livligt om den gode mad, de havde spist på en af de lokale restauranter. Til sidst var de blevet sat af på den anden side af Stenløse Station og var gået resten af vejen hjem. Det var godt nok.

Sidst, men ikke mindst tvivlede Michelle på, at der overhovedet var nogen, som ville mistænke en pige, der netop var blevet kørt ned af en flugtbilist, for at stå bag et røveri.

På den anden side så var der jo Jazmine og Denise. Hvis hende Birna vågnede op, eller politiet på anden måde fandt frem til dem, kunne de så holde tæt, eller ville de begynde at synge? Og hvis de gjorde det, ville de så tage hende med i faldet, selv om de havde lovet noget andet?

Michelle fik et sug i maven. Nu var hun næsten nede ved stationen. Burde hun vende om og gå tilbage til dem og få det hele på det rene? Hun stoppede op og vejede for og imod. De havde jo selv sagt, at hun skulle tage ind til Patrick og få det ordnet, var det så ikke det, hun skulle?

Men hvad nu, *hvis* politiet virkelig havde taget ham ind til afhøring, så var han jo ikke hjemme? Det måtte hun bare have styr på før noget andet.

Hun trak sin mobil op af tasken. Hvis han tog telefonen, så var det godt. Så kunne hun melde sin ankomst og fortælle ham, at hun kom med pengene, og så ville han heller ikke blive så overrumplet. Michelle smilede. Måske ville han endda blive glad, ja, måske ventede han ligefrem på hende og ville overtale hende til at blive. Havde der ikke ligesom været et lille glimt af håb imellem dem i går? Det syntes hun så bestemt.

Så lød der et bump, som fik hende til at vende sig mod en sort bil, der styrede direkte mod hende.

Det sidste, hun nåede at registrere, var, at der bag rattet endnu en gang lyste et velkendt ansigt op, hvor det bestemt ikke burde være.

28

Torsdag den 26. maj 2016

ROSE STIRREDE IND i væggen.

Når hun holdt blikket fastnaglet til den svagt gule flade og sad fuldstændig stille, så opstod der et vakuum omkring hende, der sugede al bevidsthed ud af kroppen. I den tilstand var hun hverken vågen eller sovende. Her var åndedrættet umærkeligt og sanseapparatet sat i dvale. Her var hun bare levende død.

Men når så lyde ude på gangen vækkede hende, bølgede der en dominoeffekt af tanker gennem hende, hvor ubetydelige de end var, som gjorde hende fuldstændig afmægtig. Et klik fra en dør, en klynken fra en lidelsesfælle, et skridt, mere skulle der ikke til, før Rose måtte snappe efter vejret og begyndte at græde.

Man havde ordineret hende medicin, der kunne cutte kredsløb. Medicin, der kunne sløve, og medicin, der trængte hende ned i en dyb, drømmeløs søvn. Og alligevel vendte dette reaktionsmønster tilbage ved den mindste provokation.

Før Rose blev indlagt, havde hun gennemlevet uger med stort set søvnløse nætter. En nærmest umenneskelig ophobning af sorte timer, der kun kunne fortrænges ved, at hun pinte sig selv på mangfoldige måder.

Rose vidste udmærket, hvorfor det måtte være sådan. For var hun bare et øjeblik uagtsom, blev hun forsvarsløs kastet ind i en kaskade af gensyn med sin fars vrælende mund og de plirrende, nærmest forbavsede øjne i det øjeblik, han blev slået ihjel. Og så havde hun i de stunder uundgåeligt råbt mod loftet, at han skulle lade hende være i fred, og kradset sig selv i huden, så smerterne i nogle sekunder kunne overdøve de evigt malende tanker.

"Du skal ikke være her," begyndte hun efter en tid at mumle. Og da stemmen efter et utal af timer ikke længere lystrede, så tænkte hun det i stedet, mens hun skrev.

Da hun i fire døgn stort set hverken havde fået søvn eller mad, bad hun om at blive indlagt.

Som oftest vidste Rose, hvor hun var, men til gengæld kneb det med at holde styr på tiden. Man havde fortalt hende, at hun havde været der knap ni dage, men det kunne lige så godt være fem uger. Og lægerne, som hun kendte så godt fra sin sidste indlæggelse, blev stædigt ved med at forsikre hende om, at hvordan hun end opfattede tiden, så var det ganske betydningsløst. Hvis bare hun igennem forløbet mærkede fremskridt, hvor uvæsentlige de end måtte synes, så var der intet at bekymre sig om.

Og Rose vidste, at de løj. At de denne gang ville gøre alt for at ignorere hendes integritet og i stedet forcere og intensivere behandlingen, så de til sidst fik fuld kontrol over hende.

Rose så distancen til hende i deres ansigter, når hun begravede sig i gråd, og specielt sygeplejerskerne havde svært ved at beholde pokerfjæset på. De udstrålede ikke medynk eller sympati som sidste gang, snarere den form for irritation, man som professionel kan føle, når tingene ikke bare glider, som de skal.

Til samtalerne havde man gennem hele forløbet plæderet for en ubeskåret frivillighed, og at Rose kun skulle fortælle dem det om sin ensomhed og mobning og det at føle sig forrådt af sin mor og at have forspildt sin barndom, som hun nu magtede og havde lyst til.

Det dybeste rum i hendes sorte mørke fik de selvfølgelig ikke adgang til, for det var hendes og kun hendes. I det rum lå sandheden om hendes fars død begravet, og skammen og chokket, som hendes andel i den tragedie havde forårsaget, skulle der ikke rodes op i.

Nej, Rose holdt afstand, det var hendes specialitet. Hvis bare de ville ramme en medicinering, der kunne få hendes had, skyldbevidsthed og sorg til at forsvinde, så var hun tilfreds.

DE HAVDE HENTET hende på fællesstuen, mens hun græd, og hun havde troet, at de ville føre hende ind på hendes eget værelse, så hun ikke fik sat de øvrige patienter i oprør, men i stedet ledte de hende ind på overlægens kontor.

Ud over overlægen selv sad der en assisterende overlæge, hun bestemt ikke brød sig om, afdelingssygeplejersken og så en af de yngre læger, der stod for medicineringen. De så alvorlige ud, og Rose vidste, at den dag nu var kommet, hvor hun endnu en gang skulle konfronteres med et tilbud om elektrochok.

Sagen var bare den, at ingen i denne verden skulle pille ved Roses hjerne. Hvad hun havde oplevet i sit liv, skulle ikke bare stødes væk. Hvad der stod tilbage af livsgnist og kreative tanker, skulle ikke døves. Hvis de ikke kunne finde den medicin, der skabte ro i hende, så ville hun slet ikke være der. Hun havde forbrudt sig og gjort ting, hun ikke var stolt af, og det faktum kunne de ikke slette.

Hun skulle bare lære at leve med det. Det var alt.

Overlægen så på hende med den slags rolige øjne, der er tillært. Manipulation havde mange udtryk, men selv om man prøvede af al magt, så narrede man ikke en efterforsker, der stort set udelukkende beskæftigede sig med løgne og ondskab.

"Rose," sagde han med fløjlsstemme. "Jeg har bedt dig komme til samtale, fordi vi er kommet i besiddelse af nogle oplysninger, som på mange måder vil kunne påvirke vores opfattelse af din situation, og hvad vi så bør gøre for at afhjælpe den." Han rakte hende en pakke tissues, men hun tog ikke imod den.

Rose rynkede brynene og tørrede øjnene med håndryggen, vendte sig mod væggen og så intenst ind i den, mens hun forsøgte at få pulsen ned. Det her havde hun slet ikke set komme. Oplysninger, sagde han?! Men de skulle ikke snakke om nogen som helst oplysninger ud over dem, hun selv gav dem, det var helt sikkert.

Hun rejste sig halvt og tænkte, at det var nu, hun skulle tilbage til værelset og se ind i væggen. Bagefter kunne hun jo så overveje, hvad der siden skulle ske.

"Prøv lige at sætte dig igen, Rose, og hør så efter. Jeg ved, at det kan virke voldsomt intimiderende, men folk omkring dig vil dig kun det bedste, det ved du vel? Og nu er det sådan, at dine søstre er kommet med oplysninger om nogle af dine skriverier, som dine kolleger inde på Politigården efterfølgende har fået analyseret. Der er så at sige skabt et tidsbillede af dit liv siden tiårsalderen gennem dine vekslende mantraer."

Rose satte sig ned, mens hun tabte fokus og blev iskold. Tårekanalerne stoppede til, kæbemusklerne strammedes.

Hun vendte sig langsomt mod ham, og uanset hvor imødekommende og venlig han forekom, så kunne hun sagtens se igennem alt det. Lige nu havde han for alvor svigtet hende, den lort. Undladt på forhånd at orientere hende om udviklingen og forsømt at fortælle hende, at der var fremkommet oplysninger, som han egentlig først burde bede hende om tilladelse til at bruge. I dagevis havde hun været martret, og nu førte han hende ind i selveste torturkammeret.

"Nu lægger jeg en seddel foran dig, som er en oversigt over de sætninger, du har siddet og skrevet i dine hæfter i alle de år, siden du var en stor pige, Rose. Prøv at kigge på den, og sig mig, hvad du føler."

Rose hørte ikke efter. Hun tænkte bare, at hun burde have brændt de noteshæfter i tide og så have taget livet af sig, før sindssygen for alvor tog fat. For lige nu lurede den mere end nogensinde, det var der så meget, der tydede på.

Ved siden af hende stod et skab med glaslåger. Hvad fanden lægen havde i det, måtte guderne vide, men hun turde ikke se på det, det var sådan, hun havde det. For to dage siden havde hun drejet hovedet mod det og set sit eget spejlbillede, og det havde skræmt hende, så uvirkeligt havde det føltes. Var det virkelig hende derinde, der tænkte de tanker, som lige nu registrerede, at det var hendes ansigt, der reflekteredes i glaslågen? Var det hendes øjne, som sugede dette indtryk ind i hjernen, som også var hende? Hun var ved at blive skør over disse umulige spørgsmål. Dette uforståelige ved overhovedet at være til gjorde hende svimmel, som om hun var påvirket af et eller andet.

"Hej Rose, er du der?" Overlægen gestikulerede mod hende, og Rose vendte hovedet i hans retning. Det virkede nærmest, som om hans pande rørte hendes, og at rummet nu var mindre end nogensinde før.

'Det er, fordi vi er så mange herinde,' tænkte hun ved sig selv. 'Rummet er, som det plejer at være. Det er det altså.'

"Men prøv at høre her, Rose. Gennem disse sætninger, du har skrevet, er det blevet tydeliggjort, at du har forsøgt at værne dig mod din fars psykiske overgreb via indre dialoger med ham. Vi ved nogenlunde, hvornår og hvorfor du har skiftet mellem de forskellige udsagn, men vi ved jo ikke, hvad der præcis har rørt sig i dit indre. Jeg tænker, at du formentlig har søgt nogle svar, som kunne hjælpe dig ud af det mørke, du befandt dig i. Og det er det, vi en gang for alle skal se at få styr på, så du kan slippe af med dine tvangstanker. Er du med på den øvelse, Rose?"

'Øvelse,' sagde han, som om det var en leg.

Roses arme lå slapt i skødet, da hun lod blikket glide op over papiret og videre mod loftet. Hun mærkede så tydeligt, hvordan de fire mennesker stirrede forventningsfuldt på hende. Måske ventede de, at det her forbandede lort skulle få hende til at bryde sammen. Måske troede de, at disse bogstaver og systematikker ville suge tanker ud af hende og lade svarene på deres spørgsmål rotere blottede rundt omkring dem. Som om deres manøvre ville få hende til at buse ud med det, som medicinen, den sukkersøde snak, formaningerne, advarslerne og bønnerne ikke havde kunnet. Som om den var et sandhedsserum, rendyrket scopolamin i papirform.

Hun koblede sit slørede blik på overlægens.

"Elsker du mig?" spurgte hun ham overdrevent tydeligt.

Det var ikke kun overlægen, der blev synligt forvirret.

"Elsker du mig, Sven Thisted? Kan du sige, du gør det?"

Han ledte efter ordene. Fremstammede, at selvfølgelig gjorde han det, ligesom han elskede alle mennesker, der betroede ham deres inderste tanker. Som dem, der havde brug for hjælp, som dem ...

"Årh, hold da kæft med dit skide doktorsprog, vil du ikke nok?" Hun vendte sig mod de andre. "Hvad siger I? Har I et bedre svar?"

Det blev sygeplejersken, der fremstod som oraklet.

"Nej, Rose, og det må du heller ikke forlange af os. Ordet 'elske' er for stort, det er for intimt, kan du ikke forstå det?"

Rose nikkede, rejste sig mod kvinden og omfavnede hende. Selvfølgelig misforstod hun det og klappede Rose trøstende på skulderen, men det var ikke Roses ærinde. Hun omfavnede hende, så kontrasten blev tydeliggjort, da hun vendte sig mod de tre læger og hvæsede dem så direkte i ansigterne, at der stod en sky af spyt omkring dem.

"Forrædere, det er, hvad I er!! Og INTET i verden skal få mig tilbage til et sted, hvor velbetalte, sunde, bedrevidende kvaksalvermænd, der ikke elsker mig, tænker fordækte tanker, der er farligere for mig end dem, jeg selv bærer rundt på."

Overlægen prøvede at se overbærende ud, men det hørte omgående op, da hun trådte frem mod ham og knaldede ham en lussing, så de to andre læger rykkede tilbage på stolene.

Da hun passerede lægesekretærens bord ude i korridoren, nåede kvinden lige at sige, at en vis Assad var i røret og gerne ville tale med hende.

Rose vendte sig i et ryk mod hende. "Nå, er han det!" skreg hun. "Men sig så til ham, at han kan gå ad helvede til, og at de skal lade mig være i fred."

Det gjorde satans ondt, men de, der havde forrådt hende og snaget i hendes liv, var ikke længere en del af hendes verden.

Halvtreds minutter senere var Rose på vej mod taxaholdepladsen foran Glostrup Amtssygehus. Hun var for sløj til det her, det vidste hun godt, for den medicin, hun stadig havde i kroppen, satte omgivelserne i slowmotion, og afstandsbedømmelsen svigtede. Rose følte faktisk, at hvis hun kastede op, så ville hun falde om og ikke rejse sig igen, så hun klemte med sin frie hånd om halsen, og mærkeligt nok syntes det at hjælpe.

Men galt var det. Nøgternt set ville hun sandsynligvis aldrig nogensinde komme til at fungere normalt igen, så det hele var mildest talt ad helvede til. Hvorfor så ikke bare få det overstået? Hun havde da samlet piller nok gennem de sidste par år til at kunne tage livet af sig. Bare et glas vand og nogle få sekunders synkebevægelser, så ville alle modbydelige tanker forsvinde med hende.

Hun stak chaufføren fem hundrede kroner i drikkepenge og fik et øjebliks lykke ud af handlingen. Og mens hun gik op ad trappen til sin lejlighed, tænkte hun på en stakkels tiggende krøbling med afsindigt deforme ben, hun havde set på Katedralpladsen i Barcelona. Når hun alligevel skulle væk herfra, som man sagde, hvad så hvis alle hendes ressourcer blev fordelt ud på ulykkelige mennesker som ham? Ikke fordi hun havde så meget at give af, men hvad nu, hvis hun i stedet for at ødelægge alle sine organer med sovepiller i stedet skar sine pulsårer over? Lagde et brev ved siden af sig, hvor hun donerede alle sine organer bort, og så ringede efter en ambulance, mens hun forblødte. Hvor lang tid før hun mistede bevidstheden, kunne hun mon ringe, uden at der var risiko for, at man nåede tidsnok frem til at redde hende? Det var spørgsmålet.

Og hun låste sig ind i lejligheden, forvirret over alle disse muligheder og forpligtelser og så direkte ind på vægge plastret til med hendes egen skrift. 'DU SKAL IKKE VÆRE HER!', stod der. Du skal ikke være her.

Ordene ramte hende som hammerslag. Hvem talte nu til hvem? Var det hende, der forbandede sin far, eller var det ham, der forbandede hende?

Rose slap sin rejsetaske på gulvet og tog sig til brystkassen. Et tryk indefra skubbede tungen op i ganen, svælget lukkede til. Kvælningsfornemmelsen var så udtalt, at hjertet hamrede løs som et trykluftbor for at skaffe ilt til organismen. Med øjnene på vid gab så hun sig om i lejligheden og konstaterede, hvordan man havde snigløbet hende. Sat manchetter på lys i lysestager. Lagt rene duge på borde. Skubbet scrapbøgerne over hendes Afdeling Q-sager sammen i en fuldstændig firkantet bunke på kommoden under spejlet. Der var pludselig stole, der var rejst op. Fedtede og sukrede klatter, der var blevet tørret af hendes stereoanlæg, væggene, gulvtæpperne.

Hun knyttede næverne og gispede efter vejret. Ingen burde kunne gå ind i et andet menneskes hjem og gøre sig til herre over, hvad der var normalt, og hvordan den, der boede der, skulle gebærde sig inden for sine egne fire vægge. Hendes beskidte tøj og beskidte opvask og skraldet og papiret på gulvet og den udtalte afmægtighed var hendes og hendes alene, og det skulle ingen pille ved.

Hvordan i allerhelvedes navn kunne hun nu fungere i dette klinisk udrensede og gennemvoldtagne hjem?

Rose trak sig baglæns væk fra denne gift og helt ud på svalegangen, lænede sig op ad gelænderet og lod tårerne løbe frit.

Da hendes ben begyndte at sove, vendte hun sig mod sin nabos dør. Gennem de år, Rose havde boet der, var der knyttet et bånd, ikke et decideret venskab, mere en slags mor og datter-forhold, som, helt ulig hvad Rose ellers kendte til, indebar en vis tryghed og fortrolighed. Det var godt nok et stykke tid siden sidst, men sådan som hun havde det, føltes det rigtigt at træde frem mod døren og ringe på klokken.

Uden at vægte tiden blev hun stående sådan ved den lukkede dør, til en anden af svalegangens beboere kom ud fra trappeopgangen og styrede direkte mod hende.

"Prøver du at komme ind til Kirschmeyer, Rose?"

Hun nikkede.

"Jeg ved ikke, hvor du har været på det sidste, men jeg må bedrøve dig med, at Rigmor er død." Hun tøvede et øjeblik. "Hun blev slået ihjel, Rose. Det er tre uger siden i dag. Vidste du ikke det? Du er da politimand."

Roses øjne søgte opad. Mod himlen. Mod det uendeligt uforståelige.

For et øjeblik forsvandt hun for verden, og da hun vendte tilbage, var det, som om verden forsvandt for hende.

"Ja, det er altså frygteligt," sagde kvinden. "Frygteligt, jeg ved det. Og så den unge pige, der blev kørt ned af en flugtbilist her lige rundt om hjørnet tidligere i dag. Men det vidste du måske heller ikke?"

29

Torsdag den 26. maj 2016

DET VAR EN sørgmodigt udseende Assad, som Carl fandt i færd med at rulle sit bedetæppe sammen inde på kældergulvet i det sammenpressede kontor.

"Du virker trist, Assad. Hvad er der los?" spurgte han.

"Det er ikke noget med nogen los, Carl, hvorfor spørger du om det?" Han rystede på hovedet. "Jeg ringede til Roses afdeling for at høre, hvordan det så gik, og så hørte jeg, at hun råbte og skreg i baggrunden, at jeg skulle gå ad helvede til, og at vi skulle lade hende i fred."

"Hørte?"

"Ja, gennem sekretærens telefon. Jeg ville jo vide, hvornår vi kunne besøge hende. Hun må lige være gået forbi, da jeg ringede."

Carl klappede sin væbner på skulderen, så hårde ord havde han bestemt ikke fortjent.

"Jamen det kommer vi så nok til at respektere, Assad. Hvis Rose får det dårligere af, at vi kontakter hende, så gør vi hende ikke nogen tjeneste ved at prøve på det."

Assad bøjede hovedet. Han havde det frygteligt, holdt virkelig meget af Rose, ingen tvivl om det. Nu måtte Carl se at få ham bragt ud af den tilstand. Den hjalp jo ikke ligefrem nogen.

"HAR ASSAD FORTALT dig, hvad hun råbte til ham?"

Gordons aflange ansigt trak sig lidt sammen. Det havde han altså.

"Det er alt sammen min skyld, at hun reagerer sådan," sagde han stille. "Jeg skulle ikke have boret i det der med de noteshæfter."

"Hun skal nok blive god igen, Gordon. Vi har ligesom været igennem noget lignende med Rose før."

"Det tvivler jeg på."

Det gjorde Carl også, men i stedet sagde han: "Pjat med dig, Gordon, du gjorde, hvad du skulle, men det gjorde jeg derimod ikke. Jeg burde have konsulteret hende, før vi kørte ud til hendes lejlighed, og før vi videregav dine notater til psykiaterne derude. Det var ikke professionelt."

"Hvis du først havde konsulteret hende, så havde hun jo sagt nej!"

Carl rakte en pegefinger mod ham. "Netop. Du er jo slet ikke så dum, som du ser ud til, Gordon, og det siger endda ikke så lidt."

Gordon glattede sit notat med tynde stankelbensfingre, der snildt ville kunne favne en basketball. Det sparsomme fedtlag, han havde opbygget gennem de sidste par år, var svundet ind med lynets hast, siden Rose var blevet indlagt. Nu var de lyserøde poser under øjnene pludselig blåsorte, og den fint fregnede hud hvid som flødeskum. Ingen ville påstå, at det så særlig æstetisk ud.

"Som vi jo allerede ved," forsøgte han tjekket, "så var Rigmor Kirschmeyers mand skotøjshandler i Rødovre og havde eneret til et godt skomærke her i Danmark. Da han så døde i 2004, efterlod han en større sum penge. Rigmor Kirschmeyer solgte forretningen, agenturet, huset, bilerne og det hele og flyttede i lejlighed. Siden er hun flyttet lidt rundt, og sjovt nok har hun folkeregisteradresse, hvor datteren bor. Jeg tror, det er noget gammelt noget, der ikke er blevet ændret."

Carl så på Gordon. "Hvorfor er det dig, der undersøger Rigmor Kirschmeyer? Skulle du ikke finde Roses veninde Karoline? Var det her ikke Assads opgave?"

"Vi mikser lidt rundt med det hele, Carl. Det er vi nødt til, nu Rose ikke er med. Assad tjekker Fritzl Kirschmeyers baggrund, og hende

Karoline har vi fået folkeregistret til at tjekke. Vi får svar lidt senere i dag."

"Hvorfor tjekker Assad manden? Han har da vel for pokker ikke noget med det hele at gøre."

"Jamen det er jo det, Assad gerne vil undersøge. Han synes, at det er lidt underligt, at han dør, præcis dagen efter Stephanie Gundersen findes myrdet i Østre Anlæg."

"*Hvad* gør han?!"

"Der kan du selv se, Carl. Det var sådan Assad reagerede, da han fandt ud af det. Se her." Der kom stankelbensfingrene frem igen. "Stephanie Gundersen blev fundet dræbt den 7. juni 2004, og Fritzl Kirschmeyer druknede den 8. juni 2004."

"Druknede?"

"Ja, i Damhussøen. Lige på hovedet i sin kørestol, seksogfirs år gammel. Den havde han siddet i, siden han et halvt år tidligere fik en blodprop. Han var så vidt vides frisk nok i hovedet, men havde ikke kræfter til selv at manøvrere kørestolen rundt."

"Hvordan var han så kommet derhen?"

"Konen kørte en tur med ham hver aften, men var gået hjem for at hente en trøje til ham. Da hun kom tilbage, lå kørestolen med hjulene i vejret på lavt vand, og manden et par meter længere ude."

"Hvordan helvede kan man drukne på lavt vand i Damhussøen, der må jo myldre med mennesker på den årstid?"

"Det står der ikke noget om i politirapporten. Hun gik jo efter en trøje, så det må have været køligt den aften. Måske var det alligevel for køligt til den slags gåture."

"Tjek det."

"Øh, okay! Men det har jeg faktisk allerede gjort. Sommeren 2004 var enormt kold og regnfuld. Faktisk skulle man helt frem til begyndelsen af august, før vi fik den første sommerdag. En ret så kedelig rekord."

Carl prøvede at huske det. Det var året, før Vigga flyttede fra ham.

Meningen var, at de skulle have været på campingferie i Umbrien, men så var der en sag, der kom i vejen, og så lejede han til Viggas store utilfredshed i stedet for et sommerhus nede ved Køge. Jo, han huskede udmærket den sommer, og den var der i sandhed ikke meget romantik ved. Havde der været det, så havde han måske bedre kunnet holde på hende.

"Carl, hører du efter?" lød et ekko over ham.

Han løftede hovedet mod Gordons blege fjæs.

"Konen sagde, at hun parkerede ham ved bredden, som de så tit havde gjort. Hun kunne jo ikke afvise, at manden måske alligevel på en eller anden måde selv havde fået løsnet bremsen, så politiet kunne derfor heller ikke helt udelukke selvmord. Han var trods alt seksogfirs og kunne ikke længere drive sin forretning. I den situation kan man vel hurtigt blive mæt af dage, tænker jeg."

Carl nikkede, men hvad fanden havde det med det hele at gøre? De var godt nok kommet på afveje i den her historie.

Så ringede telefonen gud ske lov.

"Mørck," sagde han myndigt og viftede Gordon ud af lokalet.

"Er du politimanden?"

"Det skulle jeg mene, hvem taler jeg med?"

"Du vil måske ikke tale med mig, hvis jeg ikke siger, hvem jeg er?"

Carl lænede sig forover. Stemmen var ulden og mørk, nærmest som om han havde lagt noget hen over telefonen.

"Det kommer an på, hvad du vil sige mig." Carl greb en blok. "Forsøg!"

"Jeg har hørt, at du har talt med Leo Andresen om Arne Knudsens ulykke på værket, og jeg vil bare sige dig, at der ikke er noget at komme efter. Selv om vi alle sammen hadede den skiderik til Arne Knudsen og hver for sig lo i vores stille sind, da han blev kværnet flad, så var det en ulykke."

"Jamen har jeg da givet dig indtryk af, at vi tror noget andet?" svarede Carl, men nu var alt i ham vækket. "Ser du, vi efterforsker bare sagen for at hjælpe en af vores kolleger, som tilsyneladende blev meget påvirket af den."

"Du taler om Rose Knudsen, ikke?"

"Det kan jeg ikke udtale mig om, så længe jeg ikke ved, hvem du er, og hvorfor du ringer."

"Rose var en dejlig og sød pige. Virkelig. Hun var vores alle sammens Rose, bare ikke farens, det dumme svin."

"Nu er det jo ikke sikkert ..."

"Selvfølgelig var det et chok for hende, hun så det jo ske. Det kan alverdens undersøgelser ikke hjælpe på, det forstår du vel. Så det var bare det, jeg syntes, du skulle vide."

Så lagde han på.

Det var satans. Prøvede manden måske ikke lige dér at få ham overbevist om, at det var en ulykke? Og hvorfor gjorde han så det? Alle Carls erfaringer fortalte ham, at det gjorde man, når det modsatte var tilfældet. Havde han talt med en mand, der dækkede over noget? Var han bange for, at Rose ville blive mistænkt for et eller andet? Eller var han selv mere involveret i det, end han ville være ved?

Fandens også. Lige nu kunne han godt bruge Rose. Ingen kendte som hun Politigårdens interne telefonnetværks mange mysterier.

I stedet ringede han til Lis i sekretariatet. "Jeg ved da godt, at det egentlig er Roses opgave, men kan du ikke oplyse mig om, hvem der lige har ringet til mig, Lis?"

Hun virkede stresset, men der gik kun tre minutter, så var registreringen klar.

"Abonnenten har det samme navn som et af mine idoler, Carl."

"Ahhhaa, så hedder han altså Carl Mørck, hvilket tilfælde."

Hun lo, så det kriblede i Carl. Intet var så sexet, som når en kvinde lo.

"Neeej. Han hedder Benny Andersson ligesom ham fra Abba. Lidt fedladen i det i dag, men dengang han spillede, gud, hvor var han altså charmerende. Han kunne bare lige have ringet, dengang Anni-Frid og han splittede op, så skulle jeg have været der."

Hun gav Carl mandens nummer og adresse, mens han forsøgte at ryste associationerne af sig.

"Vi skal ud at køre, Assad," råbte han ned ad gangen.

"HUSKER DU Nürnberg-processen, Carl?"

Han nikkede. Det var ikke svært at genkalde sig de sort-hvide billeder af Anden Verdenskrigs svinehunde, der sad på rad og række med bakelit-høretelefoner på og lyttede til anklagerne om deres modbydelige krigsforbrydelser. Göring, Ribbentrop, Rosenberg, Frank, Streicher og alle de andre, som galgen ventede på. Ikke en jul hos tante Abelone i Brovst, uden at han sad og gyste over fotografierne i Verden i Tekst og Billeder, hvor ligene blev udstillet i al deres gru. Sjovt nok var det trods emnet alligevel søde, gode minder fra en svunden barndom, når han lige tænkte over det.

"Der var mange af den slags krigsforbryderprocesser i mindre format rundtomkring i verden efter krigen, men det ved du vel?"

Carl så på gps'en. Stadig ligeud et par kilometer.

"Ja, det var der alle vegne, hvor overgrebene blev begået. Balkan, Japan, Polen, Frankrig og også i Danmark. Men hvorfor snakker du nu om det, Assad?"

"Fordi Fritzl Kirschmeyer var en af dem, polakkerne forsøgte at få henrettet."

Carl løftede øjenbrynene og så kort til Assads side. "Rigmor Kirschmeyers mand?"

"Ja!"

"Hvad havde han da gjort?"

"De kunne ikke bevise noget, for han var vist en af dem, der fik ryddet fuldstændig op efter alt det modbydelige, han gjorde. Ingen overlevende, simpelthen."

"*Hvad* kunne de ikke bevise, Assad?"

"At Fritzl Kirschmeyer var den samme som den Sturmbannführer Bernd Krause, der direkte medvirkede til henrettelser af tilfangetagne allierede soldater i Frankrig og senere af civile i Polen og Rumænien. Jeg har læst, at man havde et godt og stort bevismateriale mod ham i form af fotos og vidneudsagn." Han trak benene ned fra frontpanelet og rodede lidt i mappen, der stod på gulvet.

"Det forstår jeg ikke. Vidneudsagn? Sagde du ikke lige, han havde ryddet op efter sig, at der ikke var nogen overlevende til at dokumentere hans medvirken?"

"Jo, men hovedvidnerne var to andre Totenkopfofficerer, og Fritzl Kirschmeyers forsvarer fik overbevist dommerne om, at de vidneerklæringer faldt, fordi de to officerer ønskede at tørre deres egne krigsforbrydelser af på en anden, og så blev sagen afvist. Forbrydelser, som de to andre i øvrigt blev hængt for i 1946."

"Og fotografierne, som vidnede imod Fritzl Kirschmeyer?"

"Jeg har set et par af dem, men det vil jeg lige nu forskåne dig for, Carl. Det var virkelig brutale henrettelser, men forsvareren fik altså bevist, at flere af disse fotos var retoucherede, og at manden på dem var en anden. Og så blev han frikendt."

"Bare frikendt?"

"Ja. Og senere dukkede der en dødsattest op, som sagde, at Sturmbannführer Bernd Krause omkom af difteritis den 27. februar 1953 i en krigsfangelejr i Sverdlovsk i Ural."

"Og imens var Fritzl blevet skotøjshandler?"

"Ja, han startede i det små i Kiel og arbejdede sig så op med et par butikker i Sønderjylland, før han slog sig ned ude på Københavns vestegn i Rødovre."

"Og hvor har du alt det her fra, Assad? Du har kun haft ganske kort tid til at søge informationerne."

"Jeg kender en med nære kontakter på Simon Wiesenthal-centret i Østrig."

"Er det ikke kun et dokumentationscenter i forbindelse med forbrydelser mod jøder?"

"Jo, og mange af Bernd Krauses ofre var jøder. De har hele historikken liggende, og jeg kan fortælle dig, at centret er overbevist om Fritzl Kirschmeyers skyld og identitet."

"Var han så stadig i søgelyset, mens han boede og arbejdede i Danmark?"

"Man kan ikke se det direkte i papirerne, men min ven mente, at 'nogen'," han lavede citationstegn i luften, "to gange havde begået indbrud i hans villa for at finde beviser på hans skyld. Og da 'man' ikke gjorde det, så henlagde man sagen."

"Indbrud, i Rødovre?"

"Israelerne er et effektivt folk. Du husker, da de kidnappede Adolf Eichmann i Argentina og tvang ham tilbage til Israel?"

Carl nikkede. Rødt lys lige foran ham og så til højre.

"Hvad skal vi så bruge alt det her til, Assad?" sagde han og satte vognen i frigear.

"Blandt de fotos, jeg fik mailet, er der det her, Carl. Se på det, så forstår du."

Han langede et print hen mod ham, så Carl kunne se det tæt på.

Det var et ualmindeligt skarpt billede, og den sortklædte officer blev set bagfra i fuld figur. Begge hans hænder holdt stramt om en kort, tyksnudet kølle, og armene var trukket helt bagud over skulderen, i sekundet lige før køllen blev smadret ind i nakken på det stakkels bagbundne offer, der stod foran ham.

På jorden til højre for delinkventen lå der tre kroppe med fladtrykte baghoveder. Til venstre for ofret stod endnu to fortabte, bagbundne mænd og ventede på deres skæbne.

"Føj for satan," hviskede Carl. Han sank et par gange og skubbede fotoet fra sig. Engang troede man, at ondskab som det her umuligt kunne gentage sig, og så mindede det bare en om virkeligheden i store dele af verden lige nu. Hvordan kunne man dog lade det ske igen og igen og igen?

"Hvad tænker du, Assad?"

"At Stephanie Gundersen og Rigmor Kirschmeyer blev slået ihjel på nøjagtig den måde, hvad er der mere at sige? At det er tilfældigt? Nej, det tror jeg ikke." Han pegede fremad. "Så er der grønt, Carl."

Carl så op. Lige pludselig virkede sådan en dansk provinsby så uendeligt fjern fra alting.

"Men Stephanie Gundersen blev jo slået ihjel i 2004, og da var Fritzl Kirschmeyer seksogfirs og stærkt affældig og bundet til en kørestol, så det kan da umuligt have været ham, der var gerningsmanden," tænkte han højt. "For slet ikke at tale om, at han skulle have dræbt konen, for hun døde jo mere end ti år efter ham."

"Jeg mener bare, der er en sammenhæng, det er, hvad jeg siger. Måske har Marcus faktisk ret."

Carl nikkede. Det var svært godt fundet frem på så kort tid. Og nu han tænkte over det, så var hele svadaen blevet afleveret på et pokkers flydende dansk. Mærkeligt, så veltalende manden pludselig var.

Han så på Assad, der sad med et påfaldende eftertænksomt blik rettet mod husene, der dukkede op. Fuldt af livsvisdom.

'Hvem helvede er du egentlig, Assad?' tænkte han og drejede til højre.

NUMMERET, HVORFRA DET anonyme opkald til Afdeling Q var blevet foretaget, var registreret på en adresse i et af de mere ydmyge kvarterer i nærheden af Stålvalseværket. En hurtig scanning af husets forfatning og rodet omkring det var rigeligt til at nedkalde Carls fordomme.

"Tror du, han samler på gammelt jern?" var Assads bedømmelse. Carl nikkede. Hvad var det i det hele taget med alle de udtjente plæneklippere, cykler, bilvrag og andre rustne køretøjer, der påkaldte en vis type mænds store ømhed og samlerinstinkt?

Fyren, der åbnede døren, blendede helt klart ind i dette håbløse miskmask af dårlig smag. Aldrig havde en joggingdragt været mere klar til at blive skiftet, aldrig havde en uklippet manke glinset mere fedtet. Man kunne næsten fornemme, at det i helbredsmæssig forstand var sikrere, hvis man holdt sig lidt på afstand.

"Hvem er I?" modtog manden dem med en ånde, der kunne fælde

266

liv omkring sig. Carl trak sig et skridt tilbage, så manden kunne smække døren for næsen af dem, i fald han skulle få lyst.

"Jeg er ham, du ringede til for ..." Carl så på armbåndsuret. "... præcis tooghalvtreds minutter siden."

"Ringede? Jeg aner ikke, hvad du snakker om."

"Du hedder Benny Andersson, og Assad her er lige ved at scanne din stemme ind i stemmegenkendelsesprogrammet. Vis ham lige optageren, Assad."

Han puffede Assad i siden med albuen, og krøltoppen var snarrådig nok til at skjule sin forvirring og hive smartphonen op af lommen.

"Et øjeblik, den skal lige arbejde færdig," sagde han, mens stinkdyret så på mobilen med synlig mistro.

"Jo, den er god nok, det var ham, vi optog inde på Politigården," sagde Assad med blikket fæstnet på mobilens tomme display. "Så du er genkendt, Benny," sagde han uden at løfte blikket fra telefonen. Han trykkede et par gange på mobilens taster, idet han lod, som om han trykkede faciliteten fra, og puttede så mobilen i lommen.

"Nå, Benny," sagde Carl med en sjældent brugt myndighed i stemmen. "Vi har altså konstateret, at det var dig, der for en times tid siden foretog et anonymt opkald til en efterforsker på Politigården, og nu er vi så kommet her for at afsøge, om der ligger noget kriminelt til grund for din henvendelse. Må vi komme ind, så vi kan snakke sammen, eller vil du hellere med en tur ind på Politigården i København?"

Han fik ikke en chance for at sige nej, sådan som Assad med fuld kropsvægt pressede døren indad.

CARL HAVDE SNAPPET et par gange efter vejret, da han trådte ind i det voldsomt beklumrede hus, men så snart han havde vænnet sig til stanken, gik han hårdt til værks mod denne Benny Andersson. I løbet af to minutter havde han fyret hele registret af. Anklager om ond vilje, om skjult dagsorden, om antydninger og hemmeligheder, der ikke tålte dagens lys, og som let kunne pege på ham selv, og så lettede Carl et øjeblik på gaspedalen.

"Du siger, at du godt kunne lide Rose? Men hvad har det med hendes fars død at gøre, kan du fortælle mig det?"

Manden strakte et par sortmelerede fingre frem og fandt et cerutskod i et ellers velfyldt askebæger og tændte den.

"Har vicekriminalkommissæren nogensinde arbejdet på Stålvalseværket, spørger jeg?"

"Nej, selvfølgelig har jeg ikke det."

"Nej, vel. Og så kan du heller aldrig forstå, hvad Stålvalseværket er. Hvor voldsomme kontraster arbejdet hver dag kastede os ud i: de store altopslugende haller, hvor små sårbare mennesker forsøgte at herske over de voldsomme maskiner; kampen mod varmen, der somme tider var så stærk, at den føltes helt sort, og man var nødt til at gå udenfor og lade sig køle ned af vinden fra fjorden; bevidstheden om, at arbejdet var farligt og på få sekunder kunne udslette en, sat over for følelsen af sit sovende barns bløde kind mod sine ru fingerspidser. Man forstår ikke, hvor råt det kan føles, når man ikke har prøvet det selv. Og selvfølgelig blev nogle af os hårde som det stål, vi arbejdede med, mens andre blev bløde som smør."

Carl tyggede lidt på den overraskende velformulerede svada. Havde manden studeret retorik i sine unge dage?

"Jeg tror nu ikke, du skal undervurdere alle andres arbejdspladser, Andersson. Det kan også være ganske råt at være politimand, så selvfølgelig forstår jeg, hvad du siger."

"Ja, eller være udsendt soldat. Eller Falckredder og brandmand," skød Assad ind.

"Måske, men det er alligevel ikke det samme, for der må man være forberedt på, hvad der skal ske, mens det er ikke alle, der er det på et værk som det her. Det tror jeg i hvert fald ikke, Rose var. Og i det miljø var det en fryd for os andre, at hun var der. Igen kontrasten, ikke? For når en ung og sårbar pige som Rose havner på sådan et brutalt sted, hvor alt er så voldsomt, stålet, pressen, varmen, og hvor mændene er hærdede og hårdføre, så bliver kontrasten alligevel somme tider bare for stor. Rose var for ung og slet ikke gearet til det sted, det er bare det, jeg siger."

"Hvad arbejdede du med på værket, Benny?" spurgte Carl.

"Somme tider sad jeg i styrehuset og passede pressen ved den gamle pult. Somme tider inspicerede jeg pladserne."

"Det lyder alt i alt som et ret betroet arbejde."

"Alle medarbejdere har betroet arbejde. En sådan arbejdsplads bliver en meget farlig arbejdsplads, hvis nogen dummer sig."

"Og Roses far dummede sig?"

"Det må du spørge andre om, jeg så ikke, hvad der skete."

"Men hvad skete der helt nøjagtigt?"

"Spørg andre, jeg så det som sagt ikke."

"Skal vi ikke bare tage ham med ind på Gården, Carl?" spurgte Assad.

Carl nikkede. "Jeg ved, at du ligesom en masse andre har fået information fra Leo om, at vi efterforsker den her sag, og at vi gerne vil vide mere om ulykken. Jeg forstår bare ikke, hvilken interesse du har i den. Hvorfor du ringer anonymt, og hvorfor du er så meget på tværs? Så nu er mit forslag til dig, Benny Andersson, at enten samarbejder du med os og bliver her og indånder dit hjems liflige odør, som du plejer, eller du kan tage en frakke på og sætte dig ind på bagsædet af vores bil og glemme alt om hjem-kære-hjem de næste fireogtyve timer. Hvad foretrækker du?"

'Please, vælg ikke køreturen,' tænkte Carl med henblik på bagsædets ellers så nydelige forfatning.

"Vil I anholde mig? For hvad?"

"Det finder vi ud af. Men ingen ringer anonymt ind på den måde, som du gjorde det, uden at der ligger et eller andet begravet, der ikke tåler dagens lys. Du antydede i telefonen, at Rose havde noget med sin fars død at gøre, men hvad mente du med det?" pressede han på.

"Nej, *det* gjorde jeg i hvert fald ikke."

"Det syntes vi ellers." Assad lænede sig frygtløst ind over det klistrede sofabord. "Men du skal så vide, at Rose er vores dejlige kollega, og at vi ikke vil hende noget ondt. Så nu tæller jeg ned fra seks-syv stykker, og hvis du ikke, inden jeg er færdig, fortæller os, hvad du ved, så tager jeg de gamle kyllingeben, du har liggende derovre på det der indtørrede lag sovs, og klapper dem i kæften på dig. Seks, fem, fire ..."

"Ha ha, hvor er du dum at høre på. Tror du, du kan true mig med det, din ..."

De racistiske tilsvininger lå helt sikkert lige på tungen, da Assad færdiggjorde nedtællingen og rejste sig mod fugleskroget.

"Hej," råbte Benny Andersson, da Assad pillede et par spidse vingeknogler op. "Stop det der. I må spørge nogle andre om, hvad der virkelig skete, for jeg så det jo som sagt ikke. Jeg kan bare sige, at Arne Knudsen stod under traverskranen i den gamle hal, da en af magneterne svigtede, mens den løftede en stålblok på ti ton."

"Jeg troede, han blev trukket ind i en maskine."

"Nej, det skrev de i avisen, hvor fa'en de så havde det fra, men det var magneten, der svigtede."

"Stålblokken faldt ned over ham?" spurgte Carl, mens Assad droppede fuglebenene og fandt tilbage til sin fedtede plads.

"Ja, den maste ham totalt flad herfra og nedefter, ja."

Han pegede på et sted lige under brystbenet.

"Og manden døde på stedet?"

"Ikke sådan som han hylede. Men det tog ikke mange sekunder. Hele underkroppen var jo splattet ud under ham."

"Javel så, det lyder ikke rart. Og hvad lavede Rose så derude i den hal, det har hun aldrig fortalt os? Hendes søster sagde engang til mig, at hun var sommervikar."

Han lo. "Sommervikar?! Nej, det var hun sandelig ikke. Hun var i lære som indlægger."

Både Carl og Assad rystede på hovedet. Indlægger?

"Det er den person, der bestemmer, hvilke slabs der skal i ovnen, før de bliver transporteret videre mod pressen."

"Slabs er de jernblokke, der skal presses til plader," forklarede Carl

Assad med Leo Andresens ord om emnet in mente. "Og hvor kom du så ind i billedet i den proces, Benny?"

"Når slabsen kom rødglødende ud af ovnen på den anden side, så var det nogle gange mig, der tog over og sørgede for pressen."

"Gjorde du det den dag?"

Han nikkede.

"Og du så altså ikke ulykken ske?"

"Jeg sad ovre på den anden side af ovnen, så det kunne jeg ikke, vel?"

Carl sukkede, mens han forgæves prøvede at forestille sig scenariet, og det var svært.

Men så var der ingen vej udenom. Ham Leo Andresen måtte altså se at få givet dem den rundvisning.

30

Torsdag den 26. maj 2016

ROSE VAR GÅET hårdt til værks. Kopper blev smadret i fortvivlelse, minder fejet af hylderne i frustration, møbler hamret mod gulvet i vrede. Det tog kun få minutter at vandalisere det meste af stuen, og følelsen burde være god, men det var den ikke, for hun så hele tiden Rigmor Kirschmeyers ansigt for sig.

Hvor mange gange havde det ikke været Rigmor, der stod parat, når Roses ensomhed blev for tydelig? Hvor mange gange havde hun ikke sørget for at købe ind, når Rose en hel weekend ikke engang havde orket at hive sine rullegardiner op? Og så var hun her ikke mere, nu hvor Rose havde allermest brug for hende. Og hvorfor?

Dræbt, sagde man? Men hvordan, og af hvem?

Hun samlede sin laptop op fra gulvet, tændte den og konstaterede med en vis irrationel lettelse, at den trods en smadret skærm stadig kunne logge på nettet. Så satte hun sig og tastede koden ind på politiets hjemmeside.

Der var stadig kun sparsomme oplysninger at hente om hendes nabo, men hun fik dog konstateret ikke alene, at Rigmor virkelig var død, men også hvor og hvordan.

'Svær kvæstelse på nakkehvirvler og baghoved,' stod der alt for nøgternt. Og hvor havde hun selv været, mens det skete? Havde hun ikke siddet sygeligt selvoptaget i lejligheden lige ved siden af i to uger uden at opdage, at alt var tavst inde hos Rigmor?

"Hvad er det for et menneske, du er blevet til, Rose?" spurgte hun sig selv, men uden tårer. Ikke engang det kunne hun få frem.

Og da mobilen ringede i hendes baglomme, var hun tilbage, hvor hun var for en halv time siden. Færdig med tilværelsen, helt ude af takt med livet.

Fem gange ringede mobilen i de næste minutter, før hun endelig trak den op og fik set på displayet.

Det var hendes mor, der ringede fra Spanien. Den af alle personer, hun havde mindst lyst til at diskutere tingenes tilstand med. Så havde hospitalet faktisk kontaktet hende, og inden hun fik set sig om, så ville hun nok kontakte Roses søstre.

Rose så på uret. Hvor lang tid havde hun mon? Tyve til femogtyve minutter, før søstrene stod her og forlangte forklaring på, hvorfor hun havde forladt hospitalet?

"Det skal bare ikke ske!" råbte hun og overvejede at smadre mobilen mod væggen så hårdt, at elektronikken nærmest forstøvede.

Hun tog en dyb indånding, mens hun tænkte over, hvad hun skulle skrive. Så åbnede hun 'beskeder' og sms'ede:

'Kære mor, jeg befinder mig lige i øjeblikket i toget til Malmø, så mobilforbindelsen er meget dårlig, derfor sms'er jeg. Bekymr dig ikke om mig, jeg har det godt. Jeg udskrev mig selv i dag, fordi en god ven i Blekinge har tilbudt mig et ophold i sit dejlige hus. Det vil gøre mig godt. Kontakter dig, når jeg er hjemme igen. Rose.'

'Svusjjch,' kom det fra mobilen, og sms'en var afsendt. Så lagde hun telefonen foran sig, og vel vidende, at hendes mor så ikke ville gøre mere, trak hun en skuffe ud og samlede sig et par stykker papir og en kuglepen, som hun lagde foran sig. Derefter gik hun ud på badeværelset, åbnede toiletskabet og så på indholdet. Antidepressive piller, Panodil, et halvt glas sovepiller, Treoer, Pinex, Matas-saksen, hun plejede at klippe sig med i både hår og underarme, engangsragere, den gamle Gillette, et par stikpille-Ketoganer fra hendes mor, Liquor Pectoralis-hostesaften med lakridssmag, som hun havde gemt i snart tyve år. Benyttet med omtanke og i rette mål ville dette arsenal udgøre en dødscocktail, som hun kunne bruge eller lade være. Så hældte hun sine vatpinde og tamponer fra den lille plastikkurv ned i skraldespanden, sorterede i sit husapotek, lod de helt uskadelige piller og miksturer følge efter hygiejneartiklerne og fyldte plastikkurven op med resten af medikamenterne.

Der stod hun i fem minutter ved håndvasken, mens hendes tanker vandrede fra den enes død til den andens og til livets lunefuldhed. Alt det overskuelige blev snævret ind til ingenting og vendt på hovedet. Ting blev formålsløse.

Til sidst greb hun fat i Gillette-skraberen, hun havde taget fra sin fars gemmer efter hans død og i disrespekt ville have barberet sine kønshår af med, men aldrig fik brugt.

Så skruede hun rageren fra hinanden og betragtede et øjeblik det snavsede barberblad. Der sad et par af hendes fars korte skæghår i sæberesten, og en følelse af afsky slog hende næsten omkuld.

Skulle rester af hendes forbandede far lægge sig i hendes banesår? Skulle hendes blod skylle det svins barberblad rent?

Rose var ved at kaste op, men tvang sig i stedet til at skrubbe barberbladet rent ude i køkkenvasken, så blødende snitsår og opvaskebørstehår tegnede gitre på fingerspidserne.

"Tiden er kommet!" konstaterede hun mat og med tårer i øjnene, da bladet skinnede jomfrueligt. Nu skulle hun bare nedfælde nogle sætninger på papiret derinde, så hendes søstre ikke var i tvivl om, at hun gjorde dette af egen fri vilje, og at det var dem, der skulle have hendes ejendele.

'Hvordan skal jeg komme igennem det?' tænkte hun.

Før havde tårer støttet Rose i sorgen over det liv, der var blevet hende tildelt, men nu hvor alt skulle gøres op, styrkede de blot følelserne af afmagt, fortrydelse og skam og skabte floder af livslede, der løb i sorte strømme gennem hele hendes system.

Hun placerede med nænsomhed barberbladet på spisebordet ved siden af papirerne og kuglepennen og kurven med alle medikamenterne, åbnede tv-skabet og skruede kapslerne af samtlige spiritusflasker. Vasen oppe på hendes hylde havde aldrig været brugt af den simple grund, at hun aldrig havde fået nogen blomster, men nytteværdien var nu alligevel oplagt, da hun tømte alle sine sjatter i den og miksede det til en ubestemmelig, men skarpt lugtende cocktail i brunt.

Og mens hun hældte op og drak og lod blikket vandre fra plastikkurven til computerskærmen, blev tankerne paradoksalt nok for en stund klarere og mere præcise.

Hun så sig smilende omkring i stuens ragnarok og vidste, at nu fik hun da sparet sine søstre for at tage stilling til, hvad der skulle smides væk, og hvad der ikke skulle.

Hun tog det øverste ark papir og skrev:

'Kære søstre.

Min forbandelse har ingen ende villet tage, så fortvivl ikke over min død. Nu er jeg der, hvor freden ikke længere kan trues, og dér, hvortil mine tanker er gået det sidste lange stykke tid, og det er godt. Få det bedste ud af jeres liv, og tænk trods alt på mig med en smule kærlighed og venskab. Jeg elskede og respekterede jer alle og gør det stadig, selv i denne grænseoverskridende stund. Undskyld min højtidelighed, men det er trods alt ikke hver dag, jeg har givet mig lejlighed til at sige det her til jer. Undskyld for alt det onde, jeg har forårsaget, og modtag i al ydmyghed mit jordiske gods til jeres fordeling. Lev vel.

Jeg elsker jer, Rose.'

Så daterede hun afskedsbrevet, læste det et par gange og lagde det foran sig. 'Hvor er det egentlig patetisk og ynkeligt formuleret,' tænkte hun og krøllede det sammen og smed det på gulvet.

Rose løftede vasen til munden og nedsvælgede endnu nogle genstande, hvilket ligesom stimulerede nøgternheden.

"Det bliver alligevel ikke anderledes," sukkede hun og samlede papir-kuglen op, foldede den ud og glattede den med siden af sin hånd.

Så trak hun det andet papir ind foran sig og skrev denne gang med store bogstaver:

'Stenløse, torsdag den 26.5.2016

Herved testamenterer jeg mit lig til organdonation og forskning. Med venlig hilsen, Rose Knudsen.'

Rose rystede på hænderne, da hun noterede sit cpr-nummer, underskrev og lagde det fra sig på spisebordet så synligt som muligt. Derpå tog hun mobilen og tastede nummeret på alarmcentralen. Og mens ringetonen lød, vurderede hun blodårerne på sit venstre håndled og overvejede, hvor langt oppe hun burde snitte. Pulsen var hård og tydelig på det meste af stykket, så det var vel egentlig lige meget. Og da hun endelig kom igen-nem til vagthavende, var hun så determineret og parat, som man over-hovedet kunne blive. Hun skulle til at sige det, som det var, at hun om et lille øjeblik ville være død, så de skulle skynde sig, hvis de ville bruge hendes organer. De skulle tage fryseposer med, ville hun slutte af, og så ville hun lægge røret på og skære sig dybt og rent i begge håndled.

Det var netop i det øjeblik, hvor den vagthavende stemme gentog sit spørgsmål om, hvem hun var, og hvor hun ringede fra, at der lød et kraftigt slag mod væggen inde fra Rigmor Kirschmeyers lejlighed.

Rose snappede efter vejret. Hvad var det? Og så lige nu?!

"Du må undskylde, men det var en fejl," fremstammede hun og klap-pede mobilen sammen. Nu hamrede hendes hjerte, så det gjorde ondt i hovedet, for hendes ro og selvsikkerhed var blevet forstyrret. Hun var helt rystet over det, men det var efterforskeren Rose, der dukkede op til overfladen. Hvad skete der inde ved siden af i Rigmor Kirschmeyers lejlighed? Var hun allerede så pløret, at hendes tanker spillede hende et puds?

Så dækkede hun alle pillerne og sine to afskedshilsener med sin frakke og trådte ud i gangen.

Også der hørtes tydelige lyde inde fra Rigmor Kirschmeyers lejlighed. Var det latter eller skrig?

Rose rynkede panden. I de år, hvor hun og Kirschmeyer boede side om side, havde hun en enkelt gang hørt en mandsstemme derinde. Lidt ophidsede røster, og det var så bare det. Ja, så vidt Rose vidste, var der ingen andre ud over hende selv i hele bebyggelsen, der gad have noget med Rigmor Kirschmeyer at gøre. Når de var sammen for at gøre indkøb i centret, havde Rose bemærket, at folk faktisk aktivt forsøgte at undgå hende.

Men hvis det ikke var Rigmor Kirschmeyer, hvem var så derinde?

Rose trak skuffen i sit entrémøbel ud og fiskede Kirschmeyers nøgle op. Et par gange havde Rigmor måttet hente hjælp hos sin datter, når hun havde låst sig ude, men det ville hun ikke mere, havde hun sagt for et halvt års tid siden, så i stedet havde Rose fået en ekstranøgle.

Hun gled en smule vaklende ud ad sin hoveddør uden at smække efter sig og listede hen til Kirschmeyers lejlighed. Et øjeblik stod hun stille på svalegangen og lyttede. Der var flere stemmer derinde. Et par piger, vurderede hun ud fra deres tone og facon.

I en tågerus bankede hun et par gange på døren, og da ingen til hendes store forundring reagerede, satte hun nøglen i og drejede rundt.

31

Torsdag den 26. maj 2016

GORDON SÅ MAT ud, men den slags frastødende opgaver, som Carl havde sat ham til, var vel heller ikke dem, hans pæne opdragelse og baggrund gjorde ham bedst gearet til.

"Og du har fået alt, hvad Simon Wiesenthal-centret kunne grave frem?" spurgte Carl.

"Ja, det tyder det på. Og som du bad mig om, så viste jeg Tomas Laursen et par fotos af, hvordan Fritzl Kirschmeyer henrettede fanger med kølleslag mod baghovedet. Tomas kunne kun bekræfte, at det formentlig var sådan, Stephanie Gundersen og Rigmor Kirschmeyer blev dræbt."

"Okay, så er vi da kommet så vidt. Tak!"

"Stephanie Gundersen blev dræbt i 2004, så behøver jeg at pointere, at Fritzl Kirschmeyer på det tidspunkt stadig levede?"

"Mmm!" gryntede Carl, mens han bladrede rædslerne igennem. "Nej, det behøver du ikke. Men det gjorde han jo til gengæld ikke, da hans kone blev dræbt for en måneds tid siden."

Gordon pegede på ham med en snehvid finger. "Nej, og bingobanko for det," sagde han. Ikke et udtryk Carl ville anbefale ham at bruge igen i den her sammenhæng, ja, i nogen sammenhæng, for den sags skyld.

Carl skruede ned for TV2 News. "Men søde Gordon, så bliver spørgsmålet, hvem der så gjorde det. Du tænker måske på Birgit Kirschmeyer eller hendes datter Denise? Indtil nu er de jo de eneste, vi kender, der muligvis kunne have et motiv. For min skyld må du selv vælge, hvem af dem du vil gå efter."

"Øhhh, tak! Jeg ved altså ikke noget om barnebarnet, men datteren kunne godt have gjort det. Hun har da i hvert fald et enormt forbrug af spiritus, siger Assad, og det koster da kassen."

Carl nikkede. "Sandt nok. Og så forestiller du dig måske, at hun i øsende regnvejr kom drønende ned gennem gaderne efter sin mor med en kølle hævet over hovedet? Og at Rigmor Kirschmeyer helt rædsels-slagen gemte sig for hende i en busk fyldt med hundelorte? Et mærkeligt sceneri, nu man tænker over det, ikke?"

Gordons hoved faldt en halv meter, men sådan var politiarbejde jo. Paradokser, glæder, skuffelser og rendyrket tvivl i ét væk.

"Hvordan kommer jeg videre, Carl?"

"Du skal finde Birgit Kirschmeyers datter, Gordon. Hvad var det, hun hed?"

"Hun blev døbt Dorrit Kirschmeyer, men kalder sig nu Denise Kirsch-meyer."

"Så led efter dem begge."

Carl fik helt ondt af ham, mens hans øjne fulgte ham ud ad døren. Så længe situationen med Rose var, som den var, så svingede det ikke rigtig for ham.

"Hvad er det med Gordon, Carl?" spurgte Assad få sekunder efter. "Han lignede jo Døden fra Lyngby."

Carl rystede på hovedet. "Ikke Lyngby, men Lübeck, Assad. Det hed-der Døden fra Lübeck."

Krøltoppen studsede. "Er du sikker? Lübeck? Men hvorfor Lübeck, det er jo en fin by. Jeg synes, det ville være mere logisk med Lyngby."

Carl sukkede. "Gordon er ked af det, Assad. Det med Rose har slået ham ud."

"Også mig."

"Ja, os alle sammen, Assad, vi savner hende jo trods alt." Og det var en underdrivelse. Faktisk følte Carl tomrummet efter hende meget stærkt.

'Måske lige på nær det med Roses aversion over for cigaretterne,' tænkte Carl og greb ud efter en smøg. "Hvordan går det med at finde Roses gamle skoleveninde, Assad? Gør du fremskridt?"

"Det er derfor, jeg er her. Jeg har fundet hende."

Han smed nogle farveprint på bordet, og en yppig, nærmest troldeagtig, meget hårfager kvinde klædt helt i lilla så smilende op på dem fra det øverste ark. 'Kinua von Kunstwerk', stod der med store typer over fotoet og en ledsagende tekst om hendes seneste udstilling nedenunder.

"Hun er kunstmaler, Carl."

"Med et ret så kreativt kunstnernavn, skal jeg ellers love for."

"Hun er vist meget anerkendt i Tyskland, men hvorfor forstår jeg så ikke." Han eksemplificerede det ved at trække papiret væk og pege på et udsnit af den seneste udstilling på det næste ark. Det var godt nok skrap kost.

"Hold da kæft," var Carls umiddelbare kommentar.

"Hun bor i Flensborg, Carl. Skal jeg køre derned?"

"Nej, vi kører sammen," sagde han lidt fraværende, fanget af det, der skete på tv-skærmen, hvor rulleteksten under liveaction-sekvenserne var mere Breaking News, end de plejede at være.

"Er *du* informeret om, hvad der sker her, Assad?" spurgte han.

"Aner det ikke."

"Hej, har I set det der?" kom det meget apropos fra døråbningen og det lange hyl, der stod og pegede over på tv-skærmen. "Det har kørt en times tid nu, og Lis siger, at den er helt gal oppe på anden."

Han stod og trippede som en anden salsadanser på dørtrinnet. "Der er briefing om det lige nu, hvad siger I?" Han så bønfaldende på dem. "Skal vi ikke derop?"

"Ved du hvad, jeg synes, du selv skal gå, hvis du så gerne vil, Gordon. Men husk lige, at de sager faktisk ikke er vores."

Han så skuffet ud, så det sidste var han vist ikke helt enig i.

Carl smilede. Gordon havde virkelig udviklet sig på det sidste. Ikke alene var han begyndt at udvise frygtløshed, han havde sørme også ambitioner.

"Jeg synes altså, at vi skal gå derop," fortsatte han.

Carl grinede og rejste sig i et ryk. "Årh, for pokker, så kom da. Vi har jo kun det sjov, vi selv laver," sagde han.

MINDST TYVE MISBILLIGENDE ansigter rettede sig mod dem, da de busede ind midt i drabsafdelingens briefing.

"Ja, sorry folks, men vi så det lige på tv," sagde Carl. "Lad bare, som om vi ikke er her."

Pasgård fnøs. "Det bliver fandeme svært," var hans kommentar, hvilket et par af efterforskerne omkring ham nikkede bekræftende til.

Lars Bjørn rakte hånden op. "Hej venner! I yderste respekt for vores kollega nede fra kælderen ..." Så lavede han en kunstpause, hvor flere rystede på hovedet. "... så kommer jeg lige med en kort opsummering."

Han så direkte på Carl. "Vi har fundet den røde Peugeot, der efter al sandsynlighed blev anvendt til påkørslen af Michelle Hansen den 20. maj og Senta Berger den 22. maj. Det blev en af de gamle betjente fra det nu nedlagte korps, som tidligere ledte efter stjålne biler til forsikringsselskaberne, der fandt den med en smadret siderude i førersiden og startlåsen vredet om. Den stod parkeret rundt om hjørnet fra Rantzausgade i Griffenfeldsgade og med en gammel p-billet i forruden og stribevis af p-bøder under vinduesviskerne, så man kan nemt udlede, hvornår den er blevet sat der. Teknikerne har fundet spor af blod og hårrester på kølerhjelmen, men indeni er den tilsyneladende renset for spor. Det vil teknikernes nærmere undersøgelser kunne vise."

"Parkeret en hel uge midt i København uden at blive set, novra! Hurra for ordenspolitiet," gryntede Carl.

"Hvis du nu vil lade være med at komme med dine syrlige udbrud, så kan I godt blive i lokalet," fortsatte Lars Bjørn.

Han vendte sig mod fladskærmen på væggen og trykkede næste billede frem.

"For to en halv time siden, cirka tyve minutter i et, blev den føromtalte Michelle Hansen kørt ihjel af en flugtbilist på Stationsvej i Stenløse. I ser ulykkesstedet her. Ifølge to skolebørn, der kom gående nede fra stationen, var køretøjet så vidt vides denne gang en sort Honda Civic, der umiddelbart efter påkørslen drejede til højre ad Stationspladsen og forsvandt. Signalementet af både køretøj og føreren er naturligvis meget vagt grundet børnenes alder, den ældste er bare ti år, og så det chok, som påkørslen gav dem. Herudover mente børnene, at føreren af køretøjet, som de bare så som en skygge, vist 'ikke var ret høj', for at citere dem ordret."

Han vendte sig mod sine hold. "Så sagen er den, mine herrer og damer, at såfremt vi nu kobler de tidligere påkørsler og det her sammen, så har vi at gøre med en drabsmand, der begår sine ugerninger med fuldt overlæg. Spørgsmålet bliver så, om han har tænkt sig at begå flere. Hvis svaret er ja, så bliver det nu et spørgsmål om liv og død, at vi er effektive nok og får stoppet gerningsmanden. Forstået?"

Assad så på Carl og trak let på skuldrene. Tilsyneladende skulle der mere til at ryste ham end en potentiel seriemorder for fuld udblæsning.

"Det sidste døgn har alt i alt været mere end begivenhedsrigt, og jeg beklager derfor, at vi kommer til at trække folk væk fra efterforskningen af drabet på Rigmor Kirschmeyer, og det gælder også dig og Gert, Pasgård."

"Stakkels Rigmor," hviskede Carl så tilpas højt, at Pasgårds øjne lynede.

"Efter den seneste påkørsel af Michelle Hansen udleder vi altså, at drabet er udført med forsæt, men også at omstændighederne omkring drabet peger i forskellige retninger, og dette skyldes blandt andet, at vi i Michelle Hansens håndtaske har fundet tyve tusind kroner i brugte sedler. Vi ved fra hendes kontoudtog, hvor dårlig en økonomi hun havde, og eftersom Michelle Hansen er identisk med den kvinde, der i nat stod ved indgangen til diskotek Victoria og diskuterede med sin ekskæreste, dørmanden Patrick Pettersson, mens der blev udført et røveri på managerens kontor, så er det plausibelt at antage, at hun kan have haft en forbindelse til røveriet. Er der spørgsmål til det?"

"Befinder denne Patrick Pettersson sig stadig i politiets varetægt?" spurgte Terje Ploug.

Carl nikkede. Var det Ploug, der blev sat på som sagens efterforsk-ningsleder, så sagde han stakkels Patrick, for Ploug var en god mand. Han havde dårlig ånde, men stod man ikke lige op og ned ad ham, så fandt man ikke en bedre og mere kompetent makker.

"Nej, Pettersson blev midlertidigt løsladt klokken elleve toogtredive, først og fremmest udløst af, at hans forklaring om sin færden i går aftes blev bekræftet af kameraerne. Men vi slipper ham naturligvis ikke sådan uden videre, og vi har inddraget hans pas. En dommerkendelse til ransagning af hans lejlighed er allerede på vej. Så vi har ham under mistanke i flere sammenhænge, men vi har endnu ikke noget konkret på ham."

"I princippet kunne Pettersson altså også være føreren af køretøjet, der påkørte Michelle Hansen?" fortsatte Ploug.

"Ja, det er korrekt."

"Ved vi, om de to har været i kontakt med hinanden umiddelbart inden påkørslen?" spurgte Bente Hansen, der ud over at være omgænge-lig og i besiddelse af en god portion humor også håndterede sine efter-forskninger til ug med kryds og slange.

"Nej. Michelle Hansens mobiltelefon lå i ligets knuste hånd, fuld-stændig mast sammen med håndens knogler. Teknikerne har den, men sim-kortet er helt ødelagt, så vi må have fat i teleselskabet for at tjekke hendes samtaler. Jeg behøver vel ikke at nævne, at liget blev meget ilde tilredt. Ifølge børnene blev hun nærmest suget ind under vognen."

"Og Patrick Petterssons mobil?"

"Ja, han viste sig samarbejdsvillig og lod os tjekke hans logfil. Michel-le Hansen havde sms'et ham, at hun ville komme ind til ham, men hun nævner ikke, hvorfra hun kommer. Imidlertid kan der jo have været andre måder, hvorpå der kan have været kontakt, og han kan have vidst, hvor hun opholdt sig. *Hvis* det altså var ham."

"Det var ham," gryntede Pasgård. Han havde sandelig brug for en hurtig opklaring.

"Endvidere har vi en meget stærk formodning om, at Birna Sigurdardottir, kvinden der blev indbragt til Rigshospitalet klokken nul nul toogtredive i nat med et livstruende skudsår i brystregionen og nedskudt i smøgen umiddelbart op til diskoteket, har en direkte tilknytning til røveriet i nat."

"Præcis hvad er det bygget på?" kom det fra Ploug.

"På hendes kriminelle løbebane. På hendes tilstedeværelse ved diskoteket. På hendes voldsomme temperament, der flere gange er udmundet i ekstrem vold. Hun havde en kniv i hånden, da man fandt hende, hvilket kunne tyde på et opgør mellem hende og en af røverne. Vi kender naturligvis kaliberen på våbnet, der blev brugt, hvilket er samme 9 mm-kaliber som den Luger, bestyreren af diskoteket blev truet med. Og endelig så kan man se, at hun er nedskudt ti meter længere inde i smøgen end der, hvor man fandt hende. Slæbesporet fra muren og ud til kanten af fortovet er meget tydeligt, så vi må formode, at nogen har haft et ønske om at ville redde hende. Vi antager, at gerningsmanden eller -mændene formentlig var kvinder ligesom dem, der udførte røveriet, og at de på en eller anden måde kan have haft en nærmere tilknytning til den nedskudte kvinde."

"Var det ikke det dummeste, man kunne gøre? Altså at efterlade hende halvdød et sted, hvor andre kunne finde hende? Er man mon slet ikke bange for, at Birna skal røbe gerningsmandens eller -mændenes identitet?" spurgte Bente Hansen.

"Det kan man jo sige, ja, men de piger, vi har mistænkt, og som er menige medlemmer i Sigurdardottirs pigebande, The Black Ladies, går altså ikke for at være verdens skarpeste lys."

Flere af dem lo, men ikke Bente Hansen. "Er der noget, der tyder på en direkte tilknytning mellem Patrick Pettersson og denne bande?"

"Nej. Og det skal også i den sammenhæng bemærkes, at Pettersson har en ren straffeattest."

"Men hvad så med Michelle Hansen?"

"Nej, vi har heller ikke kunnet påvise en umiddelbar tilknytning mellem hende og banden."

"Overlever Birna Sigurdardottir, ved man det?"

Lars Bjørn trak på skuldrene. "Det er der ikke så meget, der tyder på, men det håber vi naturligvis."

Carl nikkede. Det ville sgu da også være den nemmeste måde at løse den sag på.

"HVIS IKKE PIGEN overlever, så får de da noget at se til deroppe," sagde Assad på vej ned i rotunden.

"Ja, men så giver det os lidt luft." Carl smilede skævt, mens han tænkte på Pasgård, der nu måtte lade Kirschmeyer-sagen hvile, til der var gået hul på flugtbilistsagen.

Smilet forsvandt imidlertid efter et sekund, for nede for enden af trappen ventede ikke alene Olaf Borg-Pedersen fra Station 3, men også to af hans kolleger. En, der stak et kamera lige op i snuden på Carl, og en anden, der stod med en lyskanon, som fik tårekanalerne til at pumpe løs.

"Sluk det lort," nåede han at sige, før han opdagede, at Borg-Pedersen holdt en mikrofon to centimeter foran hans læber.

"Vi har erfaret, at der i dag er sket et par gennembrud i flugtbilistsagen," lagde han hårdt ud. "Hvad er dine kommentarer til flugtbilen, man har fundet i Griffenfeldsgade, og til drabet på Michelle Hansen i Stenløse?"

"At det ikke er min sag," brummede han. Hvordan helvede havde de fået det snuset op? Var det Bjørn?

"Det er politiets teori, at én og samme flugtbilist med forsæt har dræbt først Senta Berger og dernæst Michelle Hansen. Er teorien så også, at der er tale om en seriemorder, eller hælder man mere til et internt bandeopgør? Kan man kæde disse drab sammen med røveriet i går aftes og med kvinden, der blev skudt ned?"

"Spørg drabsafdelingen," sagde han. Var manden dum?

Borg-Pedersen vendte sig mod sit kamera. "Meget er mørklagt i den her sag. Flere afdelinger vægrer sig mod at kommentere den, men den danske befolkning må spørge sig selv, om vi kan være trygge, når vi ikke længere kan færdes på offentlige arealer uden at frygte for vores liv. Titusinder af køretøjer passerer os hver dag, når vi går på gaden. Er den næste bil et våben, og er du ofret? Det er det, vi gerne vil have svar på. Og vi vender tilbage til studiet."

Hvad fanden havde han gang i med det skræmmelort? Og arbejdede han nu også for nyhederne?

Borg-Pedersen vendte sig mod Carl. "Vi følger jer de næste tre dage, så fortæl mig lige, hvad agendaen er," nåede han at sige, før Carl snurrede rundt på hælen og hamrede ind på sit kontor med Assad og Gordon i hælene.

"Vi skal da ikke have dem med til Flensborg, vel, Carl?" spurgte Assad.

"Så bliver det over mit lig! Nej, alt, hvad der har med Rose at gøre, er kun vores sag."

"Men hvad vil du så sige til tv-holdet, de står jo derude i gangen og venter?" spurgte Gordon.

"Kom med," sagde han og trak ham smilende ud til kameraholdet.

"Jeg kan glæde jer med, at vores allerbedste assistent hernede, Gordon Taylor, vil tage jer med til en for opklaringsarbejdet ret så vigtig og væsentlig runde i kvarteret omkring Borgergade."

Gordons hoved roterede en kvart omgang mod Carl. "Meennn, det ..."

"Gordon Taylors sidste tjek varede et par timer, men I skal nok regne med, at det vil vare hele dagen i morgen."

Gordons skuldre faldt helt ned.

"I må i den forbindelse sikre jer, at alle de personer, Gordon kommer i kontakt med, giver deres samtykke til jeres optagelser, men sådan noget er I jo specialister i, ikke?"

Borg-Pedersen rynkede brynene. "Og hvor befinder I andre jer så, om jeg må spørge?"

Carl smilede bredt. "Spørg endelig løs, det er det, vi er her for. Vi sidder såmænd bare på vores flade det meste af dagen og gennemgår kedelige papirer. Ikke meget tv i det."

Borg-Pedersen så ikke tilfreds ud. "Prøv lige at høre på mig, Carl

Mørck. Vi lever jo af at lave tv med en vis underholdningsværdi, og drabschefen har peget på den her afdeling som den, der er bedst billeder i, og det er vi jo nødt til at tilrettelægge alting efter, ikke?"

"Jo, netop. Jeg kan love jer, at vi skal tænke meget godt over, hvad der kan gøre jer glade, Borg-Pedersen. Vi forstår til fulde jeres opgave."

Manden bemærkede vist, at Gordon lige så forsigtigt rystede på hovedet, men stemningen var da nogenlunde god, da de gik.

"Hvad i alverden skal jeg lave med dem?" spurgte Gordon nervøst.

"Gå runden en gang til, Gordon. Aflæg alle kiosker, alle restauranter og alle dem, du besøgte sidste gang, et besøg mere. Men denne gang tager du nogle fotos af Denise og Birgit Kirschmeyer med. Vis dem til folk, og spørg dem, om de ved noget om kvindernes færden eller om deres økonomi. Om mor og datter går ud sammen. Om man har set Rigmor Kirschmeyer i selskab med dem for nylig. Find selv på, hvad du vil spørge om, du kommer jo nok på noget. Er du helt bingobanko på det?"

Gordon så lidt forvirret ud. Kendte han ikke sit eget udtryk?

"Jeg har lige haft kontakt med en værkfører på Stålvalseværket," sagde han så. "Han har indvilliget i at vise jer rundt deroppe sammen med Leo Andresen nu på mandag. De vil vente på jer ved hovedporten klokken ti. Er det okay?"

Carl nikkede. "Kendte han Rose?"

"Ja, han husker tydeligt både hende og faren, men han fortalte ikke så meget om ulykken. Kun at Rose var vidne til den, og at hun så sin far dø. Han betegnede den som mærkelig og meget voldsom, så det var ikke så underligt, at hun bagefter blev helt hysterisk. Som han husker det, så lo og skreg hun på én gang, som om hun var besat. Mere vidste han ikke, men han ville også prøve at forhøre sig lidt rundtomkring blandt de gamle medarbejdere."

"Okay, Gordon, tak." Han vendte sig om mod Assad. "Herinde klokken seks i morgen tidlig, hvad siger du?"

"Selvfølgelig. Morgenstund har hø i mund, som man siger!"

"Øhhh, nej, Assad, det siger man ikke. Det hedder Morgenstund har guld i mund! "

"*Guld!?*" Han så tvivlende på Carl. "*Ikke* der, hvor jeg kommer fra, kan jeg godt sige dig."

"Lige før du går, Carl," brød Gordon ind. "Vigga har ringet. Hun siger, at hvis du ikke besøger din ekssvigermor i dag, så falder der brænde ned. Hun fortalte, at den gamle ikke har det så godt, og at hun har spurgt efter dig."

Carl fyldte kinderne med luft.

Så var den hjemtur i hvert fald spoleret.

FORAN PLEJEHJEMMET var en minibus netop ved at læsse en lille flok demente gamlinge af, der i rekordfart spredtes i alle retninger, lige så snart de betrådte jorden. Personalet havde virkelig nok at gøre.

Kun en enkelt af de ældre blev tålmodigt stående, mens hun hovedrystende fulgte med i optrinnet, og det var Karla.

Carl åndede lettet op. Så var det nok en af hans eks-svigermors gode dage. Som altid havde Vigga overdrevet for at få ham derud.

"Hej Karla," hilste han. "Nå, I har nok været på tur. Hvor har I været henne?"

Hun vendte sig langsomt mod ham, mønstrede ham et øjeblik og slog så teatralsk hånden ud mod sine uregerlige medpassagerer.

"Didn't I warn them! Look how these children are running around. Don't say I didn't tell them how dangerous the traffic is here in Rio de Janeiro."

'Olala, der overvurderede jeg hende nok en smule,' tænkte han, mens han tog hende forsigtigt under armen og ledte hende over mod indgangen.

"Careful," sagde hun. "Don't twist my arm."

Han nikkede med et fåret smil til en af pædagogerne, der havde indfanget et par af de ældre.

"Hvad har I gjort ved hende? Hun er jo slået helt om til engelsk."

Han fik et træt smil tilbage. "Når fru Alsing har propper i ørerne og hører alting lidt uldent, så tror hun, vi taler engelsk til hende. Hvis du vil have svar på dansk, så skal du råbe højt."

Carl fattede budskabet, men helt rigtig i hovedet var hun nu ikke, for hele vejen op til hendes værelse fik han på formfuldendt engelsk en malende beretning om udflugtens voldsomme regnskyl, væltede træer på bjergveje og chaufføren, der skød sig en kugle for panden, da de væltede ud over skrænten og trimlede i dybet.

Hun tog sig meget forståeligt til brystet over oplevelsen, da de endelig havde sat sig til rette på hendes værelse.

"En forfærdelig tur, kan jeg høre," råbte Carl af fuld kraft. "Sandelig godt, du nåede tilbage i live."

Hun så overrasket på ham.

"Det gør jeg da altid," svarede hun på dansk og fiskede et cigaretskod frem bag en af sofapuderne.

"Greta Garbo omkommer ikke sådan uden videre, før instruktøren forlanger det," irettesatte hun ham, mens hun proppede stumpen i et cigaretrør.

Carl løftede øjenbrynene. Greta Garbo? Den var ny.

"Du har spurgt efter mig, siger Vigga!" forsøgte hans turbostemme at dreje emnet.

Hun tændte og tog et par dybe hiv, der spændte lungerne til bristepunktet.

"Har jeg det?" Hun sad et halvt minut med åben mund og røgen dampende fra sig. Så nikkede hun.

"Åh jo, Viggas dreng har givet mig den her. Hvad er det nu, han hedder?"

Carl tog imod mobilen. En Samsung Smartphone, der klart var en del nyere end den, Jesper havde givet ham for to år siden. Hvor var man her i livet uden ens børns aflagte elektronik?

"Han hedder Jesper, Karla," tordnede han direkte ind i øret på hende. "Det er dit barnebarn. Hvad skal jeg med den?"

"Du skal lære mig at tage selfies, ligesom alle de unge piger på nettet gør."

Trods overraskelsen nikkede Carl bifaldende. "Selfies, jamen dog, Karla, du er sandelig blevet moderne," råbte han videre. "Men så skal du trykke her, så kamerahullet vender mod dig, og holde den ud i ..."

"Nej nej, ikke det. Det har ham Jesper vist mig. Jeg skal bare vide, hvad jeg gør."

Måske hørte hun alligevel ikke rigtig godt, så han valgte denne gang kommandotonen, som under en voldsom anholdelse. "HVAD DU GØR? DU PEGER BARE MOD DIG SELV, OG SÅ TRYKKER DU."

"Ja ja, lad være med at skrige, jeg er jo ikke tunghør. Fortæl mig nu bare det vigtigste. Skal jeg så smide klunset med det samme eller først bagefter?"

32

Torsdag den 26. maj 2016

JAZMINE VAR SUNKET dybt ned i drømmetåger. Spindelvævstyndt stof, varme fra fremmede mænds kroppe og solens stråler indhyllede hende. Duft af pinje og lavendel blandet med frisk tang, som berusede hende. Der var lyde af bølgeslag og musik, og nænsomme hænder på hendes skuldre, som pludselig rystede hende og holdt fast, så det gjorde ondt.

Jazmine åbnede øjnene og stirrede lige ind i Denises bestyrtede ansigt.

"Hun er stukket af fra os, Jazmine," ruskede hun videre.

"Hold da op med det der, det gør ondt." Hun rejste sig halvt og gned søvnen ud af øjnene. "Hvad er det, du siger? Hvem er?"

"Michelle, fjols. Der lå et bundt tusindkronesedler på bordet, og nu er det væk. Hun har taget penge til sig selv og pakket alle sine ting, og hun er godt nok kommet hurtigt ud ad døren, når hun har glemt sin iPad." Hun pegede over på den på hylden ved siden af spisebordet, hvor også håndgranaten stod.

Jazmine rejste sig. "Hvor meget har hun taget?"

"Jeg ved det ikke. Tyve-tredive tusind, tror jeg. Jeg har ikke samlet sedlerne og talt dem."

Jazmine strakte sig. "Nå, men gør det så noget? Hvis hun kun har taget tredive, så er der jo mere til os andre. Hvad er klokken?"

"Er du dum eller hvad? Hun kommer jo ikke tilbage, når hun har pakket sine ting. Hun er taget tilbage til ham lorten, Jazmine, så vi kan ikke stole på hende. Vi må efter hende. *Nu!*"

Jazmine så ned ad sig selv. Hun lå i det tøj, hun havde haft på i går, sved havde gennemvædet blusen i armhulerne, håret kløede.

"Jeg må først i bad og skifte."

"*Nu*, for helvede! Forstår du ikke alvor? Klokken er pissemange, vi har sovet hele dagen væk, og Michelle kan have nået at skade os ad helvede til allerede nu. Vi har begået røveri og måske slået nogen ihjel, og hvem ved, hvad Michelle kan finde på at sige for at beskytte sig selv. Det kan blive os to, der kommer til at hænge på det hele alene, hvis hun prøver at redde sin egen røv. Det var jo ikke hende, der begik røveriet, og det var heller ikke hende, der sendte en kugle i Birna."

Jazmines hud blev iskold. "Det var fandeme da heller ikke mig, Denise," fløj det ud af hende, og hun fortrød i samme sekund.

Denises ansigt stivnede, og blikket i hendes øjne blev med ét ubehageligt fjendtligt. Om hun bare var vred over bemærkningen eller tog tilløb til at ryge i totterne på hende, var ikke til at se, men det gjorde Jazmine bange. Havde hun måske ikke set, hvad Denise var i stand til?

"Nej, undskyld, det var dumt sagt, Denise," sagde hun med eftertryk. "Jeg mente det ikke. Jeg så jo, at Birna overfaldt dig med kniv, og vi anede jo ikke, at pistolen var ladt, vel? Så vi er sammen om det, jeg lover det." Hun slog kors for brystet. Ikke fordi hun var religiøs, men hun syntes ligesom, det virkede mere seriøst.

Denise trak vejret dybt og åndede ud. Det aggressive blik blev mere frygtsomt. "Jazmine, vi ved ikke, om hende Birna er død," sagde hun. "Vi ved ingenting om, hvad der er sket med hende. Hvis hun er død, så er det noget lort, men lever hun, så er det også noget lort. Hvorfor helvede blev vi så fulde i nat, da vi kom hjem? Hvordan kunne vi sove så længe, at Michelle nåede at smutte? Det er totalt fucked up."

"Hvis Birna er død, så kan vi se det på TV2 News," sagde Jazmine og trak Denise efter sig.

Synet, der mødte dem i stuen, slog dem næsten omkuld. Ikke fordi rummet faktisk lignede noget, som vilde elefanter havde smadret, og heller ikke på grund af stearinlysstænkene og alle rødvinspletterne på tæpperne og møblerne eller krummerne fra snacksene, der lå som aske-støv alle vegne. Nej, de stivnede, fordi tv'et allerede gik for fuldt drøn, og fordi skærmbilledet var fyldt helt ud af en, som de desværre kendte alt for godt. Det var ikke Birna, som man kunne forvente, det var Michelle. Og nedenunder på det gule bånd med Breaking News stod der:

'*Kvinde i Stenløse dræbt af flugtbilist. Samme kvinde torpederet den 20. maj. Mulig sammenhæng mellem dette og gårsdagens nedskydning på diskotek Victoria i Københavns Sydhavn.*'

De begyndte at smide med ting, der ramlede ind i væggene, og råbe ad hinanden, og derpå gik Jazmine nærmest i chok, mens Denises reaktion var helt anderledes. Alt i hende skreg på handling, mens hun med efter-tryk mindede Jazmine om, hvad Michelle havde sagt ved hele to lejlig-heder. Havde hun måske ikke syntes, at hun så Anne-Line Svendsen i bilen over for diskoteket? Og havde hun ikke sagt det samme, da hun blev kørt ned den første gang?

"Men da du var hos hende krampen og prøvede at få hende til at indrømme, at det var hende, Michelle havde set, så konkluderede du bagefter, at det troede du alligevel ikke, at det var. Hvad fanden tror du så nu, Jazmine?"

"Hvad vil du have, vi skal gøre?" svarede hun med gråden siddende i halsen. "Michelle er slået ihjel, og så kobler politiet måske Michelle til os. Og hvis det virkelig var Anne-Line Svendsen, som Michelle så i går aftes, så må hun da have set, da vi kom ud fra den smøge, og så sladrer hun måske om os."

Denise vrængede ad hende. "Du er bare for dum, Jazmine. Tror du måske ikke, at det ville være det sidste, hun ville gøre? Hun er for hel-vede da morder, og vi er måske de eneste, der kan afsløre hende, så mon ikke det er *det*, hun tænker lige nu?"

Jazmine krattede med lange negle i folien på en pakke Prince, og da hun fik den op, slog hun fire-fem cigaretter ud på bordet og tændte den første. Nu så Denise på hende med en alvor, Jazmine ikke før havde set. At det var den samme, der aftenen før havde festet igennem eller forleden havde ligget og tumlet rundt i rummet ved siden af med en af sine sugardaddies, var ikke til at fatte.

"Jazmine, for helvede," sagde Denise. "Jeg er sgu da også rystet over det her. At Michelle er død, og at alt det, de snakker om i fjernsynet, har med os at gøre. Det er simpelthen bare for meget. Og så alt det med Anne-Line Svendsen, det er helvedes skræmmende. Hvis jeg var hende, så ville jeg pronto sørge for, at vi blev de næste, der kradsede af. Hun må jo vide, hvor vi bor, hvad skulle hun ellers herude i Stenløse?"

Angsten satte sig i Jazmines mellemgulv. Denise havde jo ret. Måske sad Anne-Line lige nu derude og vogtede på dem.

"Hvad skal vi gøre, hvis hun kommer?"

"Hvad mener du?" sagde Denise hårdt. "Der er knive ude i knivblokken, og morfars pistol ligger lige derude på altanen."

"Jeg tror ikke, jeg kan gøre det, Denise."

Denise så eftertænksomt på hende. "Jeg tror ikke, Anne-Line tør vende tilbage hertil så hurtigt efter det med Michelle. Der må jo løbe en masse politifolk rundt herude. De går vel lige nu fra dør til dør og spørger folk, om de har set noget. Men vi må passe ekstra meget på og holde øje med alting. Med politiet, med Anne-Line ..." Hun så med et vågent blik på Jazmine. "Og med hinanden, Jazmine."

Jazmine lukkede øjnene. Hun ville tilbage til drømmen lige før. Ikke det her. "Denise, jeg tror, at vi har mere end halvfjerds tusind hver, og så kan vi komme langt væk, så skal vi ikke bare gøre det?" Hun så bønfaldende på hende. "Hvad siger du? Vi kunne flyve til Sydamerika et sted? Det er langt væk. Tror du ikke, det er langt nok?"

Denise nikkede overbærende. "For du er jo så skidegod til det med spansk, ikke? Altså det der spanske, hvor man gokker den af på fyre med patterne, ikke? For det er det, du i bedste fald kommer til at leve af, når pengene er væk derovre på den anden side af jorden, kan jeg godt sige dig. Vil du måske det?"

Et par fortvivlede streger satte sig i Jazmines pande, og hun så såret på Denise. "Jeg ved det ikke. Er det måske ikke allerede det, vi gør her? Politiet og Anne-Line er i hvert fald ikke på jagt efter os, hvis vi er i Sydamerika, vel?"

"Anne-Line er ikke ret længe på jagt efter os, hvis det står til mig, for vi kommer hende i forkøbet, er du med? Vi er to, og hun er kun en. Vi udtænker en plan og får fat i hende. Måske hjemme hos hende selv midt om natten, hvor hun mindst venter det. Så truer vi hende og får hende til at skrive en tilståelse, og bagefter slår vi hende ihjel, så det ligner selvmord, og hvis hun har kontanter liggende, og det er hun lige typen, der har, så stjæler vi også hendes penge. Bagefter kan vi snakke om at flygte et eller andet sted hen."

Jazmine studsede og tyssede på hende, og Denise tav og lyttede med. Det var rigtigt, det bankede på hoveddøren, og nu var der nogen, der låste sig ind.

"Hvad gør vi?" nåede Jazmine at hviske, før en kvinde stod og vaklede foran dem, ligbleg i ansigtet og med øjne streget op, så man dårligt kunne se øjenlågene.

"Hvem pokker er I?" spurgte kvinden aggressivt, mens hendes blik flakkede rundt i lokalet.

"Det rager ikke dig," svarede Denise. "Hvor har du de nøgler fra?"

"Jeg kender jer ikke. Sig, hvem I er, eller jeg anholder jer for ulovlig indtrængen."

Jazmine prøvede at fange Denises blik. Trods kvindens forfatning virkede hun, som om hun mente det, men Denise så ikke særlig rystet ud. Hun virkede snarere parat til at ryge på kvinden.

"Du gør røv, gør du," snerrede hun. "Jeg er Rigmors barnebarn, og jeg har ret til at være her, og det har du ikke, vel? Så giv mig de nøgler, og skrid, eller jeg pander dig en og ringer til politiet."

Kvinden over for dem rynkede brynene og stod et øjeblik og svajede om sit tyngdepunkt, før hun fandt det. "Er du Dorrit?" sagde hun i et mere normalt tonefald. "Dig har jeg hørt om."

Jazmine var forvirret. Dorrit?

"Kom så med dem," sagde Denise og strakte den åbne hånd frem mod hende, men kvinden rystede på hovedet.

"De nøgler beholder jeg, til jeg har fundet ud af, hvad det her er for noget," sagde hun, mens øjnene scannede lejligheden. "Hvad foregår her egentlig? Rigmor er blevet myrdet, og her flyder med pengesedler over det hele. Hvad skal en efterforsker i politiet tænke om det, synes I? Jeg skal i hvert fald nok få rede på, hvad det er, der foregår. Og I bliver her imens, forstået?"

Så drejede hun om på hælen og slingrede gennem korridoren og ud på svalegangen.

"For pokker," stønnede Jazmine. "Hørte du, hvad hun sagde? Og pengene." Jazmine så sig om og dækkede underansigtet med den ene hånd. Det var jo en fuld tilståelse, sådan som sedlerne lå spredt ud over det hele.

Denise stod med knytnæverne i siden og et indadvendt blik. Attituden understregede tydeligt situationens alvor, og at Denise havde erkendt den.

"Min mormor har engang fortalt, at hendes nabo var ansat i kriminalpolitiet, så det må være hende drukmåsen," sagde hun dæmpet, mens hun stod og nikkede for sig selv.

Jazmine var rystet. "Hvad gør vi, Denise? Hvis hun ringer til politiet, så kan de være her når som helst. Vi må væk herfra." Jazmine så sig omkring. De ville kunne samle sedlerne sammen på ti minutter, og hvis hun bare kylede noget tilfældigt kluns på og resten i tasken, så var de ude ad døren på et kvarter.

Denise rystede på hovedet. "Nej, vi går ind til hende," sagde hun.

"Til hende, hvad vil du dér? Hun så jo pengene. Du får hende ikke til at stoppe med at tjekke os, det kunne jeg se på hende."

"Ja, nemlig! Og så er det derfor, vi sørger for at stoppe hende i stedet for, ikke?"

＊＊

'SKAL DET HER kaos vidne om mit liv?' tænkte Rose, mens hun så sig omkring i lejligheden.

Hun vendte blikket mod frakken, der dækkede selvmordsbrevet, plastikkurven, donortestamentet og barberbladet, og følte sorg over sit forspildte og ensomme liv. For et par minutter siden havde hun øjnet et lille lys i mørket, da hun hørte stemmer inde fra Rigmor Kirschmeyers lejlighed, og i beruselsen havde hun et øjeblik fornemmet, at hun måske stadig kunne leve.

'Vildfarelser er sådan,' tænkte hun. De kunne skabe mirakler og trænge sig på med falske tryghedsfornemmelser og illusioner, der med ét ændrede alting. Og så vendte virkeligheden altid skuffende tilbage.

Selvfølgelig skulle de to suspekte kvinder ikke være inde i Rigmors lejlighed, men når alt kom til alt, hvad ragede det så hende? At de stjal fra en kvinde, der var død? At de boede i hendes lejlighed?

Rose lod hovedet falde og satte sig tungt på den sidste af spisestuestolene, der stadig stod op. Det hele var blevet så kaotisk.

'Sådan må det vel egentlig være på et menneskes yderste dag,' tænkte hun og følte trang til at kaste op. Alt i hende bønfaldt bare om at få det overstået. At få ringet til alarmtjenesten og få sagt, at hun havde skåret sine pulsårer over, og at de skulle komme og redde hendes organer. Så skide være med, hvad der foregik inde på den anden side af væggen. Hvis hun blandede sig, så blev hun jo bare slået tilbage til start. Der ville komme politi, og det var det sidste, hun ønskede. Der var i hvert fald ingen inde fra Politigården, der skulle komme og forpurre hendes beslutning, og det skulle hendes søstre eller lægerne ude i Glostrup heller ikke.

"Skide være med dem, og skide være med dem derinde ved siden af, skide være med hele verden," sagde hun højt og tog fat i frakkesnippen og afdækkede det, der lå nedenunder og ventede. Et hurtigt opkald, et par hurtige snit, og så var det overstået.

Da det bankede på døren, havde hun allerede tastet de første cifre til alarmtjenesten.

'Gå væk!' skreg alt i hende. Og da det bankede igen, denne gang hårdere, trak hun hænderne op til ørerne og klemte til. I et minut sad hun sådan, men da hun lempede grebet, og folk derude stædigt fortsatte med bankeriet, rejste hun sig til sidst, trak frakken tilbage over remedierne og brevene og vaklede mod døren.

"Ja?!" råbte hun ud gennem den.

"Det er Denise Kirschmeyer," svarede stemmen derude. "Må vi lige komme ind et øjeblik. Vi vil bare forklare …"

"Ikke nu!" råbte Rose tilbage. "Kom tilbage om en halv time."

Så var det hele jo alligevel overstået.

Og mens hun stod og stirrede på hoveddøren, gik det op for hende, at det måske ville tage Falckredderne for lang tid at komme ind, når døren var låst. At organerne måske ville nå at blive ubrugelige. Hvem pokker vidste noget om sådan noget?

Hun hørte dem svare okay derude og trin, der trak sig tilbage fra døren. Og da der ikke længere var noget at høre derudefra, tog hun fat om vridelåsen og låste op, så redderne ville kunne komme ind.

Hun fik dårligt vendt sig, før døren blev flået op bag hende – og et hårdt slag i baghovedet fik hende til at gå i sort.

33

Torsdag den 26. maj og fredag den 27. maj 2016

'HVEM ER DU egentlig, Anneli?' havde hun tænkt, da hun fangede sit eget dæmoniske blik i spejlet. Hun havde lige slået ihjel, og dog smilede hun som en forelsket. Hun havde forbrudt sig imod Guds og menneskets strengeste love og taget liv, og dog havde hun aldrig haft det bedre end dette vidunderlige øjeblik, hvor Michelle Hansens gispende ansigt forsvandt ind under bilen med en kraft, der knuste hendes krop og slyngede bilen en halv meter i vejret. Selvfølgelig havde hun ligesom sidste gang forventet en vis form for nydelse, men ikke denne altoverskyggende eufori, der som en ren livseliksir satte sig i alle væv.

Efter at have standset bilen et par sekunder for at sikre sig, at Michelles forvredne krop aldrig ville kunne rejse sig igen, havde hun stille og roligt speedet Hondaen op og sat kursen mod Ølstykke og den udsete parkeringsplads. Hun nærmest sitrede hele vejen af ophidselse og lykkefølelse. Aldrig før havde hun skraldgrinet på den måde af bar lettelse, nu hvor opgaven var fuldført.

Men dårligt nok havde hun placeret sig hjemme på sofaen med benene trukket op under sig og kølig hvidvin i glasset, før hun måtte erkende, at visse begivenheder fra tid til anden udvikler sig hurtigere og mere uforudsigeligt, end man lige går og regner med.

Efter drabet på Senta Berger havde pressen været delt. Var det en ulykke eller mord? Var der en konkret sammenhæng mellem Berger og den foregående påkørsel af Michelle Hansen? Tv-stationerne og et enkelt frokostblad havde nævnt muligheden, og så var det ligesom blevet ved det.

Denne gang var udviklingen imidlertid anderledes, for ikke alene havde Michelle Hansens død ryddet netavisernes forsider, men nu også samtlige nyhedskanalers sendeflader, konstaterede hun foran sin flimrende tv-skærm.

Politiets informationer om flugtbilisten var gud ske lov sparsomme, men sædvanen tro afholdt det ikke de emsige tv-værter fra at komme med deres egne teorier, og som eftermiddagen og aftenen gik, blev analyserne og antagelserne vildere og vildere. Til sidst blev Anneli overmandet af en temmelig irrationel fornærmelse over at være overset. Sad de måske ikke lige derinde i studiet og antog, at røveriet aftenen før hang sammen med dagens trafikdrab? Var de da fuldkommen blinde?

Hun hældte endnu et glas op og overvejede situationen.

Selvfølgelig skulle hun være glad for, at søgelyset blev rettet et forkert sted hen, men det ændrede jo ikke ved, at Annelis mission ikke var fuldført. Denne hersken over liv og død havde sat sig i hende som et narkotikum, og tørsten efter at fortsætte med at udrydde disse ligegyldige eksistenser var næsten større end fryden over måske nu at være sluppet helskindet af sted med det hele.

Men kunne hun overhovedet stoppe med at dræbe? *Det* var det virkelige spørgsmål, der nu kaldte på svar.

I aftes var hun kørt lige i halen på pigernes taxa fra p-pladsen foran lejligheden i Stenløse og ind til diskoteket, selv om et par røde lys burde have stoppet hende. Og hun havde parkeret bilen skråt over for diskoteket og siddet og ventet tålmodigt på, at pigerne kom ud. Som begivenhederne i løbet af de sidste timer nu var kommet for dagens lys, havde hun fået en temmelig god fornemmelse af, hvad hun egentlig havde været vidne til. Disse pyntesyge, selvglade glimmerdukker havde i aftes helt uden tvivl begået så alvorlige forbrydelser, at det i totalitære stater ville kunne medføre dødsstraf. Hun havde set Denise og Jazmine snige sig ind på diskoteket, mens Michelle havde afledt dørmanden, som hun genkendte som Michelles kæreste, og hun havde set pigerne komme ud igen og søge ly i smøgen ved siden af. Hvor let var det så ikke at udlede, når tv-stationerne nu tudede seernes ører fulde med, at røverne var to unge kvinder, at det var Jazmine og Denise, der var tale om?

Og nedskydningen af Birna, også den vidste hun noget om. Med undren havde hun observeret, at det forfærdelige pigebarn var dukket op ved diskoteket, og hun havde fulgt hendes reaktion, da Jazmine og Denise kort tid senere forsvandt ind i smøgen. Birna var fulgt efter, og Anneli havde set, hvordan Michelle lidt efter gik samme vej. Der gik et par minutter, hvor Anneli ikke anede, hvad der skete. Hun havde forsøgt, om hun kunne høre noget, men larmen fra diskoteket var for overdøvende, og det eneste, der kunne hæve sig over de dunkende rytmer, var en dump lyd, som Anneli ikke kunne placere. Så var Denise, Michelle og Jazmine dukket op igen, vildt parlamenterende og trækkende på Birnas livløse krop, som de lagde fra sig under en af gadelamperne.

Pigerne var derefter skrået over gaden mod Annelis vogn, så hun havde været nødt til at trække sig tilbage i sædet og væk fra gadelampernes skær. På tæt hold havde hun set, hvor forstenede deres ansigter var, og dog syntes det, som om Michelle reagerede i det øjeblik, de gled forbi. Hun havde helt sikkert set direkte mod hende, men havde hun også set, at det var hende, der sad der? Anneli troede det ikke, for ruderne var let duggede og ansigtet trukket godt tilbage i mørket.

Og alligevel, kunne hun være sikker på det?

Man siger, at faktorernes orden er ligegyldig, men var den også det i det her tilfælde? Hvad nu, hvis hun besluttede sig for lige så stille og roligt at stoppe sine aktiviteter og lod nyhedsskakalerne og politiet hidse sig op til at udpege denne tumpede gruppe som en del af noget større og mere organiseret? At drabene på Michelle Hansen og Senta Berger blev fortolket som et resultat af interne stridigheder? Så ville hendes gerninger jo så at sige blive nulstillet. Men hvis hun bare så til, risikerede hun så ikke, at Denise og Jazmine ville sladre, hvis de blev pågrebet af politiet? At de ville fortælle, at Michelle havde navngivet den person, der havde siddet bag rattet i den røde Peugeot, som første gang forsøgte at køre hende ihjel? Det var jo det, Jazmine fik antydet, sidst hun var inde på Annelis kontor?

Nej, det gik altså ikke. Sladrede pigerne, så ville politiet udtænke nye teorier om hændelsernes forløb og udspring, og de ville nå frem til, at de forskellige forbrydelser alligevel ikke havde noget med hinanden at gøre.

Pludselig blev Annelis eufori afløst af tvivl og en voksende smerte i brystet, der ellers havde været stillet nogenlunde i bero. Psykisk angst kunne pludselig blive fysisk mærkbar, det havde man jo hørt om, men hvad betød det, når det pludselig gjorde *så* ondt? Var der noget galt?

Hun slugte en mild overdosis smertestillende piller og masserede forsigtigt operationsarret. Og da det ikke hjalp, spædede hun pillernes neddyssende effekt op med endnu et par glas vin.

Anneli kunne slet ikke lide det dilemma, hun var kommet ud i.

NÆSTE MORGEN VAR hun ør og tung i hovedet efter aftenens indtag af hvidvin og nattens elendige søvn, men hvad der var endnu værre, så var hun også i den grad uafklaret.

Mest lyst havde hun til at æde nogle flere piller og bare blive i sengen. Samtidig havde hun også lyst til at springe op og rase frustrationerne ud. Smadre lidt porcelæn på køkkengulvet, rive et par billeder af væggene og feje skidtet af sit skrivebord.

Hun havde simpelthen lyst til alt andet end det, der virkede klogest, nemlig at tage den med ro og lade tingene udvikle sig af sig selv, før nye beslutninger blev taget.

'I dag går jeg på arbejde efter strålebehandlingen, og så ser vi, hvad der sker,' afgjorde hun efter at have overvejet alle sine muligheder.

MAN HILSTE FORHOLDSVIS pænt på hende, da hun dukkede op på kontoret. Lidt akavede smil, nogle lidt for skæve, og andre med helt neutrale ansigter ledsaget af et lille, afmålt nik.

Hun gav besked i administrationen, at hun nu var parat til dagens borgere, som klienterne nu latterligt blev betegnet.

Anneli så sig om i kontoret. Nogen havde været der, for bordet var fuldstændig ryddet for papirer, og de visne blomster i vindueskarmen var kasseret. Havde de regnet med, at hun bare lige så stille ville droppe ud? Anneli smilede. I så fald havde de jo fuldkommen ret. Når hun havde fuldført sit retfærdighedstogt med endnu et par drab, så ville hun fordufte fra jordens overflade, og den plan havde Jazmine, Denise og Michelle skubbet hårdt til uden at vide det. På nettet kunne man læse, at udbyttet ved røveriet på Victoria var et hundrede og femogtres tusind kroner, og de penge havde hun tænkt sig, at hun skulle rage til sig. Når først hun havde slået Denise og Jazmine ihjel, så skulle det være enkelt nok. Og trods den relativt ringe sum så regnede hun da bestemt med, at hun kunne leve mindst ti år for dem et sted i det centrale Afrika, hvis kræften ikke tog hende inden da. Med tog til Bruxelles, fly til Yaoundé i Cameroun, og så var hun forsvundet fra jordens overflade. Ingen skulle bilde hende ind, at Interpol eller sådan nogle som dem ville finde frem til hende, når junglen havde lukket sig om hende.

Opfyldt af de tanker, og hvad det kunne føre med sig af unge, sorte mænd og endeløst solskin, fangede hun ikke, i hvilket ærinde den unge kvinde, der trådte ind på kontoret, var kommet, kun hvad hun hed.

Anneli mønstrede hende kort. Midt i tyverne, feminin, en forventelig lille tatovering af et firben på håndryggen mellem tommel og pegefinger. Kort sagt sædvanlig gammel vin på nye flasker, endnu en nasserøv med fletninger.

Det næste minut var pigen mærkeligt nok gammeldags høflig, nærmest på kanten af det servile, og dertil så behageligt afdæmpet i tone og facon, at Anneli på alle måder var uforberedt på det næste, der kom.

"Som sagt, så er jeg stoppet med mine studier og har mistet min SU," sagde hun med tunge, blå katteøjne. "Så jeg kan hverken betale mit værelse, min mad eller mit tøj. Jeg ved selvfølgelig godt, at man ikke sådan uden videre kan få kontanthjælp, men hvis jeg ikke får det, så slår jeg mig selv ihjel."

Og så sagde hun ikke mere. Glattede bare håret i et væk ligesom de andre gæs, som om det betød mere her i verden end noget andet, at håret præsenterede sig pænt. Hun stirrede øretæveindbydende hovent på Anneli og troede formentlig, at hendes krav var fuldstændig uangribeligt, dum som et bræt som hun var. Sikkert en af dem, der flirtede og fedtede sig til gode karakterer i gymnasiet og derfor fik en studieplads. Mon så ikke hun havde indset, at kravene blev for store? 'Glemte' hun at møde op til forelæsningerne og var nu smidt ud fra sin gruppe og fra studierne, siden hendes SU var stoppet?

Huden i Annelis ansigt blev strammere. Irritation, uvilje, had og ringeagt var bare toppen af det isbjerg.

Hun løftede ansigtet mod den unge kvinde. Truede hun virkelig med selvmord, den lille gås? Så var det sandelig synd for hende, at hun var kommet til den forkerte.

"Jaså, du vil begå selvmord, siger du! Men ved du hvad? Det synes jeg, du skal skynde dig hjem og få overstået, min ven," sagde hun og drejede en halv omgang rundt på kontorstolen. Så var den audiens forbi.

Bag Anneli lød pigens stemme både indigneret og chokeret. "Jeg melder dig altså til centerchefen for at opfordre mig til at begå selvmord," lød det advarende bag hende. "Det er virkelig strafbart, det ved jeg, så for din egen skyld så synes jeg, at du skal finde ud af at give mig en ydelse på fem tusind kroner her og nu, b....!"

Hørte hun gimpen afslutte sætningen med et 'bitch'?

Hun drejede langsomt stolen til udgangspunktet og så koldt på pigen. Lige nu havde tøsen rykket sig selv helt op i top på den liste, hvor dødsdomme blev forkyndt. Faktisk skulle det være hende en sand fornøjelse snarest muligt at få slukket lyset i disse yndige, stærkt opstregede øjne og få dukkeansigtet tværet til mos.

Anneli trak sin mobiltelefon op af tasken og trykkede på diktafonappen. "Klokken er ti minutter over ni den 27. maj 2016," sagde hun. "Mit navn er Anne-Line Svendsen, og jeg er sagsbehandler i Københavns Kommune. Foran mig har jeg en seksogtyveårig klient, Tasja Albrechtsen, som forlanger at få fem tusind kroner udbetalt. Gør jeg ikke det, vil hun begå selvmord, siger hun." Så skubbede hun diktafonen hen foran pigen. "Vil du gentage dit forlangende, Tasja Albrechtsen, og samtidig oplyse mig om dit cpr-nummer, så vi har lidt til dine journaler?"

Om det var diktafonen, beskyldningen om afpresning eller hele situationens udvikling som sådan, der fik pigens blik til at flakke, fik Anneli ikke styr på, for telefonen ringede og afbrød dem. Og mens Anneli løftede røret, rejste pigen sig lige så stille og gled ud ad døren.

Anneli smilede. Bare synd, at hun ikke havde nået at få flere oplysninger ud af mokken. Hendes adresse, for eksempel. Det ville jo ligesom gøre det hele lidt lettere, når det blev hendes tur.

"Hej Anne-Line, det er Elsebeth," sagde en bekendt stemme i den anden ende. "Godt, jeg fik fat på dig."

Anneli så sin gamle kollega fra Gammel Køge Landevej for sig. En af de gode piger, der tog sit arbejde alvorligt nok til at skide på sine overordnede. Egentlig synd, at de aldrig så hinanden mere.

Et par høflighedsudvekslinger, og så kom hun med sit ærinde.

"Du husker Senta Berger, gør du ikke?"

Anneli rynkede brynene. "Jo, Senta. Hvem kan glemme den lille diva?"

"Hun blev klient hos mig efter dig, og hun er død, vidste du det?"

Anneli tænkte sig om, før hun svarede. "Jo, jeg læste om det i avisen. En ulykke, ikke?"

"Det er det, der er spørgsmålet. Politiet har lige været her og udspurgt mig om hende. Om hun havde fjender, om jeg havde problemer med hende, og om jeg havde kendskab til en bestemt rød Peugeot eller sort Honda. Det var faktisk ret forfærdeligt, næsten som om de mistænkte mig og ville have mig til at buse ud med en hel masse. Gud ske lov har jeg jo ikke engang noget kørekort, men alligevel."

"Pyha, det forstår man da godt. Men hvorfor ringer du så til mig, Else-beth?" spurgte hun, mens ubehaget samlede sig i maveregionen. Var pigerne allerede blevet pågrebet og havde sladret? Det var hun jo slet ikke parat til.

"De spurgte ind til, hvem der havde haft hendes sag før mig, og så måtte jeg jo sige, at det var dig. De spurgte også, om du havde haft uover-ensstemmelser med hende."

"Gud nej da. Hun var jo bare en klient blandt hundreder. Hvad sva-rede du så på det?"

"Ikke noget. Hvor skulle jeg vide det fra?"

'Idiot!' tænkte hun. 'Du kunne da have hjulpet lidt i den rigtige ret-ning, hvad havde det betydet at sige nej, bare et lille ord?'

"Næh, selvfølgelig kunne du ikke vide det, men uoverensstemmelser havde vi altså ikke nogen af."

"De er på vej ind til jer nu, hørte jeg dem sige til min chef. Så er du advaret. Det var bare det."

Bagefter sad Anneli et stykke tid og så på røret.

Så trykkede hun på samtaleanlægget. "Send bare den næste ind," sagde hun. De skulle fandeme ikke fange hende i at sidde og stirre ud i luften.

TILSYNELADENDE HAVDE de to politimænd været der et stykke tid, for-mentlig for at forelægge deres ærinde for Annelis leder. I hvert fald så hun rimeligt anklagende på hende, da de troppede op på Annelis kontor.

"Ja, undskyld," sagde lederen til klienten, "men vi må bede dig om at gå ud i venteværelset et øjeblik."

Anneli nikkede til politimændene og så til klienten. "Det er helt i orden, vi var vist også ved at være klar herinde, ikke sandt?" Hun smilede til klienten, og de gav hinanden hånden.

Så satte hun sig og samlede roligt sine notater og lagde dem i et char-tek, før hun rettede blikket mod de to mænd.

"Hvad kan jeg så hjælpe jer med?" Med et smil løftede hun øjenbry-

306

nene mod ham, der virkede som den højest rangerende af dem. Hun pegede på de to stole foran sig. "Vær så god at tage plads." Så måtte gimpen jo stå.

"Mit navn er Lars Pasgård," sagde lederen og rakte hende sit kort. Anneli så på det. 'Politikommissær', stod der.

Hun nikkede bifaldende. "I kommer fra Politigården, hvad kan jeg hjælpe jer med?" spurgte hun med isnende ro.

"De undersøger to drab udført af en flugtbilist!" sagde hendes leder med kolde øjne.

Politikommissæren vendte sig mod hende. "Tak, vi foretrækker selv at orientere frøken Svendsen, hvis De vil være så venlig."

Anneli fortrak ikke en mine, men det var svært. Hvornår havde hun sidst set sin chef blive ydmyget, og hvornår havde nogen sidst kaldt hende for frøken?

Anneli mødte kommissærens blik. "Ja, jeg tror, jeg ved, hvad det drejer sig om."

"Jaså."

"Jeg blev ringet op for en halv times tid siden af en gammel kollega på Gammel Køge Landevej. I havde netop talt med hende. Elsebeth Harms. Er det ikke rigtigt?"

De to betjente så på hinanden. Havde de instrueret hende om at holde tæt? I så fald var det Elsebeths problem.

"Jeg ville ønske, jeg kunne hjælpe jer, men jeg tror ikke, jeg ved noget."

"Det synes jeg, De skal lade os om, frøken Svendsen."

Der smilede afdelingslederen bag dem. Så stod den åbenbart 1-1.

"De er ejer af en Ford Ka, er det korrekt?"

Hun nikkede. "Ja, jeg har haft den i snart fem år. En rigtig god og øko-nomisk bil, og så kan den faktisk parkeres næsten alle vegne." Hun tillod sig at le, tilsyneladende uden at det vakte genklang hos nogen af dem.

"Senta Berger og Michelle Hansen har begge været klienter hos Dem, er det korrekt?"

Hun løsnede lidt på smilebåndet. "Ja, men det gik jeg da ud fra, at Elsebeth og min leder allerede har informeret jer om."

"Har De nogen kommentar til, at begge er blevet kørt ihjel?" spurgte den anden mand.

'Åndssvagt spørgsmål,' tænkte hun, mens hun så på manden. Var han ny i faget?

Hun trak vejret dybt. "Jeg har jo fulgt med i nyhederne, og det er klart, at da Michelle Hansen blev kørt ned den første gang, så blev jeg ked af det. Hun er jo trods alt min klient – ja, eller rettere var, og hun var en rigtig sød pige. At så Senta Berger kom ud for det samme, og nu igen Michelle, har selvfølgelig berørt mig dybt. Meget dybt, endda. Har I noget spor at gå efter?"

Denne Lars Pasgård så ærgerlig ud over spørgsmålet, men han svarede heller ikke på det. "Ja, medierne har haft travlt," samlede han op. "Men nu er det altså sådan, at Deres leder for lidt siden har informeret os om, at De har haft en del fravær på det sidste. Datoer, der stemmer ganske godt overens med disse hændelser."

Anneli så op. Hendes leders udstråling var ikke god.

"Ja, jeg har været en del væk på det seneste, det er korrekt, men nu er jeg altså tilbage."

"Og anledningen til Deres fravær står lidt uklart. Har De været syg?"

"Jeg *er* syg, ja."

"Jaså. Og hvad fejler De, om man må spørge? Noget, der kan forklare Deres færden?"

'Om lidt spørger de mig om eksakte tidspunkter, og det må de ikke,' tænkte hun.

Anneli rejste sig ganske langsomt. "Jeg har ikke informeret nærmere om min sygdom, nej, og det burde jeg nok have gjort. Men det har været en voldsom periode for mig. Jeg har haft mange smerter, og jeg har været meget nedtrykt, men lige nu går det bedre."

"Så hvad ..." nåede hendes chef at spørge, før Anneli krydsede armene og trak op i blusen. Hun stod der et øjeblik og lod dem se bandagen, der stak ud under hendes bh, før hun også trak den op og blottede sit brystparti.

"Brystkræft," sagde hun og pegede, mens de tre hoveder foran hende instinktivt trak sig nogle centimeter baglæns.

"Det er ikke så længe siden, jeg fik besked om, at jeg har en chance for at overleve, og det er det, der har bragt mig op til overfladen. Jeg må nok stadigvæk tage den lidt med ro, men jeg tænker, at jeg er tilbage på fuld tid om en uge eller to, selv om der jo vil være efterbehandlinger i en del uger med flere stråler."

Så trak hun forsigtigt bh'en og blusen ned igen.

"Ja, undskyld," sagde hun til sin chef. "Jeg kunne bare ikke tale om det."

Afdelingslederen nikkede. Var der noget, der fik kvinder til at blive ydmyge, så var det at være tæt på brystkræft.

"Vi forstår," sagde kommissæren lidt rystet. De to politimænd så på hinanden. Anneli vidste ikke, hvad hun skulle udlede af deres blikke, men det var vist ikke så dårligt.

Pasgård trak vejret dybt, og Anneli satte sig. Omme bag dem lænede afdelingslederen sig op ad reolen. Var hun ved at besvime? Det måtte hun sådan set gerne.

"Jeg har tænkt meget over det," sagde Anneli, "og jeg er sådan set glad for, at I er kommet i dag. Jeg har jo tavshedspligt, men formentlig siger jeg ikke noget nu, som krænker den." Hun bed sig i overlæben. Forhåbentlig tolkede de det, som om hun lige først skulle kæmpe lidt med sig selv.

"I går så jeg på tv, at Michelle Hansen måske havde noget med et røveri at gøre. Og så så jeg også, at hendes fyr var dørmand på det diskotek, de røvede. Jeg genkendte ham i hvert fald som den samme Patrick Pettersson, som Michelle af og til slæbte med herind. En ret provokerende ung mand, synes jeg. Elektriker og tatoveret op og ned ad armene og muskler alle vegne. Han ser helt klart ud, som om han tager steroider, hvilket måske kunne forklare hans voldsomme temperament. Sidste gang Michelle havde ham med herind, råbte han op om, at hun skulle tage sig sammen. Det var noget med, at Michelle havde dummet sig og bare var flyttet til Patricks bopæl uden at informere de sociale myndigheder. Patrick var mere end rasende over, at de nu skulle betale tilbage, og at hun havde begået socialt bedrageri, uden at han vidste det. Det sidste troede jeg dog ikke på. Han virker som en ret beregnende type."

Pasgård så tilfreds ud, mens han noterede. "De mener, at han kan have noget med drabene at gøre?"

"Jeg ved det ikke, men jeg ved da, at han var gal med biler, og at han helt klart havde tænkt sig at konfrontere Michelle med situationen. Det handlede om penge, ingen tvivl om det, for dem var han vist ret ivrig efter at få flere af, og han havde fuldstændig magt over hende."

"Ved du, om Senta Berger og Michelle Hansen kendte hinanden?"

Nu sagde han pludselig du. Var de endelig kommet på bølgelængde?

Hun rystede på hovedet. "Jeg har tænkt over det, men jeg tror ikke, jeg ved noget. Ikke noget jeg kan huske lige nu, i hvert fald." Hun holdt en lang pause for at understrege det.

"Men der er noget andet, som jeg måske burde komme ind på, nu I er her."

"Ja?"

"Birna Sigurdardottir er også en af mine klienter. Det var hende, der blev skudt ned ... uden for et diskotek, var det vist."

Politikommissæren trak sig lidt ind over bordet.

"Det var det, ja. Vi ville netop have spurgt ind til det."

Hun nikkede. Så havde hun timet det rigtigt.

"Jeg tror, at Michelle Hansen og Birna Sigurdardottir kendte hinanden."

"Hvad får dig til at tro det?"

Anneli vendte sig mod pc-skærmen og tastede.

"Se her. Sidste gang Michelle var inde hos mig, kom hun ind umiddelbart efter Birna. De har med garanti siddet sammen i venteværelset, og jeg mener også at kunne huske, at det er sket før, men dér er jeg ikke helt så sikker."

"Og hvad udleder du af det?"

Hun trak sig tilbage i stolen. "At de måske er kommet sammen. At de havde noget mere med hinanden at gøre, end jeg ved af."

Kommissær Pasgård nikkede med sammenknebne øjne. Han så mere end tilfreds ud. Ja, vel nærmest henrykt.

"Tak for oplysningerne, Anne-Line Svendsen, det var en stor hjælp. Så tror jeg, vi siger tak for nu, og undskyld forstyrrelsen." Pasgård rejste sig før assistenten. "Vi kortlægger så Patrick Petterssons færden i de sidste par uger, det skulle være enkelt, hvis altså hans mester ellers har orden i sin kalender og ordrebog."

Anneli dæmpede sin lettelse. "Åh ja. Jeg fik ikke fortalt, at Michelle Hansen og Patrick Pettersson havde planlagt at tage på ferie. Det var blandt andet derfor, Michelle kom ind. Jeg kunne selvfølgelig ikke bevillige det, eftersom hun netop var afsløret i socialt bedrageri. Men det *kan* jo være, at han slet ikke har været på arbejde i perioden."

Her fløjtede assistenten og nikkede afklaret til sin chef.

Stakkels Patrick Pettersson.

"HØR HER, ANNE-LINE, jeg er helt fortvivlet over, hvad du har måttet gå igennem, uden at jeg vidste det. Det var virkelig pinligt for mig, at du behøvede at eksponere dig sådan, det må du altså undskylde."

Anneli nikkede. Hvis hun ikke overgjorde det, så kunne hun vel få tiltusket sig et par fridage mere på den bekostning.

"Det skal du ikke undskylde, det var helt min fejl. Men man ved jo ikke, hvordan man reagerer, før man bliver syg, vel? Så det er mig, der undskylder, jeg burde have fortalt dig det hele, det kan jeg se nu."

Hendes leder smilede og så helt rørt ud. Det var første gang inde på det kontor.

"Jamen skal vi så ikke bare glemme det og komme videre? Jeg forstår dig faktisk godt, Anne-Line. Jeg tror bestemt heller ikke, at jeg havde kunnet klare, at alle og enhver skulle følge med i det, hvis jeg havde det sådan." Hun smilede og så stadig fåret ud. "Har du det godt?" tilføjede hun.

"Tak. Jeg er lidt træt, men det går godt."

"Du skal endelig tage den med ro, indtil du føler dig stabil, skal vi ikke aftale det? Du meddeler bare sekretærerne, hvis der er en dag, hvor du trænger til en puster, ikke?"

Anneli prøvede at se rørt ud. Det var altid bedre at være to om sådanne følelser.

Emotionel kobling, hed det vist.

34

Fredag den 27. maj 2016

'HVEM HELVEDE FANDT egentlig på, at vi skulle køre så tidligt, var det ikke Assad?' spurgte han sig selv, mens de rullede sydover. Nu havde den langskæggede bandit siddet og snorket ved siden af ham de sidste halvandet hundrede kilometer, hvad lignede det?

"Vågn op, Assad!" skreg han, så gutten dunkede panden mod sine knæ.

Assad så sig om, ude af stand til at orientere sig. "Hvad laver vi her?" spurgte han med nedrullede øjenlåg.

"Vi er halvvejs, og jeg falder i søvn, hvis du ikke snakker med mig."

Assad gned øjnene og så op på skiltene, der hang over den glinsende motorvej. "Er vi ikke længere end Odense? Så tror jeg lige, jeg blunder lidt igen."

Carl gav ham et hug i siden med albuen, hvilket ikke forhindrede ham i endnu en gang at gå ud som et lys.

"Hej, vågn op, Assad. Jeg sidder og tænker på noget, hør lige efter."

Assad sukkede.

"Jeg var hos min ekssvigermor i går. Hun er snart halvfems og lidt sær og forsvundet ind i sig selv, og alligevel skal jeg involveres i noget nyt, hver gang jeg er der."

"Du har nævnt det før, Carl," sagde han og lukkede øjnene.

"Jamen i går ville hun lære at tage selfies."

"Hmmm!"

"Hørte du, hvad jeg sagde?"

"Det tror jeg nok."

"Jeg tænkte, at Michelle Hansens mobil garanteret er proppet med fotos. Lur mig, om hun ikke har taget selfies med de piger, der har begået røveriet, hvis ellers politiets antagelse om, at hun medvirkede til det, er rigtig."

"Du glemmer vist, det ikke er vores sag, Carl. Desuden var mobilen smadret. Sim-kortet, sid-kortet, det hele. Ren plumpfisk, Carl."

"Plukfisk, Assad. Men det er da ligegyldigt. Hun havde jo en iPhone."

Assad slog modvilligt øjnene op og så sløvt på Carl. "Du mener ..."

"Ja. Alt kan ses i skyen. Eller på hendes computer eller iPad, eller hvad hun nu har. Eller på Instagram eller Facebook eller ..."

"Mon ikke holdet allerede har luret det?"

Carl trak på skuldrene. "Sikkert. Terje Ploug har jo styr på det meste, men det kunne jo være, vi skulle give ham et vink, ikke?"

Carl nikkede for sig selv og vendte hovedet mod Assad. Men gud hjælpe ham, om han ikke var væk igen.

FRA ET LIV med Vigga og rimeligt mange år på gaden blandt prostituerede og alfonser mente Carl nok, at han havde et vist naturligt indbygget overskud af tolerance, men da han stod i Kinua von Kunstwerks råt udseende galleri nede på havnen i Flensborg, fik han godt nok samme frisind sat på prøve. Man kunne ikke ligefrem sige, det var porno, men alligevel tæt på, for det, der dekorerede samtlige enorme vægflader, var en række superdetaljerede og kliniske fremstillinger af kvinders kønsorganer i meterhøje og i den grad stærkt farvelagte kompositioner.

Carl nåede lige at fange et glimt af Assads observerende øjne i overstørrelse, da en markant kvindefigur valsede ind i lokalet i et kostume, der helt perfekt illustrerede, hvilken palet denne kvinde arbejdede med. Som en vadefugl trippede hun på sine ultrahøje stylter og mindede Carl om, at en vis indflydelse fra denne barndomskammerat kunne Rose bestemt ikke frasige sig.

"Willkommen, bienvenue, welcome, kære venner," sagde hun så tilpas højt, at ingen af de mistænkeligt stærkt fordybede kunder i galleriet kunne undgå at få del i entreen.

Hun kindkyssede Carl og Assad fire-fem gange for meget ifølge vanlige nordtyske standarder og så på dem med dådyrbrune øjne så inciterende, at Carl frygtede, Assad gik i knæ.

"Er du okay?" hviskede han for en sikkerheds skyld, mens han så Assads halspulsåre pumpe på fuldt tryk, men det svarede krøltoppen ikke på. I stedet kastede han al sin energi i at misse med øjnene mod kvinden, så man måtte tro, at tropesolen stod direkte på.

"Vi talte sammen i telefon," sagde Assad med en stemme så blød, at samtlige spanske croonere godt kunne lægge sig.

"Det er om Rose," brød Carl ind, før boudoirstemningen fik fuldstændig overtaget.

Karoline alias Kinua kneb øjnene sammen og nikkede. "Hun har det rigtig skidt, kan jeg forstå," sagde hun.

Carl så over på en Nespresso-maskine, der stod og fristede på en glasvitrine under et purpurrødt og lilla skilderi af en vagina under fødsel.

"Måske kan vi gå lidt afsides?" spurgte Carl lettere distraheret. "Med en kop kaffe, altså? Det er trods alt en lang køretur fra København."

INDE I KONTORETS mindre bastante udsmykning dæmpede dette selvbestaltede malerikon sig til normalniveau.

"Ja, det er efterhånden mange år siden, at Rose og jeg mistede kontakten, og det er faktisk synd, for vi *var* virkelig meget gode veninder, men vi *var* altså også meget forskellige." Hun så ud i luften, et øjeblik bremset af indre billeder, og nikkede så. "Og så havde vi jo hver vores meget divergerende karrierer at se til."

Carl var med. Lige netop den forskel behøvede hun ikke udpensle.

"Som du sikkert fornemmer, så har vi et stort behov for at nå ind til problemets kerne i forhold til Roses situation lige nu," sagde han. "Men måske kan du fortælle os lidt mere udførligt om, hvad der kom imellem Rose og hendes far? Vi ved, han tyranniserede hende, og at det må have været slemt, men hvordan? Kan du give os et par eksempler?"

Karoline sad et øjeblik og så forbavsende almindelig ud, mens hun forsøgte at få hold på, hvordan hun skulle udtrykke det, der løb igennem hende.

"Eksempler?" sagde hun endelig. "Hvor meget tid har I?"

Carl trak på skuldrene.

"Du kan da bare spytte løs," sagde Assad.

Hun smilede, men kun et sekund.

"Jeg lyver ikke, hvis jeg siger, at Rose aldrig nogensinde har hørt et eneste positivt eller rosende ord fra sin far. Han var simpelthen kold som is, når det gjaldt hende, og hvad værre var, så sørgede faren også for, at Roses mor heller ikke turde sige noget pænt til hende."

"Men sådan var han ikke over for Roses søstre?"

Hun rystede på hovedet. "Jeg ved, at Rose som stor pige prøvede at formilde ham på flere forskellige måder, men hvis hun lavede mad til familien, så kunne hun være sikker på, at han ville tømme vandkanden ud over sin tallerken i afsky allerede efter den første bid. Hvis hun støvsugede, kunne han finde på at hælde askebægeret ud på gulvet, bare han fandt det mindste fnug."

"Det lyder ikke godt."

"Nej, men det er ingenting. Han skrev sedler til Roses skoleinspektør og løj om, at hun nedgjorde lærerne og talte dårligt om dem derhjemme. Og så bad han dem om at sætte sig i lidt større respekt."

"Og det passede ikke?"

"Selvfølgelig passede det ikke. Når hendes mor købte tøj til hende, skreg han bare af grin og pegede fingre ad Rose og råbte, at hun var grimmere end lort, og at spejlet ville revne, hvis hun stillede sig foran det. Han rev hendes ting ned fra hylderne, hvis en bog stod lidt skævt, så hun kunne lære at holde bedre orden på sit værelse. Han bad hende om at skride ud i bryggerset og spise, hvis hun trak sig ind i sig selv, når han var efter hende. Han kaldte hende en stinkende so, hvis hun dristede sig til at låne lidt af Yrsas eller Vickys eau de cologne."

Assad gryntede et par arabiske ord. Det betød sjældent noget fordelagtigt om dem, man talte om.

Carl nikkede. "Han var kort sagt en skiderik."

Karoline sænkede hovedet. "Skiderik? Jeg kender ikke det rigtige ord for det, han var. Dengang Rose skulle konfirmeres, blev hun tvunget til at gå i en gammel kjole, fordi hendes far ikke gad ofre penge på hende. De holdt ingen fest for hende, og hvorfor ofre penge på at give hende gaver, når hun alligevel ikke kunne passe på dem? Synes du, skiderik er en dækkende betegnelse for en far, der handler sådan?"

Carl rystede på hovedet. Nedbrydning af et barns selvværd kunne gøres på mange måder, men det kunne aldrig forsvares.

"Jeg forstår, hvad du siger, men forklarer det, hvad jeg fortalte dig før? At hun hver eneste dag skrev sit had ud til sin far gennem sætningerne i sine noteshæfter?"

Kinua von Kunstwerk virkede ikke i tvivl. "Du må forstå, at lige så snart han kom hjem efter arbejde, så var der ikke et eneste sekund, hvor han ikke var efter hende. For eksempel elskede han at stille hende umulige spørgsmål, som hun naturligvis ikke kunne svare på, og så bagefter håne hende for hendes dumhed. Og kunne han komme af sted med det, hvis der en sjælden gang var andre børn til stede, så var det endnu bedre, når hun ikke kunne svare. Hun har fortalt mig, at da hun skulle lære at cykle, fordi det var hun nødt til, efter at hun blev flyttet til en ny skole, så foregav hendes far, at han nok skulle hjælpe hende med at holde balancen, men han slap selvfølgelig bagagebæreren, da hun slingrede en lille smule, så hun væltede og slog sig virkelig slemt."

Hun så på Carl og prøvede lige at sunde sig. "Det er svært at huske, men når jeg nu er begyndt, så vælter det op. Jeg husker tydeligt, at hendes far tvang hende til at blive hjemme, hvis familien skulle på udflugt, fordi han ikke gad se på hendes sure fjæs, når de skulle have det sjovt. Og så favoriserede han hendes søstre i en grad, så hun til sidst helt forsvandt.

Når hun for en sjælden gangs skyld så en mulighed for at ryste traumerne af sig, så trængte han hende op i en krog, som for eksempel dengang lige før studentereksamen, hvor han larmede hele natten igennem, så hun ikke fik noget søvn. Hun fortalte mig også, at han pinte hende med, at hun ville dø af det, hvis hun bare var en smule forkølet eller lidt sløj. Og når han var mest udspekuleret, så kunne han for eksempel være venlig og pege ud mod jordbærbedet i køkkenhaven og fortælle hende, hvilken række hun kunne plukke fra. Og da hun så lykkelig og glad havde gjort det, havde han opført sig helt vanvittigt og skreget op om, at det var den forkerte række, hun havde spist fra, og at den var sprøjtet med bladan, så hun ville dø under alverdens pinsler."

Carl så ud i luften. Stakkels Rose.

"Kan du ikke huske noget som helst, der kunne være forsonende?" spurgte han.

Karoline rystede på hovedet. "Han sagde *aldrig* undskyld, men til gengæld tvang han Rose til at sige det igen og igen, når hun havde begået selv de mindste fejl."

"Men hvorfor, Karoline, ved du det?"

"Måske fordi Rose allerede lå i sin mors mave, da de mødte hinanden, det er i hvert fald min teori. Desuden var han rendyrket psykopat og hadede hende, fordi hun aldrig, aldrig nogensinde græd, når han tirrede hende."

Carl nikkede. Det gav bestemt mening. Gad vidst, om hendes søstre var klar over alt det?

"Og så kom du ind i hendes liv?" konstaterede Assad.

Hun smilede. "Ja, det gjorde jeg. Og jeg fik hende til at grine ad sin såkaldte far, mens han evig og altid var efter hende. Det gjorde ham edderspændt rasende, men dæmpede også hans udfald en lillebitte smule. Han var ikke typen, der kunne tage at være til grin. Og så sagde jeg, at hun da bare kunne slå ham ihjel, hvis han begyndte igen. Det grinede vi meget ad den sommer."

Så holdt hun inde og blev tavs, som om hun nu efterfølgende så det hele i et lidt større perspektiv.

"Hvad tænker du på, Karoline?" spurgte Carl.

"Jeg tænker, at han alligevel fik hende til sidst."

Carl og Assad så spørgende på hende.

"Hun ville jo gerne studere videre, men han fik hende ind på Stålvalseværket i stedet for. Selvfølgelig der hvor han selv arbejdede, hvor ellers? Han havde jo ikke tænkt sig sådan bare uden videre at slippe kontrollen med hende, vel?"

"Hvorfor flyttede hun ikke bare til en anden by? Væk fra sin plageånd?"

Kinua von Kunstwerk trak kimonoen tættere om sig. Nu var hun tilbage i nutiden. Der hvor det ikke længere var hendes problem. Der hvor dørklokken ude i udstillingslokalet pludselig var blevet særlig aktiv.

"Hvorfor?" Hun trak på skuldrene. "Når det kom til stykket, så var hun vel bare blevet kørt mør."

"HAN HAR ØDELAGT hende for livet, tror du ikke?"

Carl rynkede panden. Hvor ville han dog ønske, at han for år tilbage havde vidst alt det, de havde hørt i dag.

"Tror du, Rose slog sin far ihjel?" fortsatte Assad.

Carl rynkede panden. "I så fald er det ikke blevet bevist."

"Og *hvis* vi kunne bevise det, hvad så?"

Carl sendte et blik ud ad sideruden mod et gyldentgult hav. Var det ikke meget tidligt, at rapsmarkerne stod i fuldt flor på den måde? Han kunne simpelthen aldrig huske det.

"Hvad siger du, Carl? Hvad så?"

"Du hørte Kinua. Mon ikke vi tjener Rose bedst ved at holde det her for os selv?"

"Godt, Carl. Sådan har jeg det nemlig også." Han virkede faktisk helt lettet.

De sad længe i en tavshed, der først blev brudt, da telefonen ringede, og Assad prikkede på det grønne telefonikon på panelet.

Det var Gordon.

"Hvordan gik runden?" spurgte Carl. "Fik du rystet tv-holdet af dig?"

Det lød, som om han lo, men man vidste aldrig med Gordon.

"Ja," svarede han dog. "De skred efter tyve minutter, fordi der ikke skete noget. De sagde, at de ikke gad vælte rundt på en rute, jeg allerede havde været på før. I øvrigt spørger de også hele tiden mig om diskotekssagen og flugtbilistsagerne. De gider vist ikke rigtig det der med Kirschmeyer, tror jeg."

Carl smilede. Det var helt efter bogen.

"Men det var godt nok lidt for tidligt, at de gik, for i en af caféerne i Store Kongensgade stødte jeg ind i en fyr, som bor i Borgergade, og som jeg har talt med tidligere. Siden har han åbenbart drøftet snakken med mig med sin kæreste, og hun havde fødselsdag den dag, Kirschmeyer blev myrdet, så hun kunne huske, at hun netop den dag havde set en stor fyr i Borgergade, sådan lidt slæbende i bevægelserne, som hun syntes virkede ... ja, hun kunne ikke rigtig definere ordet, men hun kaldte ham meget intens. Som om han var oprørt eller ophidset over et eller andet eller noget i den retning."

"Hvorfor henvendte de sig så ikke til os?"

"Det ville de også, men de fik det bare aldrig gjort."

Carl nikkede. Det var efterforskernes evige sang.

"Kunne hun huske, hvornår på dagen det var?"

"Det kunne hun. Hun var på vej over til en veninde, der havde inviteret hende på fødselsdagsslabberas omkring klokken otte."

"Hvad lavede den mand, hun så?"

"Han stod bare på fortovet et par opgange væk fra Birgit Kirschmeyers opgang, og det var mærkeligt, for det var, som om han totalt ignorerede, at det øsede ned."

"Kunne hun give dig et signalement?"

"Hun beskrev ham som nogenlunde velklædt, men snavset og med langt, fedtet hår. Det var måske derfor, hun lagde mærke til ham. Det hele virkede sådan lidt forkert sammensat, sagde hun."

"Vil hun kunne huske ham godt nok til, at vores tegner kan lave et portræt?"

"Ikke af ansigtet, men af kroppen og holdningen og tøjet, ja."

"Så få det sat i gang, Gordon."

"Det er gjort, men der er mere, Carl. Jeg fandt et andet vidne. En, der havde set Rigmor Kirschmeyer kort før drabet. Han havde faktisk talt med efterforskerne i drabsafdelingen, men så havde han ikke hørt mere efter det."

"Hvornår henvendte han sig til os?"

"Det gjorde han allerede dagen efter drabet."

"Står det i rapporten?"

"Nej. Lige præcis hans vidneforklaring kan jeg ikke finde."

Assads øjne himlede, og Carl var enig. Det ville være et mirakel, hvis Pasgårds hold fik skovlen under den sag.

"Hvad så vidnet så?"

"Han så Rigmor Kirschmeyer stoppe på et gadehjørne og se sig tilbage, og så tog hun pludselig på vej og begyndte at løbe."

"Hvor præcis var det, ved du det?"

"Det var på hjørnet af Klerkegade og Kronprinsessegade."

"Okay. Det er jo bare hundrede meter fra Kongens Have."

"Ja, og det var i den retning, hun løb. Men han så ikke mere, for han var på vej i modsat retning ned ad Kronprinsessegade. Han bor i Nyboder."

"Hvad tænkte manden om det?"

"At hun måske syntes, at det regnede for meget, eller at hun pludselig kom i tanke om, at hun var ved at komme for sent til et eller andet. Han vidste det ikke."

"Hvor fandt du ham?" spurgte Assad, mens han langede skankerne op på frontpanelet i en stilling, som enhver yogalærer ville bandlyse.

"Han fandt mig. Han hørte mig udspørge nogle folk dér, hvor han arbejder."

"Godt gået, Gordon," sagde Carl. "Lad os få manden ind og høre det hele en gang til, okay? Vi kan være tilbage om en halv time. Tror du, du kan få ham ind på Gården til det?"

"Jeg kan prøve, men jeg tror ikke, *du* har tid, Carl, for politidirektøren i egen høje person har lige været nede i kælderen og snuse. Han sagde, at du skal komme op på hans kontor, lige så snart, du kommer tilbage. Han så rimeligt alvorlig ud, synes jeg, så det må du hellere. Det var noget med, at tv-holdet *skal* have noget i kassen."

Carl og Assad så på hinanden. Så ville det nok komme til at tage betydeligt længere tid end en halv time, før de var tilbage.

"Sig til ham, at vi er punkteret og kørt i grøften."

Der opstod en lang pause. Den søforklaring var Gordon så nok ikke med på.

35

Fredag den 27. maj 2016

DET FØRSTE, ROSE mærkede, da hun for alvor vågnede af bevidstløsheden, var en skærende fornemmelse på undersiden af begge lår. Forvirrende billeder og lyde blinkede glimtvis frem i hendes tågede hjerne. Et slag, hænder, der baksede med hendes krop, skingre stemmer, en ritschende lyd som af noget, der blev revet i stykker.

Langsomt åbnede hun øjnene mod et svagt hvidt skær, der kantede sig ind under en dør lige ved siden af hende.

Tilsyneladende kendte hun ikke rummet og kunne ikke se, hvad hun sad på.

Så kom den dunkende smerte fra baghovedet og trykket i hjernen. Var det al den alkohol, eller hvad var der sket? Hun forstod det ikke og ville kalde på hjælp, men lyden kom ikke ud, for man havde trukket noget rundt om hendes ansigt, der klæbede læberne sammen.

I et enkelt ryk med overkroppen konstaterede hun med ét sin samlede tilstand. Hvordan det end var gået til, så var hun blevet fikseret i en siddende stilling med armene trukket op over hovedet og hænderne fæstnet til noget koldt. Anklerne var bundet sammen, mellemgulvet presset bagud mod noget glat, halsen tilsnøret med et eller andet, så hun ikke kunne presse sig forover mere end et par centimeter.

Hun fattede slet ikke, hvad der var sket.

Fra den anden side af døren hørte hun to lyse stemmer, der skændtes. Kvinderne lød unge og skingre, og ordene var ikke til at tage fejl af. De skændtes om hende. Om, hvorvidt hun skulle leve eller dø.

'Slå mig bare ihjel, hvem I end er,' tænkte hun. Om det skete på den ene eller anden måde, så blev resultatet under alle omstændigheder, at hun fik fred.

Rose lukkede øjnene. Så længe hovedpinen var så intens, kunne de stædige tanker forhåbentlig holdes nogenlunde på afstand. Alle de uundgåelige forestillinger og indre billeder af hendes fars totalt knuste krop. Armen, der stak ud fra metalkolossen, og stadig med en anklagende pegefinger rettet mod hende. Det dybt røde blod, der som en fos strømmede mod hendes sko. Og hun så sin mor smile, da Falckredderne afleverede hende senere på dagen. Politiet holdt allerede foran huset, så hun havde åbenbart fået at vide, hvad der var sket, men hvorfor smilede hun så? Hvorfor evnede hun kun at smile, hvorfor kom der aldrig et enkelt ord til trøst?

'STOP!' skreg det inden i hende, men alligevel var de der jo, disse tanker. Og Rose vidste bedre end noget, at passede hun ikke på, så var dette her bare en ouverture til endnu mere onde billeder og ord, der snart kunne rase mod hende som en stormflod.

Mørkere billeder end før, værre ord, ustoppelige minder.

Hun flåede i det, der holdt hendes arme fast. Stønnede bag det, der klæbede hendes mund til og gjorde hende stum.

Så pressede hun sig hårdt et par centimeter frem, så det, der snærede om hendes hals, tog kvælertag, og denne stilling holdt hun, til hun mistede bevidstheden igen.

DA HUN KOM til sig selv, stod de to kvinder fra tidligere og vogtede over hende. Den ene, Rigmor Kirschmeyers barnebarn, stod med observerende øjne og en spids genstand i hånden, der lignede en syl, og den anden med en rulle grå gaffatape.

'Stikker de mig nu ihjel?' tænkte hun og affærdigede det med det samme. Hvorfor skulle den anden så stå med tapen?

Rose lod øjnene vandre og genkendte nu rummet. De var inde i Rig-

324

mors badeværelse, og det, hun sad tapet fast til, var toilettet. Derfor den skærende fornemmelse på lårene.

Selv om Rose prøvede, så kunne hun ikke se ned ad sig selv på grund af løkken om halsen, men skævede hun til venstre mod håndvasken og badeværelsesspejlet, så kunne hun lige akkurat få et glimt af, hvad de havde gjort ved hende.

Hendes bukser og trusser var trukket ned om knæhaserne, og der sad gaffatape stramt rundt om hendes lår og wc-kummen, ligesom der også var spundet gaffatape om hendes mellemgulv og cisternen bag hende. Hænderne var løftet op og snøret fast med et par af Rigmors bælter til de to handicaphåndtag, der sad skruet fast i væggen. Hun genkendte et af bælterne som det, hun selv havde givet Rigmor i julegave. Det var et smalt guldbælte, som Rigmor snarere af høflighed end fornøjelse havde brugt i juleferien og siden aldrig havde taget frem.

Over Roses mund var der klæbet gaffatape, og hele vejen rundt om halsen sad en sammenbundet kæde af silketørklæder, der i de respektive ender var bundet til de to håndtag på væggen.

Nu huskede hun, at hun havde forsøgt at kvæle sig selv, og erkendte, at det umuligt ville kunne lykkes, hvor gerne hun end ville. For lige så snart hun mistede bevidstheden, så ville hun uvilkårligt glide baglæns, og grebet om halsen blive løsnet, så hun igen fik blod til hjernen.

Hvis hun ellers havde været i stand til det, ville hun sige til de to piger, at de godt kunne lade hende gå. At hun på alle måder var fuldstændig ligeglad med dem, og at hun ikke forstod, hvorfor det skulle være nødvendigt, det de gjorde mod hende. Så med øjnene forsøgte hun at signalere imødekommenhed, men det ignorerede de.

Hvad havde de dog gjort, siden hun udgjorde sådan en trussel for dem?

"Skal vi bare lade hende sidde der, til vi stikker af, Denise?" sagde hende med gaffatapen.

Denise? Rose prøvede at koncentrere sig. Var det ikke Dorrit, hun hed? Eller havde Rigmor engang fortalt hende, at pigen havde taget navneforandring, det havde hun vist.

"Har du måske et andet forslag?" svarede Denise.

"Så ringer vi til nogen og siger, hvor hun er, når det hele er overstået, ikke?"

Denise nikkede.

"Hvis hun skal sidde dér, hvor skal vi så tisse?" spurgte den anden.

"Du må sætte dig op i håndvasken, Jazmine."

"Mens hun sidder og ser mig gøre det?"

"Du skal bare lade, som om hun ikke er der. Det skal du i det hele taget. Det er *mig*, der sørger for hende, okay?"

"Men jeg kan ikke lave stort i håndvasken."

"Så må du gå ind ved siden af, døren er jo ikke låst."

Denise så direkte på Rose. "Du får noget at drikke en gang imellem, og så forholder du dig i ro, for ellers slår jeg dig ud en gang til, kan du forstå det?"

Rose blinkede et par gange.

"Jeg mener det. Og det bliver hårdere end før, forstår du det?"

Rose blinkede igen.

Så løftede hun den spidse genstand op mod tapen om Roses mund.

"Jeg stikker den igennem og laver et lille hul. Skil læberne, hvis du kan."

Rose gjorde, hvad hun kunne, men da sylen blev jaget igennem tapen, smagte hun omgående blod.

"Sorryyyyy!" sagde Denise, da blodet sivede ud af hullet. "Men det er til det her, så du kan drikke," sagde hun og viftede med et sugerør af den slags, man bruger på hospitalerne.

Så stak hun det igennem hullet, og Rose klemte øjnene sammen, da overlæbens læderede hud gled med ind i munden på hende. Hun sank blodet et par gange, før hun sugede vandet fra et tandglas i sig.

Så længe de gav hende vand, ville de lade hende leve, ræsonnerede hun.

326

SELV OM LANDET i flere uger havde været ramt af det, der for Danmark måtte betegnes som hedebølge, så var der køligt på badeværelset, og efter nogle timer begyndte Rose at fryse, måske mest på grund af det hæmmede blodomløb.

'Hvis jeg ikke kan bevæge mig, så får jeg blodpropper,' tænkte hun og spændte i læggene, så venepumpen i det mindste ikke gik helt i stå. I det hele taget var hendes situation ad helvede til, så meget kunne hun da regne ud. I den stilling ville hun nok overleve nogle dage, men mere behøvede pigerne måske heller ikke, før de forsvandt. Og så ville de ringe til nogen, så man vidste, hvor hun var, sagde de, og hvad ville der så ske?

Skulle hun så igen indlægges? Dem, pigerne ringede til, ville jo nok finde frem til hendes mor eller søstre, og så ville søstrene komme drønende, og hvem kunne forhindre dem i at finde selvmordsbrevet og barberbladene? Det var ikke godt. For var hun først kommet så langt, at hun ville slå sig selv ihjel, så slap psykiaterne hende ikke frivilligt denne gang. Var det så ikke bedre at dø herinde?

'Jeg sidder bare helt stille. Så kommer blodpropperne før eller siden. Sådan noget ved de tøser ikke noget om.'

Og hun ventede med åndedrættet hvislende ud gennem sugerøret, mens hun undrede sig over, at den helt igennem sirlige Rigmor havde efterladt sit snavsetøj i vaskemaskinen, at hun trods sin alder stadig havde hygiejnebind liggende på hylden over tørretumbleren, og at hun gemte nogle gamle strømpebukser på en af knagerne, selv om maskerne på hele den ene side var løbet. Mon hun reparerede på sine nylonstrømper, når de løb? Kunne man overhovedet det?

Og hun lukkede øjnene for at forestille sig hvordan, og midt i billedet af ferme hænder, der forsøgte at tråde de spindelvævsfine fibre, dukkede hendes fars ansigt op med spyt i mundvigene og hadet lysende ud af øjnene.

'Du kommer med mig, når jeg siger det,' hvæsede han. 'Du kommer med, og siger jeg, at du skal gå igen, så gør du det, har du forstået?'

Og ansigtet voksede og voksede, og ordene hang i luften i en evig gentagelse, og panikken fik Roses hjerte til at banke hårdt og heftigt. Fik kinderne til at spiles op, og sugerørets hvislen til at ramme en tone, der igen gik over i det skrig, som Rose ville udstøde, men som aldrig kom.

Og der på toilettet tømte hun sin blære. Nøjagtig som dengang på den frygtelige dag, hvor hun mærkede vibrationerne fra sin personsøger nede i lommen.

DA DENISE NÆSTE gang kom med vand til hende, var hun drivvåd af sved.

"Har du det for varmt?" spurgte hun og skruede radiatorens termostat helt i bund, før hun forlod badeværelset med døren på klem.

Der var stadig dagslys at se i entreen, omend mat. På den årstid var det svært at afgøre, hvad klokken var, for helt mørkt blev det vel først omkring klokken elleve. Men så sent var det altså heller ikke.

"De bliver ved og ved, Denise," sagde Jazmine lidt senere inde fra stuen. "Nu har de vist det klip med Michelle hele dagen," lød det.

"Så sluk for tv'et, Jazmine!"

"De ved, at hun var ved diskoteket, da vi begik røveriet, og Birna blev skudt, og de ved, at hun var der sammen med to kvinder. De har ham Patrick i kikkerten, og han ved, hvad vi hedder, Denise. Han hørte det på hospitalet."

"Gjorde han det? Men så er det jo ikke sikkert, han kan huske det, vel?"

"Han kan beskrive, hvordan vi ser ud, det er jeg i hvert fald *helt* sikker på. Politiet leder efter os, jeg *ved* det, Denise."

"Hold nu op, Jazmine. De ved jo ikke, hvor vi er, og ingen kan gen-kende os, når vi først er færdige med det her, vel? Kom nu med ud på badeværelset."

Et eller andet sted i Roses indre kaos trængte betydningen af ordene igennem. En efterforskers erfaring spærrede for de onde tanker, og Rose greb enhver lejlighed til at slippe for dem.

Jazmine nævnte et røveri og en, der hed Birna, der var blevet skudt ned ved et diskotek. Troede pigerne derinde, at hun vidste noget om det?

Rose spolede tiden tilbage og fikserede det punkt, hvor hun var trådt ind i lejligheden til dem. Hvad var det sidste, hun havde sagt? At hun ville melde dem for at trænge ind i Rigmors lejlighed.

Så var det derfor. De var bange for hende, mere bange end godt var. Hun var fjenden, og derfor sad hun her. Her ville de efterlade hende, når de stak af. Ingen ville ringe noget sted hen, det var den sikreste konklusion.

De to piger kom ud på badeværelset på samme tid, og Rose klemte øjnene lidt i og lod, som om hun sov. Lige nu havde hun ikke brug for, at de mistænkte hende for at have hørt, hvad de havde sagt.

Denise satte sig omgående op i håndvasken og tissede, og imens smed Jazmine tøjet og stillede sig ind i brusebadet.

Begge havde klippet håret helt kort. Det var en fuldstændig forvandling.

"Jeg hader det her, Denise. Det har taget mig mere end fem år at få så langt hår, jeg tuder sgu over det," sagde Jazmine, mens hun pressede hårfarve ud i hovedbunden og trak forhænget for.

"Når vi først er i Brasilien, så kan du købe alle de hårextensions, du har lyst til, for ingen penge. Så lad være med at pibe," grinede Denise, mens hun trak sig ned af håndvasken. Så rev hun et par blade af toiletrullen ved siden af Rose, tørrede sig i skridtet og smed det i pedalspanden, hvor snavsetøjet plejede at være. Så var det nok derfor, Rigmors vasketøj var smidt ind i vaskemaskinen.

Rose fulgte alle hendes bevægelser gennem øjenlågenes sprækker, men Denise værdigede hende ikke det mindste blik. Var hun allerede død i deres øjne, eller troede de faktisk, at hun sov?

Så vendte Denise sig om og betragtede sine korte lokker, mens hun rystede flasken med hårfarven. Rose åbnede øjnene lidt mere. Der sad tre brede rifter på skrå hen over hendes ryg, ikke noget kønt syn på så fuldendt en krop.

"Er du så sikker på, at Anne-Line ikke vil genkende dig, Denise? Og hvad nu, hvis hun ikke vil lukke dig ind?" lød det bag bruseforhænget.

"Jeg har narret folk, der var klogere end hende, Jazmine. Jeg skal nok få uskadeliggjort hende, før hun så meget som får en chance," svarede Denise og vendte sig i et ryk.

Som om hun havde anet Roses blik på sig, kiggede hun nu direkte tilbage på hende.

Og Rose nåede ikke at lukke øjnene.

36

Søndag den 29. maj og mandag den 30. maj 2016

MARCUS JACOBSEN VIFTEDE afværgende, da Carl satte en dåseøl foran ham på havebordet hjemme i Rønneholtparken. "Nej tak. Jeg har taget en kold tyrker, så det er hverken cigaretter eller alkohol. Fra nu af forsøger jeg at holde lidt liv i mig selv."

Carl nikkede og tændte sig en smøg. Statistisk set måtte miraklet jo ske en gang imellem, men det var ellers en CARLS-dåsebajer. Kunne det blive bedre?

"Nå, Carl, har du fået set på mine notater?"

Carl bed tænderne sammen og virrede lidt med hovedet. "Ikke sådan rigtig endnu, men jeg kommer til det, det lover jeg. De ligger parat på mit skrivebord."

Carl så på Marcus, der så skuffet ud, og det havde han også grund til at være. Det var jo ham, der havde lært Carl stort set alt om efterforskning, og så havde han ikke taget hans henvendelse alvorligt. Det var faktisk ikke i orden.

"Okay, Marcus, jeg kan lige så godt gå til bekendelse. Jeg havde mine tvivl med hensyn til dig og den sag. Du gik så meget op i den i sin tid, at jeg tænkte, at det kunne være en fiks idé for dig at koble de to sager. Men som sagt, så lover jeg dig at se på det nu, det er egentlig derfor, jeg har inviteret dig."

"Hm! Nå, så er det altså ikke for mine blå øjnes skyld, men hvad er du så ude på?"

Carl fik sukket lidt mere, end han egentlig havde tænkt sig, men måske virkede det. "Som du ved, så er vi lidt oppe at køre for tiden på grund af Rose, så jeg tænkte, at det ville være godt for os, hvis du måske kunne stikke os en hånd."

Marcus smilede. "Med en sag, der egentlig ikke er din, går jeg ud fra."

Carl fulgte cigaretrøgen stige til vejrs. Selvfølgelig vidste han, at Marcus ikke ville falde ham i ryggen, men sådan et direkte spørgsmål var nu alligevel ikke så rart.

"Du kender det jo, Marcus. Man går rundt med en masse modstridende mavefornemmelser, som forvirrer en, og det kan jeg simpelthen ikke fordrage. Og så er der jo det med Rose. Normalt kan vi altid støtte os til hende, når vi vil gå i dybden med ting, men nu er hun her jo ikke, vel? Vi mangler hende mere, end nogen af os kunne have anet."

Marcus smilede skævt. "Så hvad er det, du gerne vil have, at jeg skal 'gå i dybden med', Carl? Hvad siger dine mavefornemmelser?"

"At jeg er nødt til at vide alt om familien Kirschmeyer og dens baggrund. Vi ved allerede en del om Rigmors mand, og han var bestemt ikke et af Guds bedste børn." Han ridsede nogle fakta op om Fritzl Kirschmeyers beskidte fortid og hans senere liv og endeligt.

Marcus Jacobsen nikkede. "Nej, ikke nogen mønsterværdig person, skal jeg love for. Men nu du nævner det, så tror jeg nok, at sagen om manden, der druknede i Damhussøen, lige var en tur rundt om vores afdeling. Det var altså ham?"

De hørte en svag summen fra hoveddøren og entreen. Så var Morten og Hardy kommet hjem.

Marcus smilede, det var helt klart et gensyn, han havde glædet sig til. Han rejste sig og gik dem i møde i døråbningen. Det var rørende at se, hvordan deres gamle, kompromisløse chef bukkede sig og omfavnede sin gamle efterforsker.

"Nå, var turen god, gamle dreng?" spurgte Marcus så, da Hardy endelig fik gelejdet den elektriske kørestol ud til havebordet.

"Njoh," svarede han næsten uhørligt, mens Morten fuldstændig ophovnet omkring øjnene kom ud og med grådkvalt stemme spurgte, om han kunne gøre noget for selskabet.

Carl viftede afværgende mod ham. "Vi klarer os, Morten, ellers tak."

"Jamen ... så tror jeg ... at jeg går lidt ned og lægger mig," snøftede han.

"Hvad er der galt med ham?" spurgte Marcus, da trinnene ned i kælderen ikke længere kunne høres.

Hardy så træt ud. "Kærlighedssorger. Man skal ikke gå ud i solen i maj måned, hvis man vil undgå at se, hvordan forelskede mennesker svanser rundt. Han har brølet som en forældreløs sæl på hele turen."

"Tjah, man husker jo dårligt nok længere, hvordan det der med forsmået kærlighed var engang, ak ja!" Marcus rystede et par gange på hovedet og vendte sig så mod Carl. Han var allerede tilbage i rollen som opdager. "Birgit Kirschmeyers mand, hvad ved vi så om ham?"

"Ikke noget. Men det er blandt andet noget af det, vi regner med, at du vil kunne fortælle os, når du har boret lidt i det."

SOM AFTALT MØDTE de op på Stålvalseværket mandag formiddag klokken ti i vagtstuen lige til venstre for hovedvagtsporten. Bag Leo Andresen ventede en ældre mand og en yngre kvinde, så tilsyneladende havde de tænkt sig at tage rundgangen alvorligt.

Leo pegede smilende på den benede mand. "Joh, Polle P. er nestor herude, jeg havde været her i tredive år, før jeg blev pensioneret, og Lana er den senest ankomne, så der kan nok svares på lidt af hvert gennem tiderne, hvis det skulle være."

Carl og Assad gav hånd til dem alle tre.

"Polle og jeg sørger for rundvisningen, og Lana er vores sikkerhedsansvarlige, så om lidt vil hun forsyne jer med sikkerhedshjelme og sikkerhedssko. Tør man spørge om skostørrelsen, de herrer?"

Alle tre så ned på Assads og Carls fødder.

"Må man foreslå en størrelse 45 til dig, Carl, og en 41'er til Assad?" fortsatte Leo.

"Det må du godt," sagde Assad, "men hvis jeg ikke får en 42'er, så må du hellere slå mig ihjel med det samme." Han grinede som den eneste.

De forlod vagten, mens Carl orienterede dem om deres møde med Benny Andersson. Skulle man dømme efter de reserverede ansigtsudtryk, var han åbenbart ikke en mand, der behøvede nærmere præsentation.

"Han var en af dem, der fik erstatning for manganforgiftning," knurrede Polle. "Jeg ved ikke, hvordan det var fat med de andre, men Benny var i hvert fald ikke manganforgiftet, hvis du spørger mig."

"Skidt pyt det samme, for så var han væk," tilføjede Leo ikke helt uforståeligt.

"Nej, han er jo ikke ligefrem nogen hjerteknuser," svarede Carl. "Men det er da mit indtryk, at han var glad for Rose, så det formilder mig lidt. Ved I, hvad de havde med hinanden at gøre?"

"Ikke noget, tror jeg. Han kunne bare godt lide kvinder og hadede til gengæld Arne Knudsen af et godt hjerte."

"Hvorfor, ved I det?"

"Det gjorde de fleste af os faktisk, for Arne var ikke sød ved nogen, og da slet ikke ved Rose, det mærkede alle, der kom i nærheden af dem. Hun skulle ikke have arbejdet så tæt på sin far," sagde Polle, mens han med håndbevægelser præsenterede dem for terrænet.

De åbne områder omkring bygningerne var ryddelige og forbavsende øde med tanke på, hvilke enorme mængder af valset stål der gik igennem denne sværindustris system. Hvor var de tre hundrede og fyrre mand, der arbejdede her, der var jo ikke et øje at se? Godt nok var området på størrelse med en af Danmarks mindre øer, og godt nok var hallerne enorme som flyhangarer og kunne rumme tusinder, så tre hundrede mand kunne vel nemt forsvinde, men alligevel. Carl havde forestillet sig bjerge af skrot, larm fra alle kanter og ikke mindst store, stærke mænd i kedeldragter, der væltede rundt imellem hinanden.

Leo Andresen grinede. "Nej, sådan er det ikke mere. Nu er det en fuldstændig elektronisk styret virksomhed. Højtuddannede medarbejdere, der sidder med joysticks og trykker på knapper og ser på skærme, og sådan har det været, siden vi stoppede med selv at smelte skrottet. Nu er det en eksportvirksomhed ejet af russerne, og ..."

"Og i 1999, da Arne Knudsen døde, hvordan var her så?" afbrød Carl.

"Meget, meget anderledes, og alligevel ikke," kom det fra Polle. "For det første var vi over tusind mand. Derude på halvøen ligger der nu en anden virksomhed, men dengang hørte alt ind under samme paraply og var ejet af danske storinvestorer som A.P. Møller og ØK. Og så kom den fordømte mangansag og en masse andet på én gang, der gjorde virksomheden mindre rentabel, og i år 2002 gik vi konkurs. Så var den epoke overstået."

Han pegede over på en række stabler af tykke stålblokke, der lå på betondækket under åben himmel.

"Dengang var vi en genbrugsvirksomhed, der aftog otte hundrede tusind ton jernaffald om året og smeltede det om og forarbejdede det til stålplader, stangstål og armeringsstål. Vi leverede til broer og tunnelsider og alt muligt andet. I dag får vi de der russiske slabs, der ligger dér, sendt fra vores russiske ejere med det ene formål, at vi skal presse dem om til plader."

Han åbnede døren ind til en hal, der var så kolossal, at Assad tog sig til hjelmen. Carl kunne simpelthen ikke bedømme afstandene herinde.

"Skete ulykken her?" Han pegede på rullebåndet, hvor slabsene blev kørt i stilling og løftet op af kraner med enorme magneter og dumpet andre steder. "Var det sådan en krabat, der faldt ned over Arne Knudsen?" spurgte han.

Polle rystede på hovedet. "Nej, og det var også nede i den gamle del af W15. Det her er tyve-ton slabs, men den, der dræbte Arne, var kun halvt så tung." Han trak på skuldrene. Det var vel såmænd også nok endda.

"Hvis Rose stadig arbejdede her, så havde hun såmænd nok siddet inde på det kontor i dag," sagde han nede i hjørnet af hallen, hvor en glasrude adskilte det imposante og rå skue fra et typisk kontor i en fabriksvirksomhed. Han pegede ind på en ung, køn kvinde, der sad i blåt arbejdstøj og stirrede på en computerskærm, og de vinkede til hinanden. "Det er Micha, og hun er indlægger, det var det, Rose var ved at blive trænet op til af sin far. Han var nemlig også indlægger. Det er dem, der har ansvaret for, at de nummererede slabs bliver forarbejdet i en bestemt rækkefølge. *Alt* herinde er bestilt i forvejen. Vi ved præcis, hvornår og hvad vi skal levere til hvem og hvor. Vi mærker de enkelte slabs med de der hvide tal og bogstaver, varmer dem op og presser dem til plader i den ønskede størrelse og tykkelse, men det kan I se om lidt."

Efterhånden som de nærmede sig enden af hallen, skiftede lyset fra det højeffektivt kolde til det mere afdæmpede og gullige.

Denne del af W15-hallen var langt mere primitiv at se på og kom meget nærmere det billede af virksomheden, som Carl havde forestillet sig. Sindrige jernkonstruktioner, broer, rør, ståltrapper, hejseaggregater, glideskinner og så ovnen, der på det nærmeste lignede en futuristisk miniatureudgave af de kornsiloer, der lå spredt omkring hans fars gård.

Leo Andresen pegede op på løftekranen over dem, der hang i en mængde stålwirer, en kæmpe krabat af mærket DEMAG. "Den løfter slabsene op fra jorden og over på båndet, som fører dem direkte ind i stødovnene. Se, nu åbner lemmen, så kan I mærke varmen. Tolv hundrede grader varmer vi dem op til, og den temperatur får slabsene til at gløde."

Hele selskabet stod stille og betragtede magneten. "Det var den, der slap slabsen ned over Arne Knudsen," sagde Polle. "Det var en tilfældig strømafbrydelse, sagde man, men jeg ved sgu ikke, hvor tilfældig den var."

"Okay. Og hvem styrer sådan en karl?" spurgte Carl, mens han trak sig tilbage fra den nærmest ulidelige strålevarme fra ovnen. Nu forstod han bedre, at gavlen i hallen førte direkte ud i det fri.

"Det gør folkene, der sidder ved pulten omme i styrehuset på den anden side af stødovnen."

"Og hvem sad der så den dag, det skete?" spurgte Assad.

"Ja, det er jo spørgsmålet. Det var lige midt i et skift, og ærligt talt så burde det slet ikke kunne ske, men vi ved ikke helt præcis, hvem der sad der."

"Vi spurgte Benny Andersson, og han sagde, at det ikke var ham, der sad i styrehuset."

"Okay, men det kan jeg ikke huske noget om. På den tid var han en af dem, der var her og der og alle vegne på samme tid."

"Hvis Rose og Arne Knudsen ellers normalt sad oppe i kontoret, som du lige viste os med den unge kvinde, hvorfor var de så nede i den her ende, da det skete?"

"Nåh, så har du misforstået. Den del af hallen med det nye indlæggerkontor, hvor Micha sad, var slet ikke bygget. Dengang var der kun det her." Han vendte sig om mod en træbygning bag dem. "De sad deroppe i kontoret. Og så gik de en gang imellem ned til slabsbunkerne her og mærkede de slabs af, som skulle transporteres videre over på båndet til stødovnen."

Carl så sig omkring. "Hvad siger du, Assad? Ser du noget bemærkelsesværdigt herinde?"

Han så ned i politirapporten. "Der står bare, at magneten svigtede, og at Arne Knudsen overtrådte alle sikkerhedsbestemmelserne ved at stå under en slab, der blev hejst op i kranen. Ingen blev stillet til ansvar for denne ulykke, som man betegnede som hændelig, selv om det var mere end uhyre sjældent, at strømmen gik. Ansvaret blev alene tillagt Arne Knudsen selv, og den ultimative straf for det var, at han døde."

"Rose, var hun inde i kontorhuset, da det skete?"

"Nej. Nogle folk kom løbende fra forpladsen, da de hørte Knudsens skrig, og de fandt Rose lige ved siden af hendes fars krop, mens han udåndede. Hun stod helt som forstenet med armene ned langs siden, fuldstændig stum og med øjnene spærret op i rædsel."

"I var der ikke selv?"

"Nej," svarede Andresen. "Det var ikke i mit skift."

"Og jeg arbejdede ovre i havnen, som er et godt stykke herfra," var Polles kommentar.

"Kan du, der til daglig havde med elforsyningen at gøre, forklare, hvad der forårsagede afbrydelsen, Leo?"

"Der er computersystemer, der burde kunne kortlægge det helt præcist, men det kunne de ikke i det her tilfælde. Min personlige mening er, at det var en af folkene, der forårsagede det, for afbrydelsen var så kortvarig, at magneten lige akkurat slap slabsen, og ikke et sekund længere. Alt for godt timet, hvis I spørger mig."

"Altså var det med fuldt overlæg?"

"Det kan jeg jo ikke vide, men det er en meget fristende tanke."

Carl sukkede. Det var sytten år siden. Hvad fanden kunne han forlange var mere præcist end det, når hverken politirapporten eller Arbejdstilsynets rapport fra dengang kunne?

"MÅSKE KOMMER DER et tidspunkt, hvor vi kan spørge Rose ud om det hele," sagde Carl, da de endelig var tilbage i hans kontor.

Assad rystede på hovedet. "Hørte du, at jeg spurgte, om Rose selv kunne have skubbet sin far ind under slabsen, da den faldt? De så godt nok underlige ud."

"Ja, jeg hørte det godt. Men de så mere underlige ud, da du antydede, at hun kunne have været i ledtog med nogen. Leo Andresen fik jo nævnt, at strømafbrydelsen kunne være sket med fuldt overlæg, så det spørgsmål kunne de ikke lige klemme sig uden om."

"Men hvordan timede de det så, Carl? Der var ingen samtaleanlæg, der hvor de stod, og heller ingen mobiltelefoner. Det drejede sig jo om brøkdele af et sekund, ikke?"

En høj skygge viste sig i døren. "Hej! Jeg skulle igen spørge fra politidirektøren, hvornår I er tilbage. Jeg har ikke sagt, at I allerede er her."

"Tak, Gordon, godt tænkt. Sig til ham, at hans tv-hold nok skal få noget at lave lidt senere i dag eller i morgen, og at vi nok skal opføre os nydeligt og pænt."

Han så ikke glad ud. "Nå, men nu har jeg så snakket med ham fyren, der så Rigmor Kirschmeyer standse på et gadehjørne og se sig tilbage, før hun stæsede videre, og det var der ikke meget hold i, Carl. Han kunne næsten ikke huske noget."

"Det var ærgerligt! Men har du så fået hold på Denise Kirschmeyers opholdssted?"

"Nej, heller ikke. Hun forsvandt fra hjemmeadressen for en uge siden, den 23. maj. Jeg har været oppe og snakke med dem, der bor på klubværelserne, nogle ret så spøjse typer. Og så fik jeg også snakket med hendes mor. Ja, snakket og snakket er så meget sagt, for hun er da godt nok helt ude i tovene. Jeg kunne knap nok forstå et ord af, hvad hun sagde."

"Hvordan forsvandt?"

"Denise fortalte sin mor, at hun var flyttet sammen med en mand i Slagelse."

"For syv dage siden?" Carl bredte armene ud. Skulle de nu til at kaste trawlet ud i nowhereland? Det var ikke så underligt, at man somme tider kunne føle sig lidt slidt.

Så ringede hans telefon. "Kan I to ikke sætte en summary op på opslagstavlen over de sager, vi har gang i, så ser vi på det hele om lidt?" Derpå tog han telefonen.

"Ja, det er mig," lød det gråt i den anden ende af røret. Det var Marcus Jacobsen. "Fik du så set på mine notater, Carl?" spurgte han.

"Jo, øh, sådan da."

"Gider du så ikke lige se på dem nu, så venter jeg imens?"

Carl rodede lidt på skrivebordet, før han fandt det ene af notaterne frem. Med Marcus Jacobsens kantede, men letlæselige skrift stod der:

Noter i Stephanie Gundersen-sagen:

1) Hardy noterede sig en kvinde ved navn Stephanie Gundersen blandt tilskuerne ved SSP-foredrag.
2) Tjek endnu en gang forældrelisterne for 7'ende og 9'ende klassetrin.
3) S. Gundersens og klasselærerens skole-hjem-samtaler ender to gange i skænderier med forældrepar og en gang med enlig mor!
4) Hvad skulle S.G. i Østre Anlæg? Hun skulle jo til badminton.

"Jo, jeg har et af papirerne liggende her foran mig. Det er en tjekliste med fire punkter."

"Godt. Det er de fire ting, vi aldrig fik undersøgt til bunds under efterforskningen. Vi havde allerede brugt et hav af mandetimer på sagen, mens det samtidig væltede ind med en masse andre alvorlige sager, så jeg blev nødt til at vurdere hele situationen således, at vi havde været igennem samtlige rutiner omkring drabet på Stephanie Gundersen og ikke kunne komme videre på daværende tidspunkt. Konklusionen blev derfor, at vi måtte skubbe sagen til side, selv om jeg virkelig hadede at skulle gøre det. Du kender det godt. Det er frygteligt at lægge sager til side, for man ved jo inderst inde, at så kokser de til.

Nå, men jeg fandt altså notaterne, da jeg ryddede mit kontor på Gården, dengang jeg stoppede, og lige siden har de faktisk siddet under nogle magneter på min køleskabsdør, til min kones store fortrydelse, mens hun stadig levede. 'Hvorfor kan du ikke bare lade det fare, Marcus?' sagde hun altid. Men det kan man jo ikke."

Carl var helt enig. Det var ikke mange af den slags sager, han havde måttet opgive at komme videre med, men nogle stykker var der jo.

"Som jeg ser det, så er det specielt spørgsmål nummer fire, der springer i øjnene. Hvad tænkte du, da du skrev det?"

"Garanteret det samme, som du gør nu: Hvorfor dropper man sin faste badmintontræning for at gå en tur i parken? Af romantiske grunde, selvfølgelig."

"Men I havde ikke styr på, hvem Stephanie så mødte?"

"Nej. Spøjst nok, så var der ikke noget, der tydede på, at hun havde en kæreste på det tidspunkt. Hun var en diskret pige, du ved. Ikke en, der skubbede en kæreste foran sig ind ad døren."

Carl kendte typen og sukkede. "Hvad så med punkt nummer et? Hvad var det, Hardy så, da han mødte hende Stephanie?"

"Han var udskrevet til et af de der dødkedelige præventive pligtjobs med 'skole-sociale myndigheder-politi'-foredrag, og så stod den smukkeste kvinde, han nogensinde havde set, og smilede lige så sødt til ham nede ved endevæggen i klassen. Han kunne næsten ikke koncentrere sig, sagde han. Da hun blev myrdet, emmede han i flere dage af frustration, sorg og raseri over, at nogen kunne slukke så yndigt et væsens liv. Han var syg for at hjælpe til, men han havde jo, som du jo nok ved, rigeligt at gøre med dine efterforskninger."

"Stephanie var smuk, det ved jeg."

"Hun kunne vippe enhver mand ud af balance, sagde Hardy til mig, spørg ham selv."

"Har du gemt forældrelisterne over de syvende- og niendeklasser, som du nævner i note nummer to?"

"Hmm, Carl, jeg kan mærke, at du overhovedet ikke har set på det materiale, jeg gav dig. Den navneliste finder du altså på det andet stykke papir, jeg stak dig på frokostrestauranten. Kig lige på den, så finder du måske noget."

"Pinligt, Marcus, det må du altså undskylde. Alt det med Rose har bare fyldt mit hoved." Han så igen på papiret med de fire punkter. "Og hvad så med note tre på listen? Mon ikke det er meget normalt med en lidt højrøstet ordveksling ved skole-hjem-samtaler? Jeg husker da et par stykker, hvor Vigga og jeg tog en ordentlig tørn med Jespers klasselærer."

"Jo, det er det selvfølgelig, og de to forældrepar, henholdsvis Carstensens og Willumsens, der var årsag til skænderierne, var da også meget imødekommende, da jeg spurgte ind til det. I bund og grund handlede det i begge tilfælde om det samme, og ifølge klasselæreren var det ikke en særlig behagelig diskussion, og også ret atypisk. I det tredje tilfælde, for den enlige mors vedkommende, var det noget mere personligt, men der var undertoner, som klasselæreren ikke kunne lodde. Moren, hun hed vist Birthe Frank, skabte sig over, at Stephanie forførte hendes datter med alt for meget opmærksomhed. Moren virkede jaloux, sagde klasselæreren."

"Så Stephanie var bare for køn?"

Marcus lo hæst og hostede et par gange i den anden ende. Så var smøgerne altså stadig på gennemrejse.

"Du *er* sgu ikke så tosset, Carl. De to første par var forældre til drenge, der var helt kulrede i bolden, når de kom hjem fra skole. I den enes tilfælde havde de sågar grebet ham i at sidde og onanere til deres skolefoto, og de mente nok, at Stephanie kunne tone lidt ned for sin kvindelighed."

"Så hvor fører det dig hen?"

"Tjah, hvor? I mere end halvdelen af alle drab spiller sex en eller anden direkte eller indirekte rolle, det ved du jo. Og Stephanies eksistens var i sig selv noget af en udfordring på det punkt, forstod jeg så."

"Du mener, at jeg skal lede efter en, der enten havde eller ville have sex med hende?"

"Aner det ikke. Men nu er det bare nævnt."

"Hun blev jo ikke voldtaget, vel?"

"Nej, bare slået ned bagfra og dræbt. Punktum, finale."

"Okay, og tak. Jeg beklager, at jeg ikke fik spurgt ordentligt ind til det, da du gav mig papirerne, Marcus."

Han lo. "Nu har de ligget hos mig i tolv år. Så kunne jeg vel godt vente en uges tid mere, ikke? Jeg vidste, at vi nok ville komme til det på et tidspunkt, Carl."

Efter samtalen skubbede Carl lidt rundt i rodet på skrivebordet. Hvor fanden var det andet notat nu blevet af?

"GORDON! ASSAD! Kom lige herind til mig," råbte han.

Der lød lidt brok på gangen, før de stod der.

"Forleden gav Marcus Jacobsen mig to notater, og nu kan jeg ikke finde det ene. Kender I noget til det? Det er skrevet på den samme slags linjerede papir som det her."

Han holdt tjeklisten med de fire punkter op foran dem.

"Jamen ved du hvad, Carl. Jeg synes, du så skal komme med os ind i situationsrummet og se noget," sagde Assad. "Gordon har haft travlt."

Det lange hyl undskyldte, at han havde været inde og tage kopier af flere af de papirer, Carl havde haft liggende på skrivebordet, men vidste virkelig ikke, hvor originalen til det andet papir var.

"Men bare rolig, alt sammen hænger herinde i kopi."

Carl fulgte trop, og da han stod i rummet, så han omgående de fem A3-ark, der sad på rad og række på den store opslagstavle.

"Her er de fem sager, som vi har gang i lige nu," sagde Gordon.

Fem sager, sagde han? Hvordan kunne det blive til så mange?

Carl lod blikket vandre hen over arkene.

Helt ude til venstre havde Gordon sat et papirark op, som han kaldte for Rose-sagen. 'Roses far omkommer den 18. maj 1999', var det eneste, der stod på sedlen. Herefter kom Kirschmeyer-sagen, Stephanie Gundersen-sagen, Flugtbilist-sagen, Diskotek-sagen med røveriet og nedskydningen af den islandske kvinde, og alle ark var forsynet med små notater om ofrenes dødstidspunkt og nogle få andre oplysninger.

"Hvad hulen laver flugtbilistsagen og diskoteksagen dér?" spurgte Carl. "De har jo ikke noget med os at gøre."

Gordon smilede. "Ja ja, jeg ved det godt. Men det er jo ligesom blevet mig, der har mest at gøre med det tv-hold og skal svare på alle deres mærkelige spørgsmål, så jeg tænkte, at sagerne også kunne hænge her, bare for at jeg kan følge med."

Carl gryntede. Den mand var da godt nok noget for sig selv. Hvis han så gerne ville med ind i opklaringen af de to sager, hvorfor rykkede han så ikke op på anden sal, han havde jo fået tilbuddet?

"Nå, men bare Bjørn ikke misforstår det her, så er det vel okay. Hvor er Marcus' noter?"

"Jeg har hængt de to ark med hans notater op under Stephanie-sagen, kan du nok se," sagde Gordon ikke uden en vis stolthed.

Nu kunne Assad ikke længere dy sig. "Før du ser på navnelisten, Carl, så skal du lige først se på det her foto." Han placerede et farvefoto i overstørrelse foran ham. "Se her. Det skolefoto har vi lige modtaget. Det stammer fra 2003 fra en niendeklasse på Bolmans Friskole. Prøv lige engang at kigge på det."

Carl gjorde, hvad han havde bedt ham om. Det var et af den slags intetsigende klassefotos, man et par år efter hadede af et godt hjerte og mange år senere i lige så høj grad ærgrede sig over, at man havde smidt ud. Hvad var der særligt ved det?

"Stephanie Gundersen står dér linet op bag eleverne sammen med de andre lærere," sagde Gordon og pegede på hende.

Carl nikkede, nu genkendte han hende. "Hun var virkelig den kønneste af dem alle sammen," sagde han. "Men hvad vil du nå frem til med det?"

"Det er ikke hende, du skal kigge på lige nu, Carl, det er hende, der står foran Stephanie med Stephanies hænder på sine skuldre."

Carl kneb øjnene sammen. Det var en pige med højt opsat hår, blå læbestift og et blik, der var kækt og smilende på samme tid.

"Hun hedder Dorrit Frank, så vidt jeg kan se på navnene nedenunder."

"Nemlig," smilede Assad.

Hvad smilede han over? "Sig det lige, jeg kan ikke lige ... mener du at ..."

"Ja, Dorrit er Denise, hun skiftede jo navn på et tidspunkt."

Carl mærkede en isning langs rygraden. "Virkelig? Men hvad så med efternavnet?"

"Denise hedder Denise F. Kirschmeyer, F står for Frank, det er tjekket. Og kig så lige på Marcus' liste over forældrene i klassen."

Han scannede hurtigt listen. Der var den. Ikke Birthe Frank, som Marcus huskede det, men Birgit Frank. Birgit Frank Kirschmeyer.

Her kom Gordon med en lille tør kommentar. "Jeg bemærkede det allerede på hendes gadeskilt, da jeg gik min anden runde i Borgergadekvarteret, Carl. Bare sådan et lille initial til mellemnavn kan gøre meget."

Gordon havde ret. Det var faktisk en ret epokegørende ting, som gjorde, at to sager, der mindede om hinanden, måske nu kunne knyttes sammen. Motivet, personerne, mordmetoden. Men til hvad, og hvordan?

"Det her må jeg omgående give videre til Marcus."

Han stormede ind på sit kontor og fik denne gang fat i manden allerede ved tredje ring.

"Marcus, hør her! Den enlige mor, der skændtes med Stephanie Gundersen til skole-hjem-samtalen, var ikke en Birthe Frank, men Birgit Frank, hvis datter hed Dorrit og senere Denise," sagde han uden yderligere præsentation. "Ergo var og er morens fulde navn Birgit Frank Kirschmeyer, selv om hun i den periode af uransalige årsager, eller måske er det bare på skolen, kun har brugt efternavnet Frank."

Der lød et suk i den anden ende. Forløsningen var hørbar.

"Ja, for helvede, Marcus!" understregede Carl det. "Så nu har du koblingen mellem kvinderne Stephanie Gundersen, Birgit Kirschmeyer og hendes mor, Rigmor Kirschmeyer, er du så tilfreds? Alle tre kvinder havde på en eller anden måde en relation til hinanden, og to af dem bliver med års mellemrum dræbt på nøjagtig samme måde. Synes du, at vi skal kalde det for et tilfælde, boss?"

Et øjeblik var der tavst som døden i den anden ende, og så kom udbruddet.

"Birgit Kirschmeyer har et mellemnavn, der begynder med F, for syv sytten da også. Hvordan kunne vi overse det dengang, det er ufatteligt? Hun var jo på en måde allerede i søgelyset, da vi efterforskede Stephanie Gundersens sag."

37

Søndag den 29. maj og mandag den 30. maj 2016

IGEN HAVDE SVINEHELDET været med Anneli, for også denne gang havde hun undgået, at der var vidner og biler i nærheden, da hun begik sin udåd.

Med en grusom kraft havde den gumpetunge pige slået kraniet mod lygtepælen og tydeligvis brækket halsen, for bagefter sad hovedet ikke helt, som det plejede.

Roberta alias Bertha Lind havde i mange henseender vist sig at have ufravigelige vaner, så selv cykelruten fra hendes bopæl og til de to gange ugentlig looping, som hun helt sikkert mente var nok til at presse hende ned i en størrelse 44, blev nøjagtig, som den plejede, og som Anneli havde forestillet sig.

Denne søndag var mildest talt hot, så hele Danmark stønnede. Af den grund havde Bertha iført sig en lillebitte top, der hurtigt gled op ad hendes klæbrige ryg og afslørede former, der bestemt ikke var kommet af sig selv. Mindst ti gange på cykelturen vekslede hun mellem at sende sms'er på mobilen og føre armen om på ryggen for at hive toppen ned, og ellevte gang blev så én for meget. I et blødt venstresving tabte hun fuldstændig koncentrationen og rykkede lidt for meget i styret, så svinget blev for skarpt.

Anneli havde kørt i andet gear og holdt sig på de atten-tyve kilometer i timen, der skulle til for ikke at komme for tæt på Bertha og inden for hørevidde. Men i det moment, hvor Berthas cykel uventet gled en smule ud af kurs, speedede hun kraftigt op og kastede vognsiden direkte ind mod Berthas krop.

'Sært, så langt en så tung krop kan flyve,' tænkte Anneli, mens hun pressede bremsen i bund og fulgte kroppens afmægtige kurs i sidespejlet.

"Jeg så ikke hendes øjne, men alligevel er 'mission completed'," sagde hun umiddelbart efter til sig selv. Derpå parkerede hun den lille Renault i en øde sidegade til Amager Boulevard og forlod den så efter de sædvanlige aftørringsmanøvrer og den øvrige rengøring.

Som Anneli regnede med, kategoriserede tv-nyhederne ikke dette flugtdrab helt som de andre. Bevågenheden var dog relativt stor, fordi der også denne gang var tale om en bilist, som efter påkørslen havde efterladt et livløst offer, men alligevel vurderede man, at kvinden i dette særlige tilfælde kunne være påkørt af et større køretøj, der formentlig slet ikke havde bemærket sammenstødet.

Næste morgen hørte Anneli i Radioavisen, at politiets teknikere havde målt sig frem til, at Bertha var kommet for langt ud på kørebanen og nok havde snittet en forbipasserende lastbil, hvorefter det var voldsomheden af styrtet kombineret med hendes store kropsvægt og ikke selve påkørslen, der havde taget hendes liv. Som altid ved svingulykker var det tragisk, men ikke at sammenligne med højresvingsulykkerne, der i stigende grad var en af Københavns største trusler mod de pulserende floder af cyklister.

Anneli var overmåde tilfreds. Indtil videre havde hun holdt sig til sin plan, og fornemmelsen for denne mission, som det var at rense verden for menneskeligt utøj, groede stadig i hende. Den umiddelbare rus og lystfornemmelse havde selvfølgelig til en vis grad mistet nyhedens interesse, men nu var hun jo efterhånden også rutineret. Og tre pletskud på bare otte dage gav en vis selvtillid.

DENNE MANDAG FORMIDDAG virkede det nærmest, som om man havde fredet hende. Ingen sagde noget til hende, men det var helt tydeligt, at alle vidste, hvor galt det var fat med hende, og at hun var kommet direkte på arbejde efter sin strålebehandling. Så meget for en leders diskretion.

Anneli var imidlertid ligeglad. Det vigtige for hende var at kunne hellige sig sine næste mål og vurdere risikoen ved dem.

Lige nu, hvor Folketinget snart gik på sommerferie, fandt medierne hurtigt andet at skrive om. Ud over flugtbilistsagen, som fyldte flere sider i samtlige aviser, så var det mest Birnas død på Rigshospitalet aftenen før, der prægede nyhedsbilledet. Og klapjagten på den, man nu kaldte Diskoteksmorderen, var allerede i fuld gang.

Selv om det kunne synes både fristende og logisk, så var der to ting, der forhindrede Anneli i med et knips at anmelde dem, der havde dræbt den unge kvinde. Hun ønskede mere end noget at slå dem ihjel; problemet var bare, at det kunne hun jo ikke, hvis de sad i fængsel. Dertil skulle siges, at hvis pigerne kom i politiets hænder, så var der en risiko for, at de på et tidspunkt, muligvis for at få strafnedsættelse, ville buse ud med deres mistanke om Annelis medvirken til Michelles død. Så lige meget hvad, kunne Birnas død indirekte blive den udslagsgivende årsag til, at rebet om Annelis hals strammede til. Gennem afhøringerne af Michelles kæreste, Patrick, ville politiet i sidste ende lægge to og to sammen og koble de tre piger til hinanden. Og når politiet først fik fat på dem, var Anneli ikke længere fredet.

Anneli så på uret. Hun havde lige haft en sød klient inde, der bad om en yderst beskeden hjælp til de næste ti dage, før hun igen kom i arbejde, og derfor blev henvist til overlevelseshjælp, og om et par minutter kom turen til hendes absolutte modstykke. Nu var det efterhånden cirka hver femte dag, denne kvinde troppede op med nye ønsker, og alle sammen kostede sjovt nok lige akkurat femten hundrede kroner, hvilket Anneli overhovedet ikke havde mandat til at give hende. Der var ikke noget decideret ondt skabt i hende, men lige nu havde Anneli altså vigtigere ting at beskæftige sig med. Udviklingen i sagerne om røveriet og drabet på Birna var uforudsigelig og måtte simpelthen stoppes. Derfor måtte hun koncentrere sig fuldt ud om at skaffe sig af med de to løse ender, der hed Denise og Jazmine.

En flugtbil som mordvåben syntes ikke længere egnet. Pigerne var garanteret allerede yderst årvågne, og derfor ville hun næppe få mulighed for at komme tæt nok på. Heldet var imidlertid, at der den sidste tid havde været en del skyderier i København og de af forstæderne, hvor bandekriminaliteten huserede mest. Kunne hun få fat på et skydevåben og få likvideringerne til at se ud som et bandeopgør, så ville politiet formentlig begynde at se helt andre veje end hendes, og gik alting alligevel helt ad pommern til, så havde hun da anskaffet sig et våben, hvormed hun hurtigt og smertefrit kunne slå sig selv ihjel.

Anneli rejste sig, gik ud i venteværelset og aflyste med beklagelse de to klienter, der sad og ventede. De så utilfredse og skuffede ud, specielt hende, der sikkert var kommet for at tigge om de sædvanlige femten hundrede kroner, men Anneli var kold.

"Jeg har en selvmordskandidat i røret," sagde hun bare og drejede om på hælen, før hun smækkede døren til kontoret i. Efter et minuts søgen fandt hun nummeret til en klient, som ellers først skulle komme midt på ugen. Fyren hed Amin og var en af de mange somaliere på Vesterbro, der havde fundet en levevej, som parallelt med kontanthjælpen sagtens kunne forsørge hele hans hastigt voksende familie.

Amin havde været i spjældet et par gange for ulovlig våbenbesiddelse, tyveri og lidt hashhandel, men han havde aldrig udvist voldelige tendenser, og når han var oppe hos Anneli, så udstrålede han kun livsglæde og taknemmelighed over den lille hjælp, hun kunne yde.

Han dukkede op lige efter frokost og lagde to godt slidte revolvere på hendes bord, så hun selv kunne vælge. Hun tog den, der så nyest ud og virkede lettest at manøvrere, og fik i tilgift en hel kasse patroner med. Han beklagede meget, at den ønskede lyddæmper ikke lod sig skaffe, men gav hende dog et par nyttige tip om, hvordan man selv kunne dæmpe lyden. Efter en kort instruktion i afsikringen, ladningen, udtagningen af patronhylstre og rensningen aftalte de, at han ud over de seks tusind kroner, som han fik kontant, også skulle have bevilliget nyt tøj til familien, samt at Anneli ville søge at udskyde de jobprøvninger, der lå lige om hjørnet og ventede. De aftalte på tro og love, at dette møde udelukkende havde handlet om familiens dårlige tøjsituation, og at mødets egentlige formål aldrig nogensinde ville komme til andres kendskab.

Dårligt nok havde hun fået gemt revolveren af vejen, før hendes leder sejlede ind på kontoret og tilbød hende krisehjælp.

"Jeg er faktisk meget forfærdet over, at du har måttet gå helt alene med det her, Anne-Line. Ikke alene med den frygtelige kræftdiagnose, men også ved i løbet af få dage at miste hele to klienter på den forfærdelige måde."

'Sagde hun krisehjælp?' tænkte Anneli. Hvem fanden havde brug for krisehjælp, når virkeligheden var, at det, hun stod og manglede allermest, var en lyddæmper?

Da lederen var trisset ud ad døren med alverdens forsikringer om sin solidaritet, meddelte Anneli sekretæren, at hun desværre havde opdaget, at en del journaler måtte ajourføres efter hendes fravær, og at hun derfor var nødt til at lukke sin dør for klienter for resten af dagen.

Således uforstyrret surfede hun rundt på nettet i nogle timer og læste artikler om bandelikvideringer. Da hun følte sig velorienteret, besluttede hun sig for, hvordan hun bedst kunne imitere dem. Først og fremmest handlede en bandelikvidering om at komme hurtigt ind og ud. Et enkelt nakkeskud til hver af pigerne, og så bagefter smide revolveren ud i Københavns Havn. Mere var det faktisk ikke.

Sværere var det at få løst problemet med den manglende lyddæmper, men selv det havde nettet råd for.

WEBERSGADE UDMÆRKEDE sig ved sine små, charmerende byggeforeningshuse, der hver især havde skullet udgøre bolig for to-tre arbejderfamilier. Men gennem de sidste årtier var de blevet mere og mere eftertragtede og steget urimeligt meget i pris, fordi middelklassen pludselig fandt dem attraktive på trods af det ringe kvadratmeterantal, de små rum og de temmelig upraktiske trapper mellem etagerne. Virkeligheden for Webersgade-husene var, at de lå temmelig elendigt på grund af den massive trafik, der strømmede forbi og forbandt indre by med brohovedet ud til Lyngbyvejen og hele Nordsjælland. Disse af forurening patinerede huse, der let kunne forveksles med støvede huse i engelske minebyer, kendte Anneli alt til. I sådan et hus havde hun lejet sig ind gennem et halvt liv og disponeret over den halvfugtige loftsetage og halvdelen af førstesalen. Ejeren, der rådede over stueetagen, så hun aldrig noget til, for han var maskiningeniør og foretrak tropevarme, med den uheldige konsekvens, at han aldrig ofrede så meget som én krone på huset.

Når Anneli kom hjem senere i dag, ville hun lukke sig ind i maskiningeniørens lejlighed, hvor han havde samlet sine rodekasser og alenlange metalhylder med alskens tingeltangel fra motorer og maskiner. I denne skatkiste af himstregimser ville hun lede efter et oliefilter, der ifølge internettet på grund af konstruktionen egnede sig fortrinligt som lyddæmper. Godt nok havde et oliefilter ikke et udgangshul, men når først det var skubbet ind over revolverløbet, og man fyrede våbnet af, så fandt kuglen nok ud af at komme igennem af sig selv. Det kunne den i hvert fald snildt på videoen, hun havde set.

Når hun havde fået ordnet det, ville hun køre til Stenløse, parkere sin Ka på den sædvanlige parkeringsplads og holde et vågent øje med, om der kunne anes liv bag gardinerne i pigernes lejlighed. Kunne der det, ville hun ringe på døren, trænge ind, når de åbnede, tvinge dem begge i knæ og så gøre kort proces.

38

Mandag den 30. maj 2016

DE SAD FORAN en kvinde, der på ganske få dage var transformeret fra bare at være en, der så ud til at være ved at gå i hundene, til nu endelig at være nået fuldstændig i mål.

Hørmen af tobak og spiritus var brutalt anmassende, og hvis ikke alkoholen fik has på hende i løbet af ganske kort tid, så ville i hvert fald alle de cigaretter, hun i mellemtiden havde fået konsumeret.

"Jeg forstår ikke, hvad hun siger," hviskede Assad, men Carl havde prøvet det, der var værre. Trods alt svarede hun da.

"Du siger, du ikke husker en Stephanie Gundersen, der var vikar i din datters klasse. I var ellers temmelig alvorligt på kant med hinanden, så vidt vi forstår. Vi har hørt, at I skændtes, så det bragede, til en af skole-hjem-samtalerne, kan du ikke huske det, Birgit?"

Hun rystede lidt fortumlet på hovedet.

"Det var den vikar på Bolmans, der blev myrdet i Østre Anlæg. Min gamle chef har faktisk afhørt dig i den forbindelse, det var tilbage i 2004."

Så stak Birgit Kirschmeyer en pegefinger i luften og nikkede. Endelig var der hul igennem.

"Kan du huske, hvorfor du tog sådan på vej på det møde? Hvad var det med dig og hende Stephanie?"

Hun sad og rystede lidt på hovedet i sin sindssvage beruselse og rakte så igen pegefingeren op. "Jeg ved godt, hvad I er ude på, ha ha. I må jo tro, jeg er idiot, og at I kan hænge mig op på noget. Men jeg siger dig, at hvis du vil vide noget om det der, du spørger mig om, så skulle du hellere tale med min mor."

"Det bliver nok lidt svært, eftersom din mor er død, Birgit."

"Nå, for hovsa, det havde jeg glemt. Men så kan du jo spørge min datter. Og du kan så også spørge hende om, hvem der slog mor ihjel."

"Hvad mener du? Antyder du, at Denise slog din mor ihjel?"

"Ha ha, nu prøver du igen," skraldgrinede hun rustent. "Du *tror* altså, jeg er idiot, men det, du siger, har jeg altså ikke sagt. Det er bare noget, som *du* finder på."

"Må jeg sige noget?" kom det fra Assad. Hvem troede, at han havde tænkt sig at lystre, hvis hun sagde nej?

Hun så lidt forvirret på ham, som om hun først dér havde fået øje på ham, og virkede så, som om hun prøvede at huske, hvor hun lige kendte ham fra.

"Man kan godt mærke på dig, at din datter ikke havde noget godt forhold til sin mormor, er det ikke rigtigt?" spurgte Assad.

Hun smilede. "Uh, hvor er du dygtig. De hadede hinanden, kan jeg godt sige dig."

Assad spilede sine brune øjne op, så hun ikke kunne undgå hans blik. "Og hvorfor kunne de så ikke det, Birgit? Var det ikke, fordi Denise pludselig vendte hele familien ryggen, noget som Stephanie Gundersen hjalp godt med til?"

Nok havde han ventet en reaktion, det var tydeligt, men ikke lige, at hun holdt på sit vejr for øjeblikket efter at sprutte en skoggerlatters spytsky lige i ansigtet på ham.

"Lad os bare sige det, lille chokolademand," snøvlede hun. "Det lyder alt sammen superfint."

Og så knækkede hun bagover i sofaen og gik ud som et lys.

Audiensen var forbi.

"DET SLAP VI ikke fantastisk godt fra, Carl," sagde Assad tilbage på stationen. Han havde ikke behøvet at sige 'vi'.

Carl nikkede til kollegerne i vagten.

"Jeg kan se det på jer," sagde han. "Skal jeg nu igen til at melde mig oppe på Lars Bjørns kontor?"

De rystede på hovedet. "Nej, denne gang er det på politidirektørens kontor," grinede den ene.

Carl vendte sig mod Assad. "Vi er enige om, at vi kører den her sag til ende, ikke, Assad?"

Han nikkede.

"Du og Gordon kulegraver alt omkring Kirschmeyer-familien, okay? Jeg vil vide det hele. Hvornår blev Birgit gift? Hvad skete der med manden? Hvor længe havde Denise gået på Bolmans Friskole? Hvor er den lærer, der sad med til det møde med Stephanie og Birgit Kirschmeyer? Hvad er der af værdier i Rigmor Kirschmeyers dødsbo? Alt sådan noget, så vi kan tegne et mere nøjagtigt billede af den bizarre familie. Og så en ting mere: Find Denise Kirschmeyer, om I så skal køre helt til Slagelse."

POLITIDIREKTØREN VAR IKKE alene, for Marcus Jacobsen sad allerede ved hans glasbord på en af de besynderlige læderstole med tre ben og nikkede kammeratligt.

"Sæt dig endelig," bød direktøren.

'Underlig fornemmelse,' tænkte Carl. Så kom endelig øjeblikket, hvor han efter så mange år på Gården sad her i det allerhelligste rum med skilderierne af alle direktørens forgængere, der stirrede ham lige ind i nakken.

"Jeg lægger hårdt ud, Carl Mørck," fortsatte direktøren. "Jeg beklager, at jeg har været misledt med hensyn til din afdelings opklaringsrater, det har desværre beroet på en misforståelse, og det er der nu rettet op på, således at jeres afdeling fortsætter som hidtil." Han nikkede til Carl. "Herudover vil jeg henstille til dig om at få etableret et bedre forhold til det tv-hold, der skal lave den udsendelse til Station 3. Nu vil de følge dig resten af dagen, og jeg foreslår, at du giver dem noget godt stof at rive i."

Carl nikkede. Det skulle de edderbukme få.

"Marcus her fortæller mig, at den gamle Stephanie Gundersen-sag og drabet på Rigmor Kirschmeyer er blevet koblet til hinanden nede i din afdeling."

Carl så lidt ærgerligt på Marcus, men han rystede afvæbnende på hovedet.

"Egentlig er det en sag i Lars Bjørns afdeling, og jeg tvivler stærkt på, at han giver den fra sig, men nu forholder det sig jo således, at hans afdeling har nok at gøre med flugtbilistdrabene, og dertil kan siges, at det er mig, der bestemmer, hvem der gør hvad. Så du får sagen, Carl."

'Ren hævn for den blameren, Lars Bjørn fik udsat ham for for øjnene af retsudvalget,' tænkte Carl. Og arkitekten bag den manøvre sad lige her ved siden af ham.

Han blinkede til Marcus til tak.

"Du sætter tv-holdet grundigt ind i, hvorledes I er nået frem til koblingen af sagerne, og så giver du dem nogle gode billeder, for vi vil kunne se politiets effektivitet, når udsendelsen engang bliver vist. Endelig skal jeg tilføje, at Marcus Jacobsen har indvilliget i at slutte sig til Politigårdens stab som ekstern konsulent. Jeg tvivler ikke på, at det på alle måder vil vise sig at være en styrkelse for os at få hans erfaring på banen, når behovet melder sig."

Carl nikkede til Marcus. Hvilken herlig nyhed. Men Marcus gestikulerede, at Carl nu skulle se at tage initiativ. Han forstod ikke med det samme, hvad manden mente, men med små kast med hovedet over mod politidirektøren fik Marcus ham til at forstå, at dagens regnskab endnu ikke helt var gjort op.

Carl rømmede sig. "Jamen så siger jeg tak, og vi skal nok gøre vores bedste for, at sagerne om Stephanie Gundersen og Rigmor Kirschmeyer skal få en ende. Herudover vil jeg så også gerne sige undskyld til politidirektøren for min opførsel i Parolesalen den anden dag. Det skal bestemt ikke gentage sig."

Et sjældent smil bredte sig i hans øverste chefs ansigt.

Den ønskede balance var genoprettet.

HVILKEN FRYD DET var at gå forbi Lars Bjørns kontor. Man sagde, at hævnen var sød, men det var en underdrivelse. Hævnen var eddermame noget af det bedste.

Han nikkede til Lis og fru Sørensen for deres indirekte medvirken og smilede stadig, da han på det nærmeste ramlede ind i Mona. De stod et øjeblik på en halv meters afstand af hinanden, og Carl noterede sig omgående, hvor træt hun så ud.

"Er I kommet frem til noget med Rose?" spurgte hun høfligt, men hendes tanker var et helt andet sted. Igen udstrålede hun denne sårbarhed med nærmest gennemsigtig hud og den form for tristesse, som alle forspildte chancer summer op til.

"Er du okay, Mona?" spurgte han per refleks og håbede, at hun ville bryde hulkende sammen i hans arme og bekende, hvor ulykkelig hun havde været hvert eneste sekund, siden de brød med hinanden.

"Jo tak," sagde hun tørt. "Men jeg skulle nok ikke have taget rejerne oppe hos Laursen. Jeg og rejer har aldrig haft det helt godt med hinanden."

Han mærkede, at hans smil var frosset lidt fast, da hun skred over mod sit kontor.

"Hendes datter er meget syg, Carl," sagde Lis. "Hun har nok at se til."

39

Mandag den 30. maj 2016

OLAF BORG-PEDERSENS tv-hold havde allerede fået linet et par kameraer op, som stod tændt midt på gangen med røde lamper og fangede Carls trætte nedstigning til kælderregionen. Selv inde på kontoret stod der et, og der sad tv-produceren i egen høje person ved Carls skrivebord med lydmand og fotograf og ventede som en grib på det sidste åndedrag.

"Og vicepolitikommissær Carl Mørck er en travl mand," gik kværnen omgående i gang på ham, da Carl trådte ind. "Her på Station 3 har vi i et par dage fået lov at følge med i, hvad der foregår bag kulisserne, når politiet arbejder på at gøre vores samfund til et bedre sted at være."

Han nikkede til sin kameramand, der sprang over til kameraet og afmonterede det fra stativet.

"Ude blandt almindelige folk foregår der hver eneste dag frygtelige ting, som ødelægger uskyldige menneskers liv."

'De er sgu ikke altid lige uskyldige,' tænkte Carl, mens han forsøgte at undgå det løsgående kameras nye vinkler på hans i forvejen temmelig irriterede ansigt.

"En flugtbilist er løs, og unge kvinder må lade deres liv. Vi på Station 3 vil gerne medvirke til, at det stopper. Måske har Carl Mørck bevæget sig ind i en blindgyde, som vore seere kan udfri ham af."

'Det er dig, der er inde i en blindgyde, spasser. Det er ikke engang vores sag, så hvad med at gøre dit arbejde ordentligt,' tænkte han, mens han nikkede og undfangede en ny og bæredygtig idé til endnu større irritation for både drabschef og politidirektør.

"Ja," sagde han alvorligt. "Offentligheden er ofte vores bedste med-spiller. Hvad skulle vi gøre uden almindelige menneskers årvågenhed og blik for usædvanlige situationer og begivenheder?"

Han rettede blikket direkte ind mod kameraet.

"Men så længe vores system internt i politiet forhindrer mig i at ar-bejde med sager, som er blevet pålagt andre, så kan jeg ikke hjælpe med netop den sag."

"Du mener, at det er en anden afdeling, der har sagen?"

"Ja, og her i Afdeling Q er det ikke meningen, at vi skal blande os i aktuelle sager, selv om vi måske ville kunne kaste et nyt lys over dem."

"Kan man kalde det kassetænkning? At den også er nået til politiet?"

Carl nikkede. Som politidirektøren ønskede, så havde programmet endelig fået lidt stof at rive i. Det var nærmest, så Olaf Borg-Pedersen savlede.

"Så du er stækket i forhold til det helt aktuelle flugtbilistdrab, skal det forstås sådan?"

Helt aktuelle bilistdrab? Carl anede ikke, hvad han talte om.

"Lige et øjeblik," brød han af. "Jeg skal lige hente min assistent. Optagelserne skal jo gerne være realistiske, ikke? Og han vil normalt være med, når vi drøfter det seneste døgns udviklinger."

Han fandt Gordon og Assad i samtale inde i situationsrummet, til-syneladende helt upåvirkede af alt det ståhej, som Carl var kastet ud i.

"Hvordan gik det oppe hos politidirektøren?" spurgte Assad.

Carl nikkede. "Udmærket, tak. Men hvad fanden sker der? Har der været et flugtdrab mere?"

"Det ved man ikke endnu," svarede Gordon. "Det ligner ikke de øv-rige drab, snarere et væmmeligt uheld."

"Sæt mig ind i det, lynhurtigt. Gribbene derinde vil gerne ..."

"Og her har vi så Afdeling Q's situationsrum," lød det fra døråbningen, så Carl nærmest fik et chok. Han vendte sig mod Olaf Borg-Pedersen, der havde det håndholdte kamera lige i røven og mikrofonen halvt inde i gabet. "Så vidt vi har forstået, så er det herinde i dette rum, at sager bliver koblet til hinanden og endevendt, her man forsøger at få et overblik," fortsatte han og strakte mikrofonen direkte mod Carl.

"Vi ser heroppe på tavlen på væggen de sager, der p.t. er i gang, har jeg ladet mig fortælle. Kan du forklare os, hvad det er, vi ser, Carl Mørck?"

"Jeg beklager," sagde han og gjorde sig bredere end nogensinde, så kun dele af opslagstavlen kom med. Han skulle dæleme ikke have, at Kirschmeyer-sagen faldt nogen af folkene oppe på anden i øjnene. Det ville nok være et irritationsmoment for meget. "Af hensyn til sagernes opklaring kan vi ikke komme for tæt på vore arbejdsprocesser i dette program."

"Det forstås." Olaf Borg-Pedersen nikkede, men så ud, som om han nok alligevel skulle få de billeder i kassen, som han havde bestemt sig for. "Vi talte før om flugtbilistdrabene. For kun fire dage siden blev den unge Michelle Hansen massakreret ude i Stenløse med et par sagesløse børn som vidner. Før det blev Senta Berger dræbt under lignende omstændigheder, og nu i går Bertha Lind ude på Amager. Hvad er jeres kommentarer til det? Kan Afdeling Q allerede på nuværende tidspunkt koble denne sidste forfærdelige hændelse til de øvrige?" spurgte han.

"Tjahh," greb Gordon ind. "I modsætning til de andre så ved vi jo endnu ikke, om Bertha Lind blev kørt ihjel med fuldt overlæg. Og for at kunne koble sådanne sager til hinanden så må der enten være bremsespor med tydelige dækmønstre eller skridspor af samme type gummi som ved de foregående sager."

Carl så lidt misbilligende på det lange hyl. Det var jo ikke meningen, at det her skulle blive alt for seriøst.

"Ja. Som vi ser det, bremsespor eller ej," brød han ind, "så virker det helt bestemt, som om en seriemorder er på fri fod, og det er nok på tide, at pressen får noget mere end de sparsomme oplysninger, som vi hidtil har kunnet udsende. Det er imidlertid vores informationstjenestes og Janus Staals opgave, så I skal nok op på anden sal endnu en gang."

Olaf Borg-Pedersen stillede sig på tæer. "Jeg ser alligevel i mit altid aktive periskop, at I ved siden af denne sag på tavlen har opslået det, der benævnes som Diskotek-sagen. Er det i virkeligheden et større kompleks af sager, der hænger sammen?"

Carl sukkede indeni. Hvilken idiot, hvorfor skulle sagerne ellers hænge dér side om side? "Det er jo ikke noget, vi uden videre kan afvise. Denne unge kvinde, Birna Sigurdardottir, som nu så tragisk er afgået ved døden, var kontanthjælpsmodtager som de øvrige og nogenlunde på samme alder. Havde de noget med hinanden at gøre? Var de ligefrem i en slags ledtog eller alliance? Det er det, der er spørgsmålet. Men det kan Station 3's gode seere måske hjælpe med, og så i øvrigt god fornøjelse med de videre interviews i informationstjenesten. Måske kan man så også komme ind på den politik, der hersker inden for politiet, som resulterer i, at der ikke per automatik arbejdes sammen på tværs af afdelinger og sager."

EFTER TV-HOLDET var gået, tog Carl en velfortjent kop kaffe inde på sit kontor, mens han tillod sig at grine forløsende og højt. Sikke en masse vås han havde fået fyret af. Det var næppe lige det, som Bjørn og direktøren havde forestillet sig, ja, nogen ville nok kalde det et decideret bagholdsangreb, men det korte af det lange var jo nok, at de endelig lod ham slippe for de idioter.

Så hørte han tumult ude på gangen, og knap var der gået et sekund, før Assad og Gordon på det nærmeste maste sig ind på hans kontor på samme tid.

Gordon kom først, og han lød helt stakåndet. "Teknikerne er nu nået frem til, at det *var* den røde Peugeot, der blev brugt ved den første påkørsel af Michelle, *og* det var også den, der slog Senta Berger ihjel, Carl," jublede han nærmest. "Masser af indikationer såsom hår og blod på fronten og kofangeren."

Assad stod ved siden af ham og stønnede. "Det hele kører jo rundt som en karrusel i mit hoved nu, Carl. Kan I ikke lige ..."

"Michelle Hansen var temmelig sikkert med til røveriet på diskoteket," tromlede Gordon videre. "Jeg har snakket med en af dem, der har forhørt Patrick Pettersson, som var Michelles kæreste, og Patrick bedyrer, at han ikke medvirkede til det, og er vist blevet ret så samarbejdsvillig. Alligevel er Pasgård ikke tilfreds, og nu har han hentet ham ind til forhør for tredje gang. De sidder lige nu og pumper ham for at få flere detaljer og oplysninger. Jeg vil tro, at han slipper ham for denne gang lige om lidt, og så tænkte jeg, om vi ikke skulle hapse ham herned, før han forsvinder?"

'Hapse?' tænkte Carl. Gordon var da gået helt i selvsving, men på den anden side, hvis det kunne genere Pasgård, så hvorfor ikke?

"Altså, må jeg lige afbryde!?? Skulle vi ikke først høre, hvad vi har fundet ud af i Kirschmeyer-sagen?" afbrød Assad. "Carl, du stillede en masse spørgsmål, og nu vil jeg altså godt have lov til at svare."

Carl nikkede. Var det sådan, at gutterne rivaliserede?

Assad så på sin blok. "Du spurgte om, hvornår Birgit Kirschmeyer blev gift? Jeg går ud fra, at du mener med Denise Kirschmeyers far?"

"Ja. Var der da flere mænd end ham?"

"Det var der. Hun blev gift som attenårig med en jugoslavisk gæstearbejder i 1984 og skilt tre måneder efter. I 1987 blev hun gift igen, denne gang med en tidligere kaptajn i den amerikanske hær, der på det tidspunkt var bartender på dødsruten i København. Samme år blev hun gravid med Denise, der blev døbt Dorrit, da hun kom til verden i 1988. Amerikaneren var selvfølgelig ham, der hed Frank til efternavn, nærmere bestemt James Lester Frank, født i 1958 i Duluth, Minnesota, så nu ved vi det. Siden 1995 har han ikke betalt skat i Danmark, og jeg formoder, at han tog tilbage til USA. Jeg skal nok forfølge det, hvis du synes."

Han virkede meget ivrig for at komme videre.

"Tak, så synes jeg, at du skal give bolden videre til Marcus, han ser vist allerede på sagen," sagde Carl.

"Og så var der det andet spørgsmål. Denise havde gået i skole i Rødovre, men kom på Bolmans Friskole i tredje klasse og gik så ud efter niende i juni 2004."

"Altså nogle uger efter, at Stephanie Gundersen blev myrdet, er det ikke rigtigt?" kommenterede Carl.

Assad nikkede. "Jo. Og læreren, der sad til skole-hjem-samtale med Stephanie, da hun og Stephanie skændtes med Denises mor nogle måneder før, arbejder stadig på skolen, og hun kunne hverken huske mødet eller Denises mor. Derimod huskede hun tydeligt, hvordan vikaren blev slået ihjel midt i eksamenstiden, og hvilken irritation det medførte."

"Fordi det var midt i eksamenstiden?"

"Ja, faktisk. Hun måtte træde til som eksaminator ved afgangseksamen i stedet for den afdøde og lød i hvert fald ikke, som om hun ligefrem havde sørget dengang."

"Det er edderrolme kynisk," kom det fra Gordon.

Assad nikkede. "Ja, hun lød virkelig som heksen på Blåbjerg."

"Det hedder Bloksbjerg, Assad," rettede Carl. "Blåbjerg ligger ved Vesterhavet. Bloksbjerg i Tyskland."

Assad så på Carl, som om han havde spist søm. Men i den her sammenhæng var det vel også ligegyldigt, hvilket bjerg det var.

"Det var altså alt for svært for mig at snakke med Skat og Skifteretten, de var faktisk ikke ret samarbejdsvillige, men Lis hjalp mig, hun er virkelig en krog, Carl."

Krog? "Du mener knag, Assad."

Der blev det brune ansigt altså en lille smule rødere. "Kan du ikke hele tiden lade være med at afbryde, Carl?"

Carl nikkede. "Jo, men 'kan du ikke hele tiden lade være med at afbryde' lyder ikke så godt, Assad. Det lyder bedre med 'kan du ikke lade være med at afbryde hele tiden'.

Det blev ham alligevel en tand for meget. "Det er da for hulen det samme, Carl!" Han tog sig ikke af, at både Gordon og Carl rystede på hovedet, men gav den gas, så han spruttede. "Nu har jeg i mange, mange år fundet mig i det, men jeg vil godt bede dig om fra nu af at lade være med HELE TIDEN at rette på mig, Carl."

Carl løftede øjenbrynene. Rettede han virkelig så meget på ham? Han ville protestere, men sagde ingenting, da han noterede Gordons klap på Assads skulder. To mod en på en almindelig mandag, hvem gad kæmpe mod det?

Assad trak vejret dybt og begravede blikket i sine noter. "Lis fandt ud af, at Rigmor Kirschmeyer er velbe..." Han tænkte sig et øjeblik om. "... velbe...slået." Han så intenst på Carl, der havde lyst til at nikke, men ikke turde.

"Ud over de seks millioner, vi vidste, at hun havde stående i banken, så havde hun værdipapirer for fire millioner og ejede desuden tre lejligheder. En i Borgergade, det er den, hvor Birgit Kirschmeyer bor, en i Rødovre lige over den gamle skotøjsforretning, som manden i sin tid ejede. Og så en i Stenløse."

Carl fløjtede. "En rig dame, skal jeg love for. Og så siger du, at hun ejede en lejlighed i Stenløse, det var da pudsigt. Der har Rose også en lejlighed."

Assad nikkede. "Ja, Carl." Han vendte sig mod Gordon. "Du ved det heller ikke, Gordon, for jeg har lige fundet ud af det."

Gordon trak på skuldrene. Hvad var der særligt ved det?

"I tror, det er løgn. Men Roses nabo hedder simpelthen Kirschmeyer. Rigmor Kirschmeyer – for at være helt nøjagtig!"

40

Mandag den 30. maj 2016

"ALLE PÅ VÆRKET hader dig, Rose. *Alle*, siger jeg dig. De smiler til dig, men bag din ryg griner de deres røv i laser over, hvor elendig du er til dit job. HAHAHAAAA, griner de, men de er også utilpasse ved dig, for de ved jo, hvor farligt det er at have en som dig på Værket. Så det er på tide, du tager dig sammen, ellers går det galt."

Hendes far så på sin seddel og registrerede et par slabs med hvidt og strittede så med gule fingre mod hende. Når de fingre kom med deres anklager, så vidste man aldrig, hvad det udviklede sig til, for Roses far havde et særligt system, så den ene ophidselse ikke kom til at ligne den anden. Han levede og åndede for den fryd, det gav ham at svine hende til, og intet var for nedrigt.

Hun vidste godt, at det meste af det, han sagde, var løgn, men hun orkede det bare ikke mere. Utrygheden ved ikke at vide, hvornår det næste angreb kom, tappede alle hendes kræfter, og for et par dage siden havde hun besluttet, at det skulle stoppe.

"Du burde være taknemmelig over, at jeg gider fortælle dig det, før det kommer fra nogle andre. Men du skal vide, at det kun er mig og mig alene, der forsvarer dig, Rose, ja, det skal du altså bare vide. Og noget skal du jo tjene, også for din mors skyld." Han så helt rørt ud over sit eget påfund, men så vendte han på en tallerken, det gjorde han altid, og ansigtet blev stenhårdt. "Du har jo aldrig nogensinde været billig at have rendende rundt derhjemme, men det kan din lille hjerne jo sikkert ikke kapere, vel?"

Han rykkede et par skridt tilbage, da magneten greb den næste metal-blok, og noterede sig i samme øjeblik, at hun var klar til at protestere. Og det hvide i hans øjne begyndte at lyse af fryd og had, og munden voksede til uanede dimensioner. Hans tænder var som meterhøje stenstøtter, spytdråberne, der stod i en sky om ham, skyllede hende bort.

"Og så skal man ovenikøbet gøre alt arbejdet for dig, det skulle de bare vide oppe i administrationen. Nu er det jo ikke sådan, at det går for godt for dem i forvejen, så måske gør jeg dem faktisk en tjeneste, hvis jeg fortæller, hvordan jeg synes, at du klarer det. Så hvad mener du egentlig, jeg skal gøre, hmm? Og så skal du også vide ..."

Nu knugede Rose sin vibrerende personsøger i lommen, og med en kraftanstrengelse lukkede hun ørerne for hans svada og fyldte lungerne til bristepunktet, så ordene, der altid stod og lurede, kunne fyres af lige i hovedet på ham med fuld kraft.

"HVIS DU IKKE STOPPER NU, DIN SATAN, SÅ SKAL JEG ...!"

Og som forventet stoppede han. Verden omkring ham forsvandt, mens et lykkeligt smil forplantede sig i hans modbydelige fjæs. Sådan noget som det her udgjorde de bedste stunder i hans liv, det vidste Rose. Intet kom op på siden af det.

"Jaaaahhh, og hvad skal du så?"

Når Roses hallucinationer nåede til det punkt mellem bevidstløs-heden og virkeligheden, forsøgte hun at rykke sig fri af sin låste stilling. Siden pigerne bandt hende fast for mere end tre dage siden, havde hun været igennem det samme drømmeforløb om og om igen. I den tilstand havde ordene det med at glide sammen til det rene sort, mens minderne om lyde fra Stålvalseværkets eksplosive tryk deromme på den anden side af ovnen trængte sig på. I tre dage havde det været det samme igen og igen. Hver gang hun forsøgte at komme tilbage til virkeligheden, så fortsatte mareridtet med denne hvislen fra den fladtrykte slabs lynhur-tige afkøling med vand. Denne diskante hvislelyd, som hun ikke siden kunne tåle at høre.

"Du gør ingenting," vrængede hendes fars kæmpemund i tågen.

"Det gør du nemlig aldrig," bankede pegefingeren mod hende.

Og så følte Rose på personsøgeren, mens hun i et par sekunder for sidste gang sugede den hån til sig, som han lod risle mod hende.

Det øjeblik skulle blive hendes ultimative triumf. Lykken ved, at hendes fars anklagende pegefinger pludselig frøs i sin bevægelse, da skyggen ovenfra blev udløst.

Bagefter kunne hun ikke huske lyden, da magneten slap slabsen, kun lyden af hans krop, da stålkolossen ramte ham og kvaste hver en knogle i hans underkrop.

HUN VÅGNEDE OP i små ryk ved følelsen af sveden, der samlede sig på øjenvipperne. Og hun åbnede det ene øje halvt og konstaterede endnu en gang, hvor hun befandt sig, og hvordan afkræftelsen langsomt drænede hende for liv.

Roses ben smertede forfærdeligt. Den mindste sitren i læggene hamrede ind i hendes nervesystem som sylespidse nåle. Alt fra hendes vrist og ned mod tåspidserne havde hun til gengæld ikke kunnet mærke i mere end to dage, og det samme gjaldt både underarme og hænder. Selvfølgelig havde hun forsøgt at vride sig løs. Hvis hun dog bare kunne vriste en hånd fri af bæltet, der holdt hende fast til håndtaget på væggen, så vidste hun, at hun ville have en chance. Men jo mere hun sled, des mere skar bæltet sig ind i huden.

Den første gang Rose for alvor mærkede, hvordan det kolde rum kølede hende ned, vidste hun, at maven ville komme til at reagere. Al erfaring sagde, at blev Roses nøgne mellemgulv og underliv først afkølet igennem længere tid, så ville hun få dårlig mave. Sådan havde det været år efter år i de dage i Dyrehaven, hvor hvidtjørnen blomstrede, og hendes søstre plagede om en picnic. Så tidligt på året var det som regel hundekoldt at sidde på tæpperne direkte på jorden, og Rose blev altid syg, til hendes fars udelte fornøjelse, for så kunne han mobbe hende med det og tvinge hende til at holde sig, til det ikke længere var muligt. Flere dage med diarré og roskildesyge og andet uvæsen blev følgen, så Rose ikke kunne komme i skole, og så var også *det* galt. Og her på Kirschmeyers toilet havde hun nu været iskold fra livet og nedefter i flere døgn. Godt nok var det længe siden, hun havde fået noget at spise, og derfor var der ikke så meget i tarmsystemet, der ville ud, men noget kom der pludselig som en styrtflod mellem de tilsnørede ben.

Som forventet var det begyndt at svide rigtig væmmeligt, så hvis hun havde kunnet få dem til at tage gaffatapen fra munden et øjeblik, så ville hun trygle dem om at tørre hende bagi. Men begge dele var utopi, så meget havde hun da forstået. Det eneste, de gjorde for hende, var at give hende noget at drikke, når de ellers huskede det. Allernådigst havde den stærkeste af pigerne, hende der hed Denise, tilladt den anden at stikke sugerøret i hendes mund ned i et glas med vand. De havde råbt noget om en tredje pige, men Rose var ikke sikker på hvad, for hun havde hallucineret det meste af tiden og var aldrig helt klar over, hvad der skete omkring hende.

Aftenen før havde Denise tisset i håndvasken, som hun plejede, før hun skulle sove, og det var første gang, hun havde henvendt sig direkte til hende, når det ellers ikke handlede om at give hende vand.

"Du spørger måske dig selv, hvad vi laver her?" sagde hun og fortalte, at Rigmor var hendes mormor, og at hun var en heks og en djævel på samme tid, og at hun nu gud ske lov var død.

"Så du kan godt se, at det kun er rimeligt, at vi bruger hendes lejlighed, ikke?"

Måske ville hun have, at Rose nikkede en smule, men da det ikke skete, skiftede hendes ansigtsudtryk.

"Du tror måske, at hun var en god kvinde? Tror du det?" sagde hun koldt, da Rose vendte blikket væk fra hende. "Hun var en pest, og hun har ødelagt mit liv. Tror du ikke på det? Se på mig."

Hendes mund var glorød af læbestift, og tænderne var kridhvide, men munden lige så frastødende og vrængende som Roses fars. Hadet syntes lige så udtalt. Måske var det hende, der myrdede sin mormor, tænkte Rose. Den slags forbrydelser blev ofte begået inden for familien.

Forældre slog deres børn ihjel, børn deres forældre og bedsteforældre. Ingen vidste det bedre end hun.

"Hører du efter, strømerbasse?" kom det ovre fra håndvasken, mens hun tørrede sig.

Men det gjorde Rose ikke.

Mens der var lys derinde, fik hun travlt med at besigtige rummet. Der sad en ventilator i udluftningshullet, og den kørte kun, når lyset var tændt. Men heroppe på førstesalen af bygningen endte verden ligesom. Havde der været en overbo, så kunne hun måske klynke og blive hørt gennem aftrækket, selv om sandsynligheden var uhyre lille, men der *var* ingen overbo. Og bortset fra den umulige mulighed så var der ingen andre kommunikationsveje til omverdenen.

Hun vred hovedet en anelse op mod sin højrehånd, hvor hun følte, at bæltet sad mindst stramt om hendes håndled, men nåede heller ikke denne gang at vride sig så langt. Hun var kort sagt ude af stand til at hjælpe sig selv, og sandsynligheden for, at kvinden over for hende ville udvise barmhjertighed, var formentlig helt uden for rækkevidde.

"Har jeg fortalt dig om dengang, hvor jeg var med min morfar til auktion og kom til at smadre en kinesisk vase på gulvet? Tror du, min mormor blev glad, da vi kom hjem og fortalte, at den kostede tredive tusind kroner? Og tror du, min mor forsvarede mig?"

Rose gled bort. Gennem livet havde hun været overfølsom over for historier som den. Hun kunne ikke se film, hvor børn blev misforstået. Hun kunne ikke lytte til voksne, der forsøgte at bortforklare onde gerninger. Hun kunne ikke fordrage mænd med nikotinfingre, mænd med skilning i højre side, mænd, der startede sætninger med 'Du har jo', det forbandede bedrevidende 'jo', som kun havde det formål at uddybe distancen mellem dem og en selv. Og i særklasse havde hun heller aldrig kunnet udstå kvinder, der ikke forsvarede deres børn som en løvemor.

Og nu rippede den tøs dér op i alt det. Hun *ville* det bare ikke.

Så råbte den anden pige inde fra stuen, at Denise skulle komme, for der var flere nyheder, og Denise hoppede ned fra vasken og smed det brugte wc-papir på gulvet. Åbenbart var det noget, de havde ventet på, for denne gang havde Denise for travlt til at lukke døren ud til entreen.

'De er ligeglade med mig. De gider ikke engang mere at passe på, hvad de siger.' Rose åbnede øjnene og så tomt ud i rummet.

Hun vidste godt, at de bare ville lade hende dø. Og for første gang i flere uger var det ikke længere det, hun selv ville.

I ET STYKKE tid var der dyb tavshed inde fra stuen, bortset fra en svag summen fra tv'et.

Men da de slukkede det og trak hen til spisebordet, kunne hun, hvis hun virkelig koncentrerede sig, fange løsrevne ord og somme tider, hvis Jazmine skruede stemmelejet en tand op, også fange hele sætninger.

Hun forstod ikke så meget af, hvad det hele drejede sig om, men én ting var sikkert og det var, at pigerne, og specielt Jazmine, var begyndt at blive urolige, måske ligefrem bange.

Det var en, der hed Patrick, der bekymrede dem. De snakkede om, at politiet nu måske kunne knytte Birna, Michelle, Bertha og Senta sammen på grund af ham. At hende Birnas bandemedlemmer havde været til afhøring, og at de havde nævnt en, der hed Jazmine, og så hende Michelle, der blev slået ihjel.

Rose spidsede ører. Jazmines stemme derinde begyndte at ryste, og Roses åndedræt blev dybere, og små spytbobler blev skubbet frem og tilbage gennem sugerøret, som hun trak vejret igennem. De talte om en skudepisode, om den døde Michelle og politiet og et røveri på et diskotek. Og så hørte hun fuldstændig klart og tydeligt, hvad Denise sagde.

"Vi må have nogle nye pas, Jazmine, det tager du dig af. Og imens tager jeg hen til Anne-Line og bryder ind. Har hun penge, så tager jeg dem. Har hun ikke nogen, så venter jeg på hende, til hun kommer hjem."

Nu blev der stille derinde. Det, de havde snakket om, var åbenbart en kovending, som ingen af pigerne havde forudset, og nu ville de flygte.

Og så sad hun her. Prisgivet.

369

Pausen blev lang, før Jazmine endelig reagerede.

"Anne-Line slår dig ihjel, Denise."

Det lo hun ad. "Ikke når jeg tager den her med." Åbenbart viste hun et eller andet frem.

"Du tager ikke håndgranaten med, Denise! Ved du overhovedet, hvordan den fungerer? Ved du overhovedet, *om* den fungerer?"

"Ja, det er nemt nok. Du skal skrue bundproppen af, og bag den er der en lille kugle med snor, som du skal lade falde ud og så trække i. Du har fire sekunder, og så er det BUMMMM!"

"Du bruger den ikke, vel?"

Så lo hun igen. "Du er sgu for nem, Jazmine. Den ville jo larme helt vildt, og desuden ved jeg, hvad sådan en kan gøre ved et menneske, det har min morfar vist mig et hav af billeder af, og det er helt uoverskueligt. Nej, jeg tager pistolen med, og jeg har allerede fyldt magasinet. Nu *ved* vi jo, den virker. Så kan du bare hive fat i håndgranaten dér, hvis du er utryg ved at være alene."

"Lad være med at gøre nar ad mig. Jeg tager med, Denise. Jeg vil ikke være her alene med hende derinde."

'Hvad er hun bange for?' tænkte Rose. 'At jeg skal tabe mig tredive kilo på ti minutter, så alle båndene bliver for løse? At jeg pludselig skal springe op og hugge hende ned med et par spinning back fists? At sytten kickboxingvarianter skal fælde hende forever?'

Rose kunne ikke lade være med at knibe øjnene sammen og le hult bag gaffatapen, og det holdt hun først op med, da hun mærkede, at pigerne pludselig stod i døråbningen og så på hende.

Så gryntede hun et par gange, som om hun var påvirket af drømme.

Det næste kom helt tørt fra Denise.

"Du bliver her og holder øje med hende, til jeg kommer tilbage. Så skal jeg nok sørge for, at man ikke kommer til at høre mere fra hende."

41

Mandag den 30. maj 2016

ANNELI LÅSTE SIG ind i huset og smed tasken fra sig i entreen i stue-etagen, så ivrig var hun. På nettet havde hun set mindst tredive typer oliefiltre, der egnede sig som interimistisk lyddæmper, og det, hun ledte efter, måtte godt være et af de halvstore. Hun tændte lysstofrørene i maskiningeniørens stue og forstod udmærket efter bare et halvt sekunds scanning af rummet, at manden kun sjældent søgte de hjemlige græs-gange. Fra gulv til loft var der hylder spækket med ting og sager, som efter hendes mening var lige til skrothandleren. Komponenter og reser-vedele, som ikke ti vilde heste ville kunne aftvinge hende meningen med og anvendelsen for.

Det egnede oliefilter fandt hun på bunden af en kasse med mindst tyve andre filtre. Rødt, rundt og dejligt og med et hul i enden, som re-volveren efter første forsøg sad rimeligt godt fast i.

Hun viftede lidt omkring sig med våbnet og dets påhæng og kunne dårligt nære sig for at fyre det af, så hun ved selvsyn kunne konstatere, hvor godt denne hjemmelavede lyddæmper egentlig fungerede. Faktisk var hun lige ved at trykke på aftrækkeren, mens hun sigtede på en sæk pakkegarn eller kapok, eller hvad pokker det nu var, da det ringede på døren.

Anneli studsede. Var det en indsamling? Læger Uden Grænser havde jo lige været der. Eller var det Røde Kors eller noget i den stil? Hun rystede på hovedet. I så fald var de kommet en dag for sent, for hvilken indsamling foregik på en mandag? Ingen!

Og Anneli rynkede panden, for hun havde hverken naboer eller venner, der sådan kom på uanmeldt besøg. Men det var måske en person, der var kommet for at hilse på maskiningeniøren? I så fald ville hun råde vedkommende til at gå på nettet og finde den nærmeste flybillet til Venezuela, Laos, eller hvor pokker han nu befandt sig for tiden.

Hun trådte frem mod gardinet og lempede lidt på det, så hun kunne se, hvem der stod på dørtrinnet.

Det var en kvinde med kulsort hår og en makeup, der var både billig og hård på samme tid. Hun havde aldrig set hende før, og hun ville ikke have åbnet døren, hvis ikke det var for kvindens plisserede nederdel, men den absurde konstellation pirrede hendes nysgerrighed. Hun lagde revolveren fra sig på en hylde lige inden for stuedøren og åbnede hoveddøren med et smil, der lynhurtigt forsvandt igen.

Kvinden på dørtrinnet havde kolde øjne og en pistol diskret rettet lige mod hendes brystkasse. Trods maskeringen var der på så nært hold ingen tvivl om, hvem hun var.

"Denise," sagde hun overrasket, bedre blev modtagelsen ikke.

Anneli vaklede bagover og ind i entreen, da tøsen skubbede til hende med pistolløbet. Hun virkede umådelig hård og beslutsom, og meget langt fra den ugidelige og obsternasige Denise, som hun nu i flere år havde vrænget på næsen ad.

"Vi ved godt, at det var dig, der dræbte Michelle," lagde tøsen ud. "Og hvis du ikke vil ind og sidde bag tremmer resten af dit liv, så skal du høre meget godt efter, er du med på det, Anne-Line Svendsen?"

Hun nikkede stille. 'Ind bag tremmer,' sagde hun. Så var hun altså ikke kommet for at slå hende ihjel med den der yderst kompetent udseende pistol. Ergo kunne hun i første omgang bare forsøge at gøre gode miner til slet spil.

"Undskyld, men jeg ved ikke, hvad du taler om, Denise. Og hvorfor ser du sådan ud, jeg kunne jo slet ikke kende dig? Er der sket noget, jeg bør vide, synes du? Kan jeg hjælpe dig med noget?"

Hun vidste i samme sekund, at hun havde overgjort spillet, for slaget med pistolskæftet på kæben gjorde hende tydeligt opmærksom på det. Hun bed smertensbrølet i sig og prøvede at se helt uforstående ud, men det var tydeligt, at Denise ikke bed på krogen.

"Jeg ved ikke, hvad du forlanger af mig," sagde Anneli med stor ydmyghed.

"Du skal give mig dine penge, okay? Vi ved, at du har vundet mange penge i lotto, så hvor har du gemt dem? Har du sat dem i banken, så skal du overføre dem til kontoen i min netbank, har du forstået, hvad jeg siger?"

Anneli sank en klump. Skulle den gamle løgnehistorie virkelig give hende problemer så mange år efter? Det var jo lige til at grine ad, hvis ellers situationen ikke var så alvorlig og tilspidset.

"Jeg er bange for, du er misinformeret, Denise. Det med lottogevinsten er bare en skrøne. Jeg viser dig gerne min bankkonto, og så vil du nok blive skuffet. Men hvad er der sket, siden du gør det her, Denise? Det ligner da ikke dig. Kan du ikke lægge det der våben fra dig, så skal jeg nok lade være med at gøre mere ud af det. Du kan roligt betro ..."

Det andet slag gjorde virkelig, virkelig ondt. En fyr havde engang slået hende hårdt i ansigtet med knytnæven, og det blev enden på det forhold, men det her var meget værre.

Hun tog sig til kinden, mens pigen krævede, at hun gravede pengene frem af gemmerne, siden hun ikke havde dem på bankbogen.

Anneli sukkede og nikkede.

"De er inde i rummet ved siden af," sagde hun og skubbede døren til maskiningeniørens stue op. "Jeg har et par tusind liggende lige herinde, hvis jeg skal hurtigt ud ad døren. Dem kan vi så starte med," sagde hun og tog om revolveren, der lå på hylden med sin nye, men uprøvede lyddæmper.

Da hun drejede sig i et ryk og rettede revolver og oliefilter mod Denises pande og i samme sekund trykkede af, konstaterede hun samtidig med følbar lettelse, at konstruktionen, for ikke at tale om revolveren, faktisk fungerede virkelig udmærket.

Et halvhøjt plop, og det var det.

Så var Denise mere end død.

42

Mandag den 30. maj 2016

"DEN AF LEJLIGHEDERNE på svalegangen i Sandalsparken, som ligger nærmest trappeopgangen, det er da Roses lejlighed, er det ikke?"

Carl så på Assad og nikkede, men hvorfor i alverden snakkede han nu om det?

"Carl, du ved godt, at det er mig, der køber sukker hernede i kælderen, gør du ikke?"

Carl var forvirret, hvad pokker snakkede han om? "Jo, Assad, og jeg ved godt, at det har været en lang dag, men kortslutter du ikke oppe i bolden lige nu?"

"Og køber kaffe og alt muligt andet, kan man tilføje. Og hvorfor gør jeg så det, tror du?"

"Mon ikke fordi det er en del af dit arbejde, tænker jeg? Men hvorfor siger du alt det? Er det, fordi du arbejder på at presse mere løn ud af mig? For i så tilfælde skal jeg nok selv gå i Netto og købe kaffe næste gang."

"Du forstår det ikke, Carl. Men i bagklogskabens ulideligt klare lys dukker der somme tider nogle ting op, som kan give ens krøllede hjerne et ordentligt spark."

Sagde han virkelig 'bagklogskabens ulideligt klare lys?' Før i tiden sagde han ellers altid 'baglysets ulidelige klogskab'. Han var virkelig kommet efter det danske sprog på det sidste.

"Jamen du har helt ret, jeg forstår ikke en skid!"

"Okay, det er ellers meget logisk. Jeg køber kaffe og sådan noget, fordi Rose ikke gør det, selv om vi har en aftale om det. Hun *glemmer* det bare, det er derfor, Carl."

"Nu må du godt komme til sagen, Assad, for vi har nok at gøre. Jeg bliver nødt til på en eller anden måde at få Rose i tale og spørge hende lidt ud om Rigmor Kirschmeyer. Måske har hun en viden om sin nabos færden og vaner, der kan hjælpe os."

Assad så sløvt på ham. "Det er lige præcis det, jeg snakker om, kan du ikke forstå det? Rose glemmer altid sine indkøb til Afdeling Q, og jeg har drillet hende med det og spurgt, om hun så også går og glemmer at købe ind til sig selv derhjemme. Og så har hun fortalt mig om den gode nabo, som hun altid kan låne sukker og mælk og havregryn og sådan noget af, når hun mangler noget."

Carl rynkede brynene. Okay, det var dér, han ville hen.

"Og vi ved nu, at siden Kirschmeyer var hendes nabo, og at Rose kun havde denne ene nabo, fordi hun boede lige ved siden af opgangen, så er det altså netop Rigmor Kirschmeyer, som hun altid gik til, når hun manglede noget. Det var hende, der var den flinke nabo, som hun så tit snakkede om, og det er hende, vi efterforsker mordet på." Han nikkede over følgeslutningen. "Så derfor ved vi nu, at Rose kendte hende godt, Carl. Rigtig godt, endda."

Carl gnubbede sig i panden med begge hænder. Det var så mærkeligt, det her. Så greb han telefonen og tastede nummeret til den afdeling, Rose var indlagt på.

"Du vil tale med Rose Knudsen?" svarede den vagthavende syge-plejerske. "Nej, desværre, hun er ikke længere her på afdelingen. Hun forlod os af egen fri vilje allerede den ... lad mig nu lige se ..."

Carl hørte hende taste i baggrunden.

"Ja, jeg har det her. Hendes journal siger, at det var den 26. maj."

Carl troede, han hørte galt. Den 26. maj, det var jo fire dage siden. Hvorfor havde hun ikke ringet til dem?

"Var hun da erklæret rask, siden hun gjorde det?"

"Det ville være synd at sige. Tværtimod var hun meget indadvendt og ret aggressiv, men Rose Knudsen var jo ikke tvangsindlagt, så udskrivelsen blev hendes afgørelse og hendes alene, men ikke noget man ud fra et lægeligt synspunkt kunne forsvare. Mon så ikke vi snart hører fra hende igen? Sådan ender det jo oftest."

Carl lagde stille røret på. "Hun gik fra afdelingen i torsdags, Assad. For *fire* dage siden og uden et ord til os, den er bare helt gal."

Assad så forfærdet på ham. "Det var den dag, hun råbte op, mens jeg talte i telefon med lægesekretæren på afdelingen. Hvor er hun så nu, spurgte du om det?"

Carl rystede på hovedet. "Det tror jeg ikke, de ved." Han greb igen telefonen og tastede så Roses nummer.

Et par dut, og så kom den automatiske telefonsvarerbesked: *"I øjeblikket er der ingen kontakt med mobiltelefonen,"* sagde den.

Han kiggede på Assad. "Ingen kontakt," knurrede han og vendte sig mod døren til korridoren.

"GORDOOOON!" råbte han.

BÅDE AFDELING Q'S lange gespenst og efterfølgende Roses søstre, som de ringede op, virkede fuldstændig lamslåede, da de blev oplyst om Roses handling. Alt det her var nyt for dem.

Efter interne diskussioner ringede søstrene så til deres mor i Spanien, som straks kunne bekræfte, at hun havde fået besked om, at Rose havde forladt afdelingen, men at hun så havde ringet til Rose og næsten med det samme fået en sms-besked tilbage.

Efter lidt besvær og indgående instruktioner fik de deres mor til at videresende sms'en til både dem og Carl.

Carl læste den op for Gordon og Assad:

'Kære mor, jeg befinder mig lige i øjeblikket i toget til Malmø, så mobilforbindelsen er meget dårlig, derfor sms'er jeg. Bekymr dig ikke om mig, jeg har det godt. Jeg udskrev mig selv i dag, fordi en god ven i Blekinge har tilbudt mig et ophold i sit dejlige hus. Det vil gøre mig godt. Kontakter dig, når jeg er hjemme igen. Rose!'

"Har I nogensinde hørt om Roses gode ven i Blekinge?" spurgte Carl.

Det havde ingen af dem.

"Så hvad tænker I om den besked?"

Assad var hurtigst på aftrækkeren. "Hvis hun kendte nogen i Blekinge, så er det da mærkeligt, at hun ikke nævnte det, da du kørte til Hallabro i forbindelse med flaskepostsagen."

"Hendes ven kan jo være flyttet dertil siden da," forsvarede Gordon hende.

Carl tænkte noget andet. "Synes I ærligt talt, at det her er Roses stil? Hun kalder sin mor for 'Kære', men vi ved jo, hvor meget hun hader hende. Husk, hvad hun kaldte sin mor, da hun flyttede fra pigerne. 'Møgso' var det! Og så skriver Rose bagefter, at hun sms'er, fordi mobiltelefonforbindelsen var dårlig i Malmø-toget. Det er simpelthen det rene bullshit! Og hun nævner vennens såkaldte 'dejlige' hus. Den selv samme Rose, som skider på orden og æstetik i sit eget hjem!"

"Du mener altså, at den sms er en afledning?" kom det fra Gordon.

Carl så ud ad sit koøje af et vindue og loddede vejret. Knaldhamrende solskin og høj himmel. Der var ingen grund til at tage jakke på.

"Kom," sagde han. "Vi kører ud til hendes lejlighed."

"Kan I ikke lige skyde det en halv time, Carl?" cuttede Gordon ham af. Han så helt forpint ud. "Vi får jo besøg om et øjeblik, har du glemt det?"

"Øh, af hvem dog?"

"Jeg forklarede jo, at jeg ville prøve at hapse Patrick Pettersson, når han var færdig med afhøringen oppe hos Bjørn. Og så har jeg i øvrigt også den her til dig."

Carl satte sig tungt ned, mens Gordon lagde en tegning af en mand i en meget overdådig frakke foran ham.

"Det er, hvad polititegneren kunne få frem af den person, som kvinden i Borgergade så på sin fødselsdag. Den dag, hvor Rigmor Kirschmeyer blev dræbt."

Carl så på tegningen. I kunstnerisk forstand var den god, med fine linjer og ret sirligt udført, men i politimæssig forstand desværre helt uanvendelig og anonym.

"Var det alt, hvad hun kunne huske om manden? Det er jo bare en frakke med et par ben under og set bagfra. Det kunne lige så godt være en af vagabonderne i Storm P's vittighedstegninger. Men tak, Gordon, det var da et forsøg værd."

Han nikkede. Det var svært at være uenig her.

"Og så er der lige en ting mere, Carl."

"Og det er?"

"Det handler om parkeringsautomaten i Griffenfeldsgade. En genial mand oppe i drabsafdelingen, skal vi kalde ham Pasgård, fik den originale idé, at personen, som havde parkeret den første flugtbil i gaden, måske også havde betalt p-billetten med mønter, og det kan der jo være noget om, eftersom det jo ville være lidt for afslørende, hvis vedkommende brugte Easypark eller kreditkort. Og som en konsekvens af den disposition har de nu tømt den møntboks, hvor billetten kom fra."

"Om lidt siger du vel, at de så undersøger mønterne for fingeraftryk?"

Gordon nikkede, og der kom Carl godt nok til at fyre et skraldgrin af.

Så regnede superopdageren Pasgård måske med, at det ville føre ham til drabsmanden? Et enkelt fingeraftryk ud af måske hundreder, som man ved et lille øjekast sagtens kunne vurdere, at der stod flugtbilist på? Og så på en mønt med alle dens prægninger. Det var da helt til grin.

"Tak, Gordon, det var sgu dagens højdepunkt."

Gordon så tydeligt smigret ud og prøvede at le ligesom Carl.

Jo, dem oppe på andensalen var da godt nok helt på spanden i den sag. Måske kunne man hjælpe dem med en professionel afhøring.

DET VAR NOGET af en massiv gut, som Carl fik et glimt af gennem døråbningen til situationsrummet, hvor Gordon havde sat ham stævne.

Kæmpeoverarme og tatoveringer, der fik flere af de kiksede tv-stjerner med tuscher alle vegne til at ligne graffitilandskaber.

Carl trak Gordon til side og spurgte ham hviskende, om han var bindegal at invitere en eventuel mistænkt og medvider ind, der hvor alle deres notater og fotos hang på væggen? Men Gordon havde garderet sig.

"Jeg har clipset et lagen hen over opslagstavlen, Carl. Bare rolig."

"Et lagen, hvor hulen har du et lagen fra?"

"Det er et, som Assad en gang imellem bruger, når han overnatter herinde."

Carl drejede sig med et spørgende blik mod Assad for at høre, om han ville overnatte på kontoret igen, men det var åbenbart ikke et emne, Assad havde tænkt sig at kommentere.

Carl nikkede til Patrick Pettersson, da han satte sig over for ham. Ganske vist var han noget bleg i fjæset, det bliver man automatisk efter et par timers afhøring, men egentlig en ganske solid type med rolige øjne, som godt nok ikke dækkede over en hjerne som Einsteins, men han kunne alligevel svare hurtigt og åbent på alle Carls indledende spørgsmål.

"Du er sikkert blevet spurgt om det hundrede gange før, men vi prøver lige igen, Patrick."

Han gav tegn til Gordon og lagde tre fotos foran Patrick, mens Assad kom ind og stillede en kop kaffe foran fyren.

"Nu er det vel ikke dit specialbryg, Assad?" spurgte han for en sikkerheds skyld.

"Nej nej, det er bare Gold Nescafé."

Carl pegede. "Det er så Senta Berger, Bertha Lind og Michelle Hansen, der ligger der foran dig, Patrick. Alle dræbt inden for de sidste otte dage af en flugtbilist. Jeg kan forstå, at du lige så fint kan gøre rede for din færden, mens disse drab skete, så jeg skal lige nævne, at du ikke er under mistanke."

Så han ligefrem taknemmeligt på ham, mens han førte kaffekoppen til munden?

"Vi har ikke nogen direkte kobling imellem de tre kvinder, men som jeg forstår det, så havde Michelle relation til to andre unge kvinder, skal vi kalde dem for veninder, som du ikke mener, at hun kan have kendt i ret lang tid – for så ville du have vidst det, er det rigtigt?"

"Ja."

"Var Michelle normalt god til hemmeligheder?"

"Nej, det synes jeg ikke. Hun var egentlig ret så ligetil."

"Men alligevel udtaler du, at hun forlod dig, nogle dage før hun døde, var det ikke en kæmpe overraskelse for dig?"

Han bøjede hovedet. "Vi havde skændtes, for jeg ville have hende til at gå til sin sagsbehandler og få ordnet sine ting."

"Hvilke ting?"

"Hun havde snydt med sin bopæl, og det vidste jeg ikke. Så hun skulle se at få en betalingsordning med kommunen, og så skulle hun tage imod det job, som hun var blevet tilbudt."

"Gjorde hun så det?"

Han trak på skuldrene. "Jeg mødte hende nogle dage senere ved diskoteket, hvor jeg står dørvagt, og der sagde hun, at hun ville betale, hvad hun skyldte mig, så jeg tænkte selvfølgelig, at hun havde fået ordnet det, ja."

Han stirrede på fotoet af hende med melankolske øjne.

"Du savner hende?" spurgte Assad.

Han så overrasket på ham, måske over spørgsmålets bløde karakter, måske over at det netop kom fra Assad, og nikkede så.

"Jeg havde jo troet, at hun og jeg havde noget sammen. Og så kom de to satans piger."

Den smule fugt, der havde samlet sig i hans øjne, tørrede ind. Han tog en slurk af kaffekoppen og lod den hænge i luften. "Jeg ved ikke, hvad de lokkede hende ud i, men det var ikke noget godt."

"Hvad bygger du det på?"

"Jeg har set overvågningsvideoerne fra røveriet på diskoteket, dem viste de mig oppe i drabsafdelingen. Man kan ikke rigtig se pigerne, for de har tørklæder på, men jeg synes, at jeg kan genkende dem. Og så viste de mig også den der selfie, de havde fundet."

"Det forstår jeg ikke, hvilken selfie?"

"En, som Michelle tog af sig selv og de to piger. Jeg genkendte dem som de samme piger, jeg så på hospitalet, hvor Michelle var indlagt. Derudover siger de politifolk, jeg har talt med tidligere, at de har identificeret stedet, hvor den er taget, som kanalen ud for Gammel Strand. Den er taget den 11. maj, så det er lang tid før, hun flyttede fra mig. Og hun havde intet fortalt mig om den dag, så det var åbenbart ikke noget, jeg skulle vide noget om."

"Du siger, at du så de to piger på hospitalet?"

"Ja, efter Michelle var blevet kørt ned den første gang. Det var i venteværelset, den dag hun blev udskrevet."

Carl rynkede panden. "Så du mener i ramme alvor, at Michelle kendte de to piger, der begik røveriet og muligvis nedskød Birna Sigurdardottir?"

"Ja."

"Så vil jeg tillade mig at antage, at Michelle var deres medskyldige, og at hun var kommet til diskoteket for at aflede dig. Hvad siger du til det?"

Han lod hovedet falde et øjeblik. Virkeligheden tog pludselig fat, så ansigtet udtrykte græmmelse, og næverne blev knyttet. Med en overraskende bevægelse skubbede han sig væk fra bordet og kylede så af al kraft sin kaffekop mod væggen på den modsatte side, hvor lagenet var hængt op, mens han skreg alle sine frustrationer ud.

Under andre omstændigheder ville Carl nok have reageret kraftigt over dette, men da lagenet, brunt af kaffe, gled af sine skruer og åbenbarede hele Afdeling Q's aktuelle efterforskning, rejste fyren sig af sig selv og undskyldte.

"Jeg skal nok betale et nyt krus og det der," sagde han helt forlegen og pegede på lagenet på gulvet. "Jeg er bare så ked af det. Også undskyld for pletten oppe på billederne, de ..."

Han stivnede og rynkede panden, som om synet spillede ham et puds.

"Jeg tror ikke ..." sagde Gordon, da fyren rundede bordet og trådte nærmere tavlen.

"Der er hun igen," sagde han og løftede fingeren mod forstørrelsen af skolefotoet fra Bolmans Friskole.

"Det er fandeme den samme pige som på Michelles selfie, og også den samme, som jeg så på hospitalet. Og garanteret den ene af de to kvinder, jeg så på diskotekets overvågningsvideoer, det vil jeg lægge hovedet på blokken på, selv om hun er meget ældre nu."

Alle tre stirrede på ham, som var han lige steget ud af en flyvende tallerken.

BAGEFTER BAD CARL denne Patrick om lige at sætte sig ind i Gordons rum, mens han prøvede at analysere deres nye viden, og måske havde de så også et par opfølgende spørgsmål mere til ham.

Assad, Gordon og Carl så længe på hinanden, før Assad endelig tog ordet.

"Jeg forstår det ikke, Carl. Det er ligesom om, at alle sagerne hænger sammen nu. Michelle i flugtbilistsagen kender Denise og den anden veninde i diskoteksagen, og Denise kender Stephanie Gundersen og selvfølgelig sin mormor, Rigmor Kirschmeyer, som Rose gud hjælpe mig også kender og bor lige ved siden af!"

Carl hørte godt, hvad han sagde, men kommenterede det ikke. De undrede sig *alle* tre. Det her havde han godt nok aldrig set mage til i sin tid som politimand, det var bare helt ualmindeligt mærkeligt.

"Vi bliver da nødt til at få Bjørn herned, Carl. Så må du tage skraldet, som det kommer," sagde Gordon.

Carl så det for sig. Disciplinærsag og hævntogt og dybt raseri blandet sammen med alle kollegernes forbitrelse og følen sig svigtet. Men hvis de ikke havde beskæftiget sig med de sager og sat dem op på den opslagstavle på den måde, hvad så?

Carl nikkede til de to andre, tog telefonen og bad Lis om med det samme at sende Lars Bjørn ned til dem. Og så ventede de ellers og prøvede hver især at finde ud af, hvordan i alverden så forskellige sager overhovedet kunne have en fællesnævner.

MÅDEN, HVORPÅ BJØRN entrede rummet, retfærdiggjorde på alle tænkelige måder hans navn. Efter et sekunds blik på opslagstavlen kom bjørnekløerne frem, han fyldte virkelig meget i det lille, spartanske lokale.

Carl gjorde tegn til Gordon om, at han skulle hente Patrick, og da simili-rockeren stod i døråbningen, kunne Bjørn næsten ikke blive rødere i ansigtet. Han var ganske enkelt splitterrasende og endnu mere end det.

"Hvad fanden laver mit vidne hernede, og hvad i hede hule helvede laver flugtbilistsagen, diskoteksagen og Kirschmeyer-sagen hernede i Afdeling Q? Så var det det, den idiot til Olaf Borg-Pedersen fablede om, jeg troede bare ikke mine egne ører."

Han vendte sig mod Carl med en knivskarp pegefingernegl ti centimeter fra hans pande. "Du er simpelthen trådt over stregen denne gang, Carl Mørck, kan du ikke forstå det?"

Carl tog chancen og standsede hans talestrøm med en modig hånd på hans mund. Så vendte han sig roligt om mod Patrick. "Vil du være så venlig at fortælle politikommissær Lars Bjørn det, som du sagde til os lige før?"

Bjørn viftede med armene. "Nej, han skal ikke involveres i det her, Carl. Kan I se at få ham ud!"

Men Patrick trådte helt hen til opslagstavlen og pegede på pigen på skolefotoet. "Det her er Denise," sagde han.

Bjørn kneb øjnene sammen og fokuserede.

"Det er rigtigt, Lars. Pigen dér er Denise Frank Kirschmeyer, og bag hende står Stephanie Gundersen, der blev myrdet i 2004. Alle sagerne her på opslagstavlen hænger på en eller anden måde sammen."

Det tog dem derefter ti minutter på skift at delagtiggøre deres chef i alle sammenhængene, og da de først var færdige, stod han stivnet som en saltstøtte foran Sodoma og Gomorra. Nok var han en stivstikker, men efterforskersjælen i ham fejlede ikke noget. I det øjeblik havde han det nøjagtig som dem. Han fattede det ikke, og samtidig blev han forløst.

"Sæt dig og tag en kop kaffe, og lad os snakke om, hvordan vi kommer videre, Lars," sagde Carl. Han nikkede til Assad, der gled ud efter forsyningen.

"Sagerne er jo helt flettet ind i hinanden," sagde han. Han lod blikket vandre fra sag til sag. "Hvad med Rose, hvad laver hun så deroppe?"

"Rose er lige for tiden sygemeldt, og det viser sig nu, at Rigmor Kirschmeyer er hendes nabo. Vi kører ud til hendes lejlighed her bagefter og spørger Rose ud om hendes forhold til hende."

"Er Rose involveret i det her, Carl?"

Carl rynkede brynene. "Nej, det har vi overhovedet ingen indikationer på. Det er bare et tilfælde, at de bor dør om dør, så hvorfor ikke benytte en dygtig efterforskers udsagn om ofret?"

"Så har I allerede ringet og snakket med hende om det?"

"Øhh, nej. Hendes mobil går lige med det samme på mobilsvar, så jeg tænker, at batteriet er dødt."

Bjørn rystede på hovedet. Det her var bare for meget for ham.

"Ved Marcus noget om alt dette?"

"Ikke lige det sidste, nej."

Så prikkede Patrick Pettersson Carl på skulderen. Ham havde de helt glemt.

"Må jeg gå nu? Jeg har allerede været her hele dagen. Chefen begynder at stille mig spørgsmål i morgen tidlig, hvis jeg ikke har fået ordnet de biler, han har sat fra til mig."

"Så forlader du ikke København, vel?" sagde Bjørn.

Patrick rystede på hovedet. "Først siger I, at jeg ikke må forlade Danmark. Så må jeg ikke forlade København. Hvad bliver det næste, at jeg ikke må forlade min lejlighed?"

Bjørn smilede skævt og verfede ham så af.

Da han var gået, famlede Bjørn i sin lomme og trak mobilen frem.

"Lis!" sagde han. "Du må kalde alle de folk sammen, der ikke er ude i marken, og så sende dem herned. Ja, nu, sagde jeg! Ja ja, jeg ved sgu da godt, at klokken er mange. Ja, ned til Carl."

Så vendte han sig mod Carl. "To spørgsmål. Har I noget bud på, hvem der kan være flugtbilisten?"

Carl rystede på hovedet.

"Det var fandeme en skam. Men ved I så, hvor den bemeldte kvinde, Denise Kirschmeyer, befinder sig?"

"Nej, heller ikke. Vi har godt nok ikke ledt særlig intensivt efter hende. Men ifølge moren er hun i hvert fald ikke på sin adresse. Formentlig er hun hos en elsker i Slagelse, sagde hun."

Bjørn sukkede dybt. "Jeg ved sgu ikke, hvordan jeg skal tackle det her med jer, men nu går jeg på toilettet, og så kan jeg jo tænke over det imens."

Carl kradsede sig i skægstubbene og nikkede til Assad, da han kom ind med chefens kaffe. "Vi kommer til at vente en times tid med at køre ud til Rose. Vi skal først have alle idioterne fra andensalen herned og briefe dem."

"Okay. Og hvad så, Carl? Er Bjørn så ved at lade op til det store skrald?"

"Man ved aldrig, hvilke modbydeligheder han kan finde på."

Assad lo og fik Gordon til at le med, gud ved hvordan det ellers gik til. "Ja, det kan godt være, at han er modbydelig, men han er retfærdig."

"Hvordan det, Assad?"

"Jo, for han er lige modbydelig over for alle."

43

Mandag den 30. maj 2016

"PRØV AT HØRE her, Carl, jeg er drønsulten. Kan du ikke finde et sted, hvor de har et eller andet, jeg kan spise, på vejen ud til Stenløse?"

Carl nikkede. Han havde det lige modsat. Så længe alt det med Rose kørte i bolden på ham, havde han overhovedet ingen appetit.

Han startede bilen, og radioen gik i gang med nyhederne.

"Nå, for søren, jeg skal da love for, at Denises efterlysning er kommet bredt ud, hvad?" sagde Carl. Aldrig havde en efterlysning af et vidne i en sag været så massiv. Alle nyhederne på tv og radio havde den med, så Lars Bjørn og informationstjenestens Janus Staal ville virkelig det her. Men hvad pokker, kunne man have held til at få løst måske hele tre sager på en gang, så var det jo heller ikke at foragte.

Assad så på sin mobil, der ringede svagt.

"Den er til dig," sagde han og trykkede højttaleren til.

"Ja, det er Carl Mørck," sagde han, mens en person harkede højlydt i den anden ende.

"Ja, undskyld, Carl," kom stemmen så tilbage. "Men siden jeg stoppede med at ryge, har jeg hostet i ét væk."

Det var Marcus Jacobsen.

"Som vi aftalte, har jeg nu forsket i forholdene omkring Birgit Kirschmeyers mand og fundet et par interessante oplysninger om ham, synes jeg. Kan jeg læse op?"

'Kan det dog ikke vente til i morgen?' tænkte Carl. Klokken var allerede mange, og batterierne for længst kørt flade.

"Vi er på vej ud af byen lige nu, så det gør du bare," sagde han dog.

Marcus rømmede sig. "James Lester Frank blev født i 1958 i Duluth i Minnesota og blev gift med Birgit Kirschmeyer i 1987, hvilket var året før, Denise Frank Kirschmeyer blev født. Parret blev separeret i efteråret 1995 og skilt nogle måneder senere. Forældremyndigheden over Denise Kirschmeyer tilfaldt moren, og manden flyttede tilbage til USA samme år."

Carl kneb øjnene sammen. Hvornår kom det interessante?

"Jeg ved også, at han derefter igen tog tjeneste i militæret og i flere omgange var udstationeret i Irak og senere i Afghanistan. I 2002 forsvandt han imidlertid under en mission, hvor et par af hans soldater mistede livet. Man troede, at han var omkommet, men så blev han genkendt af en forbindelsesofficer i Istanbul og derefter eftersøgt som deserteret."

'Formentlig en klog mand,' tænkte Carl. Hvem ville ikke foretrække at være eftersøgt frem for at være død?

Og så kom det.

"For en måneds tid siden faldt en Mark Johnson omkuld på fortovet og blev bragt til Herlev Hospital med et levertal, der var fuldstændig eksplosivt, og samtidig fandt man, at en række organer på det nærmeste var stået af. Lægerne var nøgterne og konstaterede lidt brutalt, at manden havde pådraget sig den grad af alkoholskader, man i længden ikke overlever."

"Mark Johnson? Var det manden, der genkendte Frank i Tyrkiet?" foreslog Carl.

"Nej, ikke just, men det kommer, for denne Mark Johnson blev naturligvis bedt om at legitimere sig, og da han ikke var i stand til det, så tilkaldte man politiet."

"Hårdt, når manden nu var så syg," indskød Assad.

"Det kan du sige, ja, men det er nu sådan, at når man skal skrive journaler, så skal man også helst vide, hvem man skriver om, Assad."

"Klart nok. Og hvad skete der så?" spurgte Carl.

"De fandt en række tatoveringer på fyren og først og fremmest et

meat-tag, som han havde fået tatoveret under den ene arm, og som iden-
tificerede ham.

"Meat-tag, hvad er det lige, det er?" spurgte Carl.

"Det er et kadaverskilt tatoveret direkte på huden, Carl," kom det fra
Assad.

"Korrekt," overtog Marcus. "Det refererer til soldatens efternavn og
fornavn og eventuelle mellemnavn med initial og i det her tilfælde, hvor
manden tilhørte US Army, også til hans Dept of Defense ID number,
blodtypen og mandens religion. Sådan en tatovering var der mange,
der fik udført dengang, før deres udstationering til frontlinjen. I vore
dage har den amerikanske hær vist nok en anden tattoo-policy, så jeg
ved ikke, om det stadig er tilladt, men for soldaten betød det jo, at han
kunne identificeres, såfremt han faldt i tjenesten og havde mistet sit
kadaverskilt?"

"Og så viste meat-tagget, at han var James Lester Frank?" foreslog
Carl.

"Lige præcis, ja. 'Frank, L., James', stod der, hvilket så vil sige, at
Birgit Kirschmeyers eksmand er i live, omend ikke i bedste velgående,
men så dog formentlig et par måneder endnu. Han er hjemskrevet fra
hospitalet og bor af alle steder i den kommislejlighed, der engang hørte
til Fritzl Kirschmeyers skotøjsforretning i Rødovre, og hvis ejer stadig er
opført som ... ja, tænk engang: Rigmor Kirschmeyer."

"Så nu befinder han sig her i Danmark?"

Assad så helt uforstående ud. "Altså, Marcus, det her fatter jeg ikke.
Jeg har været overalt i registrene og har ikke kunnet finde ham. Manden
er slet ikke registreret her i landet."

"Nej, for han har boet her illegalt siden 2003 og udelukkende benyt-
tet sig af sit falske navn, Mark Johnson. Det ville jeg godt have vidst,
dengang vi efterforskede drabet på Stephanie Gundersen."

"Hvorfor blev han ikke anholdt på hospitalet, Marcus?" spurgte Carl.

"Tjah, hvad ved jeg. Muligvis fordi manden er dødssyg og ikke render
nogen vegne. Udlændingestyrelsens folk har naturligvis kig på ham, for

efter afhøringen overgav politiet sagen til dem. Praksis er imidlertid den, at man ikke straks udviser en person med en så elendig helbredstilstand, og desuden er behandlingstiden i styrelsen lang. Udlændingekontoret er stærkt overbelastet, I skulle prøve at aflægge det et besøg."

"Ved du, hvad han har ernæret sig ved i alle de år?"

"Nej, og det tror jeg, at han er den eneste, der ved. Han har sandsynligvis levet som en bums fra hånden i munden, en virkelig stakkel, tror jeg. Men spørger I mig, så tror jeg ikke, han har været involveret i decideret kriminalitet, for han har helt givet ikke villet risikere at blive anholdt og udvist til et land, der stod parat med en anklage om desertering."

"Ja, vi har jo en aftale om udlevering med USA, er det ikke rigtigt?" spurgte Carl.

"Jo, og desværre for Frank blev aftalen indgået allerede i 2003. I Sverige fik man også sådan en aftale, men der udleverer man ikke folk, der er anklaget for militære og politiske forseelser, sådan som vi kan finde på. Havde vi udleveret ham, så havde amerikanerne simpelthen sat ham i det mørkeste hul, de kunne finde. Desertører har aldrig været populære i Guds eget land. I det hele taget er den skæbne, der overgår mange krigsveteraner både der og her, ikke særlig glamourøs."

Assad nikkede længe. Det vidste han velsagtens også mere om end de fleste.

Carl takkede Marcus for et stykke førsteklasses arbejde. Tænk engang, at James Frank var i Danmark.

Bagefter sagtnede han hastigheden et øjeblik. "Kan du vente lidt med at spise, Assad?" spurgte han og ventede ikke på svar. "Efter de oplysninger kunne jeg godt tænke mig at aflægge denne James Lester Frank et besøg. Jeg tænker, at Denise Kirschmeyer måske kunne have indlogeret sig hos sin far. Sikken en gevinst, det ville være."

FRITZL KIRSCHMEYERS hedengangne skotøjshandel i Rødovre var nu en skygge af sig selv. En temmelig nedslidt bygning med tomme, snavsede

390

vinduer og en masse skidt inde bag dem. Det gamle skilt kunne stadig anes svagt trods en masse amatøragtige forsøg på at dække det. Så vidt Carl kunne tælle, havde mindst fem forskellige brancher måttet opgive at drive forretning på den adresse siden Kirschmeyers dage.

Assad pegede på lejligheden over butikken. Med en enkelt karnap ud mod gaden var den sandsynligvis bare en etværelses, men kommiser og tjenestefolk var heller ikke bedre vant i datidens Danmark.

Der stod 'Mark Johnson' malet med sort tusch direkte på den afskallede fyldningsdør, som umuligt kunne leve op til brandtilsynets strenge blikke, og den bankede de på.

"Kom bare ind," lød en stemme med stærk amerikansk accent.

De havde nok ventet en rodebutik af Benny Anderssonske dimensioner, men der tog de faktisk fejl. Lugten af den type blødgøringsmiddel, man putter i vaskemaskiner, når babys tøj står for tur, havde invaderet hele lejligheden og førte dem forbi et par malede ølkasser i entreen og videre ind i stuen med sovesofa og bord, tv og kommode og så ikke så meget andet.

Carl så sig om. Hvis Denise Kirschmeyer gemte sig et eller andet sted i den stue, så måtte hun da være skrumpet.

Han gav tegn til Assad, at han lige skulle tjekke resten.

"I er fra politiet," sagde manden ovre fra sofaen, helt gullig i huden og godt indhyllet i vattæpper, selv om temperaturen udenfor nærmede sig de tredive grader. "Er I kommet for at anholde mig?" sagde han.

En ret så overrumplende indledning.

"Nej, vi kommer ikke fra Udlændingestyrelsen, vi er efterforskere i drabsafdelingen i København."

Måske havde Carl regnet med, at det ville bringe manden i en heftig tilstand af utilpashed, det skete ofte, men i stedet pressede han læberne sammen og nikkede indforstået.

"Vi er kommet, fordi vi leder efter din datter."

Assad gled tilbage i stuen og gestikulerede, at hun hverken var i køkkenet eller på wc.

"Kan du sige mig, hvornår du sidst har set Denise, James? Eller foretrækker du, at jeg kalder dig Mark?"

Han trak på skuldrene. Det var åbenbart lige meget, hvad han kaldte ham.

"Denise? Ja, for mig er hun jo egentlig stadig Dorrit. Men jeg så hende sidst i 2004. Og så har jeg hørt i dag, at hun er efterlyst. Det gjorde ondt, kan I sikkert godt forstå." Han langede ud efter et glas på bordet. Tilsyneladende indeholdt det vand.

"Vi er i gang med at efterforske drabet på din ekssvigermor, og vi er jo pinedød nødt til at mistænke alle, som din svigermor har haft forbindelse med, umiddelbart før hun døde. Derfor vil vi også gerne afhøre din datter om hendes færden."

Den syge mand tog en slurk og hvilede så glasset på maven. "I ved godt, jeg står til udvisning, ikke?"

Både Carl og Assad nikkede.

"Når en desertør som jeg ryger i det amerikanske militærs net, så er det bare lykken for dem. Da jeg deserterede, stod jeg til at blive major. Jeg havde fået så mange medaljer, at jeg næsten gik skævt. Jeg ved ikke, hvor mange missioner jeg har været på, for det blev også til mange i mine unge dage, men ingen af dem var glorværdige, kan jeg godt fortælle jer. Det er derfor, de er så ivrige for at få sådan nogle som mig hjem og bragt af vejen. Vi skal nemlig ikke sladre om noget, og slet ikke når vi har medaljer på brystet og er tæt på en rang af major." Han rystede på hovedet. "Og det amerikanske militær glemmer aldrig en desertør. De har lige akkurat bedt om at få udleveret en fra Sverige, selv om han har boet der i otteogtyve år og har familie og alting. Så jeg spørger: Hvad skulle forhindre danskerne i at udlevere mig? Min sygdom?"

Det nikkede Carl ja til. Lød det egentlig ikke ret plausibelt?

"Nå, det tror du, men det kan du godt glemme alt om, for amerikanerne vil på tro og love erklære, at de vil sørge for, at jeg får behandling, og så står flyet parat."

"Okay, men hvad har det egentlig at gøre med anledningen til, at vi er kommet?" spurgte Carl. Han var sgu da hverken katolsk præst eller sjælesørger.

"Anledningen? Jeg er ved at fortælle dig, at der er en ting, der vil forhindre min udvisning, og det har jeg det godt med."

"Og det er?"

"Det er, at jeg har gjort noget endnu værre end at desertere, for lige det er danskerne ligeglade med."

Her rykkede Assad nærmere. "Hvorfor tog du i første omgang tilbage til USA, når du havde din familie her?"

"Også det kommer jeg til."

"Det, der skete i 1995?"

Han nikkede.

"I ved vel, at jeg er meget syg, ikke?"

"Joh, men ikke i detaljer."

"I behøver ikke samle ind til min næste julegave, hvis I forstår." Han grinede selv ad vitsen. "Og derfor vil jeg ikke tilbage og rådne op i et amerikansk fængsel, mens jeg langsomt kreperer. Jeg vil hellere dø her i Danmark, der bliver man taget godt vare på, når døden nærmer sig. Selv i et fængsel."

Carl skød underlæben frem, den fyr havde virkelig fået tændt hans advarselslamper.

"James, jeg må nok lige fortælle dig, at det kun er få dage siden, at jeg lossede en mand ud fra mit kontor, fordi han ville tilstå et mord, han umuligt kunne have begået. Hvis det er det, du nu er i færd med, så må jeg advare dig. Det vil ikke hjælpe din sag."

Han smilede. "Hvad hedder du?"

"Carl Mørck."

"Godt. Men så er du ikke den dummeste betjent, jeg har mødt, for det var netop det, jeg ville fortælle dig. Jeg kan ikke blive udleveret til USA, eftersom jeg har begået et mord her i Danmark. Og det hvad enten du tror på det eller ej."

DET VAR BEGYNDT som en leg mellem James og hans svigerfar. Begge var gamle soldater og havde været i aktiv krigstjeneste med alt, hvad det kunne indebære. Deres baggrund og historie var kun for de få, og Fritzl Kirschmeyer kunne lide sin svigersøn af samme årsag. For Fritzl var soldatertjeneste ærefuld og et synonym for manddom og handlekraft. Med utilsløret afstumpethed udspurgte han James om de militærkampagner, han havde deltaget i, fra Zaire til Libanon og Grenada, for Fritzl elskede alle krige, hvor beslutsomhed og kynisme førte til konfrontation. Og jo mere detaljeret James blev, des mere nysgerrig blev Fritzl. Det var deraf, legen udsprang.

"Hvis jeg nu nævner ordet bajonet, så skal vi begge fortælle, hvordan vi har brugt den, og så bagefter er det den andens tur til at nævne noget," foreslog Fritzl. "Gode ord som baghold, for eksempel ... eller ild. Ild er faktisk et fantastisk ord."

I begyndelsen tøvede James. Uanset hvad emnet var, så kunne Fritzl matche hans historie hundrede gange, og det morede ham at tale om det. Hensynsløse overgreb blev til korstog. Hængninger blev til selvforsvar. Han talte om omsorg for sine frontkammerater og om fællesskab og mænd, der stod skulder ved skulder, og ganske langsomt kunne James til sin overraskelse genkende sig selv i ham.

Sædvanligvis mødtes de et par timer lidt op ad lørdagen, hvor James havde fået fredagens lystigheder bag bardisken sovet ud, og Birgit tog sig af barnet, Rigmor af husholdningen, og Fritzl og han gjorde fortid til nutid bagest i stueetagens labyrinter af rum. Her kunne han mærke vægten af en Parabellum, og her kunne han se, hvor effektive våben man kunne få ud af alle mulige forhåndenværende midler.

Alt dette kunne sikkert have fortsat i årevis, hvis ikke hadet mellem James og Rigmor Kirschmeyer var blusset op ved en tilfældighed. Det var egentlig begyndt som en ganske almindelig lørdagsslabberas med tidlig middag, og så kom der et enkelt overrumplende spørgsmål fra svigerfaren, som trak løven ud af buret.

Spørgsmålet var i realiteten upassende, mens Denise sad ved bordet, men det bekymrede Fritzl sig ikke om. "Hvad synes du er det værste, en soldat kan begå? Er det tilfældige henrettelser eller tilfældig utroskab?"

Et øjeblik havde James troet, at det var en del af deres leg, og sagde til datteren, at hun skulle gå ud i haven og lege, til de kaldte på hende. Det var sikkert bare endnu et af Fritzls morbide, tossede påfund, men da James efter en kort betænkningstid svarede, at det var tilfældige henrettelser naturligvis, så knaldede Rigmor Kirschmeyer ham en lussing så hårdt i hovedet, at det fløj til siden.

"Svin," råbte hun, mens Fritzl sad og lo og bankede i sofabordet.

James var blevet fuldstændig paf, og da han fik trukket sin kone til side for at få en forklaring, spyttede hun ham lige i ansigtet.

"Du røg lige i fælden, din idiot. Jeg har fortalt far og mor om alle dine kvinder og affærer og om, hvordan du hele tiden svigter os. Troede du, at du kunne slippe godt fra det?"

Så havde han løjet om forholdene og grædt og svoret, at det intet havde på sig, og at han kun var væk om natten, når han skulle ordne regnskaber. Men de var bedre orienteret, sagde hun.

"Hun hader dig for alting, James. For at du bedrager mig. For at du drikker dig fuld flere gange om ugen. For at du får far til at snakke om de ting, der ikke må snakkes om."

Den dag viste Rigmor Kirschmeyer James sit sande jeg, og hvem der bestemte i familien. Papirerne, der skulle opløse deres ægteskab, lå allerede parat på bordet, og Birgit havde skrevet under.

James tryglede hende om at rive dem i stykker, men hun turde ikke. Desuden havde hun også fået lovning på, at Rigmor og Fritzl nok skulle tage sig af hende, når han var ude af billedet.

Og det var han så pludselig og i allerbogstaveligste forstand.

Senere prøvede han at presse Rigmor til at annullere det hele, for ellers ville han fortælle myndighederne alt om Fritzls forbrydelser under Anden Verdenskrig, og denne gang skulle de nok få ham sat fast. Han havde jo beviserne.

Reaktionen kom et par dage efter og blev et tilbud om et hundrede og halvtreds tusind dollars, hvis han rejste tilbage til USA og aldrig viste sig igen. Pengene ville han få udbetalt til sin amerikanske bank i tre rater, og så var sagen ligesom afgjort, og James slog til. Den slags penge var ikke hverdagskost for en arbejderdreng fra Duluth i Minnesota.

Problemet blev imidlertid bare, at han glemte at meddele indkomsterne til det amerikanske skattevæsen, og efter adskillige retssager og bøder var de penge pludselig væk, og mere til.

Derfor måtte James Lester Frank lade sig hverve igen, og belønningen blev, at militæret sendte ham ud til flere års stort set uafbrudte missioner og så tæt på Taliban, at han og hans mænd begyndte at lugte og se ud som dem.

"Vi var som dyr. Sked, hvor vi sov. Åd, hvad vi kunne slå ihjel. Og vi døde som dyr, det sørgede talibanerne for. Den sidste af mine kammerater, jeg så dem aflive, skar de først armene af.

Så flygtede jeg. I elleve måneder levede jeg oppe i bjergene, og da jeg endelig kom helt væk, var jeg færdig med at dræbe for USA og US Army."

"Men så blev du set i Istanbul," sagde Carl.

Han nikkede og trak dynen helt op til halsen.

"Jeg arbejdede på en bar for turister, hvoraf de fleste var amerikanere, og det var dumt. Selv om jeg var kronraget og havde lagt mig fuldskæg til, så spottede officeren mig på et sekund. Gud ske lov havde jeg den samme dag mødt et dansk ægtepar i baren, som havde en autocamper og godt ville give mig et lift på turen tilbage til Danmark. Jeg fortalte dem min historie, som den var, at jeg havde været soldat og var deserteret, men for dem var det ikke noget problem. Snarere tværtimod, vil jeg sige. Mage til pacifister skulle man lede længe efter."

"Hmm, det er da en mægtig god historie," sagde Assad ladet med en vis portion ironi, "men hvad vil du fortælle med den?" Hans mave knurrede højlydt. Manglen på energiindsprøjtning begyndte åbenbart at sætte sig i ham som irritation. For Carls vedkommende havde han næsten helt glemt det med maden. Bare han fik sig en smøg, så kunne han såmænd godt klare nogle timer mere.

"Da jeg kom tilbage til Danmark, havde jeg jo hverken papirer eller penge, så jeg så ingen anden udvej end at opsøge Fritzl og Rigmor for at fortælle dem, at jeg havde tænkt mig at blive, og at de var nødt til at hjælpe mig. De var forfærdede, for de og Birgit havde jo sagt til Denise, at jeg var død og borte.

Det gjorde mig simpelthen så rasende at høre, så selv om de prøvede at forhindre mig i det, trængte jeg ind i Fritzls hemmelige gemak og stjal, hvad jeg kunne få fingre i, så jeg havde noget mere på dem. Fotograferede rummet og bagefter også dem, mens de råbte og skreg. Til sidst tog jeg Fritzls feltkniv og stak den ind mod Rigmors strubehoved og fortalte hende, at jeg godt vidste, hvordan det ville lyde, når jeg skar hendes luftrør over. Det og de andre trusler fik dem til at makke ret.

Aftalen blev så, at de skulle lade mig bo i den her lejlighed og sørge for, at udgifterne altid var betalt, og så derudover betale mig tolv tusind kroner om måneden i al fremtid. Jeg skulle selvfølgelig have bedt om mere, men så klog var jeg alligevel ikke." Han lo og sukkede på samme tid og så mest ud, som om han var ved at falde i søvn. Lige nu var hans øjne gule som en varulvs. Han havde det bestemt ikke godt.

"Til gengæld for de ydelser skulle jeg holde mig hundrede procent væk fra Birgit og Denise. Rigmor forsikrede mig om, at hvis jeg tog kontakt til dem, så var hun bedøvende ligeglad med, hvad jeg fortalte myndighederne om Fritzl, for så ville hun sørge for, at jeg blev anholdt og deporteret, og Rigmor mente det virkelig. Hellere ofre Fritzl og familiens gode rygte end at ofre pigerne."

"Men det løfte holdt du ikke, kan jeg tænke mig," sagde Carl.

Han smilede. "Jo, det gjorde jeg faktisk på en måde. Jeg ved simpelthen ikke, hvor mange gange jeg stod bag træerne ved Sortedamssøen og holdt øje med Bolmans Friskoles hovedindgang uden at tage kontakt med Denise. Jeg håbede jo bare på at få et glimt af hende, når skoledagen var slut."

"Og Birgit?"

"Ja, af ren nysgerrighed prøvede jeg at støve hende op, men hun havde ikke nogen adresse. I stedet for blev det så min plan at skygge Denise, når hun gik hjem."

"Så det gjorde du?" spurgte Carl.

Assad tappede Carl på skulderen og sukkede. "Carl, helt ærligt, kan du se nogen pukler på mig?"

"Om tyve minutter, Assad, så skal du nok få noget at spise. Ingen kamelvitser lige nu, vel?"

Assad sukkede højere end før. Tyve minutter var åbenbart for længe.

"Så skyggede du Denise?"

"Nej, så vidt kom det ikke. Men jeg så hende flere gange forlade skolen. Hun var blevet så smuk og livlig, jeg var virkelig dybt fascineret af at se på hende." Han førte igen glasset til munden for at drikke, og det virkede, som om kræfterne var lige ved at slippe op.

"Men ikke lige så fascineret, som du var af Stephanie Gundersen, vel, James?"

En smule vand piblede ud af hans mundvige og hang som dråber ved hans hage. De glødende øjne udtrykte overraskelse.

"Hvorfor slog du Stephanie ihjel?" kom Carls spørgsmål så uundgåeligt.

Han satte glasset på bordet og rømmede sig et par gange, som om han havde fået væsken i den gale hals.

Så rystede han ihærdigt på hovedet. "Sagde jeg før, at du var god? Det tager jeg i mig igen."

Der lød en fnisen fra Assad. Endnu en protest over dagens mangelfulde måltider?

"Fordi?"

"Fordi jeg elskede Stephanie. Jeg valgte hende frem for Birgit og Denise, så enkelt var det. Jeg så hende komme ud fra skolen en dag, og så var vi begge solgt. Vi så hinanden i trekvart år og mødtes ude i byen. Var faktisk sammen flere gange om ugen."

"Hvorfor alt det hemmelighedskræmmeri?"

"Fordi hun var Denises lærer. Hvis Denise så os sammen og genkendte mig, så ville jeg ... De havde jo fortalt hende, at jeg var død. Min og Rigmors aftale ville ikke længere holde. Jeg ville blive anholdt og udleveret."

Han stirrede tomt ud i det intetsigende, grå rum og græd pludseligt og stille. Ingen lyd, ingen snøften.

"Det var ikke mig, men Rigmor, der slog Stephanie ihjel." Hans stemme rystede. "Jeg er sikker på, at kællingen så mig sammen med Stephanie inde i byen, og drabet på Stephanie blev hendes hævn. Senere skreg hun op om, at det ikke var hende, der slog Stephanie ihjel, da jeg fik konfronteret hende med min mistanke, men jeg troede ikke på hende, naturligvis gjorde jeg ikke det. Jeg vidste bare, at jeg ikke kunne røre hende, og at hun let ville kunne kaste skylden på mig. At jeg bare ville komme til at fremstå som en illegal, udenlandsk pengeafpresser og professionel morder."

"Så du begyndte at drikke og holdt kæft med det hele og blev boende i den her lejlighed og tog imod hendes penge. Hvor ynkelig kan man blive?"

Carl så på Assad. 'Nå, er det så ikke løsningen på den historie?' spurgte hans blik, men Assad sad bare med lukkede øjne og snorksov. De sidste timer uden hverken vådt eller tørt havde piftet ballonen.

"Dagen efter druknede Fritzl, og efter et par uger så jeg ikke mere til Rigmor, for hun solgte både forretning og hus og flyttede til Borgergade," fortsatte han.

"Og du?"

"Mig? Jeg havde da ikke en skid at leve for, så jeg drak mig bare i hegnet."

"Og så gik der godt nok mange år, før du fik din hævn, er det sådan?"

"Jeg var fuld hver dag i tolv år. Det var det eneste, jeg ville. Og for tolv tusind om måneden var det ikke ligefrem champagne, jeg drak." Han lo tørt. Det var dér, Carl bemærkede, at han ikke havde en pløk tilbage i munden.

"Og hvad forandrede så den situation?"

Han klappede sig på mellemgulvet. "Det her, jeg blev syg. Jeg så det samme ske for en af mine drikkekammerater, og han holdt ikke længe. Ligesom han var jeg pludselig dødtræt hele tiden. Kastede blod op. Gad ikke spise noget. Fik små røde pletter overalt på overkroppen, huden blev gul og kløede vildt, jeg fik blå mærker alle vegne, kramper i benene og kunne ikke få pikken op at stå. Hvis jeg ikke sov hele tiden, så skvattede jeg om på gaden. Jo, jeg vidste damned well, hvordan det var fat."

"Så nu var det altså på tide, ikke?"

Han nikkede. "Selv om jeg var syg, så holdt jeg ikke op med at drikke, jeg havde altid en flaske kirsebærvin på mig. Jeg vidste, at det var et spørgsmål om tid, før jeg kradsede af, og så kunne det være lige meget med den aftale, jeg havde med Rigmor. De kunne sgu gøre med mig, hvad fucking de ville, de fucking army men, sådan havde jeg det, bare jeg fik min hævn. Så jeg gik på biblioteket og googlede Rigmor og konstaterede, at hun stadig havde adresse i Borgergade."

"Men det havde hun jo ikke?"

"Nej, det fandt jeg ud af. Der stod jo Birgit og Denise F. Kirschmeyer på døren. Åh, jeg blev sgu helt glad, da jeg så det der lille F, for så var man da ikke helt glemt. Jeg overvejede at ringe på, men det gjorde jeg alligevel ikke. Jeg så jo ud ad helvede til, var ubarberet og havde ikke vasket mig i over en uge, det skulle de bare ikke se. Så jeg gik over på det modsatte fortov og så op mod vinduerne og håbede, at jeg måske kunne få et glimt af en af dem. For første gang i mange år var jeg helt euforisk indeni – og så trådte Rigmor ud ad hoveddøren."

"Hun genkendte dig?"

"Nej, ikke før jeg skråede over mod hende, og så begyndte hun gud hjælpe mig at løbe af sted i regnen. Hun vendte sig mod mig og råbte, at jeg skulle skride ad helvede til. Hun kastede en bunke tusindlapper foran mig på det våde fortov, men det stoppede mig ikke, tværtimod gjorde det mig pissehamrende gal."

"Så du løb efter hende?"

"Jeg var tossefuld, mand, og kællingen løb stærkt og op ad en sidegade mod Kronprinsessegade. Jeg nåede lige at se, at hun stak ind i Kongens Have, men da jeg nåede indgangen, var hun væk."

Carl skubbede til sin hjælper. "Assad, vågn op! James har noget at fortælle os."

Krøltoppen så sig forvildet omkring. "Hvad er klok..." nåede han at sige, før hans mave overdøvede resten.

"Rigmor Kirschmeyer var væk, da du nåede Kongens Have, siger du. Hvad skete der så, James?" Han så på Assad. "Hører du efter, Assad?"

Fyren nikkede gnavent og pegede på mobilen. Den havde optaget hele tiden.

"Jeg stod og kiggede mig omkring nede ved indgangen. Rigmor var ikke ude på plænen, og hun kunne ikke have nået over i den anden ende og ud af parken på så kort tid. Altså var hun der stadigvæk et eller andet sted. Jeg så mig rigtig grundigt for, det blev jeg god til under Balkankrigen, hvor serberne var så eminente til at lægge sig i skjul i det fri. Der skulle man især holde øje med buskadset, ikke som i Irak, hvor det var vejen, rabatten, tilfældige småbunker ved stier eller fortove og stikvejene, man skulle være opmærksom på. På Balkan var det buskene, ellers risikerede man at blive slået ihjel."

"Så du fandt Rigmor Kirschmeyer i buskene?"

"Ja og nej. Jeg gik ud på Kronprinsessegade og stillede mig uden for smedejernsgitteret, så hun ikke umiddelbart ville se mig, hvis hun kom ud fra sit skjul. Der gik vel fem minutter, så fornemmede jeg noget bevæge sig i krattet bag cykelstativerne."

"Hun så dig ikke?"

Han smilede. "Jeg listede lynhurtigt tilbage til indgangen og rundt om det åndssvage skilt, hvor man bliver budt velkommen i Kongens Have og formanet om, at man skal vise hensyn til de øvrige besøgende, så alle får en god oplevelse. Det skilt har jeg før grinet ad. Jeg tænkte ved mig selv, at jeg virkelig skulle sørge for at vise alt muligt hensyn over for min ekssvigermor og slå hende ihjel med et enkelt slag."

"Så drabet var overlagt?"

Han nikkede. "Et hundrede og ti procent overlagt, ja. Jeg har ikke grund til at sige andet."

Carl så på Assad. "Skriver du det hele op?"

Han nikkede og holdt igen mobilen frem.

"Og selve drabet? Du lod hende løbe ned mod restauranten?"

"Nej, jeg smadrede hende foran buskadset. Hun hylede op, da hun så mig dykke ind under grenene, og så trak jeg hende ud og slog hende med vinflasken lige midt i nakkehvirvlen, så let var det. Et slag, og hun var stendød."

"Men du lod hende ikke ligge dér?"

"Nej. Jeg stod lidt og kiggede på hende og besluttede så i min brandert, at det ville være forkert af mig at lade hende ligge på det stinkende sted, hvor drankerne kommer og pisser."

"Du flyttede liget?"

"Ja."

"Temmelig dumdristigt, hvis du spørger mig."

Han trak på skuldrene. "Der var ikke et øje i parken på grund af det lortevejr, så jeg smækkede bare kroppen op på skulderen og smed hende i græsset lidt længere oppe. Det var i nærheden af den næste udgang til Kronprinsessegade, så jeg kunne komme hurtigt væk."

"Du slog hende altså ihjel med en flaske kirsebærvin?"

"Ja." Han smilede tandløst. "Den var næsten fuld, men det var den ikke en time efter, og så droppede jeg den i en skraldespand på Frederiksborggade. Bagefter gik jeg bare hjemad. Gik, sagde jeg, for lige dér havde jeg samlet så meget energi, at du tror, det er løgn. Det holdt måske cirka tyve minutter, og så faldt jeg om. Det var dér, man fandt mig."

"Du har ikke drukket siden, hvorfor?"

"Fordi jeg ikke skal sidde foran en dommer og virke utilregnelig. Jeg vil være ædru og aflægge forklaring og vidne for en dansk domstol. Jeg vil ikke tilbage til USA."

"Hvorfor tilstod du så ikke over for de politifolk, der afhørte dig på hospitalet?" skød Assad surt ind. Det lød nærmest, som om han tænkte, at det ville have sparet ham for hans nært forestående sultedød.

Fyren trak på skuldrene. "Så havde de anholdt mig, men jeg ville først opsøge Denise og tale med hende. Det skyldte jeg både mig selv og hende."

Carl nikkede og så på Assad. Der var allerede kommet en del på notesblokken, og smartphonens diktafon lyste stadig rødt. Alt var simpelthen blevet serveret for dem på et fad, hvor tit skete det? Han smilede, og det kunne man jo godt tillade sig, når de var kommet for at finde Denise, og det så endte med opklaringen af et mord eller to.

Joh, Assad skulle nok snart få sine fedtpukler fyldt op.

"Hvad gjorde du så?" sagde Assad. Han skulle lige have det hele med.

"Jeg var inde ved Birgits lejlighed i går. Jeg så hende gå ud fra opgangen med flere tomme vinflasker i hånden. Hun vaklede hen ad fortovet og kunne ikke kende mig, for hun var simpelthen så skidefuld. Jeg ville gerne have sagt til hende, at jeg stadigvæk holdt af hende, men det kunne jeg altså ikke få mig selv til at sige, da jeg så hende."

'Sikkert gensidigt,' tænkte Carl.

"Ellers ikke noget," sagde han. "Nu ved I jo det hele. Jeg bliver her, til nogen henter mig."

SHAWARMAEN FIK ASSAD til at vende det hvide ud af øjnene. At se ham drive dette mellemøstlige stykke smørrebrød ind i kværnen var som at se et barn i tredive graders hede få en sodavandsis. Vederkvægelse, var associationen. Man kunne lige så godt have foræret ham en lystyacht, han kunne ikke blive lykkeligere end lige nu.

Carl gumlede forsigtigt på sin kebab. Det var sikkert en af Rødovres bedre, men den tid kunne jo let komme, hvor en rød pølse ville gøre betydeligt mere gavn for en mand fra Vendsyssel.

"Tror du på alt det, James Frank fortalte?" lød det uldent fra hans tyggende makker.

Carl lagde kebabben fra sig. "Jeg tror, at han tror på det, og resten må så være op til os at få til at falde i hak."

"At han slog Rigmor Kirschmeyer ihjel? At det ikke er noget, han har fundet på for at slippe for at blive deporteret?"

"Ja, lige det tror jeg på. Jeg er sikker på, at det kan blive bekræftet af spor på hendes tøj, som teknikerne stadig er i besiddelse af. Og måske er der også spor efter Rigmor på det tøj, han havde på den aften. Det skulle jeg mene er sandsynligt."

Assads øjenbryn løftede sig et godt stykke op i panden. "Og hvor halter historien så?"

"Det ved jeg ikke, om den gør. Jeg finder det stadigvæk mere end sært, at Fritzl Kirschmeyer tilfældigvis dør dagen efter Stephanie Gundersen. Hvad sker der egentlig imellem de to dødsfald, tænker jeg?"

"Og det tror du, at Birgit Kirschmeyer har et bud på?"

Carl så på makkeren, der bestilte endnu en shawarma. Det var et godt spørgsmål, men det ville tiden forhåbentlig vise, når manden engang havde fået tygget af munden. Nu ville han først ringe til Marcus, og så blev det Stenløse.

44

Mandag den 30. maj 2016

KLOKKEN VAR EFTERHÅNDEN lidt i syv, og Anneli havde knoklet som en sindssyg i mindst en time med at tørre blod af vægge, reoler, maskindele og gulv, og bagefter havde hun siddet lidt og vogtet over Denises lig. Som tøsen lå der blandt kasserede maskindele og med et lamslået udtryk i ansigtet, indgød hun Anneli stor tilfredsstillelse. Disse glødende, trodsige øjne, der nu var fuldstændig matte, og disse mængder af timer brugt til staffage og pral, alt sammen helt forgæves.

"Hvor skal vi smide en nydelig pige som dig, lille Denise Kirschmeyer? Skal vi lade skæbnens ironi råde og dumpe dig mellem alle de andre ludere på Vesterbro, eller skal vi tage den sikre vej og lægge dig i en af overklassens parker, hvor der alligevel ikke er en sjæl efter klokken otte? Hvad siger du til Bernstorffsparken, Denise, og nede i bunden af et af de nydeligt klippede hjørner? Så kan en af de små fine Charlottenlund-hunde finde dig, når de skal ud på morgentissetur, ikke?"

Anneli lo.

Tilsyneladende var hun sluppet godt fra det her. Hun havde gemt Denises pistol væk og trykket revolveren i hendes hånd, så begge deres fingeraftryk sad på den, og så planlagt at spille chokeret, hvis nogen havde hørt skuddet og ringet efter politiet. Og så ville hun sige, at det var et uheld. At kvinden var kommet susende og truede med at ville skyde hende med den der revolver med den mærkelige tingest på. At hun var et af de sindssyge mennesker, som ville skubbe hele skylden for deres egen uformåen og elendige situation over på sagsbehandleren, der ellers af bedste vilje forsøgte at hjælpe hende. Politiet ville nok vide, at det helt uforståelige, at forstyrrede klienter havde myrdet deres velgørere, var sket et par gange inden for de sidste par år. Og så ville hun tilføje, at overfaldet havde fjernet enhver tvivl i hendes sind om, at Denise Kirschmeyer måtte være bindegal.

Hun ville rekonstruere for dem, hvordan pigen og hun var kommet i håndgemæng, da Denise Kirschmeyer ringede på døren. At de havde kæmpet sig ind i stuelejligheden i et opgør på liv og død, hvor Anneli af al magt forsøgte at vriste revolveren fra hende, og at den så gik af ved et uheld.

Hun ville græde lidt og udtrykke med bævende læber, at det var det værste, hun nogensinde havde været ude for i sit liv.

Men så kom politiet alligevel ikke.

Anneli grinede og gravede Denises pistol frem fra det midlertidige gemmested. Nu ville hun indtil videre kunne lade Denise ligge, hvor hun var, og så se at komme ud til Stenløse og få også Jazmine ekspederet over i en anden verden.

Hun så et øjeblik på revolveren med den interimistiske lyddæmper i Denises hånd.

Begge skydevåben havde været brugt til at dræbe, det var hun slet ikke i tvivl om. Spørgsmålet var så, om man ikke kunne drage nytte af det.

Åh jo, Anneli havde det godt med at tænke den tanke til ende. Var det måske ikke den mest geniale af alle hendes træk og planer? Jo, det var.

DA DET FØRSTE vejskilt mod Stenløse viste sig, sitrede Anneli nærmest indeni. Hun glædede sig simpelthen som et lille barn til at se Jazmines ansigt, når hun åbnede døren for hende.

'Var Anne-Line Svendsen ikke slået ihjel?' forestillede Anneli sig ville være det første, der fór gennem hovedet på den møgtøs. Hun ville blive skrupforvirret, rådvild og overrasket over, at Anneli vidste, hvor pigerne boede. Og så ville hun undre sig over, hvor Denise mon var blevet af.

406

Jo, Jazmine ville få et chok, når hun indså, at klokken var faldet i slag for hende.

Derefter ville Anneli omgående tvinge hende ind i stuen og skyde hende på klos hold med lyddæmperrevolveren uden så mange dikkedarer, trykke Denises pistol i Jazmines hånd og arrangere hele setuppet, så man måtte tro, at der havde været et opgør imellem hende og Denise, som i sidste ende resulterede i Jazmines død. Den gamle Luger-pistol i Jazmines hånd havde ikke hjulpet hende, ville man tænke. Og senere ville man endog finde ud af, at det var netop den pistol, der havde slået Birna ihjel.

Derefter var det bare med at hente Denises lig i Webersgade, proppe hende ind på Kaens passagersæde og køre liget ud til Bernstorffsparken. Her ville hun så placere revolveren med lyddæmperen ved Denises hånd, så det kom til at ligne et selvmord, og voila, så var der slået rigtig mange fluer med ét smæk. Politiet ville finde Jazmine på et eller andet tidspunkt og konstatere, at den revolver, der havde dræbt hende, var den samme, som Denise havde begået selvmord med.

Cirklen var sluttet, det var simpelthen genialt.

Anneli kunne ikke lade være med at grine helt sindssygt, for det var så perfekt. Hvis hun nu tænkte sig om, så kunne hun måske endda få Denise koblet til flugtbilistdrabene. Politiet fandt såmænd nok ud af, at Michelle også havde boet i lejligheden, så mon ikke de kunne skabe sig nogle fordelagtige teorier på den baggrund? Og hvis alt *det* virkelig kunne lykkes, så var hun jo selv sluppet godt fra det hele. Hun ville med god samvittighed kunne holde en pause fra drabene og koncentrere sig om at passe sine behandlinger og se at blive rask. Et års tid eller to uden mord, og derefter kunne hun stille og roligt genoptage sin mission. Imens måtte hun så hygge sig med at udtænke nye drabsmetoder. Hun ville læse bøger om, hvordan man gjorde ting og sager med gift, ild, strøm og vand, ja, alle mulige ulykker, der ikke kunne kobles til hinanden og heller ikke til flugtbilistdrabene.

Hun tændte for bilradioen, for sådan en euforisk følelse måtte der bare musik til. Nu manglede man såmænd bare et par stearinlys og et glas rødvin, så var det fuldendt, men det kom snart. Når det hele var overstået senere i aften, så var det bare med at komme hurtigt tilbage til lejligheden og få linet hele hyggesceneriet op, lægge benene på sofabordet og så streame en tv-serie. True Detective skulle være så god.

Hun svingede ind på Sandalsparkens parkeringsplads til de ironiske sidste strofer af Coldplays Viva la Vida og parkerede på nøjagtig samme sted som sidst, mere klar end nogensinde til denne næstsidste akt i det spændende spil om liv og død, hun havde sat i gang for nogle uger siden.

Netop som hun skulle til at stige ud af bilen, kørte en temmelig officielt udseende vogn med slukket blåt lys oppe på taget ind foran hende og parkerede så tæt på, at hun let kunne se, at det aparte par ikke var kommet herud for sjov.

Alt omkring dem udstrålede politi.

Hun fulgte dem med øjnene helt op til den lejlighed, der lå lige til venstre for Jazmines og Denises.

'Jeg må holde mig væk, så længe de er der,' tænkte hun og trak sig ned i en mere bekvem stilling.

"Men pyt. Den, der venter på noget godt, venter jo ikke forgæves," citerede hun for sig selv, mens Radio24syvs lidt forskudte timenyheder begyndte og som det første annoncerede, at en Denise Frank Kirschmeyer var efterlyst som vidne i en mordsag. Den, der havde oplysninger om hendes opholdssted, måtte meget gerne orientere politiet, som de sagde.

"Så skulle I tage at prøve at kigge i Bernstorffsparken i morgen tidlig," fnisede hun for sig selv.

45

Mandag den 30. maj 2016

"HVEM AF SØSTRENE er der til at tage imod os?"

Assad trak benene ned fra frontpanelet, mens Carl parkerede bilen, og viftede med en nøgle. "Ikke nogen af dem. Men jeg har den nøgle, som Gordon fik af Vicky. Hvis Rose ikke vil lukke os ind, så kan vi bruge den."

Det havde Carl det faktisk lidt mærkeligt med.

"Jeg kan godt være lidt nervøs for, hvad Rose siger, når vi sådan dukker uanmeldt op," sagde Carl. For ikke alene var Rose, ligesom hele situationen jo var det, meget tricky og speciel, men hun var også deres kollega og ovenikøbet en meget kvindelig en af slagsen. Hvorfor skulle det altid være så kompliceret med dem? Hvor mange gange havde han ikke måttet indse, at han helt generelt set overhovedet ikke forstod kvinder? Måske var det de friske piger oppe i Vendsyssel, der havde gjort ham konfus og fået ham til at tro, at alle kvinder var ligeud ad landevejen ligesom dem. Et par gange havde Hardy rådet ham til at finde sig en coach eller en mandegruppe, der kunne hjælpe ham lidt på vej til større forståelse af det modsatte køn, og det kunne da godt være, at det var en idé, det var værd at arbejde med. Det blev bare ligesom aldrig til noget.

"Jeg ved det, Carl, jeg er også nervøs," sagde Assad. "Jeg har været rigtig trist over det her, siden hun råbte sådan ad mig i telefonen."

De ringede på døren et par gange, uden at der viste sig livstegn derinde.

"Tror du, hun sover?" spurgte Assad. "Måske tager hun stadig medicin, og så kan man jo godt være lidt langt væk."

"Puh, hvad så nu?" stønnede Carl. Hellere to narkodopede alfonser, der gik bersærkergang med knive, end det her, for det vidste man da, hvad var. Hvem kunne vide, hvad de risikerede, hvis de sådan uden videre trængte ind?

"Bare vi vidste, om hun var derinde. Tænk nu, hvis hun ..."

"Hvis hun nu hvad?"

"Ikke noget, Assad. Bank på et par gange, og lidt hårdt, måske kan man ikke høre ringeklokken i hele lejligheden."

"Hej, vi kunne måske lige spørge hende der, om hun har set hende?" spurgte Assad efter en stribe bank.

"Hvem?" spurgte han og så sig om.

"Hende, der lige kiggede frem fra gardinet inde ved siden af i Kirschmeyers lejlighed."

"I Kirschmeyers lejlighed? Jeg så da ikke nogen. Er du sikker?"

"Øh, ja, det tror jeg da. Se, gardinet hænger på skrå nu."

"Så kom," sagde Carl.

Han ringede på nabodøren, men der skete ingenting.

"Er du sikker, Assad? Hvem skulle dog være derinde? Rigmor Kirschmeyer går da vel for pokker ikke igen."

Assad trak på skuldrene og bankede nu kraftigt på døren, og da det heller ikke havde nogen virkning, knælede han på dørmåtten og råbte med fuld power ind gennem brevsprækken: "Hej, derinde, vi så dig godt. Vi vil bare lige stille dig et par spørgsmål."

Carl smilede. Den dørmåtte med de fine ornamenteringer fik ham nærmest til at virke, som om han lå på et bedetæppe og bad gennem sprækken.

"Kan du se noget derinde?" spurgte Carl.

"Næh. Entreen er helt tom."

Carl lænede sig forover og kiggede gennem gardinsprækken ind i køkkenet. Det var ikke så meget, man kunne se, bare en smule opvask og lidt service, der ikke var sat på plads. Men Rigmor Kirschmeyer kunne jo heller ikke vide, at hun aldrig ville komme hjem igen og rydde op.

Så tappede han på ruden med fingerneglene, og Assad råbte endnu et par gange, at man gerne ville tale med vedkommende, der havde kigget ud.

"Jeg tror desværre, du har set galt, Assad," sagde Carl efter et minuts forgæves banken og ringen. "Hvis vi havde været vakse, så havde vi husket at tage den nøgle med, som Birgit gav os."

"Jeg har altså en nøglepistol nede i bilen, Carl."

Carl rystede på hovedet. "Det må vi hellere lade vores kolleger i drabsafdelingen om. De ville under alle omstændigheder komme herud på et tidspunkt for lige at tjekke lejligheden en gang mere. Lad os nu bare låse os ind hos Rose og se, om hun er derinde."

Assad tog nøglen frem og pressede dørhåndtaget nedad, men da han skulle til at stikke nøglen ind, gik døren op af sig selv.

'Det tyder ikke godt,' tænkte Carl.

Assad lignede et stort spørgsmålstegn, åbnede døren forsigtigt og råbte et par gange Roses navn, så hun ikke skulle blive forskrækket over, at de pludselig stod der.

Men der var tyst som graven.

"Hold da helt op, jeg skal da love for, at hun har været her, Carl," sagde Assad. Han så mildest talt chokeret ud, og det var der også grund til. Alt, hvad der kunne have stået i reolerne eller på møblerne og i vindueskarmen, var fejet på gulvet. Pottejord var strøet ud over sofaen, knuste kaffekopper og tallerkener lå spredt her og der, og et par stole var smadret hårdt mod gulvet. Det var et virkeligt ragnarok.

"ROSE!!" råbte Assad, mens han støvede rundt i de tilstødende værelser.

"Hun er her ikke," erkendte han nogle sekunder efter. "Men kom lige ud i badeværelset, Carl."

Carl løsrev sit blik fra laptoppen på spisebordet og gik derud.

"Se!" Assad pegede temmelig fortabt ned i skraldespanden, der var fyldt med plastre, emballage, Tampax-æsker, vatpinde og forskellige medikamenter.

"Uha, det ser grimt ud, Assad."

"Var det det, du mente før?" sukkede han. "At hun måske har taget sit liv?"

Carl kunne ikke svare, han pressede bare læberne sammen og gik tilbage i stuen. Han vidste det simpelthen ikke.

Han snusede til vasen, der stod på bordet. Der havde været spiritus i den i en helt ubestemmelig blanding. Så betragtede han igen skærmen på hendes laptop.

"Du skal se herinde, Assad. Rose har været inde på politiets hjemmeside og vores intranet."

Han pegede på den knækkede skærm. "Der er ingen tvivl om, at hun har interesseret sig for Kirschmeyer-sagen, så hun *er* altså orienteret. Det kan have slået hende helt ud af kurs, er jeg bange for."

Han åbnede fanebladene over hendes netsøgninger et for et.

"De her søgninger er meget overfladiske. Det er, som om hun bare skulle orientere sig om hovedlinjerne ved drabet," sagde han.

"Det synes jeg er godt, Carl. Så tror jeg ikke, det er hende, der har slået Kirschmeyer ihjel," kom det stille fra Assad.

Carl stirrede uforstående på ham, hvad mente han dog?

"Ikke fordi jeg overhovedet havde grund til at tro det, men det var da mærkeligt, at det lige skulle være hendes nabo, ikke?"

"For helvede, Assad, sådan noget må du ikke tænke, vel?"

Krøltoppen skød underlæben frem. Det vidste han godt.

"Jeg fandt desværre også den her ude på badeværelset, Carl."

Han lagde en Gillette-skraber oven på frakken, der lå på bordet.

"Der er ikke noget barberblad i. Den var skruet fra hinanden."

Det gav et stik i Carls hjerte, det måtte bare ikke passe.

Han undersøgte den og lod den så dumpe tilbage på frakken. Der lød et svagt klik, da den landede.

Carl studsede og tog fat i snippen og løftede frakken op fra bordet.

Dér lå Roses mobil og en masse andre ting, som fik dem begge til at stivne. En plastikkurv med medikamenter, der nemt kunne mikses til en dødbringende mikstur, barberbladet fra skraberen og endnu mere uheldsvangert: et brev med Roses håndskrift.

"Åh nej," hviskede Assad, hvorpå han bad en stille, kort bøn på arabisk.

Carl måtte tvinge sig til at læse det op for Assad.

'Kære søstre.

Min forbandelse har ingen ende villet tage, så fortvivl ikke over min død,' lød de første linjer.

Han trak næsten ikke vejret, da han læste resten op.

De så på hinanden det følgende minut uden at sige noget. Hvad var der at sige?

"Det er dateret 26. maj, Carl," brød Assad endelig tavsheden. Så kraftløs havde Carl aldrig før hørt hans stemme. "Det var i torsdags, den samme dag, hun lod sig udskrive, og jeg tror ikke, hun har været her siden da." Han sukkede. "Hun kan ligge død hvor som helst, Carl. Og det har hun ..." resten kunne han ikke få frem.

Carl så sig om i stuen. Det var, som om hun ville afspejle ødelæggelsen af sit sind med denne vandalisme. Som om hun ville tydeliggøre for omverdenen, at der ikke var noget at sørge over, ikke noget at undre sig over.

"Hun var så klog og snu, Carl, så jeg tror ikke, vi nogensinde finder hende igen." Smilerynkerne omkring hans øjne var udvisket, øjenbrynene dirrede ligesom hans læber.

Carl tog om hans skulder. "Det er meget trist, Assad. Det er det virkelig, kære ven."

Assad vendte ansigtet mod ham. Blikket var uendeligt mildt, nærmest taknemmeligt. Han nikkede og tog selvmordsbrevet op for at læse det helt tæt på.

413

"Der ligger et papir nedenunder, Assad," konstaterede Carl. Han tog det op og læste det højt:

'Stenløse, torsdag den 26.5.2016

Herved testamenterer jeg mit lig til organdonation og forskning. Med venlig hilsen, Rose Knudsen.'

"Det forstår jeg simpelthen ikke, Assad. Hvorfor skulle hun gå afsides og begå selvmord, hvis hun har ønsket at donere sine organer bort og testamentere sin krop til forskning?"

Assad rystede på hovedet. De så på hinanden, mens hjerneaktiviteten prøvede at accelerere.

"Hvis man vil donere sine organer bort, så forgifter man dem ikke med dødelig medicin, og så gemmer man sig i hvert fald slet ikke for omverdenen. Men hvad er så meningen med det her?" Han viftede med papiret.

Assad rodede sig i håret, som om det kunne hjælpe på tankevirksomheden. "Jeg forstår det ikke. Måske har hun fortrudt det hele undervejs og så alligevel gjort det et andet sted."

"Synes du, det er logisk? Hvad gør man, hvis man vil begå selvmord og samtidig donere sine organer til hjælp for andre? Man sørger for at blive fundet i en fart, og det er det, jeg vil gå ud fra. Men hvor er hun så? Og hvorfor har hun ikke taget sin mobil med, så hun kunne fortælle, hvor hun var? Det giver simpelthen ingen mening."

Carl tog mobilen op og trykkede på den. Batteriet var virkelig dødt, som han havde prøvet at bilde Lars Bjørn ind.

"Jeg kunne godt tænke mig at vide, hvad der er på den. Tror du, hun har en oplader et sted?"

De så sig om i rodet efter den. Det var håbløst, nøjagtig som at lede efter den berømte nål i høstakken.

"Hun har en oplader liggende inde på kontoret, Carl."

Han nikkede. Her kunne de ikke gøre ret meget mere.

414

"I HAR VÆRET inde hos Rose, er hun okay?" spurgte en kvinde ude på svalegangen, da de låste efter sig.

"Hvem er du, siden du spørger?" spurgte Carl.

Hun gav ham hånden. "Jeg hedder Sanne og bor lidt længere nede ad gangen." Hun pegede.

"Kender I hinanden?"

"Arh, ikke sådan rigtigt, men vi hilser på hinanden, og jeg så hende forleden, hvor jeg fortalte hende, at Kirschmeyer er død. Er hun syg? Jeg synes, hun havde været væk et stykke tid, og hun virkede også anderledes, end hun plejer."

"Hvornår var det?"

"Det var i torsdags. Den dag Kevin Magnussen knaldede sin Renault-racer ind i en mur. Jeg er vild med Formel 1, og især med Kevin, og havde lige hørt det, da jeg mødte Rose, det husker jeg tydeligt."

"Rose er ikke hjemme lige nu. Har du nogen som helst anelse om, hvor vi kan finde hende?"

Hun rystede på hovedet. "Næh, hun omgikkes ikke sådan os andre i ejendomskomplekset, ud over Rigmor, så vidt jeg ved. Desuden har jeg ikke været hjemme hele weekenden." Hun pegede på en trolleykuffert ved siden af sig. "Jeg har været på besøg hos familien."

Hun smilede og så ud, som om hun gerne ville udfrittes om anledningen, men så vidt kom det ikke.

"Skal vi ikke lade hende efterlyse?" spurgte Assad på vej ned til bilen.

"Jo, det burde vi. Men ..." Han tøvede et øjeblik. Ligesom Assad var han rystet over fundet af Roses selvmordsbrev og organtestamentet. Selv om der gud ske lov var indikationer på, at hun var kommet på bedre tanker, så vidste man aldrig med en psykisk syg, og det var Rose jo. Hvad enten man ville erkende det eller ej. Carl så med alvor på Assad. "Men hvis vi gør det, så kommer alt det her om Rose ud, og hvad så hvis hun bare sidder og prøver at komme til hægterne på et eller andet hotel? Så har vi jo ødelagt hendes karriere."

"Tror du?" Han lød overrasket.

"Ja, hun vil få mere end svært ved at komme tilbage i sit gamle job, hvis alle hendes hemmeligheder kommer frem. Det vil Bjørn aldrig gå med til, så regelret han er."

"Det var ikke lige det, jeg mente, Carl. Tror du, at der kunne være en chance for, at hun sidder et eller andet sted og prøver på at komme til sig selv? For hvis det er sådan, Carl, så kan det jo stadig være, at hun overvejer at begå selvmord. Jeg synes altså, vi er nødt til at sende den efterlysning ud."

Assad havde ret, og det var et rigtig væmmeligt dilemma, så Carl sukkede dybt, mens de passerede de parkerede biler, hvor der sad en kvinde og sov i en lille Ka blot et par pladser fra deres.

Han ville bare ønske, det var ham.

46

Mandag den 30. maj 2016

JAZMINE ANEDE IKKE sine levende råd. Nu havde Denise været væk i flere timer uden at give lyd. What the fuck lavede hun, siden hun ikke ringede? Og hvad havde Denise tænkt sig, at hun skulle gøre? Denise havde jo forbudt hende at ringe, for det ville kunne afsløre hende, hvis hun stod i skjul. Men hvad så med hende? Kvinden derude på toilettet sad og klagede sig, og hun havde en rigtig skidt kulør og virkelig nasty røde plamager langs lårene. Hendes fingre var næsten blå.

Ærligt talt så var hun rigtig bange for, at hvis hun prøvede at give hende vand, så ville hun blive kvalt i det, så svag virkede hun.

Jazmine ville ikke ret gerne tænke på det, for hvis kvinden døde, så var de pludselig skyldige i dobbeltmord. De ville stå til livstid, og det ville betyde, at livet var slut. For hvad skulle hun gøre, når hun femogfyrre år gammel blev sluppet ud i det fri uden uddannelse og med en straffeattest af den slags, der aldrig nogensinde ville forsvinde? Ville hun overhovedet kunne spare op til noget derinde i fængslet, som for eksempel en billet til den anden side af verden eller noget i den stil? Ville hun nogensinde kunne blive noget andet end prostitueret? *Det* ville hun i hvert fald ikke, men hvad så? Kom Denise ikke tilbage inden en time eller to, så ville hun bare stikke af. Hun ville tage alle pengene og så bare skride ad helvede til. Så var Denise selv ude om det.

Hun samlede pengene og puttede dem i en lærredstaske af den slags, som gamle damer syntes var smarte for tredive år siden. Den ville ingen mistænke for at indeholde andet end lort. Og så ville hun køre med S-toget ind til Hovedbanegården og tage Vejle-bussen ved Ingerslevsgade. Der gik en ved titiden, det kunne hun sagtens nå.

Var hun først i Jylland, var mulighederne mange flere for at komme videre sydpå uden at blive opdaget, og sydpå skulle hun. Ud af landet, langt væk. Bare forsvinde og aldrig komme tilbage igen. En grøn billet videre til Berlin med Abildskou Busrejser kostede kun hundrede og halvtreds kroner, og derfra kunne hun komme hvor som helst hen i verden. Især Italien fristede hende lige nu. Der væltede det med smukke mænd, der godt kunne lide sådan nogle som hende, og stednavne som Sardinien og Sicilien lød virkelig forjættende på hende.

Nu klynkede kvinden igen derude, men svagere og svagere.

Jazmines øjne kørte rundt i hovedet på hende, som om hun ledte efter et eller andet i stuen, der kunne aflede hendes opmærksomhed fra det, der skete på badeværelset.

"Skal, skal ikke," sagde hun et par gange stille for sig selv, og så gik hun ud i køkkenet for at hente et glas vand. Så fik hun da noget en sidste gang, og derefter måtte skæbnen bestemme resten.

Hun havde lige lænet sig ind over stålvasken for at fylde glasset, da der var nogen, som bankede på døren ind til nabolejligheden.

Jazmine lettede en anelse på køkkengardinet og trak sig omgående tilbage, da en mørk mand ude på svalegangen så i hendes retning.

Jazmine holdt vejret og smuttede ind i køleskabskrogen. 'Så han mig?' tænkte hun og blev stående. Så gled en skygge forbi gardinet. Hun hørte ret tydeligt, hvad de sagde derude. Det var lige, så hendes hjerte næsten stoppede, så bange var hun. Det var to mandsstemmer, og den ene sagde, at han ikke havde set noget, og så ringede det på døren.

Nu stønnede kvinden igen ude på badeværelset, det var meget svagt, men Jazmine kunne høre det. Kunne de også høre det udenfor?

Mændene på svalegangen parlamenterede.

Hun fik et chok og fór sammen, da de pludselig bankede hårdt på døren, og den ene af mændene råbte gennem brevsprækken, at han havde set en derinde. Han ville stille spørgsmål, råbte han, men Jazmine skulle ikke have noget af at få stillet spørgsmål om noget, så hun svarede ikke.

'Gå nu væk!' skreg hun indeni, da den anden mand så spurgte, om man kunne se noget gennem sprækken. Godt, at hun ikke var gået ud i entreen, for så havde det været slut.

Nu var det, som om skyggen bag gardinet igen bevægede sig, som om nogen forsøgte at se ind i køkkenet, og så lød der en tappen på ruden. Jazmine så over på køkkenbordet over for vinduet. Der stod beskidte tallerkener og krus med bestik i, hvad ville han få ud af det?

"Jeg tror desværre, du har set galt, Assad," hørte hun ham sige derude, efter at den anden stoppede med sin banken. Han sagde det helt klart og tydeligt, og han sagde også, at de skulle have taget en nøgle til lejligheden med, og den anden svarede, at han havde en nøglepistol nede i bilen.

Jazmine var ved at falde om. Hentede de den, så var hendes liv bare slut. Kvinden på badeværelset levede godt nok stadigvæk, men alligevel. Nu havde Jazmine lige set sig selv omgivet af farver og varmblodede mænd med sort hår, og så var det alligevel bare en illusion. Det ville blive hårdt.

Den første mand sagde så, at det ville han lade deres kolleger i drabsafdelingen om, hvorpå stemmerne blev svagere. Jazmine mente at kunne høre, at de gik ind i lejligheden ved siden af. Ja, nu lød deres stemmer svagt gennem væggen. Det ville betyde, at hun lige nu slap med skrækken, men måske ikke så længe. Der ville komme folk derud fra drabsafdelingen, havde den ene antydet. Men hvad vidste de overhovedet, siden de ville det? Var det noget med Denise? Hvorfor ringede hun bare ikke, det var til at blive sindssyg af? Det var jo så enkelt, det hele. Denise skulle bare afpresse Anne-Line, og om fornødent gøre det samme ved hende, som de havde gjort med kvinden på toilettet. Holde hende fanget, til hun gav sig og udleverede lottogevinsten. Men derfor kunne hun da godt ringe, hvorfor gjorde hun det så ikke?

Dumme kælling, så var hun selv ude om det, for her kunne Jazmine ikke blive. Hvis hun tog alle pengene fra røveriet, så kunne Denise beholde Anne-Line Svendsens penge, Jazmine var ligeglad. Var det måske alligevel ikke meningen, at de skulle dele det hele, når Denise kom tilbage?

Hun rynkede panden og tænkte det hele igennem igen. Hvad mente de med, at drabsafdelingen skulle komme? Var det gået galt hjemme hos Anne-Line på en eller anden måde? Var det det?

De havde aftalt, at hvis Denise ikke dukkede op, så skulle Jazmine ringe anonymt til politiet og angive Anne-Line Svendsen, men turde hun det? Man kunne jo spore hendes opkald, det kunne man med en mobil så let som ingenting. Lige *det* havde Denise måske ikke tænkt på.

Som det hele udviklede sig, var Jazmine fucking ligeglad, bare det ikke gik ud over hende. Havde hun måske ikke gjort, hvad hun skulle? Havde hun ikke fået ordnet det sådan, at de kunne få nye navne i deres pas allerede senere i aften på vej ind til busstationen? Så bare ærgerligt, at Denise ikke fik sit.

Nu stønnede kvinden igen derude på badeværelset.

"Hold nu kæft," snerrede hun, da hun passerede badeværelsesdøren. Kom politiet derud, så kunne *de* jo bare give kvinden vand. Hun stank også ad helvede til af pis og lort, det kunne Jazmine bare ikke klare.

Bagefter tog det hende kun fem minutter at pakke sit tøj.

Et hurtigt blik ud ad vinduet, og banen var klar. Mændenes stemmer lød stadig uldent bag væggen til nabolejligheden, så det var bare med at være hurtig.

Hun tog lærredstasken med pengene over skulderen og kufferten i hånden og lindede igen på køkkengardinet.

Hun så for en sikkerheds skyld ned mod p-pladsen. Tilsyneladende var der ikke andre politifolk, der ventede dernede, for der stod bare en enkelt vogn med blåt blink på taget, resten var sølle forstadsbiler. Ikke sådan nogle, som hun ville køres rundt i, når hun først var i Italien. Hun smilede for sig selv. Det skulle være åbne cabrioleter med hvide lædersæder. Det havde hun altid ønsket sig.

Så gled døren til naboens lejlighed pludselig op, og de to mænd smækkede den bag sig og snakkede kort med en kvinde udenfor.

'Bare vent, til de er kørt, Jazmine, så er der fri bane,' tænkte hun, mens hun fulgte med i bevægelserne derude.

Der lød et par indeklemte suk ude fra badeværelset, nærmest som om hende Rose var begyndt at græde. Det var selvfølgelig også synd for hende, men hvad kunne hun gøre? Måske ville Denise slå hende ihjel, når hun kom tilbage og opdagede, at Jazmine var væk. Hun kunne lige se for sig, hvordan hun ville tage det, når det gik op for hende, at der ikke lå et falsk pas og ventede på hende, og at kvinden på badeværelset pludselig blev for farlig, fordi hun vidste for meget.

Men det var Denises afgørelse, ikke hendes.

Nu kørte politibilen, så hun. Hun trak gardinet lidt til side, så hun kunne følge med i, at den nu også for alvor forsvandt.

Så bemærkede hun, at en skikkelse pludselig bevægede sig i en lille bil et par pladser længere til højre. Og da kvinden tog solbrillerne af og så op mod hende, frøs Jazmine til is.

Det var Anne-Line, sagsbehandleren! Men hvor var så Denise?

Jazmine mærkede mavesyren kravle op i spiserøret. Hvad skulle hun nu gøre?

Kvinden i bilen så nu direkte op på hende, og blikket sagde alt. Anne-Line Svendsen var ikke bange. Hun var ikke slået ud, så Denise kunne ikke have haft succes med sit forehavende, men hvor var hun så? Jazmine havde sine modbydelige anelser, og panikken tog fat.

Hun måtte bare væk, og der var kun én vej ud bortset fra hoveddøren, og det var ud over altanen og ned.

I et spring var hun inde i soveværelset og flåede alle lagenerne ud af linnedskabet.

Hun bandt et par stykker sammen og håbede så, at det var nok til at komme helt ned, susede ind i stuen, slyngede lagenet om et dørhåndtag, skød altanvinduet til side, lod lagen og kuffert dumpe mod jorden, svingede lærredstasken over skulderen og trak sig ud.

Det sved i hendes fingre, men Jazmine havde heller aldrig pralet med at have store muskler, og hvad skulle hun også bruge dem til?

Hun så sig om på vej ned. Der var fri bane og ingen på græsplænen, og lejligheden nedenunder virkede gud ske lov også, som om der ikke var nogen hjemme. Så opdagede hun, at kufferten var sprunget op i faldet og nu lå fuldstændig på vid gab med alt tøjet spredt ud til højre og venstre.

'Jeg når ikke at samle det sammen,' peb det i hende, da hun stod på jorden og med det samme begyndte at løbe.

Da hun var kommet igennem bebyggelsen og med lettelse konstaterede, at fortovet ned mod S-stationen lå frit foran hende, så vidste hun, at hun var kommet i sikkerhed.

Hun bemærkede et sted, hvordan græsset i rabatten var blevet flået op.

'Her blev Michelle vist slået ihjel,' nåede hun lige at tænke, før hun hørte en bil speede op bag sig.

47

Mandag den 30. maj 2016

"KOM NU, ROSE, det er Vicky! Kom nu bare ud, far *er* gået på arbejde, han har nattevagt i denne uge."

Hendes sitrende fingre straktes mod nøglen i døren til hendes værelse, men hun tog ikke fat. Var han på nattevagt? Var det virkelig allerede torsdag? Og hvem råbte derude?

Stemmen sagde, at det var Vicky, men det passede ikke, for det var jo hende selv, så hvorfor bildte hende derude sig så ind, at hun i stedet var Rose? Hvem havde overhovedet lyst til at være Rose? Ingen kunne jo lide hende, men Vicky, derimod ... det var bare noget andet.

'Når jeg kan komme ud, så vil jeg tage en skjorte på,' tænkte hun. 'I dag skal det være en gul- og sortternet cowboyskjorte og knappet godt ned, så man kan se min kavalergang.' Hun fnisede. Man ville komme til at stirre, til øjnene faldt ud af hovedet.

'Men jeg vil bare smile, når de stirrer, og så vil jeg sige, at min plan er at blive gift med en bestemt skuespiller. Jeg kan ikke huske hans navn lige nu, men det gør heller ikke noget. Han ved godt, at det er mig, han skal have. Åh ja, det ved han skam.

Vicky er så smuk, siger de, så derfor er jeg smuk. Rose er bare Rose, det er synd for hende, hun kan ikke gøre for det, men sådan er hun skabt. Far har sagt det så tit, og han har ret, så derfor er jeg glad for, at jeg ikke er hende.

Hvem vil i det hele taget være hende? Har jeg i øvrigt sagt det før? Nå, men *jeg* vil i hvert fald ikke. Og nu er far på aftenvagt, så skal jeg bare ud at danse. Det er gud ske lov ikke noget, de kan blande sig i. Faktisk ingen af dem.'

Så kom den alt for nærværende, skærende fornemmelse i spiserøret tilbage. Hun vidste ikke rigtig, om det hørte med i billedet af alt det, hun lige tænkte, det håbede hun i hvert fald ikke, for nu gik det lige så godt. For bare et sekund siden gjorde det ikke spor ondt nogen steder, men nu vendte smerten tilbage.

'Av, nu gylpede jeg igen, hvordan skal det stoppe?'

Avavav!

Rose slog øjnene op. Alt omkring hende var sløret. Hendes øjne var tørre, og hele kroppen gjorde ondt. Eller gjorde den? Var det ikke kun spiserøret, der sved, og tungen?

Et sted lidt væk derfra var der en kvindestemme, der bandede. Var den virkelig, eller var det igen en drøm?

'Er jeg allerede ved at falde tilbage i mig selv igen?' Det havde hun vist gjort mange gange og i mange, mange timer nu. Faktisk anede hun intet om tiden og fornemmede kun overfladisk stedet.

Det altoverskyggende var, at hun var spændt fast, og det sved modbydeligt i hele hendes underliv og i spiserøret, og at hun slet ikke kunne føle resten af sin krop. Så vidt hun vidste, så var det mindst et døgn siden, hun sidst havde mærket sine ben og hænder. Eller var det mere?

Nu snakkede kvinden igen derude, og hun lød meget vred. Bandede og forbandede hende, der hed Denise. Men så var det her vel egentlig virkelighed, og hvis det var rigtigt, så håbede hun bare, at hun blev i den. Når hun forsvandt, så hun sin far ligge dér på gulvet med kødet og knoglerne mast sammen og med et bredt grin mod hende. Disse stirrende øjne, der brændte sig ind i hende og aldrig blegnede, men kun lyste mere og mere intenst for hver gang, hun gled ind i drømmen. Hendes søstre kom hende selvfølgelig hver gang til undsætning, det vidste hun. Pludselig var de inde i hende, og hun var inde i dem, og så havde hun fred. Og fred var det eneste, hun søgte. Så måtte den komme lige akkurat i den skikkelse, den ville.

424

"Hvor fanden bliver hun af?" kom det igen inde fra lejligheden.

Hvad var det nu, hun hed, hende der snakkede? Var det Michelle? Nej, det var jo hende, som de sagde var død. Eller var det også bare noget, hun havde drømt?

Hun sagde "Mmmmm" bag gaffatapen, og det betød, at hun tørstede, men kvindestemmen overdøvede hende og fortsatte bare sit eget løb. Det var heller ikke så tit hende, der stak sugerøret ind i munden på hende, så meget kunne hun da huske. Måske havde hun gjort det en enkelt gang, men så heller ikke mere.

Nu trak mavesækken sig sammen i krampe, så den kunne altså stadig reagere, og med ét sved det igen i spiserøret. Det hele hang ligesom sammen.

Nu åbnede Rose øjnene på vid gab. Det var den sidste saltsyreskylle, der trak hende endegyldigt ud af døsen.

Hun så sig om. Dagslyset virkede allerede mat ude i entreen. Betød det mon tidlig morgen eller sen aften? Det kunne være så svært at afgøre på den her årstid, hvor det var lyst det meste af døgnet. Det var den tid, hvor sommeren lige lå på lur, og hvor menneskers øjne smeltede sammen i et enkelt blik, og hele kroppen begyndte at danse indeni. Hun havde prøvet det en enkelt gang i virkeligheden, og det var hun glad for. Forelskelse blev tit omtalt som noget, der bare kunne komme af sig selv og gerne igen og igen. Sådan havde Rose ikke oplevet det, men dansen indeni, den havde hun prøvet, selv om den dans også var noget af det, hendes far fik smadret for hende.

Nu snakkede kvinden igen derude, hun råbte nærmest.

Rose rynkede brynene. Nej, det var ikke rigtigt, det var slet ikke en kvinde, der råbte. Hun så ud gennem døråbningen mod entreen. Der var ingenting derude, og alligevel var der en stemme, som fyldte hele rummet. Stemmen var mørkere, meget mørkere end kvindens, og hun kendte den. Det var Assads stemme, var det ikke? Og hvorfor skulle *den* nu lige pludselig komme? Hvorfor skulle den lige pludselig råbe, at den vidste, at der var nogen hjemme, og at han bare ville stille spørgsmål?

Drømte hun bare, eller ville Assad virkelig fortælle hende, at han vidste, hun var derinde? Og ville han stille hende spørgsmål? Hvorfor kom han så ikke bare ind og stillede dem? Hun ville da gerne svare Assad, han var jo hendes ven.

Hun gryntede "Mmmmm", og denne gang betød det, at han bare skulle komme. Han skulle bare komme ind og fjerne tapen fra hendes mund, så hun kunne spytte mavesyren ud og svare på hans spørgsmål. Det ville hun da hellere end gerne.

'Kom nu og spørg mig om noget, Assad,' tænkte hun, mens de tørre øjne blev en anelse fugtige, og brystkassen tvang en slags gråd frem i hende. Fornemmelsen var god.

Nu hørte hun også en stemme meget langt væk, der kunne lyde som Carls. Hun blev faktisk helt rørt, da hun hørte den, så rørt, at der nu kom rigtige tårer. Var det her faktisk virkeligt? Var de derude et sted og vidste, at hun var her?

Så ville de måske presse sig ind i lejligheden og se hende sidde dér i al sin fornedrelse og måske alligevel trykke hende ind til sig?

Ville de ikke nok?

Hun sad og lyttede længe og prøvede at komme med lyde, der var stærkere og mere betydningsfulde end bare uartikulerede støn. Hun var helt vågen, og kroppen blev uventet skudt op mod en anden virkelighed af adrenalinpumpen eller noget andet, hun ikke selv havde indflydelse på.

Og pludselig kom smerten fra skuldrene og ryggen galopperende. Det var en voldsom strøm af knugende protester fra led og muskler. Alle nerver vågnede, og Rose våndede sig højlydt bag gaffatapen.

Dér gled kvindens skygge forbi badeværelsesdøren. Hun bevægede sig anderledes, end hun plejede. Hektisk og anspændt, føltes det. "Hold nu kæft," snerrede hun ind til Rose, idet hun gik forbi, og nogle minutter efter lød der støj fra dagligstuen. Det var bare et klik og nogle bump, og så blev der helt stille.

Stille, stille.

48

Mandag den 30. maj 2016

ANNELI HAVDE GENNEMGÅET flere faser af rystelse, chok og erkendelse i løbet af den sidste time, end hun ellers havde i hele sit voksne liv.

Var hun ankommet til Sandalsparken bare få minutter før, så ville det hele givetvis have været slut. Hun ville være blevet afsløret i Denises lejlighed, grebet på fersk gerning og sat fast.

Hun var bare nogle sekunder fra at stige ud af sin vogn, da politibilen med de to politibetjente gled op foran hende. Anneli sank lidt ned i sædet og fulgte dem derefter med øjnene og så alt, hvad de gjorde. Først stillede de sig foran nabolejlighedens dør, som om de ville gå ind, og derefter ombestemte de sig og gik i stedet hen og bankede på døren til pigernes lejlighed og råbte et eller andet ind ad deres brevsprække, og derefter bankede de også på ruden. Det virkede meget underligt og på en eller anden måde også utroligt skræmmende.

Hvad havde de fået færten af? At pigerne var skyldige i røveri og mord? Men hvordan kunne de vide det? Eller var de der, fordi de bare ville afhøre nogen? Måske havde de snuset sig frem til, at Michelle havde boet der, man vidste aldrig. Pigen kunne for eksempel have haft en kvittering eller et telefonnummer på sig, som indirekte pegede på lejligheden. Men hvorfor opgav de så deres forehavende og forsvandt ind i lejligheden ved siden af? Hvad havde den med det hele at gøre?

Anneli holdt vejret, da mændene endelig forlod bygningen og passerede hende på et par meters afstand. Da den højeste af dem, en etnisk dansker, drejede hovedet mod hende og så direkte på hende gennem bilruden, troede hun, at han ville stoppe op. At han simpelthen ville spørge hende, hvorfor hun stadig sad der. Hun lod godt nok, som om hun sov, og den hoppede han vist på.

Bag solbrillerne så hun alt. Også at gardinet deroppe i pigernes lejlighed bevægede sig, da strisserne endelig kørte. Et ansigt tittede frem i sprækken, så Anneli tog solbrillerne af, men kunne alligevel ikke på den afstand og i den vinkel, hun sad, helt afgøre, om det virkelig var Jazmine. Dog kunne der næppe være tvivl om, sådan som kvindens krop rykkede baglæns, at hun havde fået øje på noget, der forskrækkede hende. Formentlig var det ikke hende, hun så på den afstand, men Jazmine vidste dog, at Anneli kørte i en Ka, det havde hun faktisk selv fortalt hende.

Anneli overvejede situationen. Jazmine havde ikke villet give sig til kende over for politifolkene, men var de så lette at narre? Var de ikke snarere på vej efter forstærkning, eller hvad sådan noget nu hed?

Annelis fornemmelse af, at tiden nu var knap, fik hende til at stige ud af bilen i en fart. Forsynet havde hjulpet hende mange gange, så skulle hun sandelig ikke begynde at modarbejde det.

Hun ville være løbet direkte fra opgangen op på svalegangen, men en kvinde stod og tjekkede post, og hvem kunne vide, om hun nu var på vej op eller ud? Gik hun op på svalegangen, så måtte Anneli hellere vente lidt, til banen var klar.

Derfor lod Anneli, som om hun bare ville gå igennem opgangen ud gennem døren allerbagest, som førte videre ud til det store fælles græsareal mellem de to karréer.

Et sekund efter at hun var kommet ud, så hun en kuffert, der lå og flød med alt indholdet spredt ud over græsset. Anneli sprang ud på plænen og vendte blikket op mod pigernes lejlighed og undrede sig ikke, da en række sammenbundne lagener svajede fra altanen deroppe.

Anneli så til begge sider, og dér, langt nede til venstre for enden af karréen, løb en spinkel kvindeskikkelse alt det, den kunne.

Det var Jazmine, ingen tvivl om det. Lige sådan klædte hun sig, og lige sådan var hendes bevægelser. Alt stemte. Anneli bandede over den uforsigtighed, hun åbenbart havde gjort sig skyld i, og løb tilbage til bilen, så stærkt hendes utrænede krop overhovedet kunne.

'Hun er på vej ned til stationen,' tænkte hun og vidste præcis, hvordan vejen gik, for det var på den strækning, hun havde kørt Michelle ihjel.

Hun så hende nogle hundrede meter foran sig, næsten på det samme sted, hvor Michelle havde måttet lade livet, men denne gang var fortovet ikke helt så øde som sidst. Nede fra stationen dukkede en gruppe støjende unge mænd op, som allerede havde taget forskud på sommerens løjer med svingende jakker og dåsebajere i hånden, og det umuliggjorde, at hun påkørte Jazmine her.

Det var bare heller ikke det, hun ville.

Anneli famlede efter Denises pistol nede i tasken og speedede op, da hun fik greb om den. Foran hende begyndte gymnasiedrengene at skubbe løssluppent til hinanden, og så pludselig stæsede de til siden ind over græsplænen, mens de sparkede til et par af dåserne.

Anneli passerede Jazmine sekundet efter og bremsede så hårdt op ti meter foran hende. I det samme kastede hun sig hen over passagersædet og åbnede døren på vid gab.

Jazmines blik slukkede fuldstændig, da hun så Denises pistol pege lige mod sig.

"Vi skal snakke sammen, Jazmine," sagde Anneli, mens hun satte benene på fortovskanten. "Jeg har Denise hjemme hos mig, og som du nok kan se, så har jeg fået vristet pistolen fra hende. Og nu vil jeg simpelthen gerne til bunds i alt det, I har fået sat gang i."

Hun beordrede Jazmine over mod sig med et kast med hovedet.

"Så sæt dig ind!" kommanderede hun.

Jazmine transformerede sig til en anden pige end den hånlige tøs, der for ikke ret lang tid siden sad og bagtalte hende på det groveste i venteværelset og kaldte hende en so og en latterlig, grim kælling. En helt anden end hende, der sad og udfordrede hende på hendes eget kontor.

"Jeg har ikke gjort dig noget," sagde pigen dæmpet ved siden af hende, mens Anneli vendte vognen og kørte tilbage mod Sandalsparkens parkeringsplads.

"Det tror jeg såmænd heller ikke, Jazmine, men nu kører vi tilbage til lejligheden, hvor du kom fra, og henter din kuffert. Så går vi op og får en kop te og får talt det her igennem, før vi kører ind til Denise, ikke?"

Jazmine rystede på hovedet. "Vi skal ikke tilbage til den lejlighed."

"Nå, men det har jeg nu bestemt, at vi skal, så kan du sige, hvad du vil."

"Det er ikke mig, der har gjort noget, det var Denise," hviskede hun temmelig umotiveret. Anneli vidste ikke helt, hvad hun hentydede til, men det var også ligegyldigt.

"Selvfølgelig var det Denise, Jazmine," svarede hun diplomatisk. "Jeg er jo faktisk jeres sagsbehandler, så mon ikke jeg er i stand til at skelne jer ret så præcist fra hinanden?"

Pigen skulle til at sige noget mere, men tog sig i det, og Anneli var bedøvende ligeglad. Om ti minutter ville verden jo alligevel være befriet for hende.

JAZMINE STOPPEDE OP på svalegangen et par meter foran døren.

"Jeg ved ikke, hvordan vi skal komme ind," sagde hun meget overbevisende. "Jeg klatrede ud fra altanen, og døren er låst. Nøglen er inde i lejligheden."

Anneli kneb øjnene sammen. Tog hun pis på hende?

"Vi må gå et andet sted hen. Kan vi ikke køre hjem til dig?"

Var hun ude på at vinde tid, eller var det rigtigt? Anneli havde jo set, at nøglen ikke lå i kufferten, da de samlede indholdet på græsplænen sammen.

"Tøm dine lommer," sagde hun, og Jazmine parerede ordre. Et par hundredkronesedler og et kondom, det var alt. Så bad hun om at se indholdet i lærredstasken, som Jazmine bar over skulderen, men Jazmine trak den væk fra hende og så pludselig hård ud, mens hun snerrede, at hun for helvede ikke havde den forbandede nøgle, kunne hun da ikke bare tro på hende?

Anneli troede på hende, fordi det var så logisk, hun havde jo selv set lagenerne omme bagved. Problemet var så, at hun lige nu og for én gangs skyld ikke anede, hvad det næste skridt så skulle være. Hele hendes plan med pigernes mord og selvmord blev jo punkteret, hvis mordet på Jazmine ikke kom til at foregå inde bag den dør. Alt andet duede bare ikke.

Så faldt hendes blik hen ad svalegangen, og Anneli konstaterede, hvor nøgen den så ud. Ingen planter flankerede dørene eller stod langs gelænderet, der var i det hele taget slet ingen udsmykning nogen steder, kun denne ene dørmåtte foran pigernes dør.

"Træd lige tilbage, Jazmine," sagde hun intuitivt og løftede dørmåtten. Og der lå nøglen nok så nydeligt.

"Troede du, du kunne narre mig, Jazmine?" smilede hun.

Jazmine så mere end fortabt ud. Nærmest som om overraskelsen var større for hende end for Anneli.

Hun skubbede kvinden foran sig ind i korridoren og mærkede med det samme en umiskendelig lugt af afføring og urin, men de sidste uger havde hærdet Anneli. Kræften, operationen, strålebehandlingerne, hele forløbet med at udpønse mordene og ikke mindst at udføre dem havde udraderet hendes gamle jeg, og intet syntes længere at kunne ryste hende og slå hende ud af kurs.

Men da hun konstaterede, at døren til badeværelset stod åben, og at stanken kom fra en kvinde, der sad fastspændt til toilettet i sit eget lort og pis, blev hun alligevel chokeret.

"Hvem er det?" stønnede hun.

Jazmine trak undskyldende på skuldrene. "Jeg ved det ikke. Det er noget, Denise har gjort. Jeg ved ikke hvorfor."

Anneli skubbede til kvindens krop, uden at den reagerede.

"Hun er jo død, er hun ikke?"

"Jeg ved det ikke," sagde Jazmine og trykkede lærredstasken ind til sig. Det virkede ærligt talt stærkt mistænkeligt i situationen.

"Giv mig den, Jazmine," sagde hun vredt og greb ud efter den, men pigen gav ikke slip. Så svingede hun pistolen ind i pigens ansigt med fuld kraft, og virkningen var enestående. Jazmine slap tasken og skreg, mens hun tog sig til hovedet med begge hænder, vel vidende at en vansiring ville fratage hende et allersidste aktiv.

"Nu gør du, som jeg siger, ikke, Jazmine? For ellers slår jeg dig igen."

Anneli trak lærredstasken op fra gulvet og kiggede ned i den.

"Hvad?" udbrød hun. Denne dag var virkelig fuld af overraskelser.

"Hvor meget er der?" spurgte hun. "Hvis det er pengene fra røveriet, så ved jeg, at der er mange."

Jazmine nikkede bag hænderne. Græd hun?

Anneli rystede på hovedet. Hvilket svineheld, alt flaskede sig jo for hende. Hun havde fået pigen derhen, hvor hun skulle være, og så nu også det her med pengene.

Anneli lod blikket falde ud på den slappe skikkelse i badeværelset. Hvordan ville det påvirke hendes planer, at hun sad der? Hvis hun var død, så ville det fremstå som et mysterium, men hvis hun ikke var, så kunne det blive et problem. Som en af hendes eksfyre, den kedeligste af dem alle sammen, altid sagde: 'Heldet er kun til for at blive taget fra os, hvis vi ikke værner om det med alt, hvad vi har.' Måske var han slet ikke så tosset endda. Lige nu var der i hvert fald allerede gået for lang tid, så hun måtte se at få det med Jazmine overstået, for ellers kunne det være, at heldet pludselig slap op.

"Kom med ind i spisestuen, Jazmine," sagde hun og afspillede hele scenen for sit indre. Når Jazmine først var skudt med revolveren, ville Anneli presse Denises pistol ind i hendes hånd. Meningen var jo, at politiet skulle udlede, at der havde været et opgør imellem de to, og at Jazmine ikke havde nået at affyre pistolen mod Denise, før Denise myrdede hende med den lyddæmpede revolver. Den, de senere ville finde ved Denises lig.

"Sæt dig ovre ved reolen dér, Jazmine," sagde hun, mens hun i en glidende bevægelse lod pistolen dumpe ned i sin taske og trak revolveren op i stedet.

Jazmines ansigt blev mørkere, og hendes skarpt optrukne øjenbryn satte sig på skrå. "Hvad skal du med den?" spurgte hun nervøst. "Skulle vi ikke tale sammen? Det sagde du, vi skulle."

"Jamen det skal vi, Jazmine. Og du skal fortælle mig alting, er du med? Hvorfor troede du, det var mig, der kørte Michelle ned?"

Anneli trak revolveren ned under bordkanten og fiskede lyddæmperen frem.

"Hun fortalte os, at hun så dig, før du kørte ind i hende."

Anneli nikkede. "Men hun så jo forkert, Jazmine, det var ikke mig."

Nu satte der sig rynker i pigens ellers så glatte pande. "Og hun så dig også dengang, da ..."

"Da hvad, Jazmine? Jeg forsikrer dig, at hun så forkert. Det må have været en, der lignede."

Jazmines blik flakkede ned til bordkanten og til siden. Hun var tydeligvis klar over, at der om lidt skete noget drastisk, og nu ville det pokkers oliefilter ikke sidde rigtigt på revolverløbet.

"Hvad laver du under bordet, Anne-Line?" spurgte hun, og uden varsel var hun oppe og greb fat i en køllelignende tingest, der lå på en teaktræshylde over kommoden.

'Hun slår ud efter mig om et sekund,' tænkte Anneli og trak revolveren op over bordkanten og lod lyddæmper være lyddæmper.

"STOP det der, Jazmine!" råbte hun, mens Jazmine havde fået skruet en hætte af køllens ende, ladet en lille kugle i snor falde ud, trukket i den og i samme sekund smidt den hen over spisebordsdugen mod Anneli, mens hun kastede sig til side og kom i sikkerhed i stuen.

Anneli så forfærdet på tingesten og kastede sig instinktivt mod gulvet, mens Jazmine fortsatte ud i entreen.

Det var en håndgranat. Ikke sådan en ananaslignende en.

Men ingenting skete, for skidtet virkede ikke.

Anneli rejste sig og tog sig til skulderen, der havde taget af for faldet. Nu hørte hun, hvordan Jazmine stod derude og ruskede i hoveddøren.

"Du kan godt spare dig, Jazmine," råbte hun mod korridoren. "Jeg låste døren efter mig."

Så tog hun revolveren og lyddæmperen op fra gulvet og gik ud i entreen, mens hun tog sig tid til at få dem samlet.

Jazmine forstod tydeligvis, hvad hun havde i sinde, og sprang forfærdet ud i badeværelset og låste, som om det skulle hjælpe.

Anneli rettede revolveren mod døren og trykkede af. Hullet blev egentlig ganske beskedent, men det var skriget inde fra den anden side ikke.

'Man kan høre hende lidt for godt,' tænkte Anneli og skød en gang til, og så holdt skriget op.

Hvad nu? Hun var nødt til at se, hvor hårdt hun havde såret pigen, men døren var jo låst. Hun kunne selvfølgelig sparke den op, det var jo bare sådan en papdør, men så måtte hun huske at tørre fodaftrykket af bagefter. I det hele taget måtte hun gå det hele efter og aftørre alt. Hvorfor havde hun ikke husket at tage handsker på?

Så sparkede hun der, hvor låsetøjet sad, og døren sprang halvvejs op.

Anneli klemte sig ind og så ned på gulvet, hvor Jazmine lå og gispede. Hendes øjne var store og sorte, og blodet farvede terrazzogulvet rødt.

'Faldet på gulvet er fint herinde,' tænkte hun og fulgte blodets vej mod afløbet.

Så vendte hun sig mod spejlet og så sig selv i fuld figur.

Der stod hun, Anneli Svendsen, en midaldrende kvinde med rande under øjnene og åben mund. Det var anden gang, hun havde set sig selv så iskold, kynisk og følelsesforladt. Det gibbede helt i hende, da hun så det. Hvem var hun overhovedet, at hun bare kunne stå her lige så roligt og stirre på det lille væsen, hun nu havde sat til at forbløde? Var hun faktisk ved at blive sindssyg, som hun før havde tænkt? Det kunne godt føles sådan.

Så vendte hun blikket mod Jazmines ben, der spjættede i kramper,

434

mens livet ebbede ud. Det var først, da hun lå helt stille med et tomt blik mod loftet, at hun vendte sig mod kvinden, der sad bundet fast til toilettet.

Hun slyngede sin arm om hendes krop og trak ud i toilettet. Det havde der vist længe trængt til.

"Så," sagde hun. "Nu har jeg hævnet dig, hvem du end er, og hvorfor du end sidder her." Så strøg hun den stakkels kvinde over håret, rullede en masse toiletpapir om sin højre hånd og gik så rundt i lejligheden og aftørrede minutiøst alle de steder, hun havde rørt ved.

Til sidst tog hun forsigtigt om Denises pistol med et stykke toiletpapir og gik ud i badeværelset for at trykke den i Jazmines hånd. Men hvilken af dem skulle hun vælge? Den blodige venstre hånd eller den højre, der stadig så ren og fin ud? Hvilken hånd brugte Jazmine overhovedet? Havde hun kastet granaten med den højre hånd?

Anneli lukkede øjnene og prøvede at genkalde sig scenen fra før. Hun vidste det simpelthen ikke.

Så knugede hun Jazmines ublodige højre hånd om pistolskæftet og lod hånden falde tilbage mod gulvet, slukkede lyset på toilettet og trak døren halvt i.

Da hun havde pakket sine ting sammen i tasken, viklede hun lidt køkkenrulle om sine hænder og lagde Jazmines kuffert ind på sengen i soveværelset og åbnede den. Var der nogen, der havde set dem ved kufferten ude på græsset, hvilket hun ikke troede, så ville de vel bare beskrive Jazmine som en skør pige, der var blevet hjulpet af en ældre dame. Hvem var damen? ville politiet så spørge om. Og de ville svare, at hun ikke var en, man før havde set derude.

Følgelig havde pigen altså været ved at pakke ud igen, da hun så blev stoppet af det endelige opgør med Denise. Kunne det ikke blive en historie, som politiet kunne forliges med? Det troede hun, for den var tilpas kompleks og enkel på samme tid.

Anneli smilede. Måske havde hun set for mange krimier i tv, men mon ikke det nyttede i den her situation? Det troede hun da.

Hun skulle til at forlade lejligheden, da hendes øjne faldt på håndgranaten. Hvor var det dog et svineheld, at den ikke gik af.

Forsigtigt tog hun den op og analyserede den.

'Vor Gebrauch Sprengkapsel Einsetzen', stod der med store bogstaver på blikdåsen i enden af den.

'Sæt detonatoren i før brug,' oversatte hun. Men hvem sagde, at man nogensinde havde gjort det?

'Det kostede dig dit liv, at du ikke fik sørget for det, Jazmine, hvor er det dog synd for dig,' tænkte Anneli og lo ved tanken. Formentlig havde den dovne pige aldrig fået lært sig tysk.

Anneli vendte bunden i vejret på granaten og prikkede så snoren og kuglen tilbage i det udhulede træskaft. En ting var, at den ikke virkede, men hvis *hun* kunne blive skræmt af den, så kunne andre nok også.

'Måske er den lidt vel lang i det, men nyttig at have,' tænkte hun, mens hun skruede bundstykket på og stak den i lærredstasken med alle pengene.

'Jeg googler skidtet på et tidspunkt, hvis jeg får brug for at vide, hvordan jeg skal armere den,' tænkte hun. Hvem kunne vide, om hun pludselig en dag udtænkte en plan, hvor mordet bedst kunne begås med et våben som det?

Da hun trådte ud på svalegangen og aftørrede nøglen med køkkenrulle, før hun lagde den tilbage under måtten, tænkte hun et øjeblik, at intet havde været mere vellykket end den mission, hun havde været på de seneste uger. Nu bare en lille køretur med Denises lig, og så havde hun ærligt talt fortjent sig en gedigen ferie.

Hun klappede et par gange sært tilfreds på lærredstasken og valsede tilbage til bilen.

Når strålebehandlingen var afsluttet, kunne et par ugers krydstogt i Middelhavet vel nok lokke lidt.

49

Mandag den 30. maj 2016

DET TOG ET minut, før Carl fik sat Gordon ind i, hvad de havde fundet i Roses lejlighed, og den stakkels mand i den anden ende af røret var tavs som graven.

Carl så med triste øjne på Assad, som ikke engang havde energi til at lange benene op på frontpanelet.

Det ville blive en lang aften for dem alle sammen.

"Er du der stadig, Gordon?" spurgte Carl.

Sagde han ja?

"Vi har desværre ikke nogen anelse om, hvor Rose kan være, men lad nu være med at miste håbet, du! Okay?"

Stadig ingen reaktion.

"Vi overvejer at efterlyse hende, men jeg synes, vi først må prøve at bore lidt i eventuelle opholdssteder."

"Okay!" sagde han knap hørligt.

Så satte han ham kort ind i besøget hos James Frank og deres gennembrud med Franks tilståelse i Kirschmeyer-sagen.

Det lod ikke til, at det løftede hans humør det fjerneste, så han var virkelig hårdt ramt. Forståeligt nok.

"Assad og jeg har desværre en opgave mere, selv om det er svært, sådan som vi har det lige nu med Rose. Vi tager ind til Birgit Kirschmeyer igen, for der er nogle ting, vi bliver nødt til at få rede på. Hvordan med dig, er du også parat til at arbejde igennem?"

"Selvfølgelig er jeg det. Sig mig, hvad jeg skal."

Det lød, som om han kom en smule ud af chokket.

Carl så Gordons ansigt for sig. Han vidste udmærket, hvad Rose betød for ham. Hun var måske den eneste grund til, at han stadig arbejdede for Afdeling Q nede i kælderen. Sådan bliver det jo let med den kæreste, man til stadighed drømmer om og måske aldrig får.

"Jeg vil bede dig om at ringe til hendes søstre og sætte dem ind i situationen, men lad være med at overdramatisere det, hvis du kan." Det tvivlede Carl dog på var muligt. "Spørg, om de har nogen idé om, hvor hun eventuelt kunne opholde sig. Har hun for eksempel tilknytning til nogen i Malmø eller Skåne? Er der et sommerhus eller nogen tidligere kærester, hun kan have søgt tilflugt hos? Ja, jeg beklager, at du skal rode op i det sidste, Gordon, men det skal altså til."

Det kommenterede han selvfølgelig ikke.

"Vi holder kontakt, ikke, Gordon? Lad os vide, hvad du finder ud af, og så må vi se, hvad vi beslutter os for med hensyn til en efterlysning."

SELV OM DET stadig var ret lyst udenfor, virkede det, som om samtlige loftslamper i Birgit Kirschmeyers høje stuelejlighed var tændt. Mon ikke det betød, at hun var hjemme?

De ringede på dørtelefonen og blev overraskende nok bippet ind efter få sekunder.

"Jeg ventede faktisk på, at der skulle komme nogen som jer," sagde hun med svømmende øjne, der denne gang ikke uden videre kunne tolkes som et resultat af alkoholindtagelse. Faktisk virkede hun anderledes nøgtern, end da de besøgte hende tidligere på dagen for at tale med hende om Stephanie Gundersen. Nu bad hun dem sætte sig, før de sagde noget.

"Har I fundet Denise, er det derfor, I er kommet?"

"Du ved altså, at der er sendt en efterlysning ud på hende, siden vi var her sidst?"

"Ja, og politiet har ringet til mig et par gange. Har I fundet hende?"

"Desværre, nej. Vi håbede, du kunne hjælpe os videre med det."

"Jeg er bange," sagde hun. "Hun er en værre møgunge, men jeg vil ikke have, at der sker hende noget grimt. Tror I, at hun har begået drabet på den islandske pige, og at hun var med til røveriet, som medierne antyder?"

"Det ved vi ingenting om, det forsikrer jeg, Birgit. Men hun er mistænkt, og vi bliver nødt til at finde hende for at finde ud af det. Politiet i Slagelse har været rundt i byen og har spurgt ind til, om nogen har set hende dér, men det fik de desværre ikke noget ud af. Vi har på fornemmelsen, at du heller ikke tror på, at hun er der, er det rigtigt?"

"Hvis hun har været på diskoteket i Sydhavnen den aften, så har hun jo i hvert fald ikke været i Slagelse på det tidspunkt, vel?"

Carl nikkede. Hun var en del klarere i hovedet, end hun plejede at være, godt det samme.

"Vi har nogle helt konkrete spørgsmål til dig nu, Birgit. Tidligere i dag syntes jeg, at du antydede, at Denise kunne vide noget om drabet på din mor. Nu vil jeg gerne spørge dig, hvorfor du sagde det?"

"Og hvorfor tror du, at jeg har lyst til at snakke med jer om det? Jeg var fuld, var jeg måske ikke? I må da vide, at man siger så meget dumt, når man har drukket."

"Det er rigtigt. Så lad os forlade emnet. Nu er der nemlig sket det, at vi har fået lokaliseret din eksmand."

Reaktionen var fuldstændig utrolig. Senerne på hendes hals strammedes, og læberne skiltes ad. Hun trak vejret dybt og holdt det, knyttede hænderne. Ingen tvivl om, at det var udtryk for ægte overrumpling, og at hun prøvede at kontrollere det.

"Han er stadig her i landet, Birgit. Du har sikkert troet, at han forsvandt, dengang det med Stephanie Gundersen skete, ikke?"

Hun svarede ikke, men brystkassens bevægelser viste tydeligt det chok, hun var hensat i.

"Jeg vil tro, at din mor fik fortalt dig, at han var stukket af efter drabet. At hvis nogen blev mistænkt, så måtte det være ham. At hun var villig til at fortælle politiet, at det forholdt sig sådan, hvis de rykkede tættere på jer, ikke? Hun havde nok en historie parat."

Birgit rystede mærkeligt nok på hovedet.

"James bor i din fars gamle kommislejlighed, men det vidste du sikkert ikke?"

Igen rystede hun på hovedet.

"Birgit, prøv at høre her, jeg skal ikke trætte dig for meget med James' historie, men han fortalte os om en aftale mellem ham og din mor. Han deserterede fra den amerikanske hær i Afghanistan og kom tilbage til Danmark i 2003 og lovede, at han ville holde sig væk fra dig og Denise. Din mor betalte ham for det, men lige det ved du vel?"

Hun reagerede overhovedet ikke, så det var altså ikke sikkert.

"James mener, at din mor så ham og Stephanie Gundersen sammen inde i byen. Han kaldte det for et tilfælde, men det tror jeg ikke på. Godt nok spiller tilfældet ganske ofte ind ved forbrydelser, men jeg tror snarere, at det var dig, der så James sammen med Stephanie ved Denises skole, og så fortalte du din mor om det. Jeg tænker, at så fulgte din mor efter dem og blev set af James, og ved du, hvorfor jeg tror, at det meste af alt det her udspringer fra dig? Det gør jeg, fordi du skændtes med Stephanie om hendes omgang med mænd til den skole-hjem-samtale. Jeg tror, at den sag handler om en såret, sindssygt frustreret og på en mærkelig måde også jaloux kvinde, der pludselig så sin datters smukke lærer sammen med sin eksmand. Du hadede i forvejen Stephanie Gundersen, fordi Denise var så vild med hende, og som jeg ser det, så blev du nu helt desperat, kan du følge mig i det, Birgit? Du følte ikke alene al din vrede og jalousi fra gamle dage bryde op igen. Du så også en eksmand og en velanskreven lærer, der så let som ingenting kunne stjæle din datter fra dig, og *det* ville du ikke risikere."

Nu famlede hun efter sine cigaretter på bordet, men Assad kom hende i forkøbet og tog dem op og bød hende en, tændte den sågar for hende. Smart træk.

"Vi er kede af at skulle chokere dig på den her måde, Birgit," fulgte

Assad op. "Det må være rystende at høre, at din eksmand pludselig har banet sig vej ind i dit liv igen. Han tog faktisk ind for at besøge dig her i lejligheden i går. Han så dig på gaden, men du var så fuld, at han ikke havde lyst til at snakke med dig."

Assad holdt inde, og begge granskede Birgits reaktion. På et eller andet tidspunkt måtte hun vel begynde at tale, men hun støttede bare albuen i hånden, stak smøgen i munden og trak røgen roligt ned i lungerne.

"Vil du høre min version af alt det her?" spurgte Carl.

Ingen reaktion.

"James ventede tit på Stephanie uden for skolen. Han stod ovre ved søerne bag træerne og holdt øje med udgangen. Så kunne han selv vælge, hvem han ville ses af. Hvad han ikke vidste, var, at du også indimellem gik den vej, hvis du havde lyst til at hente Denise i skolen. Du kom fra Borgergade, og somme tider gik du ad Dag Hammarskjölds Allé og videre ad det lille stykke langs søen for så at vente på Denise nøjagtig på det sted, hvor James stod. Og Stephanie Gundersen kom ud fra skolen, og de to kyssede hinanden ømt, mens du chokeret så på og i vildt oprør gemte dig bag træerne. Din eksmand var pludselig tilbage i Danmark, og han var i sandhed kommet for tæt på, er vi enige om det?"

Så skete det usandsynlige endelig. Birgit Kirschmeyer nikkede lige så stille.

"Jeg kan fortælle dig, Birgit, at James var helt sikker på, at det var din mor, der slog Stephanie ihjel. Det var måden, det skete på, tror jeg. Din far pralede jo med, hvad et kølleslag mod en nakke kunne gøre af skade, tror du ikke også, din mor vidste det?"

Hun vendte hovedet bort. Vibrerede hendes læber? Hvis de gjorde det, så var de på rette spor.

Så vendte hun ansigtet direkte mod dem. Der var tårer i øjnene, og læberne vibrerede faktisk svagt. Så var det nu!

"James fortalte os tidligere i dag, at det var ham, der dræbte din mor. Det var en hævnaktion for hendes drab på Stephanie, simpelthen. Men ved du, hvad jeg tror, Birgit?"

Hendes ansigt trak sig sammen. Så havde han ret.

"Det var den forkerte person, han slog ihjel, er vi ikke enige om det?"

Det så ud, som om noget detonerede i hende med det spørgsmål. Det kunne være afmagt, men også lettelse. Det kunne være vrede, men også en eller anden form for glæde. Carl og Assad så på hinanden, og så ventede de. Ventede, til hun havde fået tørret snottet af hagen og igen kunne rette sig op og se direkte på dem.

"Du troede faktisk, at det var Denise, der havde slået din mor ihjel, ikke, Birgit? Men hvorfor troede du det?"

Hun tøvede et øjeblik, før hun svarede. "Fordi min mor og Denise igen havde været oppe at skændes noget så forfærdeligt den dag. De hadede hinanden, selv om de som regel styrede sig. Men den dag ville mor ikke give os pengene til huslejen, som hun plejede, og det gjorde Denise rasende. Da de så fandt mor, og hun ikke havde pengene på sig, så tænkte jeg, at det var Denise, der havde taget dem. Blandt andet fordi jeg så Denise gå ud ad hoveddøren med en flaske i hånden, bare et par minutter før mor gik. Det var sådan en tung Lambrusco-flaske, og tro mig, det var ikke kun min mor, som min far fik underholdt med, hvad man kunne gøre med sådan en. Vi fik alle sammen den tur, når vi var gamle nok, også jeg og Denise. Min far var bindegal, ja, han var."

Carl rynkede panden. Var James kommet bare et par minutter tidligere til lejligheden i Borgergade, så havde han set sin datter forlade den, og så var meget helt sikkert faldet anderledes ud. Han havde henvendt sig til hende, Rigmor var måske ikke blevet myrdet, og den gamle sag med Stephanie Gundersen var aldrig trukket frem i dagens lys.

"Tak, Birgit," sagde Carl.

På en måde så hun lettet ud, men samtidig virkede det også, som om hun nu syntes, at alt hermed var fortalt. Som om hun mente, at der ikke var grund til, at de skulle fortsætte deres samtale. Hun virkede måske lidt for sikker.

"Din far døde dagen efter Stephanie, Birgit. Han druknede på en halv meter vand, og sådan som vi vurderer hans karakter, så virker det helt usandsynligt, at han skulle have taget sig selv af dage. En mand, der med snuhed undslap de værste anklager, man kan komme ud for. En mand, der havde et overlevelsesinstinkt, som var stærkt nok til, at han fik viklet sig ud af bødlens reb. Skal vi ikke blive enige om, at han om nogen havde gjort sig selv til ekspert i at holde fast i livet?"

Nu tog hun en cigaret mere, og denne gang tændte Assad ikke for hende.

"Jeg kender den type," sagde Assad. "De svin findes i alle krige til alle tider."

Carl nikkede. "Ja, det er rigtigt. Men det er også rigtigt, at sådan en mand som din far altid kommer til at blotte sig, når de føler sig i sikkerhed. Det var dumt af ham, at han ikke lod fortiden fare. At han stadig skulle prale med sin ondskab og udspekulerethed så mange år efter. Og at han lærte sin egen familie, hvordan ondskaben kunne bruges til hver en tid med alle forhåndenværende midler, var nærmest utilgiveligt."

Hun nikkede. Hun var enig.

"Din mor passede på din far, og jeg tror, at de havde en overenskomst, og den hed diskretion. For din mor vidste jo, at hvis han blottede sig uden for hjemmet, så var de fortabt. *Ingen* måtte vide, hvem han var, for det kunne koste jer alt. Forretningen, jeres gode liv, alting."

Carl nikkede mod hendes Prince-pakke, og hun nikkede tilbage. Sådan havde han det altid, når et arbejde var ved at være færdigt. Så kom nikotinhungeren.

"Jeg er sikker på, at din mor ofrede din far for din skyld, Birgit. Han var blevet gammel. Han var besværlig at passe og være sammen med. Han havde udlevet sin mission, som var at forsørge en hel familie, og nu var det i stedet blevet din mors tur. Måske fik han på åben gade bralret op om, hvem der havde nakket Stephanie, og så tog din mor en hurtig beslutning og skubbede ham i søen. Har jeg ret?"

Birgit sukkede dybt. Mere var der vel heller ikke at sige om det.

"Det var ikke din mor, der slog Stephanie Gundersen ihjel, vel, Birgit? Det var ikke din mor, som din far pralede med, det var dig, var det ikke? For din far var pavestolt. Stolt af sin datter, der udviste så stor handlekraft og fik tilintetgjort den person, der forpestede hendes liv."

Hun så væk og sad længe uden at sige hverken for eller imod. Så drejede hun langsomt hovedet imod dem og løftede det, som om det var med stolthed, at hun ville komme med den sidste bemærkning i den sag.

"Hvordan har James det så?" spurgte hun i stedet ret så overraskende.

Carl lænede sig frem mod askebægeret og slog asken af cigaretten. "Han er døende, Birgit. Det var en døende mand, der ikke kunne se verden fortsætte med en kvinde som din mor i den."

Hun nikkede.

"Når I har fundet Denise, så skriver jeg under på min tilståelse, og ikke et øjeblik før," sagde hun så.

50

Mandag den 30. maj 2016

DA ANNELI RUNDEDE hjørnet til Webersgade, fik hun sig en grim over-raskelse, for der var ikke én eneste ledig parkeringsplads foran byggefor-eningshusene. Hvad pokker blev der sendt i fjernsynet, siden alle havde valgt en hjemmeaften, og så på samme tid? Det var ikke alene en sort streg i regningen, det var nærmest fatalt.

'Jeg kan ikke holde på gaden i anden position, slæbe Denise ud over både fortov og cykelsti og så videre mellem to parkerede biler, det er alt for risikabelt,' tænkte hun, mens bilen kørte i tomgang for enden af gaden.

Derfor tog hun chancen og kørte bilen ind på cykelstien, før parke-ringspladserne begyndte, og vurderede så passagen ned til sit eget hus.

'Godt, man ikke har en bredere bil,' tænkte hun og kørte videre med det ene hjulsæt på cykelstien og det andet på fortovet. Det var en risika-bel manøvre, men lykkedes det hende at komme helt frem, så ville hun kunne parkere bare en meter fra sin egen hoveddør.

'Please, naboer, lad være med at brokke jer,' tænkte hun og trillede stille dernedad. Holdt de sig inden døre, så behøvede hun kun at frygte, at en patruljevogn passerede forbi. Hun smilede et sekund skævt ved tanken. Patruljevogne i København? Dem var der sandelig ikke mange tilbage af i disse permanente sparetider.

Hun parkerede, som hun havde tænkt sig, helt tæt på hoveddøren, og lukkede sig ind i opgangen. Mærkeligt nok skulle hun lige overvinde sig, før hun trådte ind i maskinmesterens stue, hvor Denises lig lå skråt op ad reolen til højre for døren.

Nu var der gået flere timer, siden hun slog hende ihjel, og et enkelt blik på liget var nok til at aktivere Annelis uro.

Dødsstivheden var allerede sat ind.

Med en anelse ubehag trak hun liget lidt ud fra reolen og fik det bekræftet. Denises hoved var tiltet til siden, og halsen var drejet bagover i en fikseret position, man bestemt ikke kunne kalde normal. Anneli tog med fingerspidserne om hovedet og prøvede at rokke det på plads, men trods væmmelige, knasende lyde fra de stivnede muskler og rygsøjlen lykkedes det ikke. Med en dyb indånding tog hun fat under ligets arme og konstaterede overrasket, at selv skuldrene var ved at blive hårde. Med lidt besvær fik hun først lyddæmperen og så revolveren trykket ind i Denises hånd og forsigtigt pressede pegefingeren mod aftrækkeren. Så var fingeraftrykkene sat.

'Jeg må se at komme af med hende, før hele kroppen er stiv som en pind, ellers får jeg hende hverken ind eller ud af bilen,' tænkte hun.

Til hendes forundring var det et trist syn at se den ellers så spændstige og levende pige ligge dér og se så akavet ud.

'Det syn ville hun ikke have brudt sig om,' slog en absurd tanke ned i hende. Det var næsten lige til at grine ad.

Selv om klokken efterhånden var blevet halv elleve om aftenen, var der stadig næsten lige så lyst som midt på dagen, men sådan var årstiden jo på disse breddegrader.

Betød det så, at hun burde vente, til det blev nogenlunde mørkt? I så fald blev det langt over midnat, og kroppen ville være helt stivnet.

Nej, det kunne bare ikke vente.

Anneli trak liget ud fra maskiningeniørens rodebutik af en dagligstue og skubbede det op ad væggen inden for gadedøren, så hun kunne få det bugseret ud til bilen i en fart.

På den tid af døgnet var Webersgade stadig ret pænt trafikeret, men kom der ikke pansere forbi, så skulle det nok gå. Hun måtte bare

446

holde øje med cyklister og fodgængere, og når der var det mindste ophold i den trafik, så ville hun slæbe liget ud til Kaen og skubbe det på plads.

Anneli satte sin gadedør på klem, og der bag dørsprækken så hun, hvordan folk stadig oksede frem og tilbage på deres cykler. Hvorfor pokker cyklede man på den tid af døgnet? Kunne folk da ikke bare blive hjemme?

Der lød en munter latter nede fra hjørnet ved Øster Farimagsgade, og et par veninder dukkede op og styrede direkte mod Annelis hus. Den ene trak sin cykel, mens den anden gik ved siden af og underholdt hende, og de havde ikke særlig travlt.

'Dumme kællinger,' tænkte hun. Nu sigtede de knevrende tøser jo direkte mod hendes bil.

'Så se jer for,' tænkte hun. Kunne de dog ikke bare krydse over til fortovet på den anden side?

Hun trak døren i, da pigen på gåben knaldede sit knæ direkte ind i Kaens bagageklap.

"Av, for helvede, hvad er det for en idiot, der har parkeret sin bil på fortovet?" råbte hun og bankede knytnæven adskillige gange ned i bilens tag, mens hun gik rundt om den.

Anneli stod pacificeret med sammenpressede læber og så på, hvordan bulerne i taget nu stod på rad og række.

'Forbandede tøs!' Hun skulle bare vide, hvad hun kunne gøre ved sådan nogle som hende.

Imens bandede pigerne som et par havnearbejdere og så sig flere gange over skulderen med fuckfingeren fremme. Det var først, da de nåede til Fredensbro, at Anneli turde tage et greb om Denises brystkasse og trække hende ud til bildøren.

Da hun ville skubbe liget ind, var overkroppen allerede frosset fast i stillingen, så hun måtte trække passagersædet helt tilbage og tvinge kroppen nedad med alle sine kræfter, for at ligets venstre arm kunne komme med ind gennem døråbningen.

Derfor lå liget på det nærmeste hen over gearstangen, da Anneli smækkede passagerdøren og satte sig ind på førersædet.

Det var klart, at med den akavede stilling, som liget lå i, så ville enhver forbipasserende reagere ved synet.

Fik nogen derfor øje på det her, så var det bare med at presse sømmet i bund.

Hun maste lidt med den fikserede arm og skubbede samtidig på kroppen, så den kom op i nogenlunde lodret stilling.

Hun betragtede resultatet indgående. Bortset fra de nærmest sammenfiltrede ben, Denises åbne øjne og halsens og hovedets noget unaturlige vinkel, så virkede det egentlig nogenlunde normalt.

Anneli hoppede ud af vognen og åbnede passagerdøren, så hun kunne få sat selen ordentligt rundt om liget, men heller ikke det var helt ukompliceret.

Da det faldt i hak, konstaterede hun, at en ung fyr stod og betragtede optrinnet ovre fra det modsatte fortov.

Et øjeblik stod de begge som tavse saltstøtter og så på hinanden.

'Hvad gør jeg?' tænkte hun. 'Han har set mig bakse med liget!'

Hun nikkede for sig selv, tog en beslutning og turen rundt om bilen i et par skridt og smilede stort til ham.

"Er hun okay?" råbte han så.

Hun nikkede tilbage. "Men hun undgår vist ikke en udpumpning," grinede Anneli, mens pulsen dansede fandango.

Han gengældte smilet. "Så er det da godt, at Rigshospitalet ligger lige om hjørnet," råbte han og fortsatte så hen ad fortovet.

Anneli tog sig til ansigtet og tørrede fugten af kinderne. Så satte hun sig ind og så ned langs husrækken. Hvis hun skulle ud fra fortovet og cykelstien og videre ud på kørebanen, så måtte hun køre godt hundrede meter helt op ad folks gadedøre.

'Hvis nogen pludselig åbner døren, så går de direkte ud foran bilen,' tænkte hun vel vidende, hvilken skade det kunne gøre.

Hun listede vognen fremad i første gear langs husnumrene og så

448

for første gang nogensinde et parkering forbudt-skilt, der stod imellem cykelsti og fortov lige nøjagtig der, hvor parkeringspladserne hørte op. Kunne hun tvinge bilen igennem åbningen, så var hun tilbage på kørebanen.

Hun nåede frem til parkeringsautomaten femogtyve meter fra åbningen, da en politibil på gaden dyttede ad hende.

Anneli stoppede ud for huset med den lyseblå dør og rullede vinduet ned. Af al magt prøvede hun at bevare roen i det uheldsvangre blå, blinkende skær fra patruljevognens tag.

"Jeg ved det godt – og undskyld!" råbte hun. "Men jeg skal aflevere min svigermor i det næste hus. Hun er meget, meget dårligt gående."

Betjenten på passagersædet skulle lige til at stige ud af bilen, men blev så hevet i skulderen af sin makker. De udvekslede et par ord, og så nikkede betjenten ud ad vinduet.

"Den dér går ikke en anden gang, lille frue, men se nu at få det overstået og komme væk, før en af kollegerne kommer."

Anneli så efter patruljevognen, til den forsvandt, og puffede så lidt til liget for at sikre sig, at det nu sad i selen, som det skulle. Så løftede hun foden fra koblingen.

DA HUN ENDELIG nåede Lyngbyvejen, åndede hun lettet op. Nu var det bare om at køre op ad Bernstorffsvej og helt frem til Bernstorffsparken, så var målet nået. På den tid af dagen var hundelufterne med garanti gået i hi og parkeringsarealerne langs parken sjældent overbelastede. Selvfølgelig var Denise ikke nogen letvægter at slæbe rundt på, men hvis hun nu kørte rundt om søjlen i rundkørslen på Femvejen, så vendte bilens snude den rigtige vej, og døren i passagersiden ville åbne ud mod parken. Liget skulle så bare slæbes ind over cykelsti og fortov og ind på stien.

Derefter ville hun kunne foretage sin manøvre ad to omgange. Først trække liget ind i den nærmeste busk og så vente, til hun havde fået pusten. Var der så fri bane, ville hun slæbe det videre til det næste buskads, og når hun var kommet tilstrækkelig langt væk fra vejen, ville hun dumpe det sammen med revolveren i det tætteste krat, hun kunne finde. Selvfølgelig ville en hund efter al sandsynlighed snuse sig frem til liget allerede i morgen tidlig, men så måtte det ske. Det skulle bare ikke være sådan, at et elskovshungrende par eller en tosset motionsløber rendte ind i det, før Anneli var nået helt tilbage til byen, havde rengjort bilen, smidt sit fodtøj i en container og pakket sig under dynerne.

Lige nu var der kun et par lyskryds tilbage, så var hun der. Hun lo ved tanken om, hvor godt det egentlig gik.

"Nu skal tante Anneli tage dig på en lille tur i parken, Denise, er du ikke glad?" sagde hun og klappede liget solidt på skulderen, men det burde hun ikke have gjort. For modsat alle tyngdekraftens love faldt liget tungt tilbage mod hende med det resultat, at Denises hoved kom til at læne sig mod hendes bryst med fåret stirrende øjne.

Anneli prøvede at presse kroppen tilbage, alt det hun kunne med sin frie hånd, men liget sad ligesom fast i stillingen.

Da hun ville gøre et sidste forsøg og endnu en gang jog sin arm hårdt mod ligets skulder, opdagede hun, at det var selen, der sad forkert.

Anneli drejede sig lidt til siden, så hun kunne løsne selens spænde og få liget bragt på plads. Da det endelig lykkedes, var hun på vej over krydset ved Kildegårdsvej med halvfjerds kilometer i timen og for rødt lys.

Alt for sent hørte hun den anden bils hvinende bremser og så den sorte skygge, der smeltede ind i siden på Kaens køler med et overjordisk, metallisk brag. Glasset splintrede til alle sider, og lugten af den ultimative katastrofe tog fat, mens de sammenfiltrede karosserier cirklede rundt som par i dans. Et øjeblik sortnede det fuldstændig for Anneli, da hendes airbag knaldede mod kroppen, og sikkerhedsselen trykkede ribbenene sammen og pressede luften ud af lungerne. Hun hørte hvæsen og syden fra bilen, der var kørt ind i hendes, og fattede først dér, hvilke enorme problemer hun pludselig var ude i.

Anneli så instinktivt til siden og opdagede til sin forfærdelse, at airbaggen på passagersædet var punkteret, og at Denises lig ikke længere sad på sin plads ved siden af hende.

I panik skubbede hun sig fri, løsnede selen og trykkede døren op mod en stank af benzin, brændt gummi og olie.

Hun trådte direkte ud på fortovet, for begge biler var snurret en halv omgang rundt og stod nu nærmest klinet til husmuren.

Anneli så sig forvirret omkring.

'Jeg er på Bernstorffsvej,' huskede hun. Lige nu lå den øde hen, men der var aktivitet i etageejendommene oppe over dem, og vinduer blev slået op.

Der lød flere bekymrede stemmer deroppefra, mens Anneli per refleks kantede sig langs husmuren og passerede den massakrerede sorte Golf, som havde ramt hende. Chaufføren, en ganske ung mand, sad stadig i spænd bag den hvide airbag. Han havde lukkede øjne, men han bevægede sig gud ske lov en smule.

Anneli kunne ikke gøre noget. Hun skulle bare væk.

Da hun rundede hjørnet til Hellerupvej med lærredstasken over skulderen og så sig tilbage, kunne hun lige akkurat skimte konturerne af Denises lig, der som en overkørt hund lå på skrå ind over den sorte bils køler.

51

Mandag den 30. maj 2016

CARL VAR TRÆT, men havde det godt med sig selv. Den lange dag havde virkelig givet resultat, og tre sager var blevet løst, så en yderst sjælden følelse af, at man alligevel havde et okay job, blandede sig med uroen og bekymringen for Rose. Formentlig havde Assad det på samme måde, men reaktionen havde et lidt andet udtryk, for lige nu lå han i hvert fald og snorkede som en hvalros på briksen inde i sit kosteskab af et kontor.

"Hvad siger du, Gordon? Tre sager på én dag! Det er bare godt teamwork." Han lagde Assads notater foran Gordon, da fyren kridhvid i hovedet satte sig på den anden side af Carls skrivebord.

"Ja, det er fantastisk, Carl."

Han så nu ikke ud, som om det for alvor fik ham op i det røde felt, men det var vel også på tide at bryde op og få noget søvn og så komme op på hesten igen i morgen tidlig. Så længe de ikke havde fundet Rose, kunne ingen af dem hvile på laurbærrene.

"Fortæl, hvad du har arbejdet med her til aften. Er der nogen spor, vi kan gå efter?"

Han så ikke stolt ud ved at skulle svare på det. "Måske, ja. Jeg fik en fyr fra it-afdelingen til at hacke sig ind på Roses private mailadresse."

"Øh, okay." Carl vidste ikke rigtig, om han havde lyst til at høre detaljer. Sådan noget ville klagenævnet i hvert fald ikke se mildt på, hvis det kom for dagens lys.

"Bare rolig, Carl. Det kostede mig en tusse, han siger ikke noget."

Nu var det næsten endnu værre.

"Ikke flere enkeltheder, Gordon, tak! Og hvad fandt du så i hendes mails?"

"Jeg ville ønske, du ikke havde sat mig til det, Carl. Jeg kan slet ikke have det i mig, at du ved det."

Det lød ikke godt. "Nu gør du mig bekymret, Gordon. Hvad er det, du har fundet ud af?"

"At jeg slet ikke kender den Rose, som ..."

"Som hvad, Gordon?"

"Er du klar over, hvor mange mailadresser der er på forskellige mænd? Hvor mange mails hun har udvekslet med dem? Og hvor mange af dem hun har aftalt at komme ud til, så de kunne have sex sammen? Hun skriver det ligeud, Carl." Han rystede på hovedet. "Bare i den tid, jeg har kendt hende, så har hun ..." Han kunne næsten ikke få det over sine læber, det var tydeligt. "... Så har hun haft sex med mindst hundrede og halvtreds mænd, så vidt jeg kan regne ud."

Carl vidste ikke, hvad han skulle tænke. Måske var han en smule imponeret over aktivitetsniveauet, men hvordan hun kunne finde tid til det, var ham en gåde. Han så på Gordon, der sad og bed sig i kinden for ikke at blive overmandet af sine følelser.

"Jeg er ked af, at jeg skal spørge dig, men har du en fornemmelse af, om der er nogen af de personer, hun kan have knyttet sig nærmere til?"

Han vrængede på næsen. "Et par stykker, ja. Hvis du altså mener, om hun kneppede med dem mere end en gang?"

"Jeg ved ikke, hvad jeg mener. Nogen, hun vendte tilbage til af den ene eller anden grund."

"Ja, der var et par stykker, fire, for at være præcis, og jeg ringede til dem alle fire."

"Godt så, Gordon."

"De blev godt nok chokerede. Jeg tror, jeg forstyrrede hjemmehyggen med familien foran tv-skærmen for et par af dem. De var hurtigt ude i køkkenet eller et andet sted, da jeg spurgte dem ud, men de turde ikke andet, da jeg præsenterede mig som kriminalefterforsker." Han smilede et sekund over sin letsindighed, før tungsindet vendte tilbage. "Hun var ikke hos nogen af dem, og tre af dem sagde 'og gud ske lov for det!' De sagde, at hun var en maniac, når det kom til sex. At hun behandlede dem som slaver og var så dominerende og hårdhændet, at det tog dem flere dage at komme sig."

"Og den fjerde?"

"Han kunne slet ikke huske hende. 'Fandeme nej,' sagde han. Han havde sgu haft så mange kællinger, at der skulle en fandens stor computer til at holde styr på dem."

Carl sukkede. Den form for desillusionering, han lige nu var vidne til, skar ham i hjertet. Der sad den mand, som elskede Rose så højt, og som nu med ét følte sig sparket ud over klippekanten. For hver sætning måtte han gøre et ophold og klemme læberne sammen, så han ikke mistede kontrollen over sine følelser. Det var helt afgjort, at han ikke havde været den rigtige at sætte til det job, men det var for sent nu.

"Jeg er ked af det, Gordon. Vi ved jo, hvad du føler for Rose, så det her må have været hårdt. Men nu ved du, hvilket kaos der i årevis har været i hovedet på hende, og jeg er sikker på, at det her har hun kun bragt sig ud i for at kunne glemme."

Gordon så bitter ud. "Jeg synes, at det er en fandens måde at gøre det på. Hun kunne jo da FOR HELVEDE BARE HAVE SNAKKET MED OS, KUNNE HUN IKKE?" hidsede han sig op.

Carl sank en klump. "Måske, Gordon. Måske kunne hun med dig, men ikke med Assad og mig."

Fyrtårnets øjenbryn stillede sig på skrå, han kunne ikke længere holde tårerne tilbage. "Hvorfor siger du det, Carl?"

"Fordi sådan nogle som Assad og jeg er for farlige, Gordon. Vi borer i ting, når vi først får mistanke om et eller andet, og det ved Rose bedre end nogen anden. Men med dig er det noget andet, for du og Rose er ikke bare kolleger, I har et andet forhold til hinanden. Til dig kan hun betro sig, og *hvis* hun nu havde gjort det, så havde du lyttet til hende og trøstet hende. Og måske havde det virkelig kunnet hjælpe hende. Det tror jeg faktisk, du kan have ret i."

Han tørrede øjnene og blev skarpere i blikket. "Jeg kan se på dig, at du skjuler noget for mig om Rose, Carl, hvad er det?"

"Det ved du jo godt inderst inde, ikke, Gordon? For det går jo mere og mere op for en, at der er en overvejende sandsynlighed for, at Rose dræbte sin far. Om det var bevidst eller ubevidst, direkte eller indirekte, det ved jeg ikke, men helt uskyldig kan hun nok ikke være."

"Hvad har du så tænkt dig at gøre ved det?"

"Gøre ved det? Afdække sandheden og hjælpe hende videre, er det ikke det, vi skal? Give hende en chance for at kunne leve et bedre liv, tror jeg."

"Mener du det?"

"Ja."

"Og Assad?"

"Det samme."

Et lille smil satte sig i hans mørke ansigt. "Vi skal finde hende, Carl."

"Så du tror heller ikke, at hun er død?"

"Nej." Hans læber skælvede. "Det kan jeg bare ikke."

Carl nikkede. "Er der nogen af de andre et hundrede seksogfyrre mænd, der kunne huske hende, tror du?"

Han sukkede. "Jeg gjorde mig den samme tanke, da jeg havde talt med de fire, jeg syntes stak mest ud. Men jeg vidste slet ikke, hvor jeg skulle begynde, så jeg tog dem bare fra en ende af og fik fat i næsten alle sammen. En i minuttet, tror jeg. Jeg sagde bare: 'Det er kriminalpolitiet, vi har fået kendskab til, at en eftersøgt person, Rose Knudsen, kan have søgt ophold hos Dem. Er det korrekt?'"

"De kunne jo lyve, når de svarede."

"Fandeme nej. Ikke en af dem virkede vakse nok til at kunne skjule det for mig. Det er måske også det, der har såret mig mest. Bortset fra de tre første mænd så virkede de alle sammen, som om de havde sømmet deres hjerne fast på pikken. De var snotdumme, siger jeg dig, Carl. De kunne ikke lyve for mig."

"Okay." Carl var målløs. Den form for selvsikkerhed havde han ikke haft på så tæt hold, siden han som sekstenårig så sig selv i spejlet og opdagede, at han havde fået bakkenbarter.

"Var der nogen svenske kontakter blandt hendes mails?"

"Ikke en eneste. Og heller ikke nogle udpræget svenske navne, for den sags skyld."

"Hvad med mere normale mails? Bestillinger af hotelværelser, kontakter til søstrene og moren og til Rigmor Kirschmeyer, for at nævne noget i flæng."

"Ikke noget, der førte nogen vegne. De få mails, hun skrev til Rigmor Kirschmeyer, handlede om ingenting. Om en madopskrift, som Rose ville have, eller måske den modsatte vej, om Rose vidste noget om dit eller dat. Om hun ville opbevare en nøgle for Rigmor, ja, der var meget om nøgler i det hele taget, Rigmor Kirschmeyer var åbenbart håbløs med sådan noget. Og så om de nyeste biograffilm, om ejerforeningen i Sandalsparken, om hun kom med til generalforsamlingen, og om de så skulle følges ad og sådan noget. Intet, der fører nogen vegne. Ikke engang Kirschmeyers småbrokkerier over datteren og barnebarnet og de bekymringer, de gav hende."

Carl klappede ham på skulderen. Manden var ædt op af jalousi og sorg, men nu var det på en måde også anden gang på ingen tid, at han måtte vinke farvel til den, han elskede.

CARL VAR LIGE kommet ind ad døren i Rønneholtparken, da Morten stormede ham i møde.

"Jeg har prøvet at ringe til dig hele aftenen, Carl, har du overhovedet ladet din mobil op?"

Carl hev den op af lommen. Død som en sild.

"Gider du ikke lige sætte den til opladning? Det er altså irriterende,

456

at vi ikke kan få fat på dig. Her til aften har Hardy haft det rigtig skidt, at du ved det."

Åh nej, hvad nu? Carl trak vejret dybt, han orkede næsten ikke flere dårlige nyheder.

"Han klagede over voldsomme smerter i sin venstre arm og lidt hen over brystet i venstre side. Som elektriske stød, sagde han. Jeg måtte ringe efter Mika, siden jeg ikke kunne få fat på dig. Jeg var jo bange for, at han var ved at få et hjerteanfald, så hvad skulle jeg gøre?" Han trak demonstrativt Carls mobil ud af hans hånd og koblede den til opladeren i entreen.

"Hvad pokker laver I to så sent?" prøvede Carl at spøge lidt, da han trådte ind i stuen. Det var tydeligt, at Mika havde gjort alt for, at stemningen skulle være beroligende. Bortset fra, at der ikke var fløjlstapeter på væggene, så kunne det lige så godt være en pakistansk restaurant på Bayswater Road i London. Røgelsespinde, stearinlys og såkaldt verdensmusik med sitarer og panfløjter en masse.

"Hvad er der galt, Mika?" spurgte han den hvidklædte atlet, mens han lidt nervøst betragtede Hardys sovende hoved, der lige akkurat poppede op over dynekanten.

"Hardy var ved at få et angstanfald her til aften, og det forstår man godt," sagde han. "Jeg er sikker på, at Hardy denne gang har mærket rigtige smerter i sin krop, og ikke bare fantomsmerter. Og så har jeg set ham i søvne bevæge sit skulderparti en lille smule, som om han ville lindre det mod trykket fra underlaget. Prøv også at se her."

Carl så tavst til, da Mika lettede lidt på dynen. Små bevægelser som tics ved et øje sitrede på den sovende mands venstre skulder.

"Hvad tror du, der sker her, Mika?" spurgte han alvorligt.

"Der sker det, at jeg i morgen sætter mig i forbindelse med et par dygtige neurologer, som jeg har mødt på et kursus. Hardy er formentlig ved at få følelsen tilbage i visse sekundære, meget små muskelgrupper. Ligesom dig forstår jeg det heller ikke, for i princippet skulle det ikke kunne lade sig gøre med den diagnose, han fik i sin tid. Jeg måtte give ham en ordentlig dosis smertestillende piller, før han faldt til ro. Nu har han sovet tungt i en times tid."

Det var næsten for meget for Carl.

"Tror du ...?"

"Jeg tror ingenting, Carl. Jeg ved bare, at det er ekstremt voldsomt og udmattende for Hardy pludselig at have kontakt til dele af sin krop, som har været døde for ham i ni år."

"Jeg tændte din telefon, og nu ringer den, Carl," kom det ude fra Morten i køkkenet.

Ringede mobilen på den her tid? Hvad fanden ragede det ham?

"Der står Lars Bjørn på displayet," fortsatte Morten.

Carl så på sin ven i sengen, hvor var det dog gribende at se ham med ansigtet fortrukket i smerte selv i søvne.

"Ja," sagde han bare, da han smækkede mobilen til øret.

"Hvor er du nu, Carl?" spurgte Lars Bjørn kort.

"Hjemme. Hvor ellers på den tid af døgnet?"

"Jeg fangede Assad inde på Gården, han står lige nu ved siden af mig."

"Okay, så har han måske fortalt dig om vores gennembrud i dag, hvor ærgerligt. Det ville jeg ellers selv ha..."

"Hvilke gennembrud? Vi står ude på Bernstorffsvej i Hellerupvej-krydset og ser på en vis Denise Kirschmeyer, som hele Danmark ellers leder efter. Hun ligger hen over køleren på en sort Golf og er ualmindeligt meget død. Tror du, jeg kan formå dig til at liste herud i en gevaldig fart?"

DER VAR MEGET blåt blinkende lys i det lyskryds, og det havde der været i nogle timer, så vidt han blev orienteret af betjenten, der lod ham dykke ind under politiafspærringen.

"Hvad er der sket her?" spurgte han, da han fik øje på gruppen, der stod ved bilvragene og så på teknikerne, som knoklede alle vegne. Det var Terje Ploug, Lars Bjørn, Bente Hansen, og ved siden af dem stod Assad. Mere kompetente kolleger fandt man ikke på én gang.

458

"Og føreren af Golfen?"

"Han er indlagt med chok på Gentofte Sygehus."

"Okay. Hvad har du sagt til de andre om Birgit Kirschmeyer og James Frank?"

Han så lidt overrasket ud over spørgsmålet.

"Ingenting, Carl. Absolut ingenting. Haster det da?"

DE FIK SOVET et par timer i hver sin stol på Politigården, før Lars Bjørn kaldte dem op til sig. Også han var helt klart i søvnunderskud, men hvem bekymrede sig om blå rande under øjnene, og at klokken kun var nul fem femogfyrre på det her stadie, hvor en sag var ved at blive løst, og andre stod i kø?

"Tag en kop kaffe," sagde han forbavsende venligt og pegede på en termokande, hvor halvdelen af indholdet sad på ydersiden.

De betakkede sig begge to.

"Kom så med det, jeg kan jo se det på jer," sagde han forventningsfuldt.

Carl smilede skævt. "Så vil jeg ikke have nogen skideballe for at have blandet mig."

"Det kommer da an på, hvor langt I er nået."

Carl og Assad så på hinanden. Så fik de i hvert fald ingen skideballe denne gang.

De tog sig god tid med deres forklaringer, og Bjørn sagde ikke et ord. Kun på hans kropssprog kunne man se, hvor vildt det her egentlig var. Hvem havde måske nogensinde set ham sidde med vidt opspilede øjne og åben mund, så savlet var ved at dryppe af ham? Han glemte helt kaffen.

"Hvor er det dog sindssygt," kom det tørt, da de var færdige.

Han lod sig falde tungt bagover i læderkontorstolen. "Det er godt politiarbejde, I to. Har I fortalt det til Marcus?" spurgte han.

"Nej, vi ville først orientere dig, Lars," sagde Carl.

Han så næsten helt rørt ud.

"Men I har endnu ikke anholdt Birgit Kirschmeyer og denne James Frank?"

"Nej. Det syntes vi, du skulle have æren af."

Han fik helt julelys i øjnene.

"Okay. Så skal I til gengæld få æren af at anholde Anne-Line Svendsen, så noget for noget, eller rettere to for en, ha ha."

"Ved vi da, hvor hun befinder sig?"

"Nej, det er netop det fine ved det, for så har I stadig lidt at rive i." Sad han virkelig dér og grinede helt åbenlyst?

Så bankede det på døren, og uden at vente på svar dukkede Pasgård op i døråbningen.

"Nå, er I her?" konstaterede han surt, da han opdagede Assad og Carl. "Men okay, det er måske også meget godt, for så kan I jo få at se, hvordan en rigtig politimand kommer i mål."

Det glædede Carl sig sørme til.

"Her, mine herrer! Her har vi så den fulde tilståelse af drabene på Stephanie Gundersen og Rigmor Kirschmeyer. Signeret og det hele. Jeg har siddet og skrevet det hele ud i nat."

Han klaskede en ultratynd rapport på bordet. Højst tre sider i alt.

Lars Bjørn så på den bittelille bunke og nikkede så anerkendende til sin efterforsker. "Udmærket, Pasgård, det må jeg virkelig sige. Og hvem var så drabsmanden, og hvordan faldt du over ham?"

Her virrede Pasgård lidt koket med hovedet. "Joh, man kan sige, at han kom af sig selv, men jeg fik da hurtigt sat tingene ind i deres rette perspektiv og sammenhæng."

"Flot. Og mandens navn?"

"Mogens Iversen. Bosiddende i Næstved i dag, men med nær tilknytning til København."

Han var overhovedet ikke til at skyde igennem.

Carl smilede og erindrede sig selv samme Mogens Iversens blik, da han højt og helligt lovede ikke igen at besvære dem med falske tilståelser. Så smilede han skævt til Bjørn og Assad, der allerede sad og holdt vejret, mens deres ansigter langsomt tonede fra morgenblegt til rødt og over mod det violette.

Da de alle tre på samme tid ikke længere kunne holde masken og detonerede i en latter, som man aldrig før havde hørt på det kontor, så Pasgård godt nok mere end uforstående ud.

52

Mandag den 30. maj 2016

ANNELI GRÆD AF chok og frustration.

Sekunderne, hvor hun vristede sig løs af bilselen og stak af, var slettet af hukommelsen, så nu var der kun synet af den bevidstløse unge mand og Denises livløse krop på kølerhjelmen tilbage.

Hun var halset af sted som aldrig før. Man kunne ikke sige, at hun nogensinde havde været særlig adræt, men hvordan hendes krop pludselig kunne føles *så* tung og slap, var nærmest skræmmende.

'Det er strålebehandlingen,' forsøgte hun at bilde sig selv ind, mens sveden haglede af hende, og halsen brændte.

Hvordan kunne det ske, og hvorledes kunne sådan et enkelt sekunds uopmærksomhed knuse hendes fremtid så fuldstændigt? Det var simpelthen ikke til at fatte. Nu var alle hendes forholdsregler, alle intentioner og visioner gjort til skamme. Som en boomerang var hun blevet ramt af sit eget hovmod, og nu stod hun her på en øde villavej og anede ikke sine levende råd.

'Hvorfor brugte jeg min egen bil til det her?' hånede hun sig selv. 'Hvorfor sørgede jeg ikke for at køre ind til siden og spænde liget ordentligt fast? Hvorfor lod jeg mit temperament løbe af med mig?'

Hun satte sig på en af de grå kasser, der førte hybridnet ind i folks huse, og søgte som en vild efter løsninger, der kunne frelse hende, efter forklaringer, der kunne underbygge handlingsforløbet, efter forholdsregler, der kunne føre til løsninger.

Nu var det et kvarter siden, ulykken var sket, og lyden af politibiler og ambulancer slog op over hustagene, så der var ingen tid at spilde.

HUN FANDT EN ældre, beigefarvet varebil lidt længere oppe mod Lyngbyvej, og den brød hun ind i og fik på mindre end tre minutter startet motoren ved at sætte neglefilen i tændingen. Så var der da nogen af hendes mange og grundige forberedelser, der ikke var spildt.

Ved siden af hende på passagersædet lå lærredstasken med håndgranaten og de mange penge, og det trøstede lidt på turen tilbage til Webersgade.

'Jeg stikker af, når jeg har været inde på hospitalet senere. Jeg får min journal udleveret, og så må behandlingen fortsætte et andet sted i verden.' Det var hendes nødplan nummer et. Først flyve væk, og så et liv fjernt fra alting.

'Varme i kroppen resten af livet,' tænkte hun og smed de uldne trøjer tilbage i skabet, da hun skulle til at pakke. 'Tag det bedste af det bedste af det, du ejer, med dig, og hvis du kommer til at mangle noget, så køber du det, når du er fremme.'

Dette tænkte hun, mens hun pakkede, og helt til det øjeblik, hvor hun gravede sit pas frem af gemmerne og indså, at det var udløbet.

Så mange år uden rejseoplevelser og eventyr hævnede sig dér. Hun kunne bare ikke tage af sted.

Anneli sank sammen i sin sofa og begravede ansigtet i hænderne. Hvad så? Så vidt hun vidste, kunne hun ikke engang komme til Sverige uden pas. Også det havde landets inkapable politikere på en eller anden måde fået fremprovokeret.

'Så må det blive fængsel,' tænkte hun og prøvede at mobilisere sin tidligere ligegyldighed over for den mulighed, uden at det rigtig lykkedes. Somme tider kom virkeligheden til at fremstå i et helt andet lys, når dagen først oprandt.

Men var der overhovedet et alternativ? Hun havde ikke engang pistolen eller revolveren, så hun kunne skyde sig selv.

Anneli rystede på hovedet og kom til at grine over det. Hvor var det hele dog urkomisk.

Så rettede hun sig op.

Pengene kunne hun gemme til senere. Hvis hun i første omgang lagde dem i varebilen sammen med håndgranaten og så bagefter slettede alle spor i lejligheden fra de sidste uger, hvor hun udtænkte disse mord, så ville hun måske kunne slippe godt fra det. Hun kunne melde sin bil stjålet, hvorfor ikke? Og hvis hun nu ventede med at gøre det til lidt op ad morgenstunden, så virkede det måske mere plausibelt. Hun ville kunne sige, at hun var sygemeldt og havde haft det dårligt og havde ligget og blundet siden i går og først havde opdaget tyveriet om morgenen, da hun så ud ad vinduet fra sin stue.

De ville helt sikkert spørge hende, om hun havde et alibi, og så ville hun sige, at hun havde siddet om aftenen og set sin yndlingsfilm for tiende gang, for ligesom at få smerterne på afstand, og så var hun faldet i søvn. At hun havde dvd'en, og at den stadig sad i dvd-afspilleren.

Hun rejste sig og udvalgte med omhu Love Actually og loadede den i afspilleren.

Det var alibiet.

Så så hun sig om. Lagde tøjet tilbage i skabene og satte kufferten væk. Fjernede alle udklip og print, der kunne kobles til flugtbilistulykker og biltyverier, og gik ud til varebilen og lagde dem i varerummet sammen med lærredstasken og håndgranaten.

Derefter skiftede hun tøj og sko, lagde det hele i en sæk og gik for anden gang ud til bilen for at stuve det på plads.

Hvis hun nu kørte af sted så hurtigt som muligt, ville hun have tid til at placere alle de uønskede effekter rundtomkring i byens og forstædernes skraldespande. Og så var det væk.

Endelig var der hendes computer. Den måtte hun også ofre, og selv om hun ville kyle den i en sø, skulle alle data først slettes. Ergo måtte hun en sidste gang gå på nettet og tjekke, hvordan pokker man så gjorde det.

466

Da alt efter en time var ordnet, og der efter Annelis bedste overbevisning ikke var noget tilbage i lejligheden, der kunne afsløre hende, kørte hun af sted.

'Når man spørger mig, om jeg nærer mistanke til nogen, så vil jeg, ligesom jeg også sagde til politiet den sidste gang, de udspurgte mig, i ramme alvor komme med den hypotese, at det var pigerne og formentlig også deres fyre, der ville hænge mig op på det hele,' tænkte hun. Hun ville sige, at hun godt vidste, at de hadede hende, men selvfølgelig ikke, at det var *så* meget.

ANNELI VAR ALLEREDE tilbage i huset klokken femogtyve minutter over to og lå nu i sengen og tænkte, at det fra nu af udelukkende handlede om at være koldblodig og at sikre sig et par timers søvn, så hun kunne stå igennem den kommende dags udfordringer. Hun lagde sin iPad på dynen ved siden af sig og repeterede et par gange for sig selv: 'Nej, min pc er desværre brændt sammen, det er derfor, at jeg nu må tage ind på kontoret en gang imellem for at ajourføre sagsmapper. Ellers må jeg klare mig med den her.'

Anneli stillede sit vækkeur til klokken halv seks, og så ville hun ringe og melde sin bil stjålet og bagefter køre varebilen langt pokker i vold og endelig tage S-toget tilbage til byen.

Derefter ville hun leje en cykel med cykelkurv, så hun kunne tage lærredstasken med håndgranaten og pengene med rundt. På Gasværksvej var der en udlejning, hvor de allerede åbnede klokken ni, og derfra ville hun cykle rundt til alle mulige steder i København og spørge samtlige p-vagter, hun mødte, om de havde set hendes bil. Nogle af dem ville hun stikke en halvtredser og give dem hendes mobilnummer, så de kunne ringe til hende, hvis de så Kaen køre rundt et eller andet sted, og så ville hun sørge for at få et par af deres navne og memorere dem, mens hun cyklede videre.

'Jeg må også huske at ringe til mit arbejde og fortælle dem, at min bil er blevet stjålet, og at jeg først vil komme derind, når jeg har været på

Stråleterapien klokken tretten,' tænkte hun. Mon så ikke politiet sad og ventede på hendes kontor? Det ville være ret så sandsynligt.

Hun smilede ved tanken. Den politimand, der havde sagen, og som udspurgte hende på hendes kontor, var i hvert fald ikke for alvor værd at bekymre sig om.

Fortalte hun det hele rigtigt, ville han labbe det i sig, og ikke mindst den rørende historie om en kræftsyg kone, der havde cyklet hele København rundt for at finde sin elskede og savnede lille bil.

53

Tirsdag den 31. maj 2016

CARL OG ASSAD stod foran Anne-Line Svendsens gadedør i Webersgade med fingeren på dørklokken tyve minutter over seks og ventede på, at nogen skulle komme ned og lukke op.

Nu var det ti minutter siden, de havde fået besked fra Politigården om, at Anne-Line Svendsen havde meldt sin bil stjålet, og at hun desværre ikke kunne give præcise oplysninger om, hvornår det var sket, men at det vel nok var ved otte-nitiden aftenen før, og mere præcist kunne det ikke blive.

Så var spørgsmålet jo bare stadigvæk, om anmeldelsen også var reel.

EFTER AT BJØRN, Assad og han selv havde moret sig tilstrækkelig over Pasgårds flop med den falske tilståelse, havde Pasgård fået revancheret sig ved at erklære, at Anne-Line Svendsen længe havde været i hans søgelys, og at han allerede havde foretaget en afhøring af hende. Og selv om der havde været flere ting, der knyttede hende til de fire døde piger, så virkede det bestemt, som om hun havde rent mel i posen. Det var det udtryk, Pasgård brugte, hvilket var temmelig langt fra den jargon, som politiet ellers kommunikerede med.

Pasgård havde så anbefalet, at man snarere så lidt nærmere på pigen, der angiveligt havde tilknytning til Denise Kirschmeyer og Michelle Hansen. Jazmine Jørgensen, hed hun, og ifølge afhøringerne af Patrick Pettersson havde han set hende sammen med Michelle Hansen og Denise Kirschmeyer både på hospitalet og på Michelles selfie.

Herudover kunne man jo heller ikke udelukke, at Jazmine kunne være den ene af de to piger, der foretog røveriet på diskotek Victoria, som Pasgård sagde. Som han jo meget fornuftigt ville frem til, så manglede der ligesom stadig et hundrede og femogfyrre tusind kroner. Det beløb var der helt sikkert nogen, der gerne ville slå ihjel for, men hvor var de blevet af? Var det alt i alt så ikke logisk, at det først og fremmest var Jazmine Jørgensens tur til at få rettet søgelyset imod sig?

Problemet var imidlertid desværre, at ingen anede, hvor hun var blevet af. De havde ringet til hendes bopæl og truffet en person hjemme, der sagde, at hun var Jazmines mor, og at hun var træt af folk, der spurgte om, hvor Jazmine var, når hun nu ikke anede det. Om de troede, hun var en slags oplysningskontor?

Men okay, indrømmede Pasgård, indtil nu havde de heller ikke ledt særlig intenst, men det ville man da omgående sætte i værk næste morgen, når alle havde været hjemme og fået sig noget søvn. Nu hvor efterlysningen af Denise Kirschmeyer ikke længere var relevant, så kunne de jo passende efterlyse Jazmine Jørgensen i stedet.

"KONEN ER IKKE hjemme, Carl," konstaterede Assad, da de havde stået og gloet på Anne-Line Svendsens gadedør i tilstrækkelig lang tid. "Hun er da godt nok tidligt på færde. Tror du, hun er taget på arbejde?"

Carl rystede på hovedet og så endnu en gang på uret. Hvorfor skulle hun tage på arbejde så tidligt? På et offentligt kontor? Nej, så hellere regne med, at hun rent faktisk var hjemme og ikke ville lukke dem ind. Men hvis de skulle fremskaffe en dommerkendelse til en ransagning af bopælen, så var de jo nok nødt til at vente et par timer, til de offentligt ansatte på dommerkontoret var mødt på arbejde.

Han stod lidt og tyggede på hypoteserne. Hvad skulle hendes bevæggrunde egentlig være for ikke at ville lukke dem ind? Hun havde før vist sig samarbejdsvillig, og siden hun nu havde meldt sin Ka stjålet, så lettede mistanken mod hende jo lidt. Man havde jo rent faktisk ikke kunnet se, hvem der forlod Kaen efter ulykken i aftes. Kun at det var en kvinde.

"Måske har hun slet ikke været hjemme i nat, Carl, trods alt er hun jo en voksen kvinde," sagde Assad. "Hvornår var det, politiet opsøgte hende i går?"

"Før midnat, synes jeg, de sagde."

"De overvågede ikke hendes hus efter det?"

"Næh."

"Jeg tror så slet ikke, hun har været hjemme, siger jeg igen."

Carl trådte baglæns ned på fortovet og prøvede at klare tankerne oven på de få timers nattesøvn.

"Jamen mens vi venter på, at kontorerne åbner, så lad os gå efter hende Jazmine Jørgensen i stedet for. Hvad siger du?"

Assad trak på skuldrene. Han så sig formentlig dybt sovende på passagersædet om cirka to minutter, men det skulle edderrolme blive løgn, om Carl så skulle dreje op på fuld skrue for de evigt plaprende værter på P3.

"Hvad har vi på hende Jazmine?" spurgte Assad helt overraskende vågent, da Carl skulle til at tænde for bilradioen.

"Hvad vi har? Øh, stort set ikke noget, men Anne-Line Svendsens chef gav Pasgård en liste over hendes klienter, den dag han var inde på hendes arbejde for at afhøre hende. Den havde bare ligget og samlet støv på hans kontor, men Lars Bjørn opfordrede ham til omgående at få den scannet og mailet ud til alle de implicerede efterforskere sammen med Michelle Hansens selfie, som it-afdelingen havde fået kaldt frem. Han understregede til Pasgårds store irritation, at han også skulle sende dem til os, så prøv lige at kigge på din mobil."

Det tog ham ikke mange sekunder, før han nikkede og begyndte at scrolle ned gennem dokumentet.

"Der er faktisk to Jazminer på listen, men her er hun," sagde han. "Det eneste, der står angivet, er hendes cpr-nummer, et mobilnummer og adressen, og så er der også en anmærkning om, at mobilnummeret tilhører hendes mor, som hun i øvrigt deler adresse med."

"Hvad venter vi på? Hvor er det?"

"I Sydhavnen, i Borgmester Christiansens Gade, men kan vi ikke bare ringe til hende?"

Carl mønstrede ham. Det var helt klart, at Assad bare ville have det overstået, så han kunne komme tilbage til Politigården og få sig en lur, til dommerkendelsen var klar.

"Nej, Assad! For *hvis* Jazmine befinder sig på den adresse, og *hvis* hun har grund til at undgå politiet, så skal du nok regne med, at hendes mors besked endnu en gang bliver, at hun ikke aner, hvor Jazmine er, og *hvis* Jazmine så er bange for, at vi alligevel skulle finde på at troppe op, så tror jeg, hun vil forføje sig i en gevaldig fart. Så synes du ikke, det var en bedre idé, at vi simpelthen bare ringede på døren?"

"Så kan hun da bare tage bagtrappen, kan hun ikke?"

Carl sukkede. "Jamen så parkerer vi så tæt på gadedøren som overhovedet muligt og holder den under observation, mens vi ringer til hende. Hun tager næppe bagtrappen, hvis hun tror, at opkaldet kommer et helt andet sted fra, vel?"

Assads skægstubbe skilte sig i et mægtigt gab. "Åhh, Carl, jeg er for træt til alt det der. Kan du ikke bare gøre, som du vil?"

Hvornår havde han nogensinde før sagt den sætning?

DER VAR VEL kun femogtyve meter over til opgangen i den store bygning, og den distance kunne de vel nok mande sig op til at løbe, hvis Jazmine skulle dukke op.

'Men hvordan er det nu, pigen ser ud?' tænkte Carl. Han måtte godt nok være mere træt, end han troede.

"Lad mig lige se den selfie, Assad."

Assad rakte ham mobilen.

"Hvor er det mærkeligt," sagde han, mens han så på den. "Den er bare et par uger gammel, og nu er to af dem døde. Det der med de unge mennesker, der dør, det er altså noget, jeg aldrig kommer til at vænne mig til i den her profession." Carl rystede på hovedet. "Sådan et dejligt solskinsvejr og sådan nogle smukke, unge kvinder, der bare har det herligt sammen, og så pludselig er de her ikke mere. Godt, at vi mennesker ikke kender vores fremtid, siger jeg bare."

"Jazmine er hende til højre med det længste hår. Tror du, det er ægte?"

Carl tvivlede, men Assad havde ret. De måtte have øjnene åbne, for piger som dem kunne være som kamæleoner. Lyse den ene dag, mørke den anden, høje på styltehæle, lave på sandaler, selv øjenfarven var ikke længere en uforanderlig størrelse.

"Jeg er sikker på, at jeg kan genkende hende uanset hvad." Assad strøg sig sigende et par gange over næsetippen, og så måtte de jo læne sig op ad den.

Carl ringede til mobilnummeret, der var angivet på klientlisten, og der gik lang, lang tid, før der blev svaret.

"Ved du ikke, at klokken ikke engang er syv?" lød en anklagende og i særklasse sur kvindestemme.

"Jeg beklager, fru Jørgensen. Du taler med vicepolitikommissær Carl Mørck, og jeg håber, du kan hjælpe mig med oplysninger om din datters opholdssted."

"Årh, hold da kæft," sagde hun bare og lagde på.

Så ventede de et kvarter, mens de observerede gadedøren, men den forblev hermetisk lukket.

"Afgang," kommanderede Carl, så Assads ben spjættede. Så nåede han alligevel at få sig en på øjet.

De fandt Karen-Louise Jørgensens navn på dørtelefonen og stod så og lænede sig op ad knappen til hendes lejlighed et par minutter, uden at der skete noget som helst. Det vakte unægtelig visse mistanker.

"Hold øje med porten til gårdanlægget, og bliv der, til jeg siger til, Assad."

Så ringede Carl på et par af de andre dørklokker og blev endelig trykket ind af en, der åbenbart ikke turde andet, da han fortalte, hvor han kom fra.

Der stod allerede et par morgenkåbeklædte kvinder ude på trappen, da Carl stillede sig foran døren med navneskiltet, hvorpå der stod 'Jørgensen'.

"Kunne jeg ikke formå dig til at ringe på?" spurgte han en ældre, gråhåret dame, der stod med et fast greb om den øverste knap i sin spraglede kimono. "Vi er meget bekymrede for fru Jørgensens datter, så vi må bede fru Jørgensen om hjælp til at finde hende. Men da det synes, som om hendes forhold til politiet er lidt anstrengt, så ville det være en god hjælp." Han smilede alt det, han havde lært, og trak sit id-kort op af lommen for at fremme forståelsen.

Den ældre dame nikkede venligt og forstående og trykkede ganske forsigtigt på Jørgensens ringeklokke. "Karen-Louise," sagde hun lige så stille med kinden trykket mod dørfyldningen og med den allermildeste stemme, Carl nogensinde havde hørt. "Det er bare mig, Gerda fra fjerde."

Hvordan det end kunne gå til, så virkede det. Kvinden derinde måtte simpelthen have ører som en flagermus, for et øjeblik efter lød der lidt raslen og et par klik, og så åbnede døren.

"Han er kommet for at hjælpe dig med Jazmine," sagde den stille dame smilende. Et ansigtsudtryk, der på ingen måde blev gengældt, da Carl trådte frem og stak sit id-kort op i synet på hende.

"I idioter er sgu da utrættelige," sagde hun vredt og med et ekstra misbilligende blik møntet på den gamle dame. "Var det dig, der ringede på min mobil?"

Carl nikkede.

"Og legede tågehorn med dørtelefonen?"

"Ja, og undskyld. Men vi er nødt til at vide, hvor Jazmine opholder sig, fru Jørgensen."

"Årh, hold da kæft med det der fru Jørgensen. Forstår I ikke, hvad jeg siger? Jeg *ved ikke*, hvor Jazmine er."

"Er hun inde i lejligheden, så sig det nu, hvis du vil være så venlig."

"Er du tungnem? Jeg ville jo nok vide, hvor min datter opholdt sig, hvis hun befandt sig inde i min egen lejlighed, mon ikke?"

474

Den gamle dame trak Carl i ærmet. "Det er rigtigt nok. Jazmine har ikke været her i ..."

"Tak, Gerda, og nu synes jeg, du skal gå ind til dig selv." Fru Jørgensen løftede hovedet mod de øvrige nysgerrige, der stod og lænede sig til gelænderne. "Og det gælder også jer andre. FARVEL!"

Hun rystede på hovedet. "Så kom dog ind, så alle de glomikler kan få en bar røv at trutte i," sagde hun. Sydhavnens jargon fra dengang, det var arbejderklassens højborg, var åbenbart ikke helt afgået ved døden.

"Hvad er det, Jazmine har lavet, siden I alle sammen er på nakken af mig?" spurgte hun gennem tågen af dagens formentlig første cigaret.

Carl så på hende med respekt. Sandsynligheden for, at denne kvinde havde måttet tage den største tørn i familien, var stor. Hendes hænder var grove, og trækkene i ansigtet præget af natarbejde, trappevask, år ved kasseapparatet eller noget i den stil. Det var ikke smilerynker, der krydrede hendes ansigt, det var rynker af ærgrelse og frustrationer i ét væk.

"Vi er bange for, at Jazmine har medvirket til en række grove forbrydelser, men jeg må understrege, at vi ikke ved noget med bestemthed. Måske tager vi helt fejl, det sker jo, men for at få alting på det rene, og for Jazmines eget bedste, så ..."

"Jeg ved ikke, hvor hun er," sagde hun kort. "Der var et par kvinder, der ringede på et tidspunkt. Den ene sagde, at hun skyldte Jazmine penge, så jeg fortalte hende, at hun var flyttet ud til et eller andet i Stenløse, der hed noget med Sandal ... et eller andet. Andet ved jeg ikke, og jeg har heller ikke fortalt det til andre."

Carl kunne ikke gøre for det, men oplysningen fik ham til at snappe efter vejret i en sådan grad, at kvinden studsede, og de hårde ansigtstræk mildnedes.

"Hvad var det, jeg sagde lige dér?" spurgte hun undrende.

Carl rejste sig. "Du sagde det helt rigtige, Karen-Louise Jørgensen. Det absolut helt rigtige."

475

"FOR KATTEN DA også, Carl. Jeg ved, det var hende, jeg så kigge ud gennem gardinerne i køkkenet. Jeg ved det bare. Vi skulle have låst os ind."

"Ja, det skulle vi jo nok." Carl nikkede og overvejede at slå udrykningsblinket til. "Men desværre siger alt i mig, at det er for sent. At fuglen er fløjet."

"Carl, jeg har en virkelig grim fornemmelse i mig lige nu."

"Også jeg."

"Roses dør var jo åben, for pokker. Det er da ikke normalt, og slet ikke for Rose. Og nu er hun forsvundet op i den blå luft. Og hende Jazmine har hele tiden været lige inde ved siden af, og det har Rigmor Kirschmeyers barnebarn, Denise, garanteret også."

Det var den bemærkning, der skulle til, for at Carl aktiverede sirenen og det blå blink. Så trykkede han speederen i bund.

Da de var nået frem, kørte Carl tjenestevognen helt op på fortovet. Assad var hurtigere end han og stod allerede med låsepistolen i nøglehullet, da Carl trådte stønnende ud på svalegangen.

Så trak han sin pistol og stillede sig i angrebsposition ved siden af døren, da Assad skubbede den op.

"Det er politiet, Jazmine Jørgensen. Kom ud i entreen med hænderne i vejret. Du har tyve sekunder," råbte Carl. Og da der var gået ti, stormede de begge ind, parate til at skyde først.

Lejligheden virkede forladt og udsendte en stærk lugt af urin. Dér i entreen lå der tøj og flød på gulvet, og for enden af entreen inde i stuen kunne man lige akkurat skimte en væltet stol på gulvtæppet. Det virkede slet ikke normalt.

Et øjeblik stod de stille og lyttede ud for et af soveværelserne. Der var ikke en lyd.

Så trådte Carl helt frem mod døren til stuen og trak sig i en glidende bevægelse ind i den og kørte pistolen rundt i lokalet. Heller ingenting derinde.

"Du tager altanen, Assad, så går jeg i spisestuen og soveværelserne."

Carl stod inde i det bageste soveværelse og så på den uredte seng og

476

en masse snavsetøj, der lå spredt ud over gulvet. Han skulle lige til at åbne skabene, da Assad råbte fra altanen, at fuglen virkelig var fløjet.

"Der hænger et lagen ud ad vinduet og flagrer, Carl," lød det.

Fandens, fandens, fandens også!

De stod et øjeblik i dagligstuen og så på hinanden. Ærgrelsen lyste ud af Assad, og Carl følte med ham. Hans øjne og intuition havde været med ham på det rigtige tidspunkt, og så havde Carl stoppet ham.

"Jeg er ked af det, Assad. En anden gang så skal jeg nok stole lidt mere på, hvad du synes, du ser."

Carl så sig omkring i stuen og den tilstødende spisestue.

Overalt flød det med bluser og sko og snavset service. Der var tydelige tegn på tumult. Et par stole var væltet omkuld, og spisebordsdugen trukket ned på gulvet.

"Jeg tager lige det sidste soveværelse," sagde han og noterede sig omgående en lille kuffert på sengen, pakket og klar til afgang.

"Kommer du lige herind, Assad?" råbte han.

Han pegede på kufferten. "Hvad siger du til det her?"

Assad sukkede dybt. "At vedkommende blev afbrudt i sine planer. Jeg håber bare ikke, det var os, der var skyld i det."

Carl nikkede. "Ja, det ville godt nok være kreperligt."

"Hvad betyder kre... Hov, se lige dér, Carl." Han pegede ind under sengen. Carl kunne dårligt se, hvad det var, ikke før Assad tog dimsen op med fingerspidserne. Det var en sammenrullet pengeseddel.

"Skal vi ikke blive enige om, at de her fem hundrede kroner stammer fra diskotek Victoria, Carl?" Han viftede lidt med den.

"Jo, sikkert!"

"Okay, og hvad gør vi så nu?" spurgte han.

"Ja, så ringer vi vel ind til Gården og siger, at de godt kan intensivere eftersøgningen af Jazmine Jørgensen. Vi har efter alt at dømme en identificeret drabsmand på flugt."

Carl hev mobilen op af lommen på vej ud til hoveddøren. Hvis Assad var ærgerlig, så var han det i hvert fald tifold. Ikke alene havde de været så tæt på at fange den eftersøgte, men de kunne sikkert også have forhindret drabet på Denise Kirschmeyer. Hvad der var sket efter flugten ud ad vinduet, og hvad der var foregået imellem Denise og Jazmine Jørgensen, var ham en gåde. Han håbede bare inderligt, at Jazmine blev fanget, så gåden også kunne blive løst.

"Vent lige et øjeblik, Carl, jeg skal tisse, før vi går," sagde Assad. Han standsede foran toiletdøren, der var åbnet lidt på skrå ind i mørket, og så stivnede han.

"Se dér," sagde han og pegede på et par huller i døren.

Carl stak mobilen i lommen.

Så tændte Assad lyset på toilettet og skubbede døren helt op.

Og synet, der mødte dem, slog dem fuldstændig omkuld.

54

Tirsdag den 31. maj 2016

NEDE PÅ PARKERINGSPLADSEN stod der nu mindst ti køretøjer med blinkende lygter på taget. Aktiviteten var blandet og intens, og flere kolleger kom til, nogle for at holde nysgerrige væk, andre for at tjekke gerningsstedet, inden teknikerne kom.

Assad og Carl stod ved siden af og så bekymret til, da de løftede Roses båre ind i ambulancen. Lægen så alvorlig ud og rystede på hovedet. Selv om Rose åndede svagt, så var der så mange tegn på, at det umuligt kunne ende godt.

Assad var utrøstelig, og selvbebrejdelserne nærmest uendelige. "Var vi dog bare gået ind i lejligheden i går," sagde han igen og igen.

Ja, gid de var.

"Hold os orienteret," råbte Carl til lægen, og så kørte de af sted. Med Rose.

De nikkede til embedslægen, der kom ned fra lejligheden.

"Dødsårsagen er skud, og kvinden har formentlig været død i mindst tolv timer. En mere præcis tidsangivelse må retsmedicineren hellere give jer."

"Så kunne det i teorien godt være Jazmine, der har skudt Denise, men hvem har så skudt Jazmine?" kom det stille fra Assad.

"Tjah, der er ikke skyggen af krudtslam på liget, så hun har i hvert fald ikke gjort det selv," sagde lægen med et skævt smil. "Hvis I spørger mig, så finder I krudtslammet på ydersiden af wc-døren."

Carl var enig.

Så tog han fat i Assads hånd og så ham dybt i øjnene. "Hør, Assad, så ved vi i det mindste, at det ikke kan have været Jazmine Jørgensen, der har kørt rundt med Denise Kirschmeyers lig. Til gengæld ved vi, at føreren af bilen med sikkerhed var en kvinde, så nu behøver vi vel ikke at vide mere. Skal vi se at komme af sted?"

Assad havde aldrig før set så trist ud. "Jo. Men så må du love mig, at vi kører ind på hospitalet, lige så snart vi overhovedet kan, ikke?"

"Selvfølgelig, Assad. Jeg har ringet til Gordon, han var meget oprevet over det her, men tager med det samme ind på Rigshospitalet og venter på ambulancen. Vi kan komme i telefonisk kontakt med ham på et hvilket som helst tidspunkt, vi ønsker det, siger han."

"NU ER DER fire opgaver til dig, Assad," sagde Carl, da de kørte mod København. "Vil du sørge for, at Gården sætter en mand til at bevogte Anne-Line Svendsens hus? Derefter får du fat på Lars Bjørn og briefer ham indgående om, hvad der er sket herude, og så får du ham til at aflyse efterlysningen af Jazmine Jørgensen. Sig til ham, at vi er på vej til Webersgade, så dommerkendelsen må gerne være på plads, når vi er fremme. Bagefter ringer du så til centret på Vesterbro, hvor Anne-Line Svendsen arbejder, og hører, om hun er der."

Han nikkede. "Og så til sidst ringer jeg til en af Roses søstre, ikke?"

Carl forsøgte at smile. Uanset hvad så kunne man altid regne med Assad.

DER STOD ALLEREDE en betjent foran Anne-Line Svendsens bopæl, og det var en af Carls gamle kendinge fra Station 1, som nu var blevet overflyttet til ordenspolitiet på Gården. Han hilste afmålt på Carl og bekræftede, at dommerkendelsen var på plads, og tilså så efter alle kunstens regler, hvordan Assad skaffede sig adgang til huset med nøglepistolen.

Navneskiltet udenfor sagde, at Anne-Line Svendsen boede ovenpå, og at et lille firma, der hed Ultimate Machines, havde til huse nedenunder.

Der var ikke lås på døren ind til hendes stue på førstesalen og heller ingen hjemme. De gik ind og konstaterede en nydelig orden alle vegne både oppe på den øverste etage og nedenunder i hendes stueafdeling. Carl snusede ind, for der var en lidt særpræget lugt, som gav ham associationer til et par af de kvinders soveværelser, han havde hygget sig i. Var det lavendel og håndsæbe i skøn forening, det havde han aldrig fundet ud af.

De noterede sig, at opvasken var taget, at sengen var redt, at alt virkede gennemtænkt, og frem for alt, at hele lejligheden var klinisk renset for de afvigelser, som en politimand altid leder efter.

"Hun har været godt i gang med oprydning og rengøring, Carl," sagde Assad, da de stod og prøvede at danne sig et overblik. "Der er ikke noget tøj i vasketøjskurven, og papirkurven og skraldespanden er tømt."

"Prøv at se. Der er låst af til værelset her bagved. Skal vi lige kigge ind i det?"

Assad kom med remedierne og låste op.

"Hvor er det mærkeligt," sagde Carl, da de stod i det lille rum, der på alle vægge havde metalhylder fyldt op med skruer, søm, beslag og andet jerngods.

"Jeg tror ikke, det her rum hører til Anne-Line Svendsens lejemål. Du så selv på skiltet dernede, hvad den anden beboer laver," svarede Assad.

"Så er jeg bange for, at vi ikke finder noget herinde," sagde han og bad Assad låse efter dem.

"Hvad synes du ellers, her mangler eller er for meget af, når du ser dig omkring i lejligheden?" spurgte han, da de igen stod i hendes dagligstue.

"Mange ting, faktisk. For det første mangler der en computer, for dernede på gulvet står der en skærm. Og så er det mærkeligt, at der som det eneste uordentlige i hele lejligheden ligger en dvd fremme, som om den er placeret, så det er det første, man får øje på. Normalt ville man da lægge den ved siden af fjernsynet eller på sofabordet, ville man ikke? Så hvorfor har hun så lagt den lige midt på et ellers helt ryddet skrivebord?"

"Jeg tænker, at hun prøver at demonstrere rigtigheden af sit alibi. Jeg har også lagt mærke til, at der hænger en nøgle med Kaens registreringsnummer på hendes opslagstavle. Det er nok en ekstranøgle, men det får mig alligevel til at tænke på, om der sad en nøgle i hendes bil i går aftes."

"Det gjorde der. Vi snakkede faktisk om det, men Ploug syntes ikke, det var noget bevis for, at det var ejeren af bilen, der førte den. Han underholdt os med, hvor dumme og uforsigtige mennesker kan være, og at det tit sker, at de får stjålet bilnøgler fra deres håndtasker eller fra deres kommoder i entreerne, mens folk i huset sover, og sådan noget."

Det vidste Carl godt, men spørges skulle der jo.

Så rodede de hendes skuffer og skabe igennem, men ud over nogle lægeudtalelser fandt de kun påfaldende lidt af personlig karakter. Det var faktisk ikke normalt.

"Jeg ved godt, at ransagningskendelsen ikke omfatter stueetagen, og at det ikke er hendes lejemål, men skulle vi alligevel ikke lige tage et kig på den, hvad siger du?" spurgte han og så sig om efter Assad.

Han var allerede på vej ned ad trappen.

De entrede maskiningeniørens stue og fandt den fuldstændig overlæsset med maskindele. Hvordan en voksen mand kunne leve sådan, forstod Carl ikke.

"Han er nok ikke så meget hjemme," konkluderede Assad rimeligt nok.

De rodede lidt i stakkene og var lige ved at få nok, da en nydeligt sorteret kasse med en masse oliefiltre ikke helt ulig det, der sad presset fast på revolveren i Kaen, dukkede op.

"Det var godt nok fandens," sagde Carl.

Et øjeblik så de fuldstændig afklaret på hinanden, og så trak Assad mobilen frem.

"Jeg ringer lige til hendes arbejde igen. Mon ikke folk er ved at være der nu?" sagde han.

Carl nikkede og så sig om i lokalet. Ikke ti vilde heste kunne tvinge ham fra den overbevisning, at Anne-Line Svendsen havde stået herinde og eksperimenteret med oliefiltrene for at finde det, der bedst kunne anvendes som lyddæmper. Tænk, at han stadigvæk kunne blive overrasket over, hvor udspekuleret og kynisk et menneske kunne være. Skulle det virkelig vise sig, at det var den her anonyme sagsbehandler, der skulle blive den mest hårdkogte morder, han endnu var stødt på?

Han mærkede, at Assad, der stadig stod med mobilen for øret, prøvede at henlede hans opmærksomhed på noget ovre ved døren.

Carl tiltede sit hoved fra side til side. Umiddelbart kunne han ikke få øje på noget.

"Tak," sagde Assad til personen i den anden ende. Så afbrød han forbindelsen og vendte sig mod Carl. "Anne-Line Svendsen har lige ringet til sit arbejde og fortalt dem, at hun først kommer i eftermiddag. Hun går til stråleterapi på Rigshospitalet og har en tid klokken tretten."

"Godt! Så har vi hende. Du fik vel sagt, at det er stærkt fortroligt, og at hun ikke må nævne det over for andre, før vi giver grønt lys?" sagde Carl.

"Selvfølgelig, ja. Men underligt nok så havde Anne-Line Svendsen også fortalt sekretæren, at hun lige nu cyklede rundt i København for at lede efter sin bil, der var blevet stjålet."

Carl løftede sit ene øjenbryn.

"Ja, et sekund troede jeg også, at vi var på vildspor, men så opdagede jeg lige det der."

Assad pegede igen nedad mod reolen lidt til venstre for døren.

Carl bukkede sig, og så så han det.

Det var et mørkt stænk på måske et par kvadratcentimeter, der var splattet ud på bagvæggen imellem et par hylder med motordele. Eksperter ville kunne sige, præcis hvornår klatten var kommet, i hvilken vinkel den var landet, og helt sikkert også at det var blod af nyere dato.

"Den klat havde Anne-Line Svendsen nok ikke lige set," smilede Assad.

Carl strøg sig over nakken. "Gud fader!" udbrød han. Det her satte for alvor punktum, hvis man skulle have tvivlet. Så *var* cykelturen og hendes snak om at lede efter den stjålne bil bare spil for galleriet ligesom dvd'en oppe på hendes skrivebord. Hun var sørme udspekuleret.

Carl var glad. De havde fat i den rigtige gerningsmand, ingen diskussion om det.

"Det var godt set, Assad." Carl så igen på uret. "Vi har lige tre timer før Anne-Line Svendsens tid på stråleklinikken," sagde han og tastede Gordons nummer ind på mobilen med medhøret koblet til.

Som man kunne forvente, lød fyren trist, men lidt håb udstrålede han dog.

"Nu har de fået liv i Rose, men der er desværre virkelig mange komplikationer. Lige nu arbejdes der hårdt på, at det bare ikke må blive værre. De er meget bekymrede over mængden af blodpropper og for, at både ben og arme har taget varig skade."

Han åndede tungt i den anden ende og græd tilsyneladende. Rose skulle bare vide, hvilken omsorg og affektion han nærede for hende.

"Kan du sende os et foto af hende, Gordon?"

"Det ved jeg ikke, hvorfor?"

"Det er kun for hendes eget bedste, så prøv. Kan man kommunikere med hende?"

"Ikke hvad vi forstår ved almindelig kommunikation, nej. De har en smule kontakt med hende, men de siger også, at hun i psykisk henseende virker uden for rækkevidde. De har tilkaldt de stedlige psykiatere, som har konfereret med hendes behandlere i Glostrup, og de siger, at hvis Rose ikke snart forløses og får bearbejdet sin gamle traumatiske oplevelse oven i alle de andre psykiske problemer, hun lider af, så risikerer hun ud over de mange fysiske skavanker at havne i et evigt mørke."

"Bearbejdet den traumatiske oplevelse, siger du. Sagde de noget om, hvordan de havde forestillet sig, at det skulle ske?"

"Nej, ikke hvad jeg ved af," sagde Gordon. Så opstod der en pause, måske fordi han skulle fatte sig, måske fordi han tænkte. "Men det er vel alt det, der kan lette trykket på hendes skuldre," kom det så.

Assad så på Carl. "Vi må prøve at få lagt låg på det, der skete på Stålvalseværket, er det ikke rigtigt?"

Han nikkede. Det var næsten som 'to tanker og én sjæl', som Assad kunne finde på at udtrykke det.

LEO ANDRESEN STOD med overkrydderen i hånden, da han lukkede dem ind. Her var pensionisternes morgenhygge fuldstændiggjort. Go'morgen Danmark kørte på fuldt drøn på tv'et i baggrunden, stadig med ligegyldige og overflødige madprogrammer som hovedindslag, der var kaffemaskinen, der snurrede, fruens slippers, der slubrede, og tilbudsaviserne, der lå spredt ud over hele bordet som ugens måske bedste underholdning.

"Vi må til bunds i det her, Leo, og jeg siger ligeud, at det rager os en høstblomst, hvem du kommer til at hænge ud, for vores besøg har kun et formål, og det er at hjælpe Rose. Så spyt ud med, hvad du ved, lige på stedet. Har du forstået?"

Han skævede til sin hustru, og selv om hun gjorde, hvad hun kunne, for at skjule det, så bemærkede Carl, at hun lige så stille rystede på hovedet.

Carl vendte sig mod hende og gav hende hånd. "Der står Gunhild Andresen på døren, er det dig?"

En lille trækning ved mundvigen skulle vist gøre det ud for et smil og en bekræftelse på spørgsmålet.

"Goddag, Gunhild. Du fældede en rigtig væmmelig dom over din mand lige nu, ved du godt det?"

Der forsvandt det smil.

"Du sendte ham jo lige en advarsel om, at han skulle holde bøtte, og det betyder i min verden, at han ved mere, end han fortæller os, og at han så nu er en af de hovedmistænkte i drabet på Arne Knudsen den 18. maj 1999."

Han vendte sig mod Leo Andresens chokerede ansigt. "Leo Andresen, klokken er ti syvogfyrre, og du er anholdt."

Assad raslede allerede med håndjernene, der sad i bæltet, og virkningen på de to var voldsom. Skræk, hjælpeløshed og lige på kanten af besvimelse.

"Jamen ..." udstødte han, mens Assad trak hans hænder om på ryggen og klappede håndjernene sammen om håndleddene.

Så vendte Carl sig mod hans chokerede hustru, mens han greb efter sit eget sæt håndjern. "Gunhild Andresen, klokken er ti otteogfyrre, og du er anholdt for forsøg på at forhindre tilvejebringelse af oplysninger til opklaring af et drab."

Der besvimede hun godt nok for alvor.

Fem minutter efter sad de begge to dybt nedbøjede og rystende på deres vante pladser ved køkkenbordet med hænderne fastlåst på ryggen.

"Nu er vi kommet dertil, hvor vi har en meget lang og strabadserende dag foran os, det forstår I vel?"

Det spørgsmål fik ikke mere liv i dem.

"Nå, men først kører vi ind på Politigården i København, og derinde læser jeg sigtelsen op for jer. Så bliver I afhørt og efterfølgende sat i varetægtsarresten. I morgen tidlig vil I så komme for en dommer, der skal tage stilling til vores begæring om en varetægtsfængsling, og når han har bevilliget det, og der er gået nogle uger, og vi til den tid er kommet videre med vores efterforskning, så ser vi på, hvad der skal ske før retssagen. Jeres advokat vil jo nok ... ja, har I forresten sådan en?"

Begge rystede bare på hovedet, det var alt, hvad de evnede.

"Okay, men så får I en beskikket advokat, der skal tale jeres sag og stå for jeres forsvar. Har I forstået, hvad forretningsgangen er?"

Nu græd konen ganske uhæmmet. Det kunne da ikke passe, det her. De havde jo altid levet som ordentlige mennesker og passet deres, så hvorfor lige dem?

"Hørte du det, Leo? 'Lige os,' siger Gunhild? Jamen betyder det så, at I har været flere om det, hvad, Leo?" spurgte Carl. "For er ansvaret fordelt, så vil det måske kunne mildne straffen en smule."

Så fik Leo tungen på gled. "Vi vil gøre lige, hvad du beder os om," bønfaldt han. "Bare du ..." Han tænkte over ordene. "Bare I vil ... Vi har tre børnebørn, de vil slet ikke kunne forstå det her." Han så på sin kone, der sad helt knust og tom i blikket og nikkede for sig selv.

"Hvis vi fortæller jer det hele, vil det så kunne hjælpe os?" spurgte han. "Kan vi så regne med, at alt det, du sagde lige før, ikke kommer til at ske?"

"Ja, det har du mit ord på."

Carl nikkede mod Assad, og han var med.

"Ja, hvis du fortæller det hele, så har du også mit ord," var hans bud.

"Og det kommer heller ikke til at gå ud over nogen af de andre?"

"Nej, det lover vi dig. Fortæl os hele sandheden, så går det nok."

"Vil du så ikke nok låse dem her op?" bad han. "Så kan vi køre over til Benny Andersson. Han bor ikke så langt herfra."

Der lød en ringetone fra Carls mobil. Det var Gordon, der havde sendt et foto af Roses ansigt.

Carl glemte at trække vejret et øjeblik ved synet. Det var fuldstændig hjerteskærende. Så rakte han telefonen til Leo.

MANDEN SÅ BESTEMT ikke glad ud, da han åbnede døren og så Leo Andresens blege ansigt foran resten af deputationen.

"De ved det, Benny," sagde Leo. "Bare ikke hvordan."

Kunne manden have smækket døren i, så havde han gjort det.

"Begynd med manganforgiftningen, Benny," bad Leo, da de sad rundt om sofabordets kedelige drapering af aske og fedtet snask. "Lige meget hvad du siger, så har kommissær Mørck højt og helligt lovet, at det ikke vil blive brugt imod dig eller nogen af os."

"Hvad så med ham der, er han med på det?" spurgte han og pegede på Assad.

"Jeg ved ikke, om det er højt og ligefrem helligt, men du kan jo bare prøve at spørge mig," kom det skarpt fra ham.

"Jeg stoler slet ikke på dem," var Bennys kommentar. "De kan slæbe mig ind på Politigården eller gøre lige, hvad de vil, jeg siger ikke en døjt, og jeg har heller ikke noget at skjule."

Leo Andresen havde engang været den, der bestemte på sin del af arbejdspladsen, det viste han nu. "Er du dum eller hvad? Så tvinger du mig jo til at angive dig, Benny," sagde han vredt.

Benny rodede lidt i sine lommer og fandt endelig sine tændstikker. Han blinkede et par gange, da han tændte sit cerutskod. "Det er mit ord imod dit, Leo. Du kan ikke bevise en skid, og der *er* heller ikke noget at bevise."

"Hej!" brød Carl ind. "Det her handler overhovedet ikke om jer, og hvad I har gjort eller ikke gjort, Benny," sagde Carl. "Det handler kun om Rose, og lige nu har hun det ganske forfærdeligt."

Benny Andersson tøvede lidt, men trak så på skuldrene, som om han ville sige, at det jo nok ikke hjalp på hendes situation, hvis han i stedet fik det værre.

"Hvad var det så med manganforgiftningen, Leo?" spurgte Carl.

Han trak vejret dybt. "Vi skal tilbage før årtusindskiftet, hvor en arbejdsmediciner og en neurolog fandt ud af, at det var sundhedsfarligt at arbejde på værket på grund af de knastørre, svævende partikler fra manganen. Den tilsætter man stålet, fordi den fikserer svovlet og fjerner ilten, så stålet bliver rustfrit og stærkere, men folk blev syge af det, sagde lægerne, og symptomerne lignede Parkinsons, selv om det rent faktisk var en anden del af hjernen, der tog skade.

Det kom der en masse ret markante diskussioner ud af mellem disse to læger og nogle af deres kolleger, der mente, at det var det rene vrøvl.

Til sidst endte det alligevel med, at en del fik arbejdsskadeerstatning, heriblandt Benny, og det kunne virksomheden ikke klare, når den samtidig havde en masse konjunkturbestemte problemer." Leo så på Benny med helt utilsløret skepsis malet i ansigtet, så den diskussion om, hvorvidt han var ramt af en forgiftning eller ej, ville vist aldrig få ende. "Arne Knudsen var godt nok død på det tidspunkt, men inden da påstod han igen og igen, at han også havde taget skade, og det bildte han faktisk alle ind. Når vi ser tilbage på det, så var det sådan nogle medarbejdere som Arne, og undskyld, jeg siger det, men også dig, Benny, der i sidste ende medvirkede til, at virksomheden røg ned."

Benny Andersson smed cerutstumpen i askebægeret. "Det er overhovedet ikke rigtigt, Leo, du fordrejer det hele."

"Nå, men så undskyld for det. Det blev i hvert fald værre og værre med Arne og den der mangan, og det var, mens Rose var her. Hver gang han røg ind i en diskussion med os og fik tørt på, fordi vi jo vidste, at han aldrig kom i nærheden af manganstøvet, så gik han tilbage til Rose og hævnede sig noget så læsterligt. Han prøvede godt nok at få Benny med som allieret, men Benny kunne ikke fordrage ham."

Han vendte sig mod manden. "Er *det* måske ikke rigtigt?"

"Jo, for helvede. Jeg hadede stodderen. Han var en lort, og han havde *ikke* nogen forgiftning, han var bare en ond skiderik, der var ved at ødelægge det for os andre, som vitterligt *var* syge."

"Og Rose havde det virkelig dårligt på grund af sin fars psykiske vold, det kunne vi alle se, så der var mange grunde til, at vi bare ville have Arne Knudsen ad helvede til, væk fra vores hverdag."

"Ville du også have ham væk, Benny?"

"Er det her noget, I optager?" spurgte han.

Carl rystede på hovedet. "Nej. Men se her. Vi har to ting, vi gerne vil vise dig, før vi går videre. Jeg har allerede vist dem til Leo." Så smækkede han et foto af Arne Knudsens lig liggende på en af Retsmedicinsk' stålbrikse op på bordet.

"Føj for satan," sagde Benny, da han betragtede manden med den fuldstændig udsplattede underkrop. Ingen kunne vide, hvad det rent faktisk var, man sad og så på, hvis man altså ikke lige vidste det i forvejen.

"Og så er der det her foto. Det har jeg fået for en halv time siden." Så viste han ham fotoet af Rose på sin mobil.

Benny Andersson famlede efter cerutpakken, mens han dvælede ved det forpinte ansigt. Specielt det ramte lige ind. "Er det Rose?" spurgte han lettere rystet.

"Ja. Tiden imellem de to fotos har været ét langt mareridt for hende, kan du nok se. Hver eneste dag i sytten år har hun levet med billedet af sin smadrede far for sit indre blik og taget hele skylden for hans død på sig. Men nu er omstændighederne blevet sådan, at hendes tilstand er meget, meget dårlig, og hvis I to ikke hjælper os i dag, så dør hun indvendigt. Tror du mig, når du ser det ansigt?"

BENNY OG LEO havde været afsides i fem minutter, da de endelig kom tilbage, og ingen af dem så spor tilpasse ud ved situationen.

Det blev Leo, der startede.

"Vi er blevet enige om at sige, at vi ikke fortryder, hvad vi har medvirket til, og det er jeg helt sikker på, at der heller ikke er nogen af de andre, der gør. Bare så I ved det. Arne Knudsen var en pestbyld, og verden blev et bedre sted at være uden ham."

Carl nikkede. De var bare et par forpulede selvtægtsmænd og mordere, og de havde forpestet livet for Rose. Intet kunne retfærdiggøre deres modbydelige straf, men kom det offentligt frem, så gavnede det bestemt ikke Rose.

"I får mig ikke til at sige, at det, I gjorde, på nogen måde var i orden, men et løfte er et løfte."

"Det er hårdt at sige det, men Rose var vores nyttige idiot, selv om det lyder mere grimt, end det egentlig var ment."

"Blandt andet derfor var jeg til at begynde med imod det, for mit forhold til Rose var mere personligt end de andres," sagde Benny. "Men så gav jeg efter, da Arne begyndte at forpeste luften for os alle sammen. I kan ikke forestille jer, hvor ulidelig han kunne være."

Det troede Carl dog nok. "Kom med det, og skynd jer, vi har ikke hele dagen. Assad og jeg har et ærinde i byen, som vi under ingen omstændigheder må komme for sent til," sagde Carl.

"Okay. Men Rose var altså den eneste, der kunne få sin far til for alvor

490

at hidse sig op, så han overhovedet ikke ænsede andet. Han dyrkede simpelthen sådanne situationer, det var nærmest, som om de kunne give ham udløsning," sagde Leo Andresen.

"Vi var fem på jobbet, der udtænkte planen sammen," indskød Benny Andersson så endelig. "Leo var ikke på job den dag, men 'tilfældigvis'," han gjorde citationstegn i luften over det sidste ord, "så dukkede han op ganske kort tid efter ulykken."

"Jeg sørgede for, at ingen så mig i vagten, og bagefter forsvandt jeg lige så hurtigt igen," supplerede Leo. "Formålet var, at jeg skulle slette alle data om strømafbrydelsen, som en af vores kolleger var blevet instrueret i skulle foregå i det eksakte øjeblik, han fik en besked om det på sin personsøger. Vores eneste problem var nemlig ikke strømafbrydelsen, men timingen af den."

"Vi aftalte, at en af vores formænd, som desværre ikke længere er iblandt os, umiddelbart før ulykken skulle fortælle Roses far den løgnehistorie, at Rose simpelthen havde bagtalt ham på det groveste, hvilket hun aldrig ville turde i virkeligheden," sagde Benny. "Så hendes far var allerede oppe i det ultrarøde felt, da manden, der styrede traverskranen i den gamle hal, meldte sig klar. Så gik Benny til Rose og forklarede hende, at de ville give hendes far en velfortjent lærestreg, og hun bare skulle sørge for at stå på et bestemt sted i hal W15 lige ved båndet til stødovnen, når hendes far begyndte at skælde hende ud. Hun ville vide, at hun skulle gå derhen, når hendes personsøger begyndte at vibrere. Det var alt, hvad hun vidste. Ikke hvad lærestregen i yderste konsekvens gik ud på. Vi andre kaldte det for et uheld, og at det slet ikke havde været det, vi ville, men Rose gik helt ned på det," sluttede Leo af.

"I var altså fem mand om det her?"

"Ja, fem mand og Rose."

Assad så ikke tilfreds ud med den forklaring. "Jeg forstår det ikke, Leo. Du nævnte sidste gang, at du troede, det ikke var en hændelig ulykke, men at den var forsætlig og menneskeskabt. Hvorfor holdt du ikke bare din mund? Du måtte da vide, at det kunne vi ikke lade ligge."

Han bøjede hovedet. "Hvis vi ikke bliver anmeldt af jer, så er det bedste, der kunne ske for mig, at alt nu kommer for dagen. I tror måske, at Rose er den eneste, der har gået og lidt efter det, der skete, men sådan er det overhovedet ikke. Jeg kunne ikke sove i mange år, og de andre fik også problemer. Samvittigheden meldte sig sgu, det gør den jo altid, når den ikke er ren. Jeg fortalte min kone det, og et par af de andre gjorde noget lignende. Benny her blev skilt, og I ser jo, hvad det førte med sig." Han pegede rundt på alt skraldet og svineriet, hvilket ikke lod til at genere Benny. "Og værkføreren, der ellers var en rigtig gæv og ordentlig fyr, tog til sidst livet af sig. Man slipper ikke godt fra sådan noget, så da I henvendte jer, trak samvittighedskvalerne i den ene retning, mens håbet om at slippe for straf trak i den anden." Han så appellerende på ham. "Giver det nogen mening?"

"Det gør det," sagde Assad kort. Han så væk et øjeblik, som om han lige skulle have noget på afstand, og så vendte han sig om mod de to mænd. "Hvordan skal vi løfte skylden væk fra Roses skuldre? Giv os en løsning på det."

Som om det var et stikord, han ventede på, rejste Benny Andersson sig og kantede sig forbi et par mandshøje stakke med aviser og ragelse og trak så en skuffe ud i en kommode proppet med pap og plastikemballage.

Han rodede lidt i skidtet og trak så en lille tingest op af den.

"Her," sagde han og lagde en personsøger i Carls hånd. "Det her er Roses personsøger fra den dag. Hun tabte den på gulvet, da hun så sin far blive knust. Hvis I giver hende den og hilser fra Benny Andersson, så kan I jo selv fortælle hende resten af historien, ikke?"

55

Tirsdag den 31. maj 2016

"DET ER Olaf Borg-Pedersen," sagde manden i telefonen, og yderligere præsentation var ganske overflødig.

Assad vendte det hvide ud af øjnene, og det så voldsomt ud, så store som de var.

"Jeg beklager, Borg-Pedersen," sagde Carl, "men vi kan ikke tale nu."

"Lars Bjørn fortæller mig, at I har fået styr på en masse ting, så vi vil gerne have nogle billeder i kassen, mens du og Assad forklarer vores seere, hvad der er sket siden sidst."

Han blev bare ved, ham Bjørn.

"Okay, men så må det i hvert fald vente til i morgen."

"I morgen sender vi udsendelsen, og vi skulle gerne have tid til at redigere og klippe en del timer inden da, så ..."

"Vi får se," sagde Carl og skulle til at smække røret på.

"Vi har hørt, at ulykkesbilen i går er blevet meldt stjålet af ejeren, så vi har prøvet at komme i kontakt med Anne-Line Svendsen derhjemme for at få en kommentar, men der er hun ikke, og på hendes arbejde siger de bare, at hun er sygemeldt. I skulle vel ikke tilfældigvis vide, hvor hun er?"

"Hvem, siger du?"

"Hende, der ejede Kaen fra i går."

"Nej, hende har vi ikke styr på, hvorfor skulle vi have det? Som du siger, så er bilen meldt stjålet."

"Joh. Men Carl Mørck, vi arbejder jo med tv, så vi skal have billeder og interviews, og når forbryderserne går ud over almindelige mennesker, som for Anne-Line Svendsens vedkommende, der jo har mistet sin bil ved så voldsom en ulykke, så vil det altid interessere vores seere. Anne-Line Svendsen er jo også en slags offer, ikke?"

Assad rystede opgivende på hovedet og viste med et snit hen over halsen, at Carl bare skulle dumpe samtalen.

"Er der epokegørende nyt, Borg-Pedersen, så er du den første, vi ringer til."

Assad og Carl skreg af grin et halvt minut over den løgn. Hvem fanden troede manden, han var?

Carl stak mobilen i lommen og så med overraskelse hen over Blegdamsvej og op på det enorme nybyggeri, der foldede sig ud omkring Rigshospitalet. Var det virkelig så længe siden, at han sidst var kørt dér forbi?

"Hvor pokker er Stråleterapien blevet af, indgangen skulle jo være lige derovre?" Han pegede på et virvar af skurvogne og midlertidige plankeværker.

"Jeg tror, det ligger derinde i mylderet et sted, jeg kan i hvert fald se et skilt," sagde Assad.

Carl trak ind ved skråparkeringen og parkerede halvt oppe på fortovet.

"Vi er i god tid, Anne-Line kommer først om et kvarter," sagde han og så på uret. "Det bliver sgu lige så let som at fange en blind høne."

De vandrede ind i labyrinten af skurvogne og fulgte skiltningen mod opgang 39 og Stråleterapiens indgang.

"Har du været her før, Carl?" spurgte Assad. Han virkede utilpas ved situationen, da de vandrede et par etager ned ad den brede vindeltrappe til røntgenafsnittet, og Carl forstod ham. Ordet 'kræft' hang ligesom og truede i luften.

"Hertil kommer man kun, når man absolut skal," svarede han. Og det håbede han, at han aldrig skulle.

De trak i den automatiske døråbner og trådte ind i det store åbne modtagelokale. Så man bort fra årsagen til, at folk var her, så var der næsten hyggeligt. Et stort akvarium ved endevæggen, mintgrønne beton-søjler, smuk beplantning og masser af naturligt lys blødgjorde indtrykket, og Carl og Assad gik hen mod skranken.

"Goddag," sagde han til sygeplejerskerne og trak sit id-kort frem. "Vi kommer fra Afdeling Q på Politigården og er kommet her for at foretage en anholdelse af en af Deres patienter, der kommer om nogle få minut-ter. Det kommer til at foregå helt udramatisk, så vi ikke skaber unødig uro, men så er I blevet orienteret."

Sygeplejersken så på ham, som om han ikke skulle bryde sig om at komme her og genere deres patienter.

"Vi kommer til at bede Dem om at gøre det uden for Stråleterapiens område," sagde hun. "Vi har at gøre med patienter i en kritisk situation, så hvis De vil være så venlig."

"Øh, jeg er bange for, at det må blive herinde. Vi kan ikke have, at patienten får øje på os på afstand."

Hun tilkaldte en kollega og stod lidt og hviskede med hende.

Så vendte den anden sygeplejerske sig mod dem. "Hvilken patient drejer det sig om?"

"En Anne-Line Svendsen," svarede Carl. "Hun har en tid klokken tretten."

"Anne-Line Svendsen er allerede inde til behandling. Vi havde et af-bud, så vi tog hende ind, lige så snart hun meldte sig. Hun er i rum 2, så jeg må bede jer om at vente. Jeg vil foreslå, at I står over ved indgangs-døren og så gør, hvad I skal, ganske diskret."

Hun pegede mod døren, hvor de var kommet fra.

Der gik ti minutter, hvor sygeplejerskerne jævnligt så over på dem med temmelig strenge blikke. Måske skulle han have sagt, hvad Anne-Line Svendsen skulle anholdes for, så kunne det dog være, at piben ville få en lidt anden lyd.

Hun kom ud af rummet med en stor lærredstaske over skulderen og fortsatte direkte mod indgangen. En helt almindelig, kedelig kone med pjusket hår og fuldstændig blottet for karisma. Sådan en, man kunne gå forbi på gaden og ikke ane, om det var en mand eller kvinde, eller for den sags skyld, om hun overhovedet havde været der. Hvor mange menneskeliv hun havde på samvittigheden, kunne de på nuværende tidspunkt ikke med sikkerhed vide, men mindst fem, hvis man talte efter.

Kvinden så direkte på dem uden at ane, hvem de var, og var det ikke for uroen bag skranken og de nervøse blikke, som sygeplejerskerne sendte hende, så var alt foregået i den allerbedste orden.

Imidlertid standsede hun op på ti meters afstand og rynkede brynene, mens hun så fra skranken og over på dem og tilbage et par gange.

Assad ville gå frem mod hende for at foretage anholdelsen, men Carl stoppede ham. Hun havde før dræbt med skydevåben, og sådan som hun nu så ud, ville hun kunne gøre det igen.

Carl trak langsomt sit id-kort op af lommen og holdt det i luften, så hun kunne se det lidt på afstand.

Så skete der det mærkelige, at hun smilede mod dem.

"Gud, har I fundet min bil?" spurgte hun med et blik, der vist skulle forestille at udstråle glæde og forventning.

Hun trådte nærmere. "Hvor fandt I den? Er den okay?" spurgte hun. Det var så tykt et spil for galleriet. Troede hun virkelig, at de ville hoppe på, at hun uden videre ville godtage, at to betjente opsøgte hende på det her sted bare for at orientere hende om, at de havde fundet hendes bil?

"Ja, for De er vel Anne-Line Svendsen, ikke sandt? Det var en blå og sort Ka," lokkede Carl, for at hun skulle komme tættere på, mens han holdt øje med de mindste bevægelser, hun foretog sig. Havde hun hånden nede i lærredstasken? Drejede hun på noget nede i den? Skulle alt det pladder, hun lige sagde, bare til for at aflede dem?

Carl trådte et par skridt frem for at pågribe hende, men denne gang var det Assad, der stoppede ham med en hånd på hans arm.

"Jeg tror, det er bedst, vi lader hende gå, Carl," sagde Assad og nikkede mod den kapsel, som hun demonstrativt lod dumpe ned i lærredstasken.

Carl stod helt stille. Nu så han, at hun langsomt trak op i et træskaft, man først ikke kunne se, hvad var, og så pludselig kunne konstatere var en håndgranat af den slags, tyskerne brugte under Anden Verdenskrig.

"Jeg har fat i kuglen her," sagde hun med fingerspidserne om en lille hvid porcelænskugle. "Hvis jeg hiver i den og snoren, så vil det her lokale komme til at ligne et slagtehus i løbet af fire sekunder. Er I med?"

Det var de så absolut.

"Gå væk fra døren," sagde hun og trådte hen til snoren, der hang fra loftet. Hun trak i det sorte kuglehåndtag, og glasdøren åbnede sig.

"Hvis I overhovedet kommer i nærheden af mig, så hiver jeg i snoren og smider den mod jer. I skal overhovedet ikke gå op ad trappen. I skal bare blive hernede, til I føler jer helt sikre på, at jeg ikke er i nærheden. Det kunne jo være, at jeg stod og lurede på jer oppe ved indgangen."

Hun så virkelig ud, som om hun mente det. Den grå dame fra lige før var nu forvandlet til en djævel, der kunne finde på hvad som helst. Hendes øjne udstrålede ægte galskab, kompromisløshed, mangel på empati og frem for alt et fuldstændig uforståeligt fravær af angst.

"Anne-Line Svendsen, hvor vil du tage hen?" spurgte Carl. "Alle vil lede efter dig. Du vil ikke kunne færdes nogen steder, uden at der vil være øjne på dig, som vil genkende dig. Jeg tror under ingen omstændigheder på, at en forklædning vil kunne skjule, hvem du er. Du vil ikke kunne tage offentlige transportmidler, ikke passere grænserne, ikke gemme dig i et sommerhus eller under åben himmel og føle dig sikker. Hvorfor så ikke bare slippe den kugle nu, så du ikke kommer til at lave ulykker? Så vil ..."

"STOP!" sagde hun så højt, at alle i lokalet så op. Hun hev endnu en gang i den automatiske døråbner og trådte ud i trappeopgangen.

"Følger I efter mig, så dør I, og jeg er ligeglad med, hvor mange andre der ryger med, forstået?"

Og så gled hun ud og væk.

Carl greb omgående sin mobil og gav tegn til Assad, at han skulle åbne glasdøren, så de kunne følge efter.

I løbet af sekunder fik Carl adviseret alarmtjenesten på Politigården og lagde så på.

De hørte hendes løbende trin øverst i trappeopgangen, og da trinnene forstummede, nikkede de til hinanden og tog trappen to trin ad gangen.

Helt oppe så de gennem hovedindgangens glasdøre direkte over på et grønt plankeværk og ind i siden på en blå container – men Anne-Line Svendsen var ikke til at få øje på.

Carl trak sin pistol. "Du holder dig bag mig, Assad. Hvis jeg kan få hende på skudhold, så prøver jeg at ramme hende i benene."

Assad rystede på hovedet. "Du skal ikke *prøve* på at ramme, Carl, du *skal* ramme. Giv mig pistolen."

Han tog uden videre om pistolløbet og trak den forsigtigt fra Carl.

"Jeg prøver ikke, Carl," sagde han roligt. "Jeg rammer bare."

Hvad fanden, var han nu pludselig også mesterskytte?

Så skred de ud ad døren og rundt i slusen med plankeværket på den ene side og en lav stenmur på den anden. Selvfølgelig var kvinden allerede nået videre, men hvad de derimod ikke havde regnet med, var, at Olaf Borg-Pedersen stod og ventede i plankeværkshjørnet sammen med både kameramand og lydmand, som var i fuld gang med at optage.

Borg-Pedersen smilede mod dem. "For gode ord og lidt betaling fik vi et tip fra sekretæren om, at vi måske kunne møde jer heru..."

"Kan I komme væk!" råbte Assad, og væk kom de, da de så pistolen rettet direkte mod sig.

Carl og Assad drejede om hjørnet og opdagede så helt nede for enden af det grønne plankeværk Anne-Line Svendsen, der gjorde udfald mod en ældre kvinde, som skulle til at sætte sin cykel på støttefoden.

"Hun tager cyklen fra hende," råbte Carl. "Nu forsvinder hun fra os."

Carls lunger peb, da de standsede for enden af plankeværket og stirrede på de ventende taxaer, trafikken ude på Blegdamsvej og en masse skrækslagne mennesker, der kom nede fra Rigshospitalets hovedindgang og pludselig fik øje på en vildt udseende brun mand med et skydevåben i hænderne. Nogle skreg spontant og flygtede til siderne, andre stod bare helt lammede.

"Politiet!" meldte Carl og sprang ud på vejbanen sammen med Assad.

Bagfra kom Borg-Pedersen løbende med hele sit hold, mens han råbte, at de skulle få det hele med, og at det her var live-action, når det var bedst.

"Hun er dernede," konstaterede Assad, mens han pegede mod en sidegade cirka hundrede meter ned mod Ryesgade.

Så stoppede kvinden på et gadehjørne og lo vanvittigt og åbenlyst mod dem. Det var tydeligt at se, at hun nu mente, hun befandt sig i sikkerhed.

"Kan du ramme hende på den afstand?" spurgte Carl.

Assad rystede på hovedet.

"Hvad laver hun?" spurgte Carl. "Står hun og vifter med håndgranaten?"

Assad nikkede. "Jeg tror, hun vil fortælle os, at det er en attrap. Se, nu tager hun fat i kuglen og lader granaten dumpe. Shit, Carl, det var bare en attrap, det ..."

Eksplosionen, der pludselig detonerede og pulveriserede alle ruderne på hjørnet, var om ikke øredøvende så i hvert fald nok til, at taxachauførerne, der stod og snakkede sammen ved holdepladsen, instinktivt sank i knæ og så sig forvildede omkring.

De hørte Olaf Borg-Pedersen udstøde et tilfreds suk bag sig. Så havde Station 3 fået det hele i kassen. Alle de små pulveriserede sedler, der steg over Blegdamsvej som en paddehattesky blandet med kødlunser, der engang havde været en kvinde ved navn Anne-Line Svendsen.

EPILOG

Tirsdag den 31. maj 2016

OLAF BORG-PEDERSEN spruttede af raseri gennem sit røde skæg, da Lars Bjørn iskoldt meddelte ham, at om de så skulle igennem ombudsmands-analyse, interne undersøgelser, pressenævn, dommerkendelser, tilsvi-ning fra presse, diverse politiske trakasserier og alt muligt andet bøvl, så ville Station 3 aldrig få tilladelse til at bruge den sidste halve times opta-gelser. De havde bare at aflevere memorykortene, og det lige på stedet.

Carl smilede. Så var der alligevel grænser for Lars Bjørns samarbejds-villighed. Tænkte han mon på chefpolitiinspektørens og pressechefens reaktioner, når de på en landsdækkende tv-kanal skulle forklare, hvordan det kunne være, at en ikke-autoriseret politimand truede et tv-hold af banen med en pistol, umiddelbart før det begyndte at regne med kød og pengesedler?

"Har du anholdt James Frank og Birgit Kirschmeyer?" hviskede han.

Bjørn nikkede.

"Og de har tilstået?"

Igen nikkede han.

"Så handl med Borg-Pedersen, og giv ham sagerne på et sølvfad. To opklarede mord må da være bedre end ingenting."

Bjørn klemte øjnene sammen et øjeblik og viftede så tv-manden til sig.

"Jeg har et forslag at gøre dig, Borg-Pedersen," hørte de ham sige.

Assad og Carl vendte sig og stod et øjeblik og så op på Rigshospitalets kolosser.

"Går vi bare op til hende?" spurgte Assad.

Carl vidste det ikke. Én ting var, at de lige før skulle prøve at identifi-cere et par kødklumper som hende, de lige havde eftersat, en anden at skulle op og konfronteres med en, som de elskede, og som nu kun var en skygge af sig selv.

De stod tavse hele vejen op i elevatoren og forsøgte at berede sig på synet og håbløsheden.

Gordon var blegere end nogensinde før, da han modtog dem ved elevatordøren, men til gengæld virkede han for første gang underligt voksen.

"Hvordan er situationen?" spurgte Carl nærmest modvilligt. Når man ikke havde lyst til at høre svaret, hvorfor spurgte man så overhovedet?

"Jeg tror ikke, de lader jer komme ind til hende." Han pegede ind i intensivafdelingens gang. "Der sidder et par sygeplejersker og en læge ved monitorerne uden for hendes sygestue, så I er nødt til at spørge dem. Rose ligger i det allerførste undersøgelsesrum."

Carl bankede forsigtigt på glasruden til overvågningsrummet og holdt sit id-kort op mod ruden.

Der kom omgående en sygeplejerske ud. "I kan ikke afhøre Rose Knudsen, hun er meget svag og hallucinerende."

"Vi kommer ikke for at afhøre hende. Hun er en kær og god kollega, og vi kommer for at fortælle hende noget, som vi tror vil kunne hjælpe hende."

Hun rynkede panden på den myndige måde, som mennesker, der regerer over skæbner, kan. "Jeg tror ikke, vi kan godkende det på det her kritiske stadie. I må vente ude foran afdelingen, til jeg kommer ud til jer. Jeg må først snakke med mine kolleger om det. Men regn ikke med noget."

Carl nikkede. Han kunne lige akkurat skimte Roses ansigt derinde på puden.

"Kom, Carl," sagde Assad, mens han trak i ham. "Du kan ikke gøre noget lige nu."

Så sad de alle tre på rad og række og sagde ingenting, mens elevatorerne kørte op og ned, og alle de kittelklædte mennesker på etagen kæmpede for hver deres patient.

"Carl," hørte han en stemme over sig. Han var allerede parat til at rejse sig og høre sygeplejerskens dom, men da han løftede hovedet, så han ind i Monas smukke ansigt, hvis øjne glinsede. Var det tårer?

"Jeg var allerede herinde i forvejen og hørte, at Rose var her," sagde hun stille. "Du fandt hende altså."

Han nikkede. "Ja, men det var nu os alle tre i fællesskab," sagde han og nikkede mod sine to trofaste hjælpere. "Jeg er bange for, at vi ikke får lov at snakke med hende. Men Mona, vi har noget med, som vi tror kan hjælpe hende rigtig meget." Han prøvede at smile skævt, men kunne ikke. "Jeg ved godt, at jeg ikke skulle spørge dig, men det kan jo være, at de vil lytte til dig, fordi du er psykolog og kender sagen. Kunne du måske fortælle dem derinde, at vi kun vil Rose det godt, og at det, vi har tænkt os, kun kan hjælpe hende? Vil du gøre det for os, Mona?"

Hun stod helt stille og så ham ind i øjnene. Så nikkede hun stille og strøg hans kind så blidt, at det næsten ikke føltes.

Carl lukkede øjnene og sank ned på stolen. Berøringen kaldte på så mange følelser, men underligt nok mest på sorg og en uforståelig hud-løshed.

Han mærkede en hånd på sin og opdagede, at han lige nu trak vejret i stød. Oven på de sidste dages så uvirkelige succeser reagerede kroppen nu irrationelt med rystelser og en følelse af, at huden stod i brand.

"Du skal ikke græde," hørte han Assads stemme trøste ham. "Mona skal nok få hjulpet os."

Carl åbnede øjnene og så verden gennem en film af tårer, der gjorde den uvirkelig. Han famlede i sin lomme og fandt personsøgeren frem og gav den til Assad. "Jeg kan ikke," sagde han. "Vil du ikke nok gå ind til hende og fortælle hende det hele, hvis de giver os lov?"

Assad sad og stirrede på personsøgeren, som om det var en hellig kalk, der ville fordampe og evigt forsvinde, hvis han rørte ved den. Hans blin-kende øjenvipper blev pludselig så utroligt lange og levende, det havde Carl aldrig før lagt mærke til.

Så slap Assad Carls hånd og rejste sig. Han rettede lidt på sin skjorte og strøg sit krøllede hår et par gange og gik så hen mod indgangen til afdelingen. Et øjeblik stod han foran døren, som om han skulle tage sig sammen, og så forsvandt han ind ad den.

Der lød stemmer derindefra, som udtrykte utilfredshed, men så hørte han Monas stemme skære igennem og glatte uenighederne ud, og så blev der helt stille.

Efter et minut rejste Gordon og Carl sig. Et øjeblik så de på hinanden som for at give hinanden en slags støtte, før de trådte ind på afdelingen. Gennem glasvæggen kunne de se ryggen af Mona inde i rummet med monitorerne, men Assad selv var der ikke.

"Kom, Carl," sagde Gordon. "Jeg tror godt, vi kan gå ind nu."

De stillede sig et øjeblik i døråbningen til rummet, og da ingen reagerede, listede de ind.

Herfra så de tydeligt, hvad der var ved at ske. Den sygeplejerske, som skulle til at afvise dem lige før, stod inde i Roses rum sammen med Assad og holdt nøje øje med, hvad Assad foretog sig. Carl kunne tydeligt se, hvordan han så ned på Rose, og hvordan hans læber bevægede sig i ét væk. Hans ansigt gennemlevede alle mulige sindsbevægelser, øjnene var intense som hans gestikulerende hænder. Beretningen om en dag for meget lang tid siden, hvor Roses far blev slået ihjel, blev til en pantomime af ord og følelser, som Carl tydeligt kunne dechifrere og genkende. Assad var enestående tålmodig i sin beretning, og sygeplejersken stod og nikkede, mens hun så på ham, som om han havde tryllebundet hende.

Så rakte han personsøgeren ned mod Rose. Carl kunne tydeligt se, at sygeplejersken blev rørt over hans blidhed og omsorg for hendes patient.

Så skete det, der fik Mona til at gispe foran ham og Gordon til at støtte sig til hans skulder.

Pludselig så man på monitoren, at Roses puls steg ganske betydeligt, og at hun inde i rummet løftede sin arm en lille smule fra dynen. Det var tydeligt, at hun ikke magtede mere end det, så Assad tog fat om armen og lagde personsøgeren i hendes udstrakte hånd.

Der lå den et stykke tid, mens hans forklaring blev afsluttet.

Så krummede hendes fingre sig langsomt om personsøgeren, mens armen faldt tilbage på dynen, og lægen og sygeplejerskerne stirrede på skærmbilledet, der viste, at pulsen stille og roligt faldt.

Alle derinde nikkede mod hinanden, som om de var blevet forløst.

ASSAD VAR SEGNEFÆRDIG, da han trådte ud i venteværelset, og Mona gav ham en lang omfavnelse, før han satte sig tungt på stolen og så ud, som om han kunne falde i en dyb søvn lige dér på stedet.

"Hun forstod det hele, Assad?" spurgte Carl.

Han tørrede sine øjne. "Jeg havde aldrig troet, at hun ville være så svag, Carl. Jeg var hele tiden bange for, at jeg ville miste hende derinde. At hun ville lukke sine øjne og aldrig åbne dem igen. Jeg var så bange, det var jeg virkelig."

"Vi så, hun tog imod personsøgeren. Tror du, hun forstod, hvad den betød? At de andre misbrugte hendes tillid til dem? Og at personsøgeren var et symbol på hendes uskyld?"

Assad nikkede. "Hun forstod det hele, Carl. Hun græd hele tiden, og jeg turde næsten ikke fortsætte, men sygeplejersken nikkede hele tiden til mig, så det gjorde jeg."

Carl så på Mona. "Har Rose en chance, tror du?"

Hun smilede, mens tårerne løb ned ad hendes kinder. "I har i hvert fald givet os alle sammen et håb om det, Carl, men det må tiden vise. Men jeg mener bestemt, at hun i psykisk henseende kan være i bedring."

Han nikkede. Han vidste jo godt, at hun ikke kunne trylle noget andet frem end det, der sandsynligvis var virkelighed.

Mona rynkede pludselig panden, og ansigtet fortrak sig i en smerte, som han ikke før havde set i hendes ansigt, og så huskede han det pludselig. Hvorfor havde han ikke tænkt på det lidt før?

"Hvorfor er du egentlig her på hospitalet, Mona, er det din datter?"

Hun så væk og glippede med øjnene, mens hun pressede læberne sammen. Så nikkede hun pludselig og så ham lige ind i øjnene.

"Hold om mig, Carl," sagde hun bare.

Og Carl vidste, at skulle han holde om hende, så skulle det være tæt, fast og længe.

*****

Selfies
Af Jussi Adler-Olsen

Copyright © 2016 Jussi Adler-Olsen og JP/Politikens Hus A/S
Omslagsdesign: Thomas Søke – eyelab.dk
Bogen er trykt hos Nørhaven
Printed in Denmark 2016
1. udgave, 1. oplag
ISBN 978-87-400-2703-7

Kopiering fra denne bog må kun finde sted på institutioner,
der har indgået aftale med Copy-Dan,
og kun inden for de i aftalen nævnte rammer.

Politikens Forlag
Rådhuspladsen 37
1785 København V
Tlf.: 33 47 07 07

www.politikensforlag.dk